在日朝鮮人資料叢書13

龍田光司編

朝鮮人強制動員韓国調査報告

1

いわきにおける朝鮮人戦時労働動員

緑蔭書房

凡　例

一、本文及び附属資料中、氏名の一部を削除した箇所は、○印又は●印で表示した。
一、第１巻の解説は本巻の巻頭に収録した。

第１巻解説

龍田光司

序章　国民総動員と朝鮮人戦時労働動員

アジア太平洋戦争という総力戦を遂行するため、国家総動員体制下で戦時労働動員が行われた時期の戦局の変転など歴史的な経緯とその背景を見る。その中で主な労働動員関連法の制定、整備、崩壊の過程を編年的に振り返る。植民地労働力の導入が国家総動員体制下の国民の義務的労働制の中で、どの様な意味を持つのかを先行研究*に学びながら考える。そのため、植民地の人口構成、形態別動員数も概観した。その中でエネルギー産業の根幹である石炭産業の動員体制がどの様に整備されて来たか、そして、その崩壊の過程で、どの様に朝鮮人労働力や連合軍捕虜の導入の強化に至ったかを労働力の数的な推移の中に見る。最後に朝鮮人戦時労働動員の定義とその種類や実態、動員対象とその変化を概観した。

＊松村高夫「日本帝国主義下における植民地労働者」『経済学報』10 慶應義塾大学経済学会 1967 年。加藤佑治「植民地労働力の導入による全般的労働義務制の再構築」『日本帝国主義下の労働政策―全般的労働義務制の史的究明』第 4 章第 2 節、御茶の水書房、1970 年

第１章　常磐炭田における戦時労働動員の形態と朝鮮人労働動員
―数的検討を中心に

ここではまず常磐炭田における朝鮮人戦時動員について、長澤秀氏が発掘された各種の「労務統計」*を利用して、朝鮮人労働動員が常磐炭田においてどの様な位置を占めていたかを検討する。そのため主たる労働動員法である「徴用令」に基づく動員と「勤労報国令」に基づく各種短期動員と連合軍捕虜の動員について比較検討する。更に常磐炭田では中国人の労働動員がなぜ行われなかったかも含め検討する。戦争末期の動員数の全国統計との比較、政策運用の実態、各炭砿における徴用者数の位置付けを検討する。短期労働は勤労報国隊に始まるが、各種挺身隊、学徒動員などを炭砿別に調べ、その実態を解明する。最後に、常磐における連合軍捕虜動員

の実態は未解明であったが、これも長澤氏の資料集を基にまとめて見た。中国人捕虜の動員は管理費のかさむことを口実に、受け入れを拒否したと思われることを述べた。

＊本書の基本文献として、氏が発掘し編纂した2つの資料集を上げなければならない。『戦時下朝鮮人中国人連合軍俘虜強制連行資料集』と『戦時下強制連行極秘資料集』。詳細は各論に譲る。

第2章　主要炭砿別動員地・動員時期・死亡犠牲者

この章では、いわゆる「強制動員」(「強制連行」) が常磐炭田においてどの様に展開されたかを見る。そのため現在、常磐炭田に関する名簿資料の「常磐炭田戦時朝鮮人労働動員道郡別死亡者名簿」中の出身地の記録を手掛かりに動員地を考察する。特に常磐炭砿関係者には「入所年月日」が記入されているが場合があり、これを手掛かりに動員地と動員時期を特定した。動員地を示す数的な把握はこの他、常磐炭鉱に関しては「昭和19年1月以降満期者現在調」により1942年から、他の動員8炭砿については石炭統制会労務部京城事務所の「半島人労務者供給原調」で43年に限り利用できた。道別、郡別に細かく検討する。出身地は咸鏡北道を除く12道と114の府郡 (1941年21府218郡) にまたがる。次に各企業別の動員地と動員数については、石炭統制会東部支部の「労務状況速報」や「主要炭砿供給種別現在員表」の労務統計表の月別増減や、月末雇入・解雇数などを手掛かりに検討した。大まかな動員の数的動向は掴めた。その他労務係の聞き取りや「死亡犠牲者名簿」を利用して動員地を調べ特定したが、被動員者が数十人いるにもかかわらず動員地が特定できず不明な場合が多い。特徴的なことは動員初期においては慶尚南道・慶尚北道に現地死亡犠牲者が多く、「官斡旋」の動員方式が確立した1942年以後は江原道の死亡者が急増し、一番多くなるという結果が出ている。戦争末期の「徴用期」には平安南道からの動員者も出るようになる。又、入山採炭と磐城炭砿を比較すると、動員者数はほぼ同数である。入山採炭では「官斡旋期」以前には死亡犠牲者が少なく、逆に磐城炭砿では死亡者が多い。この様に必ずしも死亡者と動員には正比例しない場合もあることなどに触れている。

第3章　常磐炭田における強制労働と民族差別

この章では、常磐炭田の戦時動員朝鮮人の労働の実態が強制労働であったことを明らかにした。「強制」の意味については序章で取り上げたが、ここではその暴力的な労務管理がどの様な場面で行われたか、労働の自由がどの様に拘束されていたか、そして枯渇した植民地の労働力を継続的に確保するための「定着指導」という名の強制労働の実態を見る。次にこうした強制も戦時統制の中とはいえ、最大限に利潤を引き出すための手段にほかならず、賃金において日本人との明確な差別があった。強制貯金、家族への送金の実態と共に解雇時における清算、中でも敗戦(解放)時の未払い賃金など、実質的な賃金の支払いの実態を検討した。特に賃金の貯金、送金規定の検討は重要であった。民族差別は朝鮮人の死亡率や傷病率の高さにも顕著で、日本人との違いは朝鮮人が坑内労働に偏重していたことに原因があった。しかも、その救済と扶助は一時的なものでしかなく、帰国後の困窮や後遺症に対する補償は放置されていることを明らかにする。

第4章　朝鮮人寮から見た戦時労働動員

ここでは戦時動員朝鮮人の単身者を中心とする寮の実態を明らかにする。会社は寮を単なる生活の場であるだけでなく、訓練・教育の場として捉えられ、多くの規制や拘束が行われていた。常磐炭田に動員された最大時約 7,000 人の朝鮮人が生活した宿舎の構造や位置の検討を最初に行う。主として福島県側の 8 社 15 ヵ所 21 寮、茨城県側 6 社の内 2 ヵ所を検討の対象とした。その結果、きちんと寮の平面図が残る所は 1 ヵ所のみで、聞き取りにより復元出来たのは 4 ヵ所位である。寮の写真が残っているのは僅かで、最近まで残っていた建物が 1 ヵ所あったが、残念ながら東日本大震災の影響で撤去された。多くの寮は日本人寮と構造上の大きな違いは無く、日本人の宿舎を再利用していた場合も多かったが、その運用において大きな違いが見られた。宿舎への出入り口が限られ、そこには労務係の部屋が設置され、出入りを監視していた。宿舎の周りに塀を設けたり、溝やがけに囲まれた地形を利用して設置したり、簡単に逃亡することのできないしくみになっていた。この様に朝鮮人寮は多くが出入りに障害を伴う場所が選ばれたことが特徴であることも明らかにする。収容人員が戦争末期には定員を越え、最低の1人1畳すら確保されない場合もあった。特に、誰もが日常的に食事の量や質のひどさに不満を訴えており、それが会社関係者や日本人砿夫に対する不満、恨みを生む大きな要因の一つでもあった。

第5章　朝鮮人労働者の抵抗

朝鮮人強制動員研究史は、強制連行性、強制労働性、民族差別性についての聞き取りを中心に、戦前の植民地民衆の悲惨な実態についての研究が多い。それらの研究は朝鮮人労働者の抵抗と結びつけて取り上げられることも多い。植民地支配と抑圧に対する抵抗こそ人々の独立と自由のための歴史の中心的課題である。ここでは「逃亡」や「怠業」などの「消極的」と言われていた抵抗や「集団暴力事件」などの戦時期朝鮮人の組織的抵抗の主要な形態について、常磐炭砿を中心に検討した。資料は『特高月報』や『社会運動の状況』の事例や統計を利用すると共に韓国での訪問調査による聞き取りの成果も取り入れた。一見偶発的なものの様に見える抵抗活動の背景には、日常的民族的な連帯と対話があり、在日朝鮮人との繋がりもあったことを明らかにしようとした。抵抗主体の形成における、植民地本国での民衆意識の在り方にも注意を払っている。付属文書として、『特高月報』所載の戦時動員朝鮮人労働者の「紛争議」の事例 402 件の「戦時朝鮮人抵抗運動等一覧表」と関係統計表等を添付した。

第6章　常磐炭田戦時労働動員朝鮮人犠牲者と動員名簿
―鄭恵瓊氏の関連論文に寄せて

この章は、いわばまとめに当たる章である。韓国では 2004 年以来約 10 年間、戦時下の植民地支配による被害の実態調査が、被害者の救済を目的とする特別法の成立により国家的な事業として取り組まれて来た。その過程で日本政府との合意により自治体、一部企業が所蔵していた動員者名簿などの動員関係資料も韓国政府に引き渡された。常磐炭田に関して韓国政府機関の協力により入手したものもある。ここでは先行する戦時朝鮮人動員史研究者の成果も取り入れて、韓国政府機関の調査課長鄭惠瓊氏が常磐炭田をその対象として提起した動員名簿の活用論を吟味する。筆者はその評価と合わせて名前のみを残した戦時動員犠牲者達の足跡を復元することを本動員史研究の重点とした。現在、常磐炭田での死亡犠牲者は 310 人が確認され、その遺族15人と会い、82人が被害申告していることがわかっている。福島県側の常磐炭田関係動員被害申告者は 875 人に上る。その生存者や遺族からの聞き取りを通じ、今に残る心の傷や後遺症や引き続く貧困の実態を知った。2万人に上る被害者一人ひとりの苦しみや悲しみ、そして希望について知ることこそ、隣国との将来の友好関係を確立する基礎となることを信じて解説を終わる。

尚、巻末に常磐炭田朝鮮人強制動員年表を付した。

各章初出一覧

・序章・第1章　2007年9月（2015年一部修正）
・第2章　2008年1月（2015年一部修正）
・第3章　2008年1月（2015年一部修正）
・第4章　2008年4月（2015年一部修正）
・第5章　2008年5月（2012年加筆、2015年一部修正）
・第6章　2012年11月（2015年一部修正）

目　次

第１巻　いわきにおける朝鮮人戦時労働動員

序章　国民総動員と朝鮮人戦時労働動員

Ⅰ　国家総動員体制下の国民動員

1　国民皆労働制の法的整備と概念

戦時体制の強化のため国民の労働力を軍需工業に集中させるだけでなく、全産業の物と金と人の流れを統制する仕組みを作るという所謂「総力戦」の考えは、既に第 1 次世界大戦時のドイツやフランス、イギリスに現れ、日本でも「軍事工業動員法」にその萌芽を見るという*[1]。日中戦争開始翌年（1938 年）4 月の「国家総動員法」の成立は、それを法的に裏付けるものであった。中でも重要な人の動員は、1939 年 7 月成立の「国民徴用令」を根幹とする各種の労働統制法によるもので、全ての国民を低賃金と劣悪な労働条件の下、「強制労働」の網の目の中に追い込んだ*[2]。

*1 加藤佑治『日本帝国主義下の労働政策』御茶ノ水書房、1970 年、47 頁

*2 同上 23 頁。この制度は第 1 次大戦時にドイツ、フランスなど一部の国に現れたが、第 2 次大戦中にドイツ、日本において全面的は展開を見せ、独占資本にとっては「楽園」、労働者には「軍事監獄」をもたらしたという。

世界大恐慌を克服するための独占資本主義の対応は、国家と独占資本を融合させた「国家独占資本主義」の成立を促した。総力戦の時代という第 1 次大戦後の軍事的戦略的要請を受け、後発の帝国主義国での「国家独占資本主義」の成立は、最も反動的で侵略的なテロ独裁国家「ファシズム」権力の手に依って遂行された。「ファシズム」や「帝国主義」概念は「資本主義の全般的危機説」などと共に、現在、批判的検討が行われている*[1]。「全般的労働義務制」というシェーマ*[2]も同様一定の検討を必要とし、実態を示す概念である「国民皆労動制」とした方が無難である。「全般的労働義務制」という規定そのものを検討するのは本章の課題ではない。便宜上分析の手段として使用したい。

*1 歴史学研究会の「現在歴史学の成果と課題 4」（1975 年）で総括された「日本ファシズム論」や「社会主義論」は 1980 年代末以降、現在に至るまで多くの論点が出されているが、ここではこれ以上触れない。

＊2 加藤前掲書の序章「全般的労働義務制の概念」(32、33 頁）では、その本質は「国家独占資本主義によるその国の国民の有する労働力に対する強力的統括であり、国家独占資本主義の低賃金政策の最高の形態」としている。本来レーニンの規定に依る。

2　国民皆労働制（全般的労働義務制）の時期区分

ほぼ松村論文*に従って、法令の成立を年表風に時期区分した。

＊松村高夫「日本帝国主義下における植民地労働者」『経済学報』10、慶應義塾大学経済学会、1967 年

（1）法的成立期

国家総動員法の成立	1938 年　4 月	
国民職業能力申告令	1939 年　1 月	特定技能者対象
従業者雇入制限令	同年　3 月	技術者・経験労働者の移動制限
国民徴用令	同年　7 月	国の総動員業務の要申告者のみ
第 1 次労務動員計画	同年　7 月	移入朝鮮人 8 万 5 千人計画
青少年雇入制限令	1940 年　2 月	
賃金統制令	同年 10 月	
従業者移動防止令	同年 11 月	

（2）確立期

国民労務手帳法	1941 年　1 月	移動防止政策の極
労務緊急対策（閣議）	同年　8 月	国民皆勤労強調
第 1 回徴用実施	同年　8 月	
国民能力申告令改訂	同年 10 月	要登録者 16 歳～40 歳男子と 25 歳迄の女子
国民徴用令改定	同年 12 月	政府指定工場まで対象拡大、第 2 回改訂
国民勤労報国協力令	同年 12 月	
労務需給調整令	同年 12 月	指定工場の雇用の統制
「朝鮮人内地移入斡旋要綱」	1942 年　2 月	所謂「官斡旋」の略称
第 4 次国民動員計画	同年　5 月	「労務動員計画」より「国民動員計画へ」

労務報国会の成立	同年 9月	日雇い労働者の統制

（3）完成期（崩壊開始期）

連合軍捕虜内地移送開始	1942年10月	
華人労働者内地移入開始	1943年 4月	42年11月閣議決定
勤労報国協力令の改正	同年 6月	男子年齢50歳、隊編成の常時化
学徒戦時動員確立要綱	同年 6月	中学3年以上男子、交替通年
国民徴用令改訂	同年 7月	「確保できない場合」から「必要である場合」に、第3回改訂
女子勤労動員促進に関する件	同年 9月	自主的挺身隊結成促進
緊急国民勤労動員措置要綱	1944年 1月	閣議決定、動員機構の整備に伴う動員主体の地方への移管
国民勤労動員署への移行	同年 3月	
決戦措置要綱に基づく学徒動員実施要領	同年 3月	1年間通年動員
女子挺身隊制度強化方策要綱	同年 3月	国民登録全対象者、差し当り1年
学徒勤労動員令	同年 8月	国民学校高等科、中学低学年も
女子挺身勤労令	同年 8月	概ね1年間
朝鮮人徴用令適用本格化	同年 9月	

（4）崩壊期

国民勤労動員令	1945年 3月	徴用令、学徒勤労動員令、女子挺身隊令の一本化

統合参謀本部よりマッカーサー連合軍最高司令官宛の指令「日本本土における軍政府の降伏後の基本指令」（45年11月4日）により名実ともに全般的労働義務制は崩壊する*。

*加藤前掲『日本帝国主義下の労働政策』261頁

以下、動員過程の各期の特色を示す。

①法的成立期　日中戦争の停滞に対応し本格的な動員体制の確立を必要とした時期（1938年～1940年）

②確立期　アジア太平洋戦争への突入を前提に、戦線の対峙期まで総動員体制が本

格的に展開する（1941年12月〜1942年9月）

③完成期　戦争の戦略的守勢期への転換に対応して再編強化を図るが、実質的には崩壊期への始まりでもある（1942年10月〜1944年）

④崩壊期　戦争の絶望的防衛期に対応して根こそぎ動員が行われる。数の上では最も多くの動員であり、制度としては崩壊する（1945年3月〜）

Ⅱ　全般的義務労働制の構成要素
——国民労働力構成を有業人口（1940年）と種類別動員実態から見る

1　労働力動員の基礎—大日本帝国の有業人口構成と植民地人口

1940年の日本（「内地」）の有業人口は32,482,500人、無業人口は38,898,200人で、合計71,380,700人。植民地人口は朝鮮24,326,300人、台湾5,872,100人、樺太414,900人、半植民地「満洲国」は43,202,900人である。日本「内地」の有業人口の構成は、経営者183,900人、軍人1,694,400人、地主178,000人。作業労働者の主力は工業で5,499,100人、次に商業は1,521,100人、鉱業は515,200人に過ぎない。事務労働者は1,687,600人で、労働者の合計は11,432,900人。地主を除いた農水産業人口（家族労働含む）は13,841,600人、内、自小作農（同前）9,603,200人、自作農（同前）3,834,800人。参考として、作業労働者の内、農業、非農業の対比は9,600,600人対9,947,400人で、非農業人口がこの時点では優るようになる*。

＊以上については、原朗「戦時統制経済の開始」『岩波日本史講座』20巻、岩波書店、1982年（特装版）、247頁より引用。

戦時編制替えにより構造上どう変わったかは、中村隆夫「戦時経済その崩壊」など参照。ここでは同論文の「労務（国民）動員計画の推移」（『岩波日本史講座』20巻、145頁）を、恣意的ではあるが、動員計画の概要を見るため一部を引用させていただく。

労働動員需用・供給数年次別推移

	1939年	1940年	1941年	1942年	1943年	1944年
需要総数	1,095	1,154	2,212	1,968	1,906	4,031
供給総数	1,139	1,224	2,212	1,968	2,396	4,542(A)

朝鮮人	85	88	81	120	170	320(B)
小中学卒	467	465	513	865	926	1,090
転業者	105	218	1,153	647	782	709
無業者	50	40	169	90	308	270
陸海軍人	1,620	1,723	2,411	2,829	3,808	5,365(C)

＊(A)勤労報国隊男女各500を含む。(B)中国人30を含む。(C)1945年8月時7,193
＊単位1,000人

2　種類別動員数の概略

（1）徴用

①徴用者年次別推移*（現員・新規合わせて、44年は2月現在）

1941年	1942年	1943年	1944年	合計
478,225人	577,395人	729,637人	187,872人	1,973,129人

＊『労働行政史』労働省、労働省労働法令研究会、1962年、1,104頁の表より筆者作成

②終戦時徴用総数*

現員　4,554,598人
新規　1,609,558人

合計　6,164,156人（A）

（2）その他*（徴用以外、終戦時）

・学徒動員　1,927,379人
・女子挺身隊　472,573人
・外地移入　356,890人
・一般従業者　4,183,271人

合計　6,940,113人(B)

（A）＋（B）＝総計　13,104,269人

＊「太平洋戦争下の労働者の状態」『日本労働年鑑』別巻、大原社会問題研究所、1971年、26頁

（3）産業別（民間および軍需会社含む）徴用人数*（単位 1,000 人）

工作機械	航空機	化学製品	鉄鋼	石炭	金属	石炭以外鉱業	造船
1,293	1,276	772	479	286	286	227	214

＊前掲「太平洋戦争下の労働者の状態」28 頁、J.B コーヘン・大内兵衛訳『戦時戦後の日本経済』岩波書店、1951 年、73 頁

以上、煩瑣な引用は、戦時動員全体の中で石炭業の位置付けを理解するための作業であったが、以下更に石炭業全体の戦時動員の実態を検討する。

Ⅲ　炭砿における種類別動員の実態

昭和恐慌以来繰り返されていた石炭減産政策は、日中戦争の勃発と共に戦争遂行上の「重要産業」として位置付けられるようになった。1936 年度の 4,200 万トンから 1941 年度には 6,500 万トンを目標に、新坑の開発等の増産奨励政策が採られた。1938 年から始まった企画院の「生産力拡充計画」では、石炭は鉄鋼に次ぐ地位に置かれ「あらゆる産業の基礎にして生産力拡充の遂行上最も重要なる資源」とされた（1939 年「生産力拡充計画実施の状況並びに今後の対策」）*。

＊「国家総動員Ⅰ、経済」『現代史資料』43、みすず書房、1983 年、221 頁。『いわき市史』別巻「常磐炭田史」1989 年、いわき市発行、458 頁、「重要産業 54 年計画要綱」（1941 年 5 月）等参照。

増産上の隘路として資材と労働力の不足が第 1 に挙げられ、「労務動員計画」では、①小学卒その他の就職者の統制　②農村労働力との調整、季節的調整　③商業等「不用」業務の節減　④女子労働力の導入　⑤朝鮮人労働力の導入　⑥徴用の手段の適用などを挙げている*。しかし、石炭の生産は 1940 年をピークに減少に入る（常磐炭田は 1943 年がピーク）。

＊「昭和 14 年労務動員計画綱領」（1939 年 7 月 4 日）「国家総動員Ⅰ、経済」『現代史資料』43、みすず書房、1983 年、429 頁

太平洋戦争へ突入すると、兵力の更なる動員と軍需産業の拡充のため、いよいよ本格的な国民皆勤体制が確立される。国家総動員法の 4、5、6 条の改定や適用による「徴用制」の拡充、「勤労報国隊」制度の確立・拡充、「不用産業」からの労働力の転用が行われる。更に女子労働力や学徒の労働力導入が重点になった。労働には対価を求めるニュアンスがあるが、義務や強制ではない「愛国心の発露」としての「勤労」「報国」という無償労働が要求された*。

＊商工経営研究会編『問答式勤労報国協力令』大同書院、1942年、5頁

戦局が対峙から守勢段階へ転化、更には絶望的守勢期に入ると、政府は軍部からの現状を無視した増産計画を受け入れ、始めから不可能な航空機や造船のための増産計画を承認した。1944年度の内地石炭生産目標が6,300万トンに決定された。この間、1943年11月には企画院と商工省が合併して軍需省となる。12月には「勤労動員機構の整備」の一環として勤労動員署や県の動員課の設置、地方への動員権限の移管は「国民勤労義務制」の破綻の現れでもあった*。

＊松村前掲「日本帝国主義下における植民地労働者」168頁

1944年1月には「緊急国民勤労動員措置要綱」が閣議決定され、これにより「女子挺身隊令」や「学徒勤労動員令」に続く一連の文字通りの根こそぎ動員への措置が採られていった。1944年3月には「石炭勤労緊急措置要領」が閣議決定され、石炭業への人員の重点配備が決定された*。

＊労働省編『労働行政史』労働省労働法令研究会、1962年、1,099頁

「石炭勤労緊急措置要領」の内容は次の通りである。

①主要炭砿の軍需会社指定により国家性を高める　②指定は特に優秀なるものにする　③継続勤務者は指名徴用を行う　④坑外より坑内に転換する　⑤石炭に関係のある団体、会社の男子職員は一定期間交替で従事さす（会社挺身隊）⑥廃止、中止する土木工事に従事する土木関係者（土木挺身隊）⑦各庁、府県毎に石炭挺身隊を組織し、炭砿業務に従事さす（6ヵ月を下回らない）（府県挺身隊）⑧3、4ヵ月期間満了の勤報隊の1ヵ月延長　⑨集団移入朝鮮人の期間延長　⑩学徒動員。専門学徒には指導的任務に、一般学徒は坑外に。徴用割り当て人員の技能習得のため設けられた「国民」及び「府県」「勤労訓練所」の第1回入所者の76%は炭砿の対象者であった*。

＊同上、1,097頁

石炭挺身隊については石炭統制会東部支部の労務専門委員会（1944年6月15日、日炭第1会議室）議事録に、①会社挺身隊、「オル人数ノ5％」　②土建挺身隊、「九州方面ニノミ（山口ヲフクム）」　③市町村挺身隊、「之ハ最モ期待ヲカケテオル給源ノ一ツ」「六月末ニハ出動ヲハジメテクレルモノト思フ」「主ナ県ニ対シテハ幹部ヲアゲテ歴訪スル予定」「一人当リ十円ヲ出シテ費用ニアテルヤウニタノムツモリ」「計一万一千人」などとある*。

＊長澤秀編『戦時下強制連行極秘資料集』(以下『極秘資料集』と略記) Ⅳ、緑蔭書房、1996年、165頁

尚、「勤労報国隊に関する報告書」(大日本産業報国会、1943年4月)に、これ以外に鉱山監督局の指導下で、従来は短期といっていた「石炭確保挺身隊」が、1942年下半期に出来た。「勤労報国隊」とはいくらか待遇等も違う動員形態であった*。「挺身隊要綱」によって組織されたものだという。ここに出てくる「石炭挺身隊」のことであろうか、詳しくは不明。「女子の報国挺身隊」なども当初はこの「挺身隊要綱」に依ったのだろう。

＊「勤労報国隊に関する報告書」『勤労管理指導資料』大日本産業報国会、1943年、34頁。北海道炭鉱汽船労務課員池田秋穂の「工場鉱山等事業場側の意見」という座談会での発言、1942年12月

Ⅳ 戦時下炭砿労働者の推移

戦時下炭砿労働者年次別在籍者数(各年6月末) 単位人

	1941年	1942年	1943年	1944年
日本人一般	297,284	289,688	251,070	230,428
内徴用				103,506
朝鮮人	54,453	66,346	107,141	125,470
内徴用				71,765
報国隊(後、短期)	6,145	4,314	9,395	12,713
連合国捕虜			2,006	4,037
中国人				1,380

＊1941、42年は「炭砿労務者移動調」労務部(長澤秀編『戦時下朝鮮人中国人連合軍俘虜強制連行資料集』Ⅰ朝鮮人強制連行統計編、緑蔭書房、1992年、20頁。以下『資料集』と略記)。1941年、報国隊は6月末統計がないので7月末統計。1943年は「県別炭砿労務者移動調」(1943年6月分)、108頁。1944年は「全国炭砿労務者移動状況調」25頁、内徴用は「主要炭砿給源種別現在員表」235頁。

更に同上の資料から徴用者や短期労働者の内訳が分かる。1944年7月から12月までを詳細に見ると、炭砿での労働力構成の変化、特に9月に徴用とその他の数が逆転し、強制動員朝鮮人の場合は7月当初から、「内地一般」(在日朝鮮人を含む)は10月から逆転している。尚、既住朝鮮人は統計に現れた12月まで一貫して徴用が少ない理由は不明。炭砿における現員徴用の開始は軍需会社指定と共に始ることにな

っているが、数字的には確認できない。

①炭砿動員供給源別在籍数　1944 年　　単位人

	内地一般		移入朝鮮人		短期労務者	捕虜	中国人
	徴用	その他	徴用	その他			
7月	103,506	143,771	71,765	37,105	23,417	4,604	2,250
8月	112,530	133,603	82,068	25,211	33,988	5,254	2,959
9月	116,523	133,603	89,403	24,295	32,804	6,131	3,703
10月	129,651	120,943	100,871	19,311	26,099	6,282	5,002
11月	141,108	115,692	100,121	16,691	25,659	7,137	6,277
12月	171,666	38,922	101,536	15,598	27,950	7,491	6,024

＊「主要炭砿給源種別現在員表」(1944 年 7 月、243 頁・9 月、252 頁)、8 月 (261 頁)、10 月 (270 頁)、11 月 (271 頁)、12 月 (280 頁)。「給源種別労務者月末現在数調」(1944 年 8 月・10 月－12 月) 石炭統制会勤労部、243 頁、252 － 288 頁 (長澤前掲『資料集』 I)

②炭砿動員の「徴用」と「その他」人員数比較　1944 年　単位人

	徴用	その他*	合計
7月	175,271	211,147	386,418
8月	194,598	201,015	395,613
9月	205,926	200,536	406,462
10月	230,522	177,637	408,159
11月	241,229	171,456	412,685
12月	273,202	95,985	369,187

＊「その他」は「短期・捕虜・中国人・その他」の合計を示す。合計数字は合わないが、資料をそのまま引用。短期には勤報、季節、土建、府県の短期労働者及び学徒動員、女子挺身隊等を含む。詳しくは第 1 章短期動員の項参照。

表①に依ると、1944 年の 12 月には、「内地一般」以外の炭砿労働者 158,599 人が、何らかの形で強制労働を強いられた人々によって構成されていたことになる。

V　強制動員の定義と類型

1　強制連行の上位概念としての戦時労働動員とその定義*1

「朝鮮人戦時労働動員」とは1938年、日中戦争遂行のため国家総動員法が施行され、1939年から始まった「労務動員計画」により計画的、集団的に国家の支援の下で行れた植民地労働力の大規模な動員政策によって、宗主国に動員された植民地朝鮮人の動員のことである。従って朝鮮の国内動員は含めない。

強制動員は物理的狩猟的連行だけでなく、行政的、法的、精神的、社会的強制による動員を含むのである*[2]。

＊1 戦時労働動員を強制連行、強制労働、民族差別の上位概念とするのは古庄正氏による。

＊2 この点については、海野福寿氏が中国人や連合軍捕虜への「強制」との違いを法的強制の側面から深めた。これを受け、山田昭次氏は連行時の「強制」の意味の具体的様相を明らかにした。即ち1997年の日本鋼管戦後補償判決への反論で、物理的強制以外の強制形態として、①経済的窮迫から生まれた日本への幻想的期待　②植民地支配機構の末端に及んだ政治的圧力　③青年の進路選択幅の狭さ　④皇民化教育を挙げている。又、金英達氏の「法的強制力や皇民化教育による心理的強制、行政的圧力が作用、時には物理的暴力も作用した」という総括も紹介している（山田昭次・古圧正・樋口雄一『朝鮮人戦時労働動員』岩波書店、2005年、41、42頁）。

即ち強制動員の強制性の3つの類型が挙げられる。

①暴力的・人狩的強制—総督府役人、会社労務、面職員、里長によるもの

②法的行政的強制—徴用令、勤労報国協力令、各種行政法、通牒、通達

③人格的精神的強制—儒教倫理、皇民教育、共同体規制

更に動員の契機を細かく見ると下記の要因が挙げられる。

①あこがれ、生活苦　②甘言詐欺（白い飯、高賃金、好待遇）③二者択一（懲役か労役か）④代りの要求（兄、父か自分）⑤不利益取り扱い（配給停止）⑥精神的強制（国の為、村の為）⑦暴力的制裁　⑧処罰（懲役、罰金）⑨寝込み襲い、留置⑩街頭での拉致

「戦時労働動員」は更に一度動員に応じるとその後の契約拒否ができないという連行後の強制労働性、つまり暴力的就労督促、逃亡防止、特定の職種への就業の強制などの奴隷労働性と民族の同化・抹殺を図った皇民化の強要や虐待、差別的待遇による民族差別性*[1] を特色とした。そして「強制連行」という言葉自身は植民地支配を告発する意味を込めた用語として依然として意味を持つとする。つまり「強制」とは国家主権を奪われた植民地人民に対する構造的な支配の特質を現した言葉であると解する*[2]。

以上、「戦時労働動員」の特色を列挙すると次の様にまとめられる。

①強制連行性—計画性、集団性、強制性（物理的、行政的、法的、精神的）
②強制労働性—契約の破棄や就労拒否、職種選択権なし、暴力的拘束
③民族差別性—皇民化の強要、虐待、賃金始め待遇上の差別（植民地統治の構造的要因に起因する）

＊1 古庄氏は都市における工場労働者の広告募集の実態分析や北海道への動員における物理的強制の実態分析などを通じ、それが決して例外的な動員方式でないことを指摘された。又、戦時動員の概念の深化のため、賃金や待遇などの民族差別の側面からの戦時動員の特質を明らかにしようとした（古庄「朝鮮人強制連行と広告募集」『在日朝鮮人史研究』32号、緑蔭書房、2002年。古庄「朝鮮人戦時労働動員における民族差別」『在日朝鮮人史研究』36号、2006年）。

＊2 物理的強制が戦時動員の崩壊期に増加したことから、「募集期」、「官斡旋期」、「徴用期」と段階的に増加するというような理解は単純化の弊を免れない。「募集期」は制度の不備の故か物理的動員もあるという外村大氏の指摘なども考慮に入れるなら、植民地支配下では、経済外強制の一環としての暴力の行使は、いわば本質的側面であることを指摘したい（「アリラン通信」34号、文化センターアリラン、2005年、13－15頁）。
　尚、季刊『戦争責任』55（2007年春季号）の「強制連行」の特集において上杉聡氏は、「強制連行」と「拉致」の2つの概念の共通性について述べている。特に「軍慰安婦」の研究の中で、物理的強制がなくても甘言や誘惑により国外に移動させ、移動地で「身体的自由」が奪われ、「強制行為」があれば誘拐罪に当たるという。こうした点で、北海道の炭砿は勿論、鉱山や炭砿の多くの場合、「拉致」と「強制連行」の2つの概念を隔てるものは何も無いとも言える。

2　動員時期と動員対象

（1）動員時期

朝鮮人の戦時動員は労働動員と軍事動員の2つに大別できる。労働動員は更に国民動員実施計画による労務動員と女子勤労挺身隊に分けることができる。前者の場合、動員形態によって時期を区分することができる（各期の形態の特徴については第2章を参照）。

・集団募集期（1939年9月～1942年1月）
・官斡旋期（1942年2月～1944年8月）
・徴用期（1944年9月～1945年8月）

尚、軍事動員は兵士（志願兵、徴兵）、軍要員（軍属・軍夫）、軍慰安婦に分けられる*。

＊分類は山田・古庄・樋口前掲『朝鮮人戦時労働動員』によった。

（2）動員対象

次にどの様な人たちが労働動員の対象となったのか、概観しておく。

①朝鮮南部農村地帯の貧困な人々—炭砿や金属鉱山、土木現場や港湾荷役に

i 仕組まれた農村再編成計画

朝鮮での戦時動員計画は 1940 年 3 月に朝鮮総督府が行った「労務資源調査」*から、「理想面積」を基に「過剰戸数」を導き出し、南部を中心とする過剰労働力で北部の工業や日本の労働力不足を補い、合せて農村の消費米を少なくし、米の供出量を増やすという極めて組織的な政策であった。

＊海野福寿「朝鮮の労務動員」『近代日本と植民地』5、岩波書店、1993 年

ii 動員対象となった人達

対象となったのは農村の発言権のない、貧農や農村労働者、農家の二、三男であった。1942 年の内務警察部長の各警察署長宛の通達によると、「希望者、無職者、年少者、独身者、扶養の少ない者」と動員選定の順位が記されている。この対象者名簿は、各郡邑面及び所轄警察署と国民総力連盟に備え置かれ、総督府からの動員計画に従い「供出」された*。

＊樋口雄一『戦時下朝鮮の農民生活誌』社会評論社、1998 年

iii 災害救済事業と勘違い

1939 年は大干ばつで、農村には職を求める人々で溢れたため、第 1 回目の動員の場合、会社から派遣された募集係は選取り見取りであった。しかし、動員の実態が明らかになるに従い募集は困難になる。

②軍需工業の徴用工や女子挺身隊の場合

i 軍需工業の「徴用工」

軍需工場への動員は 1942 年頃から行われるようになるが、多くは広告募集と学校の推薦によるもので、初期の肉体労働を中心とした鉱山や土木現場への動員とは違い、動員後も一定の自由が許容されていたが、監視の目は厳しかった。

ii 女子挺身隊

1944 年 8 月の「女子挺身勤労令」に基づく道別の動員割当は、国民学校の先生や地域公官庁の仲介を経てなされた。「皇民化教育」による日本へのあこがれや、貧困家庭でも上級学校への進学もできると言う甘言に騙されて動員された場合が多かった。富山や静岡、愛知の紡績、航空機の工員として働かされたが、韓国では「軍慰

安婦」と混同されたため、2次被害を受ける場合も多かった。

③次第に上層部の人達も

「徴用期」になると、農村の上層部も動員の対象となる。動員への抵抗が部落ぐるみになる可能性が生まれていく。支配と抵抗の抗争は益々先鋭化した。

第1章　常磐炭田における戦時労働動員の形態と朝鮮人労働動員―数的検討を中心に

Ⅰ　徴用制

日本の帝国主義下の「徴用制」については、ナチスドイツの「緊急労務令」などの「戦時強制労働」を特徴とする「全般的義務労働制」との比較を必要とするが、今は私の手に余る課題である。せいぜい地域における徴用の実態を明らかにして朝鮮人の強制動員との比較、位置付が出来ればと考える。

まず、いわき地域において、炭砿以外の軍需工場「指定」工場、政府・軍の「管理」工場として、「徴用制」の対象工場は、呉羽化学工業（1944.7.21、軍需工場指定従業員1,530人、応召者260人）と常磐製作所（1944.12.25）である*。

＊いわき地域には他にもあると思われるが未調査

又、勿来、平国民勤労動員署の管内で、徴用の対象となった個人についての実態把握も皆目雲を掴む様な状態で分からない。ただ、大野村の「昭和20年1月大野村勤労分布・給源調査報告」（「昭和20年国民動員関係綴」『いわき市史』近代資料編Ⅰ下）には、平国民勤労動員署長より大野村長に対し、「決戦勤労対策として、今後ますます正確迅速を要する勤労機動配置の円滑のため、調査の資料整備の上ご協力願いたい」として、公務員、農林漁業、時局産業、日雇い、無業者の数字を報告させている文書がある。

徴用の命令者は厚生大臣と庁府県長官である。具体的な徴用対象者を選ぶ作業はどんなものなのか。

国民勤労動員署では、府県から来た徴用割当書に基付き、徴用のための基礎台帳である各市町村長より提出させる「被徴用者調査登録連名簿」*や国民職業能力申告令による「国民登録票」の発行台帳の様なものを通じて、徴用対象者を選び、出頭命令を出す。

＊「被徴用者の調査登録に関する件」（1941年12月16日、厚生省令第57号）により「国民勤労動員署長は市町村長の意見を徴し、補助を求むることを得」としている。

更に、徴用官を中心に検査官*立ち会いの上で、200人を限度に庁府県内に設けられた選考場で選考の上、徴用者を決定するのであろう。

*徴用官は朝鮮では「道の鉱工部長、労務課長、その他道技師、府尹、郡守、島司」となっている(『国民徴用の解説』朝鮮総督府労務課事務官)。日本では警視庁部長,道府県部長、地方長官の指定する事務官、職業官、技師又は地方のその任に当たるもので、普通は地方職業官たる国民勤労動員署長が当たる。検査官は徴用医官、徴用補佐官、徴用係員。医官は一会場5人程度で、医師会員に臨時委嘱する(『改正国民徴用令解説』銀行問題研究会編、1944年7月)。

1 常磐炭田(福島県側)徴用適用の状況(1944年)

既に炭砿における徴用の全国的な数値については見たが、常磐炭田全体の動きも全国的な傾向とほぼ同一であることが確認出来る。

常磐炭田徴用適用状況(1944年)

	内地一般		移入朝鮮人		合計(短期等も含む)		
	徴用	その他	徴用	その他	徴用	その他	合計
7月	3,805	9,955	2,425	3,531	6,230	15,159	21,389
8月	6,293	7,347	4,727	1,269	11,020	10,877	21,897
9月	6,863	7,106	4,671	1,171	11,534	10,427	21,961
10月	9,029	5,810	5,995	616	15,024	8,345	23,369
11月	10,865	5,488	5,828	506	16,693	7,870	24,563
12月	11,701	4,635	5,694	381	17,395	7,139	24,534

*「主要炭砿給源種別現在員表」7月(237頁)、9月(246頁)、「給源別労務者月末現在数調」7月(237頁)、8月(255頁)、9月(246頁)、10月(264頁)、11月(274頁)、12月(283頁)の福島県分の合計欄より作成(長澤前掲『資料集』I)
その他は徴用以外の一般雇用を指すが内訳は不明。

但し「移入朝鮮人」の徴用は「内地一般」よりやや少なく始まり、その後の急速な適用で、8月には徴用とその他は逆転する。

2 徴用の炭砿別実態

(1)常磐炭砿湯本砿

前掲「主要炭砿供給源別現在員表」によると、1944年7月では「内地一般」の徴用者は3,372中40人に過ぎず、「移入朝鮮人」は2,257人中0人である。内郷砿が徴用工は3,845人中2,312人、「移入朝鮮人」は1,676人中368人であるのとは対照的である。逆に湯本砿では、8月以後は徴用者が増え続け、12月には被徴用者が、「内地一般」では113人、「移入朝鮮人」では164人と急速に減少し、同じ炭鉱でも内郷の方は漸減して、12月には湯本とほぼ同じ水準で止まっている。特に大きな意味はないと思うが、合併後もいくらかの対応の違いが現れている。磐崎砿も12月段階では非徴用者が「内地一般」で889人中28人、「移入朝鮮人」で467人中0人と徴用者が大多数になっている。

（2）古河好間炭砿

もう1つの地域内の軍需指定会社である。7月の「内地一般」は1,613人中徴用者946人、「移入朝鮮人」は837人中676人と徴用率は高い。12月の「内地一般」は1,937人中1,840人、「移入朝鮮人」は1,005人全員徴用で、急速に徴用制が導入されている。朝鮮人については官斡旋と併用することが、10月に統制会東部支部が各炭砿に送付した「朝鮮人労務者内地送出改善強化概要」に記されている*[1]。この様に現員、新規とも全て徴用という事例もあることがわかる。徴用か「官斡旋」募集か「自由」募集かという違いは、動員上の単なるさじ加減という指摘もあるが、実際の待遇においては余り差が無かったことも確かである*[2]。

＊1 西成田豊『在日朝鮮人の「世界」と「帝国」国家』東京大学出版会、1997年、250頁
＊2「労務専門委員会19・2・5」長澤前掲『極秘資料集』Ⅳ、157－158頁

（3）大日本勿来炭砿

統制会会員ではあるが、従業員は1944年10月頃は2,073人に過ぎず、軍需会社に指定されていない。戦時事業として徴用制が適用された様である。「内地一般」1,411人中1,245人が徴用で、「移入朝鮮人」554人は全て徴用となっている。

この会社は、1944年6月20日の石炭統制会東部支部勤労部長会議での会議録メモ「朝鮮人労務者ノ定着指導ニ関スル件」*[1]で常磐炭砿の入山、内郷、好間がうまく行っているとしている。その中で勿来炭砿は「空気ワルシ、定着指導ハヨクナイ、警察力ニヨッテ定着シタノデ結果ワルシ」としている。1945年6月に金村周玄ら7人が国家総動員法に違反して逃亡するのを、汽車の乗車券購入、稼働先の斡旋などをして助けた良原徹錫が懲役4ヵ月の判決*[2]を受けたという事件があった。逃亡防

止に「徴用制」が果した役割を裏付けている。

＊1 長澤前掲『極秘資料集』Ⅳ、172 頁

＊2「福島県平区裁判所検事局裁判判決原本」1940～45 年

一方、1944 年 11 月には忠清北道の堤川隊 17 人の定着記念写真が残されていることから、労働の拘束を巡る労働者と会社のやり取りが推察できる。後に触れるように、敗戦と同時に帰国希望が出て、逸早く就労を拒否した下地は作られていった様に思われる。

（4）鳳城小田炭砿

統制会の組合員。1944 年 9 月時の徴用者は従業員 1,236 人中 149 人。その全員が樺太から転換徴用の朝鮮人労働者である。扱いは既住朝鮮人となっている。11 月以後は、内地人も 46 人が徴用となっている*。

＊長澤前掲『資料集』Ⅰ「主要炭砿給源種別現在員表」1944 年 9 月分、246 頁。「給源種別労務者月末現在数調」1944 年 11 月分、273 頁

以下は 10 月から「徴用制」が導入された炭砿である*。

（5）大昭上山田炭砿

「移入朝鮮人」のみ 159 人中 68 人。

（6）日曹赤井炭砿

「内地一般」441 人中 313 人、「移入朝鮮人」181 人中 131 人

＊同上 10 月分、264 頁

最後に「徴用制」がほぼ全ての小炭砿にまで適用される様になったのは 12 月からで、以下の平（48 人）、三和（81 人）、品川黒田（45 人）、三松（81 人）、王城第 3（35 人）である*。ここには戦時強制動員の朝鮮人はいないが既住朝鮮人はいた。

＊同上 12 月分、282 頁

統計上、それでも適用されないのが 6 炭砿あった。隅田川、戸部，王城第 3、日曹福島、福山、日曹常磐の炭砿である。平区裁判所の判決では、王城第 3 砿の採炭夫高順鉄が、1944 年 8 月 19 日に現員徴用されたにも拘わらず、12 月 15 日から 1945 年の 6 月 11 日まで総動員物資の生産の業務に従事せず、無届欠勤に付き 8 ヵ月の懲

役刑を受けているが、この統計資料にはない。既住朝鮮人 6 人は徴用外のその他の項に入っている。統計の不備によるものかは不明である。

＊同上 12 月分、282－283 頁

3　徴用された労働者の地位

まず、今まで詳細な常磐炭田での徴用者の数的実態について、いくつかの資料で検討したが、新規徴用と現員徴用*の数的構成について調べる必要がある。徴用者としての地位の不安定な雇用の実態を明らかにすることの重要性は言うまでもない。

＊徴用の形態には 2 つの形式があり、一つは新規徴用（増員徴用）と他は現員徴用（自家徴用）と呼ばれる。従業場所が法令によって強制的に他に転換させられるか、そのままの職場で徴用され固定されるかの違いである（加藤前掲『日本帝国主義下の労働政策』170 頁）

炭砿で被徴用者として数字に表れているのは、軍需指定に伴う現任徴用が多いことは、その数的推移を見ても推定できる。

半数以上が新規徴用ということは考えられないからだ。特に戦時動員による朝鮮人の徴用率が高いことは（最終的には 100％近い）、それを裏付ける。

そこで試しに石炭統制会勤労部の資料*により雇入、解雇、就業率調と供給源別統計が重なる 1944 年 8 月の統計で見てみる。

＊長澤前掲『資料集』Ⅰ、221 頁、253 頁

統制会会員の場合、全国の新規雇入は「内地人」8,972 人、「移入朝鮮人」18,116 人。仙台管内では夫々、「内地人」507 人、「移入朝鮮人」513 人である。

それに対し、同期の被徴用者は全国で「内地人」106,242 人、「移入朝鮮人」81,254 人。

仙台管内で「内地人」6,292 人、「移入朝鮮人」4,727 人である。

新規雇入が全員新規徴用としても、新規徴用率は全国では「内地人」の場合 8.4％、「移入朝鮮人」22.3％、仙台管内では「内地人」8.0％、「移入朝鮮人」10.8％となる。朝鮮人の新規徴用率が全国、仙台共に高いことが分かる。

次に、軍需工場に指定されていない炭砿での徴用が進んでいることである。先の、王城第 3 炭砿で国家総動員法違反判決は、既住朝鮮人が現員徴用を受けているケースである。統計には現れないが、中小炭砿での「確保デキナイ」場合を変更して「必要アル」場合の「移動員業務ニ従事セシムル」徴用が進んでいることを意味する。

＊1943年7月21日の国民徴用令の第3次「改正」による。

地域の炭砿に、サービス業や商業、不用産業から転業させられた「新規徴用者」の状態に付いては具体的証言を欠く。徴用者の賃金規定や賃金待遇についての実証的検討も充分出来ていない*。

＊「徴用工」と呼ばれた新規被徴用者の年齢構成の変化や前歴、労働条件については、加藤前掲書、171－219頁「徴用制の実態」に詳しい。賃金は「徴用工は生活できず」、労働現場は「何も言わずにただ働け」と軍隊式の懲罰と錬成による「軍事監獄」化、労働の「希釈化」など職場の「底辺」に位置付けられた徴用工の具体的実態が述べられている。地域における検証は、植民地労働者など他の戦時動員の実態を知る上で不可欠だが、残念ながら到っていない。

徴用令の規定では「従事スル業務及ビ場所ニ応ジ且ツ従前ノ給与ソノ他ニ準ズベキ収入ヲ勘酌シテ、被徴用者ヲ使用スル官衙ノ長又ハ事業主コレヲ支給スルモノトス」とされているが、基本的には前歴の評価は事業主の指示に従うことになる場合が多かった様である。疾病や災害死亡者については、本人や家族が困窮した場合は「扶助、医療、助産、生業扶助及び埋葬費」を支給するものとしている。軍需工場における現員徴用制は「日本独特」のものというが、新人（現員）徴用者の不満を逸らす役割を果たした*。

＊加藤前掲書、168－170頁

II　短期労働者

「短期労働者」とは「国民勤労報国令」「学徒勤労動員令」「女子挺身勤労令」「石炭挺身隊令」など、主として国家総動員令の5条勤労協力命令による動員を指す。本来1ヵ月の自発的な勤労奉仕や罰則なしの命令による動員が中心であった*[1]ものが6ヵ月から1年に及ぶ長期な強制動員にまで拡大したもので､4条に基づく徴用令との差は無くなり、協力令が徴用令と間違えられる場合が朝鮮だけでなく日本国内にもあった様だ*[2]。その実態の解明は国民義務労働制の実態や「理念」を掴む上において極めて重要と思われる*[3]。朝鮮における官斡旋方式による動員との共通性、差異性などに注目している*[4]。

＊1 ドイツの国民労働奉仕法（1935年6月25日）による国民勤労奉仕団が、学校卒業後兵役が始まるまでの青年と女子青年に、6ヵ月間の開拓の義務労働を課したものであるのに対し、日本の場合は国民の義務として働ける全ての国民を網羅したものである。

*2 国民勤労協力令が交付されることで、徴用と誤解されたのではないか。

*3「義務や強制と考えて従事するが如きは絶対に許さるべきではなく」「愛国心の発露としてキン然として参加しなければならない」。前掲『問答式勤労報国協力令の解説』

*4 朝鮮労務協会が主に行う「官斡旋」と朝鮮における1942年勤労報国隊の常時編成強化をバックに動員がなされる勤労報国隊特別隊が道外、国外斡旋との共通の基礎になっているという見方と両者は別という見方がある。罰則を伴わない点で、勤労報国協力令に似ているが、期間2年間は徴用令に近い。ただ、斡旋はあくまで命令ではないので、性格は本来違う。

1　全国炭砿の短期労働者の数的推移

1941年～1945年全国炭砿労務者移動状況調　石炭統制会勤労部

1941年7月	6,120人	
8月	11,492	
9月	3,271	
10月	1,991	
11月	3,086	
12月	12,803	「国民勤労報国令」施行
1942年1月	21,273	
2月	17,980	
3月	8,483	
4月	1,702	
5月	2,789	
6月	4,328	
7月	6,543	
8月	12,421	
9月	5,815	
10月	2,419	
11月	5,975	
12月	8,406	
1943年1月	26,994	「生産増強勤労緊急対策要綱」
2月	27,010	

3月	13,064	
4月	10,905	
5月	9,909	
6月	9,395	「労務調整令改正」「勤労協力令改正」
7月	11,059	
8月	12,354	
9月	12,363	
10月	10,896	
11月	12,503	
12月	15,529	
1944年1月	30,858	「緊急国民勤労動員方策要綱」
2月	30,779	
3月	22,571	
4月	21,030	
5月	12,950	
6月	13,398	
7月	23,417	
8月	33,988	「女子挺身勤労令・学徒勤労動員令」
9月	32,804	
10月	26,099	
11月	25,658	
12月	27,950	
1945年1月	28,047	
2月	29,783	
3月	22,005	
4月	15,794	
5月	19,770	
6月	21,336	
7月	18,642	
8月	3,562	

＊長澤前掲『資料集』Ⅰ、1941 年度～1945 年度までの「全国炭砿労務者移動状況調」石炭統制会勤労部の「月末労務者数」の「短期」の項より作成。1941 年 7 月～1942 年 7 月は 30 頁、1942 年 8 月～1943 年 3 月は 31 頁、1943 年 4 月～1944 年 3 月は 32 頁、1944 年 4 月～1945 年 3 月は 39 頁、1945 年 4 月～8 月は 46 頁を参照。

動員数増大のピークが幾つかある。まず日米開戦へ向けての総動員体制の確立期（1941 年 12 月、国民勤労報国令の施行）。

次に戦況が対峙から防衛段階への移行期、1943 年初め。「生産増強勤労緊急対策要綱」が閣議決定され、徴用の強化と男子労働力の使用制限と転換、女子動員の強化が決定され、6 月の「労務調整令」、「勤労協力令」の改正に続く時期である。

更に、「決戦非常措置要綱」に見る絶対国防圏の死守段階、1944 年 1 月、「緊急国民勤労動員方策要綱」の閣議決定。

そして、最後に絶望的抗戦期（1944 年 8 月、「学徒勤労令」、「女子挺身隊」の施行）。この様に戦局の動きと結びついた動員数の動きは、それを反映した動員政策の強化に伴うものである。

最多動員は 1944 年 8 月で、本格的な学徒や女子の短期動員への依存が始まった時期である。「石炭勤労緊急措置要領」による石炭挺身隊の本格的組織化によるものだろう。しかし、これらが決して生産力の拡大に結び付かないことは後に検討する通りである。男子労働力の枯渇を転換労働や若年、女子労働力により穴埋めしようとする政策は、労働動員政策の破綻段階に入ったことを意味する。

なお、これら動員の月末在籍総数は 73 万人を超え、1944 年だけでも 30 万人に上る。平均動員期間を 2 ヵ月とすれば、15 万人が動員されたことになる。

2　常磐炭田（福島県側）の短期労働者の数的推移

常磐炭田における短期労働の数的推移　　単位人

	内郷　　磐崎	入山	好間	勿来	赤井	小田	上山田	合計
41年9月		29	22					51
10月								
11月		29	115	2				146
12月	131	291	559	145				1,126
42年1月	109	190	399	137				835

2月	24		108	106	74				312
3月	1		29		24				54
4月	50		4	64	18				136
5月	48			66	66				180
6月				8	2				10
7月	70		94	201	93				458
8月	179		65	241	129				614
9月	389		151	135					679
10月	105		51	152	20				328
11月	337		61	42	51				491
12月									
43年1月			48	20					68
2月			50	20					70
3月	190		52	169	65				476
4月	437		50	243	85				815
5月	304	106	109	163	26	20			728
6月	281	65	137	242	105	60			890
7月	282	66	132	57	21	60			618
8月	362	37	153	238	103	40			933
9月	353	37	129	60	60	40			679
10月	308	24	156	184	61	40			773
11月	300	24	219	56	91	40			730
12月	471	147	713	631	180	40	34	33	2, 249
44年1月	391	179	763	443	228	40	65	33	2, 164
2月	337	84	648	728	198	40	74	33	2, 179
3月	189	15	350	122	45	40	15	33	831
4月	238	32	178	240	65	40	40	30	863
5月	247	32	160	209	0	40	40	26	757
6月	176	12	113	160	32	40	43	14	590
7月	399	73	318	326	103	20	32	62	1, 333

8月	503	205	315	352	113	40	54	48	1,670
9月	480	160	305	378	108	40	59	-	1,569
10月	451	114	257	354	108	20	-	-	1,328
11月	373	85	294	417	95	-		-	1,285
12月	427	67	328	584	105	-	4	-	1,549
45年1月	425	67	328	584	105	-	4	-	1,650
2月	261	1	313	495	128	-	13	37	1,539
3月									1,029
4月									738
5月	72	-	275	194	110	-	-	28	787
6月	53	1	45	150	87	-	-	14	530
7月	90	18	62	115	71	-	-	-	548
8月									61

＊1941年12月～1943年4月は常磐炭砿磐城炭砿の統計。5月から統計の取り方が変わり、内郷と磐崎に分かれる。1941年9月～1942年8月は長澤前掲『極秘資料集』Ⅳ「鉱夫月末現在数内訳表」(1942年9月16日)、83頁、1942年9月～1943年4月は、同上Ⅳ「鉱夫月末現在数内訳表」(43年4月)、84頁に所収。1943年5月～9月は前掲『資料集』Ⅰ「県別炭砿労務者移動調」95・96頁（5月)、103・104頁（6月)、111・112頁（7月)、119・120頁（8月)、127・128頁（9月）に所収。1943年10月～1944年7月は同上「労務状況速報」137・138頁（10月)、145・146頁（11月)、153・154頁（12月)、161・162頁（1944年1月)、169・170頁（2月)、177・178頁（3月)、185頁（4月)、194頁（5月)、203頁（6月)、212頁（7月）に所収。1944年8月、10月・11月は前掲『資料集』Ⅳ「給源種別労務者月末現在数調」255頁、264頁、273・274頁に所収。9月は同上「主要炭砿給源種別現在員表」246頁、12月は同上「炭砿給源種別現在員数」282・283頁に所収。1945年1月、2月、5月～7月は同上「昭和二十年各月末勤労者現在数調」109頁（1月)、116頁（2月)、110頁（5月)、112頁（6月)、114頁（7月）に所収。合計数字は常磐炭田全体の数字。1943年5月～1944年3月の炭砿名は磐崎ではなく長倉となっているが場所は同じ。又、入山は1944年4月から湯本になっている。

いわき地域内の炭砿における短期的勤労動員は、「勤労報国協力令」の出る以前から各種の形で行われていたと思われるが、統計的には1941年の6月、入山・好間の両炭砿で各砿29人・22人で始まっている。12月には旧4大炭砿全てに配置されており、好間炭砿の559人は全動員者1,129人の半ばを占めている。

常磐炭田（東北管内）での動員数の経緯を見ると、ほぼ全国の炭砿における傾向と一にしているが、1943年初めはむしろ減少し、6、8月に増大している。最大のピークが1944年の1、2、3月の2,000人台で、全炭砿のピークである8月は1,600人台となり、その後は1,000人台を維持して、翌年の4月には738人へと減少の一途をたどる。

炭砿別に見る場合、4大炭砿の短期動員は1941年の6月から統計上には現れている。1943年12月までは中小炭砿への動員はなく、以後、小田、上山田、隅田川、戸部、王城などが動員の対象となって行った。残念ながら、1945年1月以後の統計はない。特に注目されるのは好間炭砿への動員数が一貫して多いことである。個別の検討は次に行う。

資料が残っている1944年7月から翌年の1月までの全国な短期労働の内訳は、1944年8月末で下記の通りである。

単位人

勤労報国隊	9,997	通年学徒	3,625
季節労働者	637	其他学徒	817
会社挺身隊	2,901	天理教	6,223
土建　〃	530	その他	186
府県　〃	8,160	合計	33,988
女子　〃	907		

＊長澤前掲『資料集』Ⅰ、253頁、「給源種別労務者月末現在数調」石炭統制会勤労部、1944年8月末「短期労務者」会員・組合合計より

この表からは、勤労報国隊、府県挺身隊　通年学徒、天理教が多くを出し、土建挺身隊や女子挺身隊は多くない。その他を加えると学徒が次第に増え、1月時では8,147人となり府県挺身隊は4,186人と半減している。勤労報国隊は増減が激しい。6～7,000人をキープしていた天理教ひのきしん隊は1月で激減して819人となっている。

山形県の田川炭砿を含む数字であるが東北管区の数字を見る*。

単位人

	勤報	季節	会社	土建	府県	女子	学徒	天理	合 計
1944年8月	325	19	92	0	900	62	350	197	1,945
1945年1月	697	597	71	0	166	33	451	42	2,054

＊長澤前掲『資料集』Ⅰ、1944年8月、253頁、1945年1月、307頁

全国的傾向とほぼ同じであるが、1943年1月の全国的な第2のピーク時には最低の谷間になっている。その理由は分からない。季節労動者が多いこと、土建挺身隊は組織されていない点が大きな違いである。土建挺身隊が少ないことは前にも見た通りである。

3　炭砿別の短期動員の実態

1944年8月時点での内郷、湯本、磐崎、好間、勿来の各炭砿について検討する。

炭砿別短期動員数（1944年）　　単位人

	勤報	季節	会社	府県	女子	学徒	天理	合計
内郷	47	4	20	319	20	93	0	503
湯本	26	5	14	127	0	93	50	315
磐崎	18	0	29	158	0	0	0	205
好間	8	10	24	167	17	39	87	352
勿来	10	0	0	45	0	38	20	113

＊同前「給源種別労務者月末現在数調」1944年8月末、255頁、福島県の項より引用

女子挺身隊については、1944年4月に植田高女を卒業した瀬谷某らが、好間に挺身隊として元校長に付き添われて、3ヵ月間選炭作業に携わった証言がある＊。宿舎では絹の布団で、期間が終わった時は植田の駅まで婦人会の人たちの出迎えがあった、とかなり鳴り物入りで扱われた様である。

＊「平和を語る集い」会員、瀬谷イチ子氏よりの聞き取り（『戦争と勿来』第1号、1985年、55頁）

一方、学徒動員の方は7月から内郷と湯本は磐城中学の5年生200人の割当があり、鹿島砿の引き込み線建設の工事と常磐製作所に動員され、その回顧談が記録されている＊[1]。好間は平商業学校の4年生＊[2]、勿来は平工業高校の土木科の3年生である＊[3]ことが分かっている。

＊1 蛭田耕一『人間煌煌』いわき歴史愛好家、2008年、147頁
＊2 福島県立平商業高等学校『母校の歴史』1983年、87頁
＊3 小宅幸一『黒いダイヤの記録』私家版、1997年、50頁、『常磐毎日新聞』1945年7月18日付

4　短期動員の位置付けと評価

短期動員の多くは坑外、選炭などの比較的軽労働に従事する場合が多かったが、坑内労働に従事する場合もあった。この場合は、後山に使われ、朝鮮人の先山は止めて欲しいという懇談会での声*[1] などがあった。勤労意欲のなさ、坑内労働に不慣れなものが短期間に出入りするので、却ってお荷物になっているとされている*[2]。

＊1 商業報国会中央本部機関誌『月報』1944 年 1 月 19 日号（『いわき市史』別巻『常磐炭田史』、いわき市、1989 年、505 頁所収）

＊2 同上『いわき市史』505 頁

殉職者が災害者名簿にも出ていることから、不慣れな労働の中で、災害に遭遇する場合も少なくなかったと思われる*[1]。勤労報国隊員が期間の 1 ヵ月延長に抗議したことから、「朝鮮人は 2 年延長を納得した」のに悪い影響を与えるとして、内地人の指導をもっとやる必要があるという労務係の声があった*[2]。

＊1 石炭統制会東部支部「災害原簿」によると 1942 年 7 月～44 年 9 月までの死者は 0 人で、負傷者は 37 人である。負傷者は日本人一般（35 人）より多い。

＊2 前掲『極秘資料集』Ⅳ、166 頁

短期の労働者は、朝鮮人労働者と比べ戦力になっていないことは、1 人当たりの出炭能率が内地人の常用労働者を 1.0 とすると、朝鮮人 0.7、連合軍捕虜・中国人 0.6、内地人短期労働者 0.5 であった。短期労働者を更に詳しく見ると、土建挺身隊 0.8、会社挺身隊 0.5、府県挺身隊 0.5、学徒 0.2 である。結果として労働者 1 人当たりの年出炭量は、1941 年の 103 トンから 45 年の 81 トンにまで落ち込んだといわれる*。

＊梅津知好編『石炭国家統制史』日本経済研究所、1958 年（『いわき市史』501 頁より引用）

最後に、「徴用」された労働者が職場内でどの様な待遇を受けたのかを見る。地域の戦争体験を綴った『カボチャと防空頭巾』（いわき地域学会、いわき市地域史学会出版部、1994 年）中の、「父が徴用で炭砿に」（高橋紀信、277 頁）によれば、徴用先の炭砿から「勤労報国隊員や学徒隊などの未熟練短期就労者や朝鮮人が投入されていて、定住の就労者とは色々差別があるということが伝わって来た」。帰って来てから「怪我や病気になった隊員を休息させたり治療するのが大変だった」とか、ある隊員は「あんたたちは、伝書鳩以下なんだから文句言うんじゃねいよ」とどやされたという。「軍人、軍属、軍馬、…そして最後が軍鳩、人間としてはもちろん、生き物としても扱って貰えなかった」というエピソードを伝えている。又、「雀の涙の手当。石炭はまさかタダで国が持って行くわけであるまいし、人を虫けら同然に扱って儲けている奴がいる」と憤っている*。2ヵ月の徴用と書いていることから、「勤労報国隊」への動員を徴用と間違えたのであろう。又、「日本人はまだいい、朝鮮人はかわいそうだ。戦争だからといって、していいことと悪いことがある」とも言っていたという。同じく「強制動員」されて、差別された日本人のやさしい眼差しを見て取れる。

＊勤労報国隊による協力を受けたものは「往復旅費、手当または謝金、宿泊量、食費、その他必要と認められた経費」を負担することになっている。ここでいう「手当」または「謝金」は「いわゆる賃金と名付けたものを支給するのとは本令の趣旨から違う」ことが強調されている（前掲『問答式勤労報国協力令の解説』1942年、5頁、61－63頁）。

Ⅲ　連合軍捕虜及び中国人労働者

1　連合軍捕虜「導入」の数的把握

どの位の数の連合軍の捕虜が使われていたかというと、1942年4月の捕虜はアメリカ人94,347人で、イギリス人46,327人、次いでオランダ人、オーストラリア人と続く。その内「内地」に移送され、労務に「使役」されたのは、1942年10月以後34,152人と言われ、死者は3,415人に及ぶ（10％）*[1]。炭砿で使われたのは、1943年2,006人、44年4,327人、45年9,719人となっている*[2]。

＊1 捕虜情報局『捕虜月報』第3（内海愛子『日本軍の捕虜政策』206頁）
＊2 前掲『常磐炭田史』526頁

常磐炭田における捕虜に関する統計は1943年4月から始まる*。この月の雇入は145人で解雇が0人、5月は5人の解雇、月末数は140人となる。この数字は1944年3月に1人減となるまで、1年近く変化が無かった。以下に動員の推移を見る。

＊捕虜の受け入れは「俘虜ニ関スル件報告」（長澤前掲『資料集』Ⅳ連合軍俘虜、295－301頁）に詳しい。1943年4月26日12時30分、湯本駅に普通列車で将校以下145人の捕虜が到着。皇軍の指揮の下に、収容所まで徒歩行軍したことなど、詳細な報告書が5月20日に磐城炭砿砿業所から石炭統制会東部支部宛に提出されている。統計上の数字と一致している。

常磐炭田における連合軍捕虜炭砿別在籍数の推移 単位人

	内郷	湯本	好間	合計
1943				
4	145			145
5	140			140
1944				
1	140			146
2	140			140
3	139			139
4	139			139
5	138		202	340*
6	138	131	202	471
7		138	202	340
8		389	202	591*
9		379	202	581
10		389	202	591
11		389	202	591
12		380	194	574
1945				
1				568
2				547
3				548
4				546
5		556	238	794*
6		556	238	794
7		556	238	794
8				238
9				0

＊長澤前掲『資料集』Ⅰ。1944 年 3 月は「労務状況速報」178 頁、4 月は同 185 頁、5 月は同 194 頁、6 月は同 203 頁、7 月は「主要炭砿給源種別現在員表」212 頁、8 月～ 12 月は

「給源種別労務者月末現在数調」223頁、246頁、264頁、274頁、283頁。1945年1月は「炭砿労務者旬末現在数調」1月下旬分、307頁、4月は「四月末労務者現在数」309頁、同上『資料集』Ⅳ。1945年5月は「昭和二十年五月末勤労者現在数調」110頁、6月は同上6月末、112頁、7月は同上7月末、114頁。3月、8月、9月は『いわき市史』別巻『常磐炭田史』516頁、第168表。1944年6月の471人は統計上は、湯本の131人を加算したものによるが、内郷砿から湯本砿に所属が変更になったことによる見かけ上の移動で、実際の数は合計333人である。

数的に大きな増加を見せているのは3回（表に＊で表示）あり、大量の受け入れがあったものと思われる。

炭砿毎の統計は1943年5月より残っている。これによると内郷砿としてこの数字（139人）が出ていて、磐城炭砿の小名浜坑のことと思われる。44年の6月、8月の湯本は合併後の鹿島砿*[1]が湯本に算入されるようになった。45年の6月は個別統計がないので分からないが、45年8月21日の連合軍への提出文書では常磐炭砿は湯本町（仙台第1分所）は567人、好間（仙台第2分所）は246人となっているので、常磐200人、好間50人の「派遣」要請への結果として派遣されたものと思われる*[2]。

＊1 鹿島砿は入山採炭（湯本）と磐城炭砿（内郷）の合併（1944年3月）にともない、湯本町内の大字水野谷に所在するので内郷砿より湯本砿に所属を変更したと思われる。

＊2 常磐炭砿が1945年2月14日に杉山陸相宛200人の「派遣」出願があったと、前掲『常磐炭田史』526頁に出ている。とすれば、残りは古河好間炭砿で50人の出願があり、結果的に248人を受け入れたと考えるのが妥当であろう。

大きな解雇については、44年7月の138人がある（雇用7があるので実質131減）。但し内郷砿在籍138人全てが解雇になり、湯本の在籍が138人になっている。炭砿の所属変更に伴なう統計上の移動にすぎないと思われる。

問題となるのは解雇となっている分で、死亡者は16人*[1]。後の横浜軍事法廷で2人の将校が死刑、終身刑の判決を受けることとなる。その他解雇理由は不明*[2]。

＊1 蛭田『人間煌煌』（当時磐城中学5年で学徒動員）。出典は不明。なお、内海愛子『日本の捕虜政策』（青木書店、2005年）には、有罪判決を受けた将校の本田広治大尉（20年）、軍属津田耕重（終身）の2名が記され、この他に『いわき市史』には、指導員5名が懲役25、13、10、7、4年を受けたと記されている。

＊2 解放時は別として、解雇は57名に及ぶ。

2　連合軍捕虜の受け入れ

連合軍捕虜の労働力としての「活用」は、戦時国際法でも将校を除いて認められているとして、活用を図ろうとした。アジア系の捕虜は「解放」して労務者として動員したが、捕虜はあくまで「敵国政府の権内に属するもので、捕獲したものの私有物でないが、適当な労役を課する権利がある」とする。各軍管区所属の 7 つの捕虜収容所の分所又は分遣所、又は派遣所*で、国民動員実施計画産業である鉱業、荷役、軍関係土木建築、造船、鉄鋼業に派遣されるこことなった。

*分所は直接将兵が派遣されたが、兵員の不足のなか、正規の軍人にかわり所長だけが軍人で他は軍属や民間人でまかなう派遣所や小規模の分遣所などが置かれるようになった。管理方式には軍が責任を持つA方式と会社が責任を持つB方式があり、次第に民間の管理にまかせていく方針の様だった（内海前掲書、255－256 頁、285－287 頁。長澤前掲『資料集』Ⅳ「俘虜使用希望調査回答ノ件」113－114 頁参照）。

石炭統制会は「俘虜使用要領」（1942 年 11 月 6 日付）や「俘虜派遣方願出手続」（11 月）*などを出し、捕虜を遇する心構え、待遇（労役の種類、賃金、宿舎、寝具、被服、食事、監視）、危険予防、輸送、捕虜の通信、防諜、謀略など捕虜の対応を挙げている。

*長澤前掲『資料集』Ⅳ、49－54 頁、63－70 頁

その後、11 月 16 日には「俘虜使用希望、調査ニ関スル件」が石炭統制会から東部支部宛に出され、それを受けて各炭砿（勿来、好間）から東部支部宛に回答書が出ている。そして、12 月 9 日には磐城炭砿から「俘虜派遣許可願　付派遣俘虜使用計画書」が東部軍司令官中村孝太郎宛に出されている*。

*使用する場所としては、磐城炭砿製作工場、長倉炭砿五坑、内郷炭砿小名浜坑を掲げ、収容所については「派遣俘虜使用計画書」で「湯本町大字水野谷ナル当社小名浜坑ノ一角ニシテ設備ハ別紙要図ノ如ク」として詳しい図面を添えている（長澤前掲『資料集』Ⅳ、121－134 頁）。

3　連合軍捕虜の評価

「俘虜使用要領」*1では、使用の心構えとして、外国人崇拝の観念を捨てること、労役場所は坑内外どちらでもよい、賃金は兵 1 日 10 銭、収容所には高さ 8 尺乃至 1 丈位の柵を設置、兵舎、衛兵所、診断室の設置、作業着の支給、危険の大きい場所の原則使用禁止など、「ジュネーブ条約」（「俘虜の待遇に関する条約」1929 年）等の適用を考えての一定の配慮が行われている。現実にはこれらの配慮と大きくかけ離れたものであったにしても*2、一定の保護の機能は果していたと思われる。現に将

兵たちは、これを楯に違反行為については激しく抗議をしており、違反に対する国際的な抗議も行われている。そうした点で労働法や防災法の保護さえ受けられぬ朝鮮人労働者や捕虜の資格さえ与えられなかった中国人労働者（クーリー）は連合軍捕虜よりも劣悪な条件の下で働かされていたといえる。

＊1 長澤前掲『資料集』Ⅳ、65 頁

＊2 弁当はアルミの土方弁当で麦と大豆とトウモロコシに沢庵、梅干しをスプーンで食べていたという。又、無抵抗の捕虜が警棒で殴る蹴るの暴行を受けているのを目撃している（蛭田前掲『人間煌煌』151 頁）。

この点で 1942 年 10 月初め石炭統制会が実施した捕虜及び苦力使用についての希望調査に対し、捕虜は各炭砿とも 200 人の受け入れを希望しながら*[1]、苦力については、大日本勿来炭砿では「希望せず」と回答している*[2]。この炭砿では捕虜については 42 年 11 月 24 日に 100 名を希望申請しているが*[3]、1943 年 1 月 22 日付の石炭統制会労務部長より東部支部長宛の文書では、不適当として許可されなかった*[4]。理由は記されていないが、その前に「瓦斯量多キ箇所其他ノ危険ナル箇所ニハ使用セザル様」繰り返し要請が出されており*[5]、勿来はこれに該当したと思われる。43 年 12 月 23 日には、入山採炭と共に使用適当と認められ願書を至急出すようにと要請された*[6]。結局は派遣されるには及んでいない。許可基準がかなり厳しかったことが推測される。

＊1 長澤前掲「炭砿ニ俘虜並ニ苦力使用ノ件」（1942 年 10 月 1 日）、13－15 頁

＊2 同上「俘虜並苦力使役ニ関スル件」（1942 年 10 月 6 日）、26－27 頁

＊3 同上「俘虜使用希望調査ニ関スル件」（1942 年 11 月 24 日）、108 頁

＊4 同上「俘虜使用炭砿ノ件」203 頁

＊5 同上「炭砿ニ於ケル俘虜使用場所照会ノ件」1942 年 12 月 19 日、167 頁

＊6 同上「俘虜派遣許可願」319 頁、「俘虜使用願提出ノ件」449 頁

又、44 年 1 月 10 日付で統制会労務部長より東部支部長宛に「俘虜状況調」中、作業能率に関する件として、「中程度ノ内地人及優秀ナル朝鮮人トノ比較ヲ付記スル様」に要請している*。ほぼこの程度の能率評価をしていたのであろう。

＊長澤前掲「『俘虜状況調』中ニ作業能率記載ニ関スル件」455 頁

ただし、受け入れ側としては、軍、政府よりの被服の調達や食糧などに各種の優遇措置もあり、管理方式についても当面は軍の直接管理方式を採ることにより、負担は軽減され、会社とすれば比較的有利な動員対象であったと考えられる。

連合軍捕虜は学徒動員の磐城中学生や朝鮮人との接触は禁じられていたが、先に引用した『人間煌煌』によると、彼らは電気・機械・農業などの技術者、商社員・

歯科医師・船員などの職業で、家族の写真などを大切にして、意外に明朗なのに驚いている。健康なものは坑内で働き、一般の砿夫と同じ様にヘッドランプをつけ、入坑検身を受け、作業を終えると、ふらふらになりながら桶に入った糞尿を担いで出てくる姿などを語っている。

結論的には、連合軍俘虜は朝鮮人労働者よりも知識、技術水準も高く、保護された立場にあったが、実質的には、言語習慣の違いも大きく、「俘虜」の作業能率が中程度の内地人と優秀なる朝鮮人と比較を要請していることから、内地人の「中」、朝鮮人の「優秀」なるものの程度と評価していたのではないだろうか。しかし、実際は朝鮮人程の労働の作業能率は上がらなかった様だ*[1]。従って、その位置も不安定であった様だ。10 月 3 日に湯本駅から集団で汽車で帰って行ったという*[2]。

＊1 前掲「石炭国家統制史」『いわき市史』別巻『常磐炭田史』501 頁
＊2 蛭田前掲『人間煌煌』153 頁。

4　中国人の強制労働

中国人の戦時動員、強制連行は文字通りの強制、物理的拉致的強制といわれる。中国共産党や国民党軍の兵士が捕虜となり、「訓練」と称する抵抗意欲を無くするまでの教育を通じて「捕虜」を「労務者」に造り変えた者を「訓練生供出」といい、労工狩を通じて集められた者を「行政供出」とした。河北労工協会が供出した 34,717 人中、行政供出は 20,450 人、訓練生供出は 10,667 人といわれた。時によっては大多数が中国共産党支配下の解放区などの掃討作戦を通じて捕虜になった軍民が含まれる場合もあった*。

＊内海前掲書、357 頁

本格的な華人といわれた中国人が労務動員計画の中に組み込まれたのは、1944 年以後であり、2 月 28 日の次官会議で「華人労務者内地移入ノ促進ニ関スル件」が決定され、3 万人の導入が決められた。3 月から 6 月にかけ全国 135 ヵ所の事業所に配給されていく*。

＊同上、353－387 頁

石炭統制会東部支部は 6 月 16 日、「第二、四半期華人労務者割当ニ関スル件*」で北海道炭砿汽船他 8 社 15 事業所の 4,000 人を計上しているが、その内、常磐炭田、湯本 300 は削除され、住友鉱業赤平に変わっている。

＊長澤前掲『資料集』Ⅲ中国人強制連行関係、161－162 頁

1944 年 2 月 17 日、3 月 29 日の統制会から東部支部への文書には、華人労務者の移入は為替相場の関係で経費が割高になるので、国家補償をすべきかどうか協議中とあり*、最後になって受け入れをしなかったものとも思われる。その間の事情は不明である。

＊長澤前掲書「華人労務者移入ニ関スル件」109 頁、115 頁

尚、前年の 1943 年 9 月 22 日には磐城炭砿に 300 人、入山採炭に 200 人の「華人労務者」の希望が出ており*[1]、又、10 月 21 日付で大日本炭砿社長岩川与助名で 100 人の「炭砿労務者トシテ苦力移入方御斡旋御願ノ件*[2]」が出されている。しかし、30 日には「入山、磐城ト仝様一応取消」されており*[3]、大日本ではその後受け入れた形跡はない。

＊1 長澤前掲書、「華人労務者移入希望数ニ関スル件」1943 年 9 月 22 日、79 頁
＊2 同上「炭砿労務者トシテ苦力移入方御斡旋御願ノ件」81 頁
＊3 同上「華人労務者移入希望ニ関スル件」83 頁

結果的には、福島県内では日本発電沼倉発電所で、動員 228 人中犠牲者 14 人、同宮下発電所では、512 人中犠牲者 12 人を出した*[1]。全国では 41,762 人中犠牲者 6,872 人、実に死亡率 16.5％の多くの犠牲を出した*[2]。

＊1 田中宏他編「華人労務者就労顛末報告」『資料中国人強制連行』明石書店、1987 年、102 頁、113 頁
＊2 加藤前掲書、248 頁

中国人強制連行は最も悲惨な、帝国主義戦争遂行のための犠牲である。いわき地域では導入されなかったとはいえ、この人達が戦時労働動員の最下位に置かれていたことは、この文脈の中に読み取れると思う。

まとめ

全般的義務労働制下の 4 つの義務労働について、いわき地域の実態を数的検討を中心に概括的に見て来た。

まず、炭砿における一般日本人及び既住朝鮮人（「内地一般」）の徴用制は、1944 年 4 月に「石炭勤労緊急措置要領」の閣議決定を背景として適用され始め、7 月の石

炭統制会の統計では、368,000人の労働者中約104,000人（26.8%）で、これは現員徴用を含むものである。これに対し8月の統計では、「内地一般」の新規徴用者の率は先に見たように約8.4%であった。徴用が進んだ12月でも、労働者419,000人中徴用者は172,000人（41.0%）で、その内、新規徴用者は14,671人の新規雇用者が全て徴用によるとしても、徴用者の8.5%にすぎない。従って、新規徴用者は日本人労働者であれ既住朝鮮人であれ職場の少数者として、炭砿労働者の中では、未経験者として戦時動員朝鮮人労働者と同様不安定な地位に立たされていたことが推測される。訓練施設で訓練を受けてきた場合はどうであったか証言はない。しかも、期間が2年となれば、挺身隊や通年学徒以上の精神的経済的困難を抱えていたと思われる。常磐炭田においても、ほぼ同様な傾向が読み取れることを確認した。

次に短期労働者である。時期と形態により実態は多様であったが、全国の炭砿での最多数時は、1944年8月の33,988人で、常磐炭田では1944年1月に2,249人いた。この時の労働者が全国395,613人で、常磐では20,899人である。その割合は全国で8.6%、常磐では10.7%に過ぎない。短期間であることから出入りが多く、会社にとっても安定した供給源ではないはずである。その上、主としてその作業は坑外の仕事が多かったが、ほぼ無償労働に近い奉仕活動としてしか評価されず、期間は短期ではあるが、他産業から強制的に動員された勤労報国隊員には不満や要求は大きかったと思われる。朝鮮人労働者に差別意識を持つ者もいたが、多くは同情的であった。接触の場はそう多くないが、朝鮮人労働者に仕事の上では、リードされる様な場面も少なくなかったのではないか。

最後に、連合軍捕虜の人数は、全国で34,152人、労務動員計画に組み込まれていた。炭砿では1945年で9,719人、常磐では最多時で794人で、全労働者27,081人の2.8%に過ぎない。しかし、会社は、中国人労働者の受け入れは拒否して、捕虜に対する希望が多かったのは、技術や知識の高さだけでなく、政府や軍の丸抱えに近い管理や物資の供給に魅惑を感じたからと思われる。捕虜として労務に駆り出された将兵は、国際戦時規約の保護を受けられたはずであるが、軍の捕虜政策の軽視や戦局の逼迫とともに管理や供給上のしわ寄せが重なり、実際は末端の指導員や軍属に、後に戦犯として糾弾される行為に走らせた面も大きかったと思われる。短期労働者や朝鮮人の接触は禁じられたが、作業の合間に一定の交流があった。

中国人労働者は常磐では受け入れの直前で、導入されることはなかった。もしいたなら、最低辺労働者として悲惨な強制労働を強いられただろう。

第２章　主要炭砿別動員地・動員時期・死亡犠牲者

はじめに

現在、常磐炭田に戦時動員（連行）された２万人近い朝鮮人砿夫の出身地や動員（連行）時期を知る手がかりとなる資料は、長澤秀『戦時下常磐炭田の朝鮮人鉱夫殉職者名簿改訂版』（2000年、以下「殉職者名簿」と略記）と長澤前掲『資料集』1の「半島人労務者供出状況調」（石炭統制会労務部京城事務所、以下「半島人労務者供出調」と略記）などである。前者は県総務部や在日本朝鮮人連盟が戦後作成した犠牲者名簿、寺院の過去帳、石炭統制会東部支部作成の「災害者名簿」など各種資料を基に集成したもので、信頼度は高い。後者は1943年１月から12月まで全国の炭砿毎の割当数、供出数、供出率を示したものである。

その他、全国的な出身道別の動員数の統計などもあるが、炭砿別の動員地、動員数は常磐炭田の福島県分は他に残っていないので、これに頼るしかない。龍田は主として長澤氏の資料を基に、死亡犠牲者を出身道郡別に整理して（「常磐炭田戦時朝鮮人労働動員道郡別死亡者名簿*」、以下「道郡別死亡者名簿」と略記）、その本籍地を訪ね、生存者や遺族の聞き取りにより動員の実態を調べた。特に、犠牲者の多い江原道は、後者に関する資料とも合わせ重点的に考察してみたい。動員時期については常磐炭砿（磐城・入山両炭砿）の犠牲者は入所年月日がわかるものがあるので、これを参照にした。尚、この出身地と時期を整理する過程で、長澤前掲『極秘資料集』Ⅲ「昭和19年１月以降満期者現在調」（以下「満期者現在調」と略記）には合併前の旧入山、磐城両炭砿の２年前からの入所者の出身道郡別の採用人員と現員数が記載されており、1942年１月から43年３月までの動員地と人数を知ることが出来た。次に検討する炭砿会社別労働者の被動員者の動向についての資料がない時期の大変貴重な資料である。

＊現在、強制動員被害調査・犠牲者等支援委員会には、303余件の強制動員名簿が保存され、「朝鮮人労働者に関する調査結果」は戦後ＧＨＱの指令により作成された「いわゆる16

県分」には、茨城県分はあるが、福島県は含まれていない。

会社別の被動員者の動向は、同じく長澤前掲『資料集』Ⅰの1943年5月から44年月8月までの炭砿別の雇入・解雇の記載と『極秘資料集』Ⅳの「鉱夫月末現在数内訳表」(鉱業権者会員分)等石炭統制会文書によって作られた「炭鉱別朝鮮人鉱夫数」(長澤「戦時下常磐炭田における朝鮮人砿夫の労働と闘い」『朝鮮人強制連行論文集成』明石書店、1993年に収録)の成果を利用させて貰った。以上の資料類を基に常磐炭田被動員者の炭砿別の動員動向を検討する。

最後に、調査の過程で得た遺骨問題についての感想を付け加えたい。

Ⅰ 「殉職者名簿」を中心とした動員地・動員時期

1 「殉職者名簿」より見た道別分布の一覧表

道名	慶南	慶北	全南	全北	忠南	忠北	京畿	江原	黄海	平安	咸南	合計
人数	50	49	17	29	15	17	14	73	12	12	2	290

290人の中には慶北の死亡年不明1人を含み、更に住所不明の8人を加えると死亡犠牲者は298人となる。この290人という数字は長澤氏作成の「殉職者名簿」に龍田が調査で判明した2人を加えたものである。これを以下、道別に検討する(尚、慶尚南道は慶南、慶尚北道は慶北、全羅南道は全南、全羅北道は全北、忠清南道は忠南、忠清北道は忠北、京畿道は京畿、江原道は江原、黄海道は黄海、平安道は平安、咸鏡南道は咸南と略記)。

(1) 常磐炭田戦時労働動員死亡犠牲者年次別・道別分布

表1 単位人

	1939	1940	1941	1942	1943	1944	1945	1946	合計
慶南	2	13	16	5	6	5	3	0	50
慶北	1	7	4	12	5	9	10	0	48
全南	0	0	0	3	6	5	3	0	17
全北	0	0	3	7	8	5	5	1	29
忠南	0	2	1	0	2	6	4	0	15

忠北	0	1	1	5	3	3	4	0	17
京畿	0	0	0	1	4	3	6	0	14
江原	0	0	0	0	12	32	28	1	73
黄海	0	0	0	0	0	7	5	0	12
平安	0	1	0	0	0	4	7	0	12
咸南	0	0	0	0	0	1	1	0	2
合計	3	24	25	33	46	80	76	2	289

慶北は他に死亡年不明者 1。平安は南北道合計

(2) 長澤「殉職者名簿」で入所年月日がわかる被動員者の年次別・道別分布

表2

単位人

	1939	1940	1941	1942	1943	1944	合計
慶南	7	10	0	0	4	0	21
慶北	0	13	0	2	1	0	16
全南	0	0	0	7	1	1	9
全北	0	0	4	2	6	1	13
忠南	0	0	0	0	1	0	1
忠北	0	0	2	0	1	1	4
京畿	0	0	0	1	3	3	7
江原	0	0	0	3	33	17	53
黄海	0	0	0	0	0	0	0
平安	o	0	0	0	1	5	6
咸南	0	0	0	0	0	0	0
合計	7	23	6	15	51	28	130

平安は南北道合計

2 道別動員地の状況と特色

(1) 慶尚南道

咸陽郡（以下郡略）の 10 人を筆頭に、郡別死亡犠牲者を見ると咸安 6 人、昌原、河東、山清各 5 人、密陽 4 人、宜寧 3 人、泗川、晋州、昌寧、梁山各 2 人、慶安、金海、蔚山、漆谷は各 1 人である。最多の死亡者集中地咸陽については、第 1 回訪問調査の結果、2 人の死亡犠牲者の戸籍を確認した。夫々、内郷村大字内町字前田、磐城炭砿砿業所病院で死亡の記載があり、遺族の娘、甥がいることを確認した。他の 1 人は死亡記載がないが、氏名、本籍地、年齢が一致し、妻と娘の生存を確認した。又、他の 4 人については、朝鮮戦争で戸籍が焼失していることが分かり、面事務所での戸籍調査の最初の経験と成果があったのもこの時である。磐城、入山両炭砿の初期の動員は、殆ど慶南の地で行われたのではないかと考えられる。入所記載のある死亡者がこの期に集中しているからである。

1939 年 7 人　10 月 5 日　河東 2 人、泗川 2 人　磐城第 2 次入山者
10 月 26 日　山清 3 人　入山第 1 次入山者
1940 年 10 人　2 月 19 日　咸安 3 人、昌原 1 人　磐城
3 月 27 日、28 日　咸陽 5 人　磐城
10 月 3 日　梁山 1 人　磐城
1943 年 4 人　4 月 12 日、5 月 7 日、6 月 2 日に昌原（磐城)、昌寧（入山）各 1 人、河東（磐城）2 人

以上の数字から慶南では、入所日の分かる死亡犠牲者 21 人中 17 人が 39 年、40 年に集中して出ていることがわかる。43 年を例外として*1、41 年、42 年、44 年、45 年の後半には入所日の分かる死亡犠牲者は出ていない。既住の来航者が多いといわれる慶尚道地域での初期の募集が行われたことを裏付ける 1 つの例ではないかと思われる*2。表 1 で見るように、初期死亡犠牲者（1942 年まで）は慶尚南北、全羅南北、忠清南北の南部 6 道、とくに慶尚南北道に集中していることが分かる。尚、慶南の死亡者 21 人中 17 人（表 2 ）は磐城炭砿である。1942 年の集団動員が分かる「満期者現在調」には勿論記載がない。

＊1 前掲「半島人労務者供出調」では 1943 年 5 月に磐城炭砿で 200 人の「供出」が行われたことになっているが、慶南での 43 年の 4 月、6 月の動員については記載がない。このように、この統計は犠牲者名簿の入所の記載と一致しない場合がある。

＊2 西成田豊『在日朝鮮人「世界」と「帝国」国家』東京大学出版会、1998 年、252 頁。ただし、入山採炭では、最初の募集を担当した木山茂彦には、500 人を忠南で動員したが失敗したという証言があり、古河好間炭砿の場合は忠北を中心に最初の募集が行われた。

（2）慶尚北道

慶北の死亡犠牲者の集中地域は義城の10人である。そのうち6人は1940年の3月4日2人、6月13日1人、9月24日3人の入所である。1940年の入所者は道全体では醴泉、金泉各2人、清道、安東、漆谷各1人を加え計13人いる。いずれも磐城炭砿の入所犠牲者である。

死亡者全体で見ると、次に多いのは達城8人で、1944年9月の樺太からの転換労働者149人に属する。

その他、死亡者が多い郡は金泉、永川各4人、清道、安東、栄州、醴泉各3人、尚州、高霊、星州各2人の計26人である。

義城は第1回の訪問調査では、4人の戸籍を確認をすることが出来、その内2人については面接調査をすることが出来た。第2回の調査では、更に1人の戸籍を確認することが出来た。これとは別に、韓国の「真相糾明委員会」へ2人の被害者の申告が確認されていたので、義城における死亡者10人の内7人まで判明した訳である。7人の被害者の内2人は、その遺族が困難な生活状態にあるようで、被害申告さえ出されていないのが現状である。申告が出されているのは4人だけである。この郡での死亡者の入所年月日や死亡年月日を見るかぎりでは、40年を中心に前期に集中して動員されたことが分かり、全員が磐城炭砿であることも特徴的である。ここでの生存帰国者の判明が待たれる。

鳳城小田炭砿の達城出身死亡者の戸籍の確認は未解明である。樺太転換労働者の1人であったT氏の妻の聞き取りによると、夫の実家は酒屋で、親や従業員と共に樺太に渡ったということである。石炭統制会の統計上では、既住朝鮮人の徴用となっているのは、そのあたりの事情を反映しているのか。小田炭砿における独身寮、渡辺飯場の実態は、寮長の子息渡辺藤一氏や甥の渡辺弘氏の証言を通じてある程度明らかになっている（朝鮮人寮の実態については第4章を参照）。

尚、死亡の原因は8人中6人が、1945年の国内最大の炭砿事故である坑内火災による窒息死である。

「満期者現在調」には、磐城炭砿分として義城での1942年3月6日採用の96人、漆谷での同月8日82人、清道での同月17日98人について記載されている。「道郡別死亡者名簿」の入所日は、清道の同月17日入所の高山學だけが一致している。98人の内の1人として動員されて来たのだろう。

入山採炭では42年、慶北で8回にわたり711人の動員が記録されているが、日にちが1日しか違わないようなものもあり、同月内割当の一部分をなすのか、別の割当の残数なのかの区別はつかない。一応、同一割当とすると3、5、6月の3次の動員があった。

3月は永川で3月15日124人、3月18日78人、3月27日39人の計241人の動員である。入所のわかる死亡犠牲者は永川にはないが、4人の死亡犠牲者はこの時か、次の5月の集団動員で入所した可能性は高い。

5月は慶州で5月12日85人、5月13日77人の計162人、永川で5月20日85人である。慶州郡西面の死亡犠牲者、坡平鎮郁（42年6月7日死亡）はこの時の動員だとすれば、1ヵ月足らずで亡くなったことになる。

6月は清道で6月7日123人、奉化で6月17日100人の計223人の動員で、奉化が本籍の44年死亡犠牲者、花田乭伸は、この時の動員の可能性がある。

尚、43年の動員(供出）を記録した「半島人労務者供出調」には、常磐炭田の慶北における動員についての記載はない。慶南においても4、6月に入所の記録があるにもかかわらず、「供出」記録がなかった場合と同じように、慶北でも磐城炭砿において、聞慶の吉本庄吉5月19日入所があるのに、この供出調には記載がない。「集団」によらないのか、この調べの不備を表すものかは分からない。

（3）全羅南道

本道の死亡犠牲者は、他の南部諸道と比べて多くない。死亡者は本道で17人、最多の死亡者を出した郡は康津で4人である。入所年月日の分かるものは、全て1942年の「官斡旋」以後である。一般的な縁故募集の多かったと思われる南部諸道の1つとして、「募集期」には多かったのではないかという予想はここでは当たらない。郡別死亡者では光山、譚陽、海南、宝城、長興が各2人で、珍島、羅州、長城が各1人である。

1943年の「半島人労務者供出調」によれば、全朝鮮から日本向け動員者の集計では、この道は1万人近い「供出」を行い、江原に並ぶ位置を占めているが、常磐炭田への動員は記録されていない。しかし、「道郡別死亡者名簿」の入所記録では、11月21日に宝城から「入山または磐城」に1人が記載されている。42年には7人、44年には1人の記載がある。42年以後は一定の動員が行われたことは間違いない。

尚、入山採炭の労務係で最初の朝鮮人の募集をしたというB氏は、39 年から 40 年にかけ 4 回、1 回目は譚陽 300 人、2 回目は高興 150 人、3 回目は木浦 100 人、4 回目は長城で友達の手伝いをしたと証言している*ので、合計 550 人以上の動員を行ったはずだが、死亡者の入所記録には 1 人も現われていない。このことから、死亡者の入所状況から集団動員の存在を推定することは出来るが、逆に死亡者がいないことから集団動員がなかったと結論づけることも出来ない。さしあたり死亡者の入所記録は集団動員を知る上での有力な材料ではある。

＊長澤前掲『朝鮮人強制連行論文集成』129 頁

次に「満期者現在調」によると、上の推定（入所記録と集団動員との関係）を裏付ける結果となっている。同調べによると、1942 年に磐城炭砿は全南において 3 次に亘る集団動員を行った。最初は海南島で 42 年 9 月 24 日 98 人（この時の動員による死亡犠牲者の記録はない）、2 回目は光山で 10 月 6 日 93 人の採用がある。この時は入所記載のある死亡犠牲者には谷山昌述がおり、入所年月日が一致している。

3 回目の 12 月には、本道で最大の 297 人の動員が 4 郡で行われている。内訳は康津で 12 月 6 日 88 人、長興で 12 月 9 日 99 人、康津で 12 月 12 日 61 人、宝城で 12 月 12 日 49 人である。

これに対応する入所記録がある死亡犠牲者康津の広村容職は、12 月 7 日入所で、入所日が 1 日ずれているがほぼ一致する。同じ康津の死亡犠牲者 4 人の中には、42 年 3 月 7 日の入所者もいるが、「満期者現在調」の記録には残っていない。集団動員でなかったか、それ以前に全員辞めているか、又は同調べの不備によるものかであろう。他の 2 人には入所記載がないので、この 12 月の 2 回の動員 149 人の中にいるのかどうかは分からないが、いた可能性は強い。

一方、入山採炭では「満期者現在調」によると、11 月の集団動員は宝城の 21 日 97 人、潭陽の 28 日 50 人、求礼の 28 日 43 人、合計 190 人である。

宝城の死亡犠牲者 2 人は、どちらも入山採炭で入所記録がある。宝城はこの 2 人の他に、死亡犠牲者は記録されていないので、磐城炭砿の 12 月 12 日の採用者 49 人からは死亡犠牲者は出ていないということが読み取れる。

入山採炭の宝城の死亡犠牲者 2 人の内、任文砿の 1942 年 11 月 21 日入所は「満期者現在調」と一致する。他の高霊、保植は 43 年 11 月 21 日入所であるが、集団動員の記録である「半島人労務者供出調」には入山採炭の記載はいない。

潭陽では2月28日入所の大田面の利川六洙と同じ大田面で11月28日入所の崔源命伊の2人が死亡している。「満期者現在調」には、前者は記載されていないので、集団動員でないかと思われる*。後者は50人の同期採用があり、内19人の満期者がいる。求礼のこの時の43人の被動員者には死亡者はなく、21人の満期者があった。

*磐城分の康津の場合と同じく、この様な事例はかなりある。入所記録があるのに「満期者現在調」に記述の無い場合は、先の3つの可能性（①集団動員でない、②それ以前に全員やめた、③同調べの不備）が考えられる。

（4）全羅北道

本道の死亡犠牲者は29人で、最多の死亡者を出しているのは沃溝の6人である。これに続く郡は茂朱、益山が各4人、淳昌3人、更に完州、高敞、長水、群山が各2人、扶南、南原、任実が各1人である。日本人地主による水利灌漑事業が広く行われた道と理解しているが、白馬江デルタの古くからの農業地帯である。

入所年月日で見る特徴は、1941年12月28日3人（益山、淳昌、長水いずれも磐城）、42年12月12日2人（茂朱、入山）、43年10月12、13日3人（郡山、沃溝いずれも磐城）、11月29日2人（完州、任実いずれも磐城）など複数の死者を出していることから、この時はかなりの集団動員があったことが予想される。

まず、43年の「半島人労務者供出調」に依ると、磐城炭砿の項に全北10月、割当数100人・供出数61人とあり、これは入所43年10月12、13日の集団動員と一致する。又、これに続いて、11月割当数200人・供出数113人、12月割当数100人・供出数53人という記録があり、これに対応するのは、11月29日に完州の国本明根が入所しており、12月27日には沃溝の金井容七が入所している*。

*尚、磐城炭砿(株)の稟議綴（長澤前掲『極秘資料集』Ⅲ、361頁）によると、この募集（沃溝）のため准雇員の菜花美代治が1943年11月25日から12月16日までの期間で「半島人募集費」として、4,261円余の支出伺いを出している。

この様に供出統計と入所記録の相関関係がはっきり出ており、集団動員のメンバーの顔が見え始める。例えば、1943年10月12日の群山の2人、山本奉善と高山晴は、同じ日に入所して、同じ日に亡くなっている。災害名簿には高山晴は実車に轢かれた記載がある。奉善にはないが、歳も同じ24歳で、群山内の町内で生まれていることから、ずっと仲良く付き合っていたに違いない。同一の事故で亡くなった可能性がある。

もう1人の平文南秀は、1943年10月13日入所で、群山の市街からそう遠くない沃溝郡玉山面双鳳里出身で、解放後、落盤事故で亡くなっている。何らかの付き合いがあったかもしれない。この犠牲者は会社の変災報告に詳しく、戦時特別弔慰金800円が支給されたことになっている。

「満期者現在調」では、1942年の全北の集団動員は、殆どが入山採炭で、1月、2月と12月に亘る3次の集団動員があった。全南は磐城炭砿が多かったのと対照的である。

1月は高敞で2日99人と任実、扶安で26日99人の計198人である。高敞では入所記載のある死亡者はいないが、死亡犠牲者は2人いて、いずれも入山採炭である。この時の集団動員で来た可能性は強い。

2月は茂朱で1日50人、12月には茂朱で12日100人の採用記録があり、入所の記録でも先に述べた様に、同じ安城面出身の金山範洙と新井吉圭がいる。2人は入所日も同じで、入山採炭に所属する。茂朱の死亡者は4人おり、他の2人も入山採炭で死亡し、名前は朴元根（病死）と林鐘弼（溢死）である。同じ時に集団連行された可能性もあり、悲惨な死に方をした事情は分からない。

長水の12月19日82人については、この集団動員時に該当する死亡者入所記録はなく、満期者46人全員が生存帰国した可能性はある。この郡の死亡者は2人あり、1人は別の日に入所（41年12月28日）した磐城炭砿の採炭夫松岡慶列である。もう1人の天本電龍は、死亡者記録（45年5月死亡）のみではあるが、湯本砿であるので、この時の集団動員者の可能性もある。

尚、磐城炭砿でも1942年の12月12日に茂朱で8人動員をしているが、この郡での磐城炭砿の死亡犠牲者は出ていない。

犠牲者の故郷を訪ねての旅では、2007年当時はこの地帯を訪ねていない。しかし、慶南の咸陽を訪れる途中で、パンソリで有名な南原の西の二白面という村に立ち寄り、入山採炭に入山して、1941年12月に31歳で亡くなった柳台文の戸籍を、面事務所で確認のため訪ねた（2005年）ことがあった。そして、通訳兼調査協力者の張湖淳氏の助けもあり、この訪問の旅の最初の遺族との連絡が取れたのがここであった。思わぬ成果に励まされ、咸陽に向かったことを思い出す。全州に住む遺族（孫）との面接は、「何一つわからない」と言う返事があり、訪問は断念した。

（5）忠清南道

本道の「道郡別死亡者名簿」によると、最多の死亡犠牲者を出している郡は燕岐と公州各4人で、いずれも古河好間炭砿4人と大昭上山田炭砿2人、不明1人である。

次が舒川の2人で、2人とも大日本勿来炭砿である。他は瑞山、洪城、青陽、扶余、論山、大田が各1人である。

「半島人労務者供出調」では、1943年2月には古河好間炭砿に割当数100人・供出数100人の記載があり、上記の4人はこの時の集団移入によるものであろうか。又、大昭上山田炭砿でも、同年の12月に割当数100人・供出数76人記載があるが、44年3月に病死している兪長金（公州）は、この時に集団動員されたと思われる。舒川の2人は43年4月の大日本炭砿の割当数50人・供出数49人の時に集団動員された可能性が強い。労務係のＦ氏が、42年、43年にかけて3回募集をしたと言うが、その中には忠南は入っていない。この炭砿ではそう頻繁に動員は行われていないので、この時のことと思われる。この2人の死亡者は、同じ舒川麒山面出身で、その1人村田時鐘は43年9月に亡くなっている。尚、Ｆ氏が募集したという江原と慶南からは、この炭砿の死亡者は出ていない。全員無事に帰ったようだ。

さて、入山採炭で朝鮮人募集の先駆けを任じる木山茂彦氏は、最初の募集は忠南で、割当は500人と述べている*1。最初はだれも相談相手がいないので、「一視同仁」でやると、出勤率は20%に落ちる。逃亡や暴動さえ起こり、特高警察に引き渡して強権的労務管理に切り替えた、という様なことを述べている。慶南の数人を除いて初期の死亡者は、入山採炭では忠南の人は1人しかいない。しかも、その1人は労務係の暴行をきっかけに死亡した扶余の金一斉という労働者である。これをきっかけに430人の一斉罷業が起こり、労務係と朝鮮人に検束者を出したという40年1月24日の事件になっている*2

＊1 木山茂彦「わが炭砿労務者管理を語る」『東北経済』64号、1978年、52頁。結果的には募集は失敗した。

＊2『特高月報』2月分、『昭和特高弾圧史』6、320頁

最後に、洪城の死亡者金星煥は、大日本炭砿労務課の責任者が保存していた入山記念写真のメモ*には、1945年3月1日の書き込みがあり、写真には60余人のまだ年端も行かない童顔を含む被動員者が写っている。第1回目の訪問調査の折、本籍地の洪東面の面事務所で戸籍を調べて貰ったが見つからなかった。応徴士洪城隊第1

應徵士洪城隊第1次入山記念（1945年4月）

石川平三郎氏所蔵

次入山記念写真と書かれた1枚がある。死亡者が1人でもいれば、かなりの数の集団動員がある場合が多いことから、死亡者名簿も総合的に見る時、集団動員の地域や時期の動向を掴む手掛かりになると言える。

＊龍田引用（複写）

（6）忠清北道

本道で死亡犠牲者が多い郡は、清州、堤川各4人、沃川3人で、それに陰城、鎮川各2人、報恩、永同各1人である。合計17人であるが、その内11人が古河好間炭砿である（清州4、堤川1、陰城1、沃川3、鎮川1、報恩1）。死亡時期、年齢なども多様であるが、入所についての情報は皆無である。

但し、清州の3人は北一面出身であること、沃川の3人は面事務所より戸籍に関する情報が寄せられ、夫々娘、甥、弟の遺族との連絡が取れるということで、2008年に現地調査を行っている。いずれも古河好間炭砿への被動員者である。実はこの炭砿では、1943年4月25日に日本人と朝鮮人間のトラブルから420人の朝鮮人労働者が参加する大規模な「暴動」があり、日本人1人の死亡、重傷者4人が出て、16人が有罪判決を受ける事件が起こっている。その内10人は忠北、2人が忠南である。

この事件の背景となるものは、日頃の労務管理に対する不満と思える。たまたま第1回2005年と第2回2007年の江原の調査訪問の折、貴重な帰国生存者と会う事が出来た。2人の生存者は、いずれもこの古河好間炭砿に事件後の6月に入所したという。2人はこの事件の事情については、何も聞いていないという。又、多くの朝鮮人砿夫は山ノ坊の忠黄寮と松坂の他の寮とで数百メートルしか離れていないところに住んでいたが、両者の間の往来は禁止され、交流はなかったとのことであった*。

＊江原道横城郡帰国生存者からの聞き取りによる（2007年）

又、平区裁判所の判決文に見える、もう1つの「暴動」事件である大日本炭砿の1942年12月の「堤川勤労報国隊」40人によるものは*、第2回の訪問調査対象であった。こうした2つのいわき地域における大きな暴動が、忠北の被動員者によるものであることは、この地域の義兵闘争を誇りとしている精神的風土とも関係があるかもしれない。ただ、第2回の調査（2007年）では、その手掛かりは得られなかった。

＊平区裁判所「判決原本」（山田氏提供）

（7）京畿道

京畿の死亡犠牲者は長湍が一番多く4人である。抱川が3人、驪州2人、楊州、朔寧、高陽、坡州、漣川は各1人ずつである。

その内、磐城炭砿での犠牲者が多く、7人を出している。1943年の「半島人労務者供出調」には2月に磐城炭砿で割当数200人・供出数175人という記載があり、「満期者現在調」では坡州2月20日80人、長湍2月28日94人と記載されているので合計174人となり、2つの資料では、ほぼ人数が合っている。ここにある長湍は現在は北朝鮮側に属している。磐城炭砿では1943年2月28日入所の死亡犠牲者が3人いるのが特徴的である。岡田祥玉、林成淳、岡本範珍の3人で、この94人の中にいたものと思われる。

磐城長倉砿の死亡犠牲者である楊州の金江奎郷は、「満期者現在調」にある1942年5月23日の99人の集団動員による被害者だろう。同時期に高陽5月22日90人、広州5月23日93人の動員があるが、死亡者名簿には記載がないので、満期者夫々50人、53人共に全員帰国出来たのであろう。

「道郡別死亡者名簿」の高陽に記載されている常磐炭砿の被動員者芳山熙変（過

去帳瑞芳寺）は、44 年 2 月 9 日の入所記録がある。死亡原因は溺死である。溺死は他に公州の李殷鳳、伊川（1943 年現在、江原道。現在は、北朝鮮に属す）の中本弼洙、昌原の崔甲台、咸安の安田降一の 5 件があるがいずれも出水によるものだろう。

次に、死亡犠牲者の多い炭砿は大日本勿来炭砿である。抱川 2 人、驪州 1 人で、死亡時期は 3 人とも 1945 年になっている。この炭砿では、「半島人労務者供出調」で 1943 年 10 月に割当数 100 人・供出数 100 人の記載があり、もう 1 つの記録は 1945 年 2 月 22 日、「第 2 次京畿隊入山記念写真」というメモ書きの写真が残っている。この写真の人数を数えてみると 34 人いる。労務係のＦ氏の証言でも、京畿隊は大変成績が悪かったというコメントがある。確かに服装も不揃いで、かき集められたという印象の動員被害者達である。京畿の他の死亡犠牲者は大昭上山田炭砿 1 人、入山採炭 1 人である。炭砿不明は 2 人である。

（８）江原道

本道は常磐炭田の戦時労働力動員の最大の供給地であった。蔚珍出身の李八竜氏が長澤氏に語った証言*[1]では、私が来た以後も、「100 人ずつ 4～5 回来たんじゃない」と根こそぎ動員の様子を語っている。事実、統計資料によると*[2]、それどころか、この入山採炭では、1942 年以後、最低でも 45 年末までに 2,160 人は動員されており、李さんが来たと思われる 8 月 31 日の動員以後、600 人の割当を受け、12 月にいたっては割当数 400 人のところ 367 人が「供給」されている。3、5 月を除き毎月 100 人以上の「供給」を受けている。尚、資料は「半島人労務者供出調」による。

＊1 長澤前掲「ある朝鮮人労働者の回顧」『朝鮮人強制連行論文集成』395 頁
＊2 前掲「半島人労務者供給調」64 頁

湯本の青葉地区は、動員された朝鮮人が増えた為、ここに住み着いた古参炭砿労働者Ｓ氏の話によると*[1]、「朝鮮人があふれ、幼心に異様さを感じた」と述べている。最多数時には恐らく、江原以外の朝鮮各地からも動員が行われていたから、5 つの寮の朝鮮人の人数は 1,600 人を超え、朝鮮人の比率は住民の 3 分の 1 近くになっていたと思われる*[2]。

＊1 2005 年 10 月、Ｓ氏（1937 年生）から龍田聞き取り
＊2 寮の配置図からの龍田の推測

一方、磐城炭砿の方も 1942 年 200 余人雇用、43 年には、400 人の割当数で、390 人の供出があり、44 年にも引き続いてこの地で何回かの動員を行っているので、入

山採炭に及ばないとしても、1,000 人近い動員数が予想される。

「半島人労務者供出調」に基づく長澤氏の集計結果によると、この年度の江原の供出数は 10,049 人で、朝鮮内での動員の 14%を占め、全北とほぼ同じである。石炭統制会東部支部では、供出数は 3,792 人で、日本国内の供出数 79,850 人の 4.7%を占めていたという。

前述したように、江原は常磐炭田における死亡犠牲者を最も多く出した道であり、「官斡旋」開始後、動員対象となって以来、多くの犠牲者を出だすことになった。「道郡別死亡者名簿」によると、戸籍地の分かる常磐炭田内の死亡犠牲者 290 人中 73 人、約 22%は江原出身者であり、初期の動員地である南部 6 郡を超えて、最大の動員とその犠牲者を出すに及んでいる。死亡犠牲者の道別比較では、Ⅰ-1 の通り、慶南 50 人、慶北 48 人、全南 17 人、全北 29 人である。今まで見たように、犠牲者数と被動員数との間には一定の相関関係が見られる。しかし、後述するように、動員数の少ない磐城炭砿の方が犠牲者が多いという場合もあるので、必ずしも一般化できない。

次に、「道郡別死亡者名簿」の入所記載、「満期者現在調」「半島人労務者供出調」によって動員の実態の検討に入るが、その前にこの地域の特質について概観しておきたい。鄭恵瓊氏*[1]によると、1940 年の江原の人口は 1,681,373 人で全国の約 7%を占め、45 年もほぼ同じである。現在の「真相糾明委員会」への申告者 8,786 人は全被動員者の 10%位と見て、全被動員者を 8 万人位と推定している。しかし、この申告者は全国の申告者の 1.2%程度で申告率は低いという。ここにこの地域の特色がある面ではよく出ていると思う。労働者を集める側からすれば、素朴で世間ずれのない山間部のこの地域は、絶好の募集地であったに違いない*[2]。

＊1 韓国・日帝強占下強制動員被害真相糾明委員会編『口述記録集』6、2007 年、22 頁
＊2 大日本炭砿の労務課長補佐のＦ氏の証言でも大変成績が良かったことが述べられている。

まず、郡別死亡犠牲者数を概観すると横城 11 人、伊川 8 人、原州、麟蹄各 7 人、洪川、江稜各 6 人、平昌、襄陽、淮陽各 5 人、蔚珍 4 人、旌善、楊口各 2 人、寧越、鉄原、華川、通川各 1 人で、伊川、淮陽、通川と楊口、鉄原の一部は北朝鮮に属す。この内、横城、原州、洪川、平昌については訪問調査を始めたが、他は未調査（2007 年現在）である。

①横城郡

犠牲者の一番多い本郡については、これまで 2 回の訪問調査（2005 年と 2007 年）

で、2 人の聞き取り調査が出来たので、それを含め考察したい。

まず、「半島人労務者供給調」に記載された入山採炭の 1942 年 12 月、割当数 400 人・供出数 367 人に該当すると思われるのは、12 月 3 日、松村在仙（横城面邑上里）、柳淳榮（隅川面）、文山千植（書院面）の 3 人の「道郡別死亡者名簿」の入所記録である。

文山千植については、その弟が原州より被害申告を出していることが分かっている。まだ面接調査は行っていないが、面接可能とのことだった。

1943 年 12 月の割当数 400 人の供出動員は、麟蹄では 12 月 6 日に 2 人、洪川では 12 月 11 日に 1 人、江稜では 12 月 19 日に 3 人、少なくとも 4 郡、4 回、9 人の犠牲者を出した大きな動員であり、本郡の動員もその一環であったことが分かる。

江原における大規模動員のもう 1 組は「半島人労務者供出調」にある磐城炭砿の割当数 300 人・供給数 296 人の動員である。

1943 年 5 月 19 日付の入所記録では、永松相根（横城面立石里）、山住聖光（横城面）、金山三舟（安興面、麟蹄に同姓同名の犠牲者がいる）の 3 人が、同日付で入所した事が記されている。この動員もあとで触れるように、死亡した入所者が原州 5 人、洪川 2 人、横城 3 人で、3 郡、3 回にわたる大規模な動員の一環であった。

前述の横城の 11 人の犠牲者の内、2 回の大規模動員による 6 人を除く他の 5 人の内 3 人は入山か磐城に所属し、残り 2 人の内 1 人のみが好間炭砿で病死とあった。横城面の内呂光錫は、帰国生存者の情報によると、彼は元々の横城の人でなく、商売で来ていたところを動員されたらしいということである。

本郡の横城面（現在邑）の 5 人は、邑事務所に行って戸籍係に調べて貰ったが、同一番地には該当者がおらず、朝鮮戦争の時、戸籍原本は焼失しており、これ以上の調査は不可能ということで打ち切った。

尚、好間炭砿の帰国生存者からの聞き取りからは、①動員は文字通り強制的であったこと、②動員経路は原州から列車でソウルを経て釜山、列車の道をたどったこと、③入山直後の訓練、作業内容、組織（第 1 回、第 2 回韓○熙、李七星聞き取り参照）、④寮生活、食事、休暇の過ごし方、⑤帰国の経路。新潟に行き、数週間滞在の後、船がなく列車で長崎に行き、貨物船で木浦、列車でソウル、原州の道をたどって帰った。お金を使い果してやっと帰ったこと、⑥特に注意したいのは自分の所属した炭砿が優良炭砿であったという認識、⑦湯本の砿山との往来、⑧解放後の動き、被害や日本人への考え、⑨家族への送金、通信など、多様な事実を知ることが出来た（詳細は第2巻第2回韓国調査報告参照）。

江原では、現在、帰国生存者で被害申告を出している人は、常磐炭田だけでも100名は下らないだろうと推測している*。

＊前掲『口述記録集』6 には江原の被害申告者の内5,894人が労働動員関係で、内、生存者は2,193人で37.2%に達するということである。常磐炭砿関係者はその5%とすると100人は超えるだろうという推測である。

伊川については、ほぼ入山、湯本関係の死亡犠牲者である。調査も今のところ不可能なので省略する。ただ「満期者現在調」に記された1942年9月21日に採用された入山者100人に該当する（入所月日が同じ）。平伊根浩の名が「道郡別死亡者名簿」（43年3月29日、落盤死）に記載されていることだけは確認して置きたい。

②原州郡

次は江原の経済の中心地原州の検討に入る。

人口約28,200人で、道都の春川の約25,300人と比べても3千人近く多い道内最大の都市である。朝鮮王朝時代は道の監営の所在地であったが、義兵闘争の拠点となり、春川に代えられたのだと郡役所の方から教わった。

死亡犠牲者の7人中5人が磐城炭砿に1943年5月6日の動員で入所した人達で、「半島人労務者供出調」にある割当数300人・供給数296人に該当するものであろう。この回の動員に該当するものは、横城5月19日4人、洪州でも同じ日に1人と5月28日1人の入所者があり、同炭砿による5月の大規模な動員の一環をなしていたと思われる。残念ながら第2回（2007年）の訪問では各面事務所を回る余裕はなく、戸籍の確認を行うことができなかった。

原州には周辺の農村地区の郡から人口が流入し、戦時中の被害者の遺族がここから申告する場合も多く、堤川の柳氏、横城の文山氏もここから申告していた。横城の項で、文山千植氏は入山採炭での大規模動員（1943年の400人）の一環であっただろうことは先に述べた。

③麟蹄郡

「半島人労務者供出調」に依れば、入山採炭12月分について、「道郡別死亡者名簿」の6日の日付の入所者2人、金連鳳と清韓命圃はいずれも病死で、常磐採炭夫としか出ていないが、入所年月日が1943年12月6日で同じである。金連鳳は惣善寺に過去帳がある。入山採炭の400人の動員に当たると考えられる。

又、1944 年 10 月 12 日入所の岩本容某は好間炭砿である。好間の山ノ坊の朝鮮人寮には、先に横城郡で触れた横城の 2 人の証言では、江原寮には平昌の人が先に入っており、記録では寮生 75 人*とあるが、その後、44 年になって麟蹄からも来たことになると考えてよいのか。

＊大塚前掲『トラジ』181 頁

④洪川郡

犠牲者名簿の 6 人の内 2 人は、磐城炭砿の 1943 年 5 月の入所なので「半島人労務者供出調」の 300 人割当の一環として動員されただろうことは先に述べた。2 人はいずれもこの年の 10 月 17 日、11 月 23 日に相次いで感電死などで死亡と「災害者名簿」に記載されている。

もう 1 人の被害者金學洙は、内郷川平坑採炭夫として 1943 年 12 月 11 日入所、44 年 8 月 12 日に落盤事故の後、病死となっている。実は、入所した時はまだ入山採炭の川平坑に属していたはずなので、入山採炭の 400 人の大動員として取り扱った。學洙氏の甥が第 1 回目（2005 年）の被害者申告を出している。春川の方で山人参の栽培をしており、第 2 回訪問調査時（2007 年）にお会いすることが出来た。氏の父親は朝鮮戦争で亡くなり、叔父學洙は日本の炭砿で亡くなった。祖父母の手で育てられた氏からは、祖父母たちの苦労についての話と伯父の遺骨は日本の警察が火葬にして持って来たということを聞かされていた。

⑤江稜郡

6 人の被害者がいるが、まだ訪問調査が出来ていない。例の入山採炭の 1943 年 12 月の大規模動員によると思われる。43 年 12 月 19 日の入所記録のある 3 人の犠牲者池貴福、平川養源、徳山洙福は全身打撲、落盤による頭がい骨骨折などで、44 年に亡くなっている。又、死亡犠牲者李順彦は、1942 年 9 月 19 日付採用で、「満期者現在調」にある磐城炭砿 100 人の集団動員の一環で来たことは、被害者の入所年月日と一致するので確認して置きたい。

⑥平昌郡

「道郡別死亡者名簿」の 5 人の内、松山榮泰、松山世福の 2 人は、1943 年 1 月 28 日、入山採炭に入所となっており、本籍も平昌面で同じである。「半島人労務者供出調」の入山、江原の 1 月分 100 人、「満期者現在調」の平昌、旌善の 1 月 28 日の 93 人の集団動員で動員されたと考えられる。44 年 1 月の時点での満期者は 63 人であるが、この時は、すでに松山世福はこの人数には入らない(43年9月、敗血症で死亡)。榮泰は「定着」(契約延長)の後、44年10月に事故で亡くなっている。

その他、廣山鳳學、國本大德はいずれも好間炭砿で、多分、同じ江原寮にいた横城の帰国生存者の証言の通りならば、43年6月以前に入所していたはずである。

⑦襄陽郡

「道郡別死亡者名簿」の5人はいずれも内郷砿関係者と思われる。1944年入所で、6月22日2人と7月5日2人に分かれている。4人とも内郷砿宮沢寮に属している。同年に入り、襄陽で2回の集団募集があったことは間違いない。4人は45年中に亡くなり、その内の金忠國、豊村鉉春は解放後(8月29日、11月18日)に亡くなっている。鉉春は45年4月14日に落盤で腰椎骨折、入院治療中衰弱死とあるので、帰国を前にしての死亡と思われる(特別弔慰金1,600円の支給伺い書、12月1日承認)*。

*長澤前掲『極秘資料集』Ⅲ、405頁

⑧蔚珍郡

4人の犠牲者の内3人の入所日が「半島人労務者供出調」の割当数や供出数の月毎の記録に一致す。都周宅の入山採炭、1943年4月20日入所は、4月分300人、張田德伊の入山採炭、同年8月31日入所は、8月分100人、松山尚鳳の磐城炭砿、同年9月22日入所は、9月分100人にそれぞれ該当する。面事務所から送られてきた戸籍に関する情報では、都周宅と張田德伊は戸籍の確認が出来、遺族との連絡も取れそうである。

⑨旌善郡

ここでも李鳳南と池田鳳南が入山採炭、1943年1月28日の入所となり、43年の割当数100人・供給数94人、「満期現在数調」の採用年月日、同年1月28日93人に1人違うだけで、ほぼ一致しているので、この時の集団動員時に動員されたに違いない。結果的に、この時の動員では、平昌と合わせて、4人の犠牲者を出したことになり、この2人も満期後の44年に亡くなっている。

寧越の玉山敬煥は横城と2つの住所があるが、ここで取り扱った。1943年5月19日、磐城炭砿入所である。

⑩鉄原郡

宮本奉鐘は、1944年6月20日、常磐炭砿入所である。

⑪春川郡

犠牲者名簿中唯一の春川出身の李完淳であるが、住所、死亡年月日が「福島県総務部提出名簿」と「調査資料殉職者名簿」の出典*により違う。春川出身者はこの1人だけかと思い、第2回訪問（2007年）の時に市の「真相糾明委員会」に立ち寄り、常磐炭田への動員被害者の申告はないものかと調べて貰ったが、時間的余裕がなく探し出せなかった。

*いずれもいわき市内の研究者呑川泰司氏の提供による。

後に中央の「真相糾明委員会」よりいただいた『口述記録集』6に、入山採炭青葉寮の被動員者権五烈がいた*。詳しい聞き取りには他の仲間の名前も出ている。このことについては別に検討したい。

*権五烈「兄さんにかわり私が行ったのです」『口述記録集』6、145－169頁

（9）黄海道

本道は42年の「官斡旋」以後、供給対象地とされたというが、常磐では古河好間炭砿が12人中11人で、大日本勿来炭砿が1人の死亡犠牲者を出している。

郡毎に帰省者数を調べると延白3人、信川2人、甕津2人で、以下1人ずつとなる。鳳山、碧城、金川、谷山、瑞興の諸郡である。死亡年は全て1944年以後であるが、募集は分かる範囲で「半島人労務者供給調」に43年の3月、6月に100人ずつの割当数で、供給数は100人と94人である。大塚前掲『トラジ』には北好間大字松阪の6つの寮名が出ており、夫々人数が書かれている。价成59人、碧城55人、延津81人、信州73人、混成、忠黄の内黄海54人とある。

价成は平安南道の价川と成川のことであろう。延津は勿論、延白と甕津で、他は混成又は黄海寮に入ったのだろう。

（10）平安南北道

平安の死亡犠牲者12人は、入所年月日の分かる5人の中では、平岡鎮浩(43年5月)以外は1944年以後入所である。

常磐炭砿関係7人、好間炭砿が3人、出蔵寺の過去帳(勿来)にある1人、他の1人は不明である。寮のある价川、成川では各1人ずつ犠牲者が出ている。

（１１）咸鏡道

長寿院の過去帳に２人の名前がある。その１人の川村政吉は朝鮮人「労務者」を寄寓させているので、既住朝鮮人である。共に鳳城小田炭砿の労働者である。

Ⅱ　主要炭砿別戦時朝鮮人労働動員

考察の対象とするのは磐城炭砿・入山採炭（後の常磐炭砿）、古河好間炭砿、大日本勿来炭砿、日曹赤井炭砿、鳳城小田炭砿であるが本節では磐城、入山を重点とする。

1　炭砿死亡犠牲者年次別・企業別分布

動員地を検討する前に、各炭砿における死亡犠牲者の企業別・年次別の分布を見て置きたい。直接、炭砿（企業）別の動員時期や場所（出身地）を表すものではないが、入所していなければ死亡者は出ない訳なので、動員の実態を知るための参考になる。Ⅰ-1の「年次別・道別分布」の290人について分類した。

砿山別死亡犠牲者　　単位人

	磐城	入山	常磐	好間	勿来	赤井	小田	上山田	合計
39	2	0		0	1	0	0	0	3
40	11	6		1	1	5	0	0	24
41	16	6		1	0	2	0	0	25
42	11	13		5	1	2	1	0	33
43	22	15	(2)	4	2	1	0	0	46
44	38	21	4	9	3	0	3	2	80
45	25	13	6	16	6	2	7	0	75
合計	125	74	12	36	14	12	11	2	286

＊会社不明1、死亡時不明1、1946年死亡2を加えると290人になる。

＊常磐は合併後も磐城(内郷、磐崎)、入山(湯本)の別が分かるものは夫々にわけ、分類できないものを常磐とした。ただし、死亡時統計の扱いに従い、川平は内郷、鹿島は湯本に分類した。1943年の(２)は当時もどちらか分類不可の者である。勿来の39、40年は既住朝鮮人か。

＊入山の1940、41年の死亡者は磐城の半分にも満たないが、動員数が少なかった訳ではないことは後に

検討する。日曹赤井の朝鮮人鉱夫月末統計は1943年4月以後しか分からないが、「朝鮮人労務者移入状況及減耗数調」（長澤前掲『極秘資料集』Ⅳ、101頁）によると40年278人、42年148人、43年138人の「移入」がある。

2　炭砿別・年次別戦時労働動員

砿夫数は長澤作成の「炭鉱別朝鮮人鉱夫(月末在籍)常磐炭田」*より月末在籍数が分かるところはそれに従い、前月との増減を調べ（増減欄)、大まかな傾向を見る。

＊長澤前掲『朝鮮人強制連行論文集成』162－164頁、12表「炭砿別朝鮮人鉱夫数（月末在籍）常磐炭田」

次に雇入・解雇欄は長澤前掲『資料集』Ⅰ*[1]と『極秘資料』Ⅳ「月末現在勤労者数調*[2]」などの資料より1943年5月から45年7月(ただし、44年9月、45年3、4月は欠)について抽出した。「雇入」は動員の完了と見て検討する。

＊1『資料集』Ⅰ「労務者移動状況調」「県別炭砿労務者移動調」「労務状況速報」「雇入解雇及就業率調」

＊2『極秘資料集』Ⅳ、105－122頁

備考欄は「道郡別死亡者名簿」*[1]の入所者と、1942年1月から43年3月までの「満期者現在調」*[2]による採用年月日と道郡名別の採用人員と、同年の石炭統制会の京城事務所で作った「半島人労務者供出調」*[3]に基づき検討する。この場合の「採用」は動員の完了と見ていいが、逃亡などで満期時には1人もいなくなった時は、この表には出てこないということが考えられるので、この期間の全ての動員者を網羅しているとは言えない。又、「供出」数はあくまで総督府の段階での「移出」数で、途中の逃亡などによる減が多いので、動員完了との間には差があるはずである。以上のようなことを考慮しながら調べてみる。

＊1龍田前掲「道郡別死亡者名簿」の入所年月日の分かる死亡者数を抽出したもの。
備考欄の例えば慶南4（咸安3、昌原1）は道名・入所者数（郡名・入所者数）を表わす。

＊2『極秘資料集』Ⅲ、374頁、「昭和19年1月以降満期者現在調」

＊3『資料集』Ⅰ、64頁、「半島人労務者供出調」1943年1月～12月

磐城炭砿(内郷砿・磐崎砿)*[1]年月別砿夫数　　単位人

	砿夫数*[2]	増減	雇入*[3]	解雇	備考(動員地域・人数ほか)
39. 9					第1回割当慶南500*[4]
10	301				1日(63)、5日(81)、8日(75)、9日(75)*[5]、慶南8(泗川4、河東1、山清3)*[6]
11					
12					
40. 1					
2					慶南4(咸安3、昌原1)*[6]
3					慶南(咸陽5)、慶北3(清道1、義城2)*[6]
4					
5					
6					慶北4(醴泉2、漆谷1、義城1)*[6]
7					
8					
9					慶北5(義城3、安東1、金泉1)*[6]
10					慶南(梁山1)*[6]
11					慶北(金泉1)*[6]
12					
41. 1					忠北(陰城1)*[6]
2					
3					全北(沃溝1)*[6]
4					
5					
6	1,157				
7					
8					
9	1,075*[8]	-82			

10	1,039	-36			
11	1,027	-12			
12	1,182	155			全北 4(益山,淳昌,完州,長水)*[6]
42. 1	1,226	44			動員地不明
2	1,204	-22			
3	1,379	175	276		慶北 276(義城 96、漆谷 82、清道 98)*[7]
4	1,173	-206			
5	1,391	218	282		京畿 284(広州 93、楊州 101、高陽 90)*[7]
6	1,252	-139			
7	1,206	-46			
8	1,187	-19			
9	1,342	155	202		全南(海南 98)、江原 104(淮陽 4、江稜 100)*[7]
10	1,373	31	198		江原 105(襄陽 100、平康 5)、全南(光山 93)*[7]
11	1,343	-30			
12	1,591	248	305		全南 297 (康津 88、長興 99、康津 61、宝城 49)、全北(朱茂 8)*[7]
43. 1	1,543	-48			
2	1,572	29	174		京畿 174(坡州 80、長湍 94)*[7]
3	1,599	27	2		江原(平康 2)*[6]
4	1,354	-245			
5	1,671*[9]	317	381	64	慶南(200)、江原(296)*[10]
6	1,711	40	145		動員地不明
7	1,565	-146	9	155	
8	1,529	-36	14	50	京畿(81)*[10]
9	1,667	138	148	30	江原(94)*[10]
10	1,685	18	62	44	全北(61)*[10]
11	1,747	62	102	40	全北(113)*[10]
12	1,765	18	53	35	全北(53)*[10]

44. 1	1,722	-43	17	60	
2	1,940	218	248	30	京畿 2(高陽 1、抱川 1)、全北(沃溝 1)*6
3	1,930	-10	47	57	動員地不明
4	1,976	46	75	29	動員地不明
5	1,983	7	61	54	動員地不明
6	2,106	123	227	103	江原 4(襄陽 2、洪川 1、鉄原 1)*6
7	2,158	52	129	78	江原 3(襄陽 2、伊川 1)*6
8	2,265	107	244	137	京畿(驪州 1)、江原(伊川 1)*6
9	2,180	-85			
10	2,426	246	381	138	動員地不明
11	2,281	-145	47	189	動員地不明
12	2,199	-82	29	109	
45. 1	2,344	145	253	108	動員地不明
2	2,213	-131	50	181	動員地不明
3	2,191	-22			
4	2,006	-185			
5	1,890	-116	91	206	動員地不明
6	1,731	-159	62	221	動員地不明
7	1,440	-291	48	338	動員地不明

*1 磐城炭砿は内郷砿と磐崎砿により成立っている。

*2 増減欄は砿夫数の「当月数」から「前月数」を引いた数。移動の状況を表わす。但し、1941 年 9 月の減 82 人は 6 月との比較。

*3 雇用・解雇統計は 1943 年 5 月～1945 年 8 月（但し、1944 年 9 月、1945 年 3、4 月を除く）まであり、「集団移入」の動きがほぼ正確にわかる。但し、1 回の割当数が数ヵ月に分れて充足する場合も多いので注意を要す。

*4 1939 年 9 月の備考欄は、田中直樹『近代日本炭鉱運動史研究』草風館、1978 年、589 頁

*5 1939 年 10 月の備考欄は『磐城新聞』10 月 2 日付夕刊。既着と予定の人数が出ている。合計 300 人を計画している。

*6 1939 年 10 月、1940 年 2 月～45 年 7 月の備考欄は「道郡別死亡者名簿」より龍田作成。表記は道名・入所者数（郡名・入所者数）。

*7 備考欄 1942 年 3 月～1943 年 3 月は「満期者現在調」、1943 年 2 月は「半島人労務者供給調」も同数。1943 年 4 月～12 月

＊8 1941年9月～43年4月までの砿夫数は『鉱夫月末現在数内訳表』83頁

＊9「炭砿別朝鮮人鉱夫数（月末在籍）常磐炭田」（1943年5月～1945年7月）長澤前掲『朝鮮人強制連行論文集成』162－164頁

原資料は長澤前掲『資料集』I「労働者移動状況調」1943年5月、「県別炭砿労働者移動調」43年6月～9月、「労働者状況速報」43年10月～44年7月、「給源種別労働者月末現在数調」44年8月・10月～12月、「主要炭砿給源別現在員表」49年9月

長澤前掲『極秘資料集』Ⅳ、108－116頁、「現在勤労者数調」45年1月～3月、6月～7月

＊10 1943年5月以降の解雇統計は「半島人労務者供給調」

＊1945年の「雇入・解雇」は「現在勤労者調」1、2、5～7月分（3、4月は統計なし）（『極秘資料集』Ⅳ、109－116頁）

ここから考えられることは、磐城炭砿の1939年の9月の募集は泗川、山清を中心とする慶南で行われたこと。40年になると、慶南の咸陽、咸安などの他に、義城など慶北が増え、この年は主として慶南、慶北が動員地であったのではないかと思われる。更に41年になると忠北、全北が対象地となった様に思われる。

「官斡旋」以後は、月末統計の増が100を超すところでは、大規模な動員があり、3、5、9、10月と慶北、京畿、全南、江原で200人を超える規模の動員が繰り返された。12月には再び全南で300人規模の動員があり、月末現員数は1,500人を超えた。入山採炭は慶北を中心に全北にも集中していたが、磐城は全南（488人）が動員の重点であった様だ。43年になると、後述する様に入山採炭が江原に集中するのに対し、京畿も2回、更に慶南と多様だが、次第に江原に重点が移って行く様に見える。

1944年は系統的な資料に欠けるが、ほぼ毎月50人以上の動員に加え、2、6、8月に200人以上の大規模動員があり、10月には300人台の動員がある。入所記録から京畿8月、全北2月、江原6月が動員地の様で、10月は分からない。

それ以後は1945年の1月に253 人の動員があり、現員数は2,300人のピークをなし、以後は 100 人以下の雇入に終わる。内容的には直接の集団動員によるものかどうか確かめられない。このピークは全国的な趨勢より遅い。

解雇の規模は1944年の6月以後は、ほぼ毎月100人を超え、45年は5、6、7月になると200人を超えるようになり、現員は減る一途で1,300人台になる。

（2）入山採炭

入山採炭（湯本砿）年月別砿夫数　単位人

	砿夫数*[1]	増減	雇入	解雇	備考(動員地域・人数ほか)
39.10	170				慶南3(山清3)
11	499	329			この頃全南(潭陽300)の証言も*[2]
12	458	-41			
40. 1	429	-29			忠南(扶余死亡1)(430のスト)*[3]
2	390	-39			
3	615	225			この頃全南(高興150)の証言も*[2]
4	572	-43			慶南(山清死亡1)*[4]
5	860	288			動員地不明。慶南2(山清死亡2)この頃か全南(木浦100)の証言も*[2]
6	801	-59			
7	773	-28			
8	712	-61			
9	1,063	351			上の証言に同じ*[2]
10	1,061	-2			
11	865	-196			
12	1,049	184			動員地不明
41. 1	1,272	223			動員地不明
2	1,543	321			動員地不明
3	1,486	-57			
4	1,693	207			動員地不明
5	1,645	-48			慶南1(慶安死亡1)*[4]
6	1,607	-38			
7	1,558	-49			全北1(南原死亡1)*[4]
8	1,458	-100			慶南1(咸陽死亡1)*[4]
9	1,402	-56			慶南2(咸陽、宣寧死亡各1)*[4]
10	1,343	-59			忠南1(論山死亡1)*[4]
11	1,276	-67			

12	1,260	-16			
42. 1	1,428	168	198		全北 198(高敞 99、任実・扶安 99) *5
2	1,442	14	50		全北(朱茂 50)
3	1,634	200	241		慶北(永川 241)
4	1,503	-131			
5	1,571	68	247		慶北 247 (慶州 162、永川 85)
6	1,689	118	223		慶北 223(清道 123、奉化 100)
7	1,644	-45			
8	1,554	-90			
9	1,677	123	200		江原 200(伊川 100、淮陽 100)
10	1,562	-115	100		江原(平康 100)
11	1,709	147	190		全南 190(宝城 97、潭陽 50、求礼 43)
12	1,856	147	182		全北 182(朱茂 100、長水 82)
43. 1	1,891	35	93		江原(平昌・旌善 93) *6
2	1,922	31	49		江原(淮陽 44)*7
3	1.986	64	97		江原(平康 97)*8
4	1,797	-189			江原 280*9
5	1,774	-23	179	202	江原 79、京畿 100
6	1,934	150	242	82	江原 246
7	1,907	-27	56	83	江原 50
8	1,935	28	100	72	江原 100
9	1,952	17	101	84	江原 100
10	1,891	-61	2	63	
11	1,984	93	107	14	江原 98
12	2,383	399	435	36	江原 367*5
44. 1	2,353	-30	1	31	
2	2,509	156	206	50	動員地不明
3	2,441	-68	7	76	

4	2,392	-49	1	60	
5	2,322	-70	0	70	
6	2,387	65	121	14	動員地不明
7	2,258	-29	43	71	江原(伊川 1)*4
8	2,243	-15	137	140	動員地不明
9	2,185	-58			
10	2,295	110	215	205	江原 2 (原州 1、麟蹄 1)、平安 4(江東 1、中和 1、龍岡 1、中原 1)*4
11	2,075	-220	32	252	
12	1,991	-84	3	87	
45. 1	1,607	-384	2	386	
2	1,533	-74	1	75	
3	1,446	-87			
4	1,402	-44			
5	1,325	-77	63	140	動員地不明
6	1,037	-288	2	290	
7	969	-68	1	69	

*1 砿夫数は長澤前掲「炭鉱別朝鮮人鉱夫（月末在籍）常磐炭田」162－164 頁
*2 長澤前掲「常磐炭田における朝鮮人労働者について」129 頁
*3『特高月報』昭和 15 年 2 月分『昭和特高弾圧史』6、320 頁
*4 龍田作成「道郡別死亡者名簿」
*5 備考の 1942 年 1 月～1943 年 3 月「満期者現在調」長澤前掲『極秘資料集』Ⅲ、374 頁
*6「半島人労務者供出調」では 94 人
*7「半島人労務者供出調」では 150 人
*8「半島人労務者供出調」には記載なし
*9 以下、4 月～12 月「半島人労務者供出調」。5 月より雇入、解雇統計を掲載。
*1945 年 3、4 月は雇入・解雇統計なし

以上の統計から分かることは、1939 年の末までの 500 人近い動員は、慶南山清の 10 月 26 日の入所者が 3 人もいることや、40 年 4、5 月にも 3 人の死亡者を出していることから、最初の 170 人動員が慶南で行われたことは考えられる。又、忠南 500 人については木山茂彦氏証言では失敗に終わったというが、年明けの 2 月に全員参加のストに死亡者縁故者が絡んでいたことから、ここからすでに大量の動員者を予想させる。潭陽の 300 人については、もし、この期に行われたとすれば、数的な調

整が難しいが、慶南、忠南が夫々100人以下の場合はあり得る。

1940年に入ると、全く死亡犠牲者がいないこと（隠したのかは分からない）が、かえって犠牲者の多かった磐城炭砿より動員地が分からないという皮肉な結果になっている。言い換えれば、残念ながら正式の統計記録が残っていないため、動員出身地及びその人数を知る唯一の手がかりは死亡犠牲者の証言と統計に頼らざるを得ない。同年の3、5、9月の200人規模の3回の動員がある。前に引用した労務係が全南に3回渡ったという証言*は、その一端に当たるのかも知れない。40年末から41年初めにかけ4回にわたり合計935人の動員がなされているが、この動員地は分からない。

＊長澤前掲『朝鮮人強制連行論文集成』129頁の注参照

1942年になると、1、2月と12月に全北で合計430人、更に3、5、6月に慶北で合計711人の大動員があり、江原300人、全南200人を合わせると総計1,641人に及ぶ大動員がなされている。現員数も年末には1,856人である。入山採炭のこの年の動員中心地は慶北である。

1943年になると動員の対象は殆ど江原となり、10月を除く11回の動員で、1,560人の「供給」又は雇入が行われたことになる。ただ解雇の数も多いので、現員数は2,000人弱で推移し、年末は2,383人であった。その後も、44年2月の2,509人をピークに11月まで2,000人台で推移する。ピーク時の同年の2月は206人の動員。6、8月の100人台規模、更に10月の215人の動員を最後に、大規模な動員は無くなる。これらの動員地は、10月に入所記録で江原2人、平安4人は分かるが、他は分からない。磐城では労務係の派遣や入所者の記録も多いので、相変わらず常磐炭砿としては江原の動員があった。解雇は10、11月の約200人台を始め、45年の1月には386人の大量の解雇があり、雇入は5月を除き毎月1、2人に留まった。既に、終戦を待たずして雇用政策は破綻しており、7月の現員数は960人で、ついに1,000人を割った。

尚、平安道出身者の入所記録は、1943年5月に1人がある他、44年10月に4人（2人は常磐なのでここに記す）の入所があり、死亡犠牲者8人もそれ以後に限られる*。

＊龍田前掲「道郡別死亡者名簿」

（3）古河好間炭砿

この炭砿は、1939 年の閣議決定による朝鮮人の戦時集団労働動員の開始と共に動員が始まっているので、月別推移の表も、そこから始めた方が良いが、スペースの都合上、一部省略する。

古河好間炭砿年月別砿夫数　単位人

	砿夫数	増減	雇入	解雇	備考(動員地域・人数ほか)
40. 1	64*[1]				
4					忠北(沃川死亡 1)*[4]
41. 3					慶北(尚州死亡 1)*[4]
6	210*[2]				
7					
8					忠北(陰城 1)*[4]
9	203*[3]	-7			
10	240	37			動員地不明
11	221	-19			
12	219	-2			
42. 1	214	-5			
2	191	-23			
3	182	-9			
4	265	83			動員地不明
5	229	-36			
6	221	-8			
7	187	-34			
8	281	94			動員地不明
9	342	-39			
10	407	167			動員地不明
11	342	-65			
12	477	130			動員地不明
43. 1	477	64			動員地不明

2	541	64			忠南割当数 100・供出数 100*4
3	580	39			黄海割当数 100・供出数 100*4
4	514	-66			
5	507	-7	4	11	
6	573	66	83	13	黄海割当数 100・供出数 94*4
7	547	-26	6	36	
8	527	-20	6	26	
9	472	-55	6	11	
10	459	-13	6	19	
11	454	-5	2	9	
12	540	86	99	13	動員地不明
44. 1	517	-23	4	27	
2	588	71	72	1	動員地不明
3	579	-9	5	14	
4	585	6	13	7	
5	674	89	89	0	動員地不明
6	673	-1	10	1	
7	837	164	166	1	動員地不明
8	834	-3	171	174	動員地不明
9	832	-2			
10	999	168	169	2	動員地不明
11	1,044	45	48	34	動員地不明
12	1,005	-39	0	39	
45. 1	1,015	10	80	70	動員地不明
2	911	-104	48	152	動員地不明
3	845	-76			
4	793	-52			
5	762	-31	2	33	
6	702	-60	6	66	

7	648	-54	13	67	

＊砿夫数は長澤前掲「炭鉱別朝鮮人鉱夫（月末在籍）常磐炭田」162－164頁
＊雇入・解雇の出典は磐城炭砿の注に同じ。1945年3、4月は統計なし。
＊1『特高月報』1940年2月分『昭和特高弾圧史』6、304－305頁
＊2 同上、1941年6月分『昭和特高弾圧史』7、115頁
＊3 長澤前掲「炭鉱別朝鮮人鉱夫数」162－164頁
＊4 長澤前掲「半島人労務者供出調」64頁

以上で分かる通り、動員地についての資料は殆どない。初期の動員が忠北で行われたことは、1940年4月13日に沃川が本籍の李範龍が、頭部骨折により死亡していることから推測出来る。

更に、1941年8月18日に忠清陰城の岩本斗榮の入所記録があることから考えられる。特に忠南、黄海からの100人の割当・供給のあった2、3月の後、4月25、26日には多数の朝鮮人労働者が参加した(468人中402人)「朝鮮人闘争事件」*[1]では、その中心人物の半数以上が忠北出身であることからも、又、忠北出身の動員死亡犠牲者17人中10人までが好間炭砿であることからも、忠北が好間炭砿の動員地の重要な中心地であったことがわかる*[2]。

＊1 前掲『昭和特高弾圧史』8、1976年、75頁
＊2 平区裁判所「判決原本」(山田昭次氏提供)

又、大塚氏によると*松坂、山ノ坊の寮生の中で、黄海道出身が263人に上ることが記るされている。終戦時の数字と受け取れるが、1943年の「半島人労務者供給調」の供給数（200人）を上回る動員がなされたことを物語っている。死亡犠牲者も17人中10人までが好間炭砿であることにも反映される様に、本砿は常磐の他の炭砿とは違って、ここにも動員地を求めたことが分かる。

＊大塚前掲『トラジ』181頁

更に、平安についても价成寮59人という数字はかなり多い。死亡犠牲者も12人中3人が好間炭砿である。

（4）大日本勿来炭砿

常磐炭田の4大炭砿の中に数えられながら、その末席に位置するこの炭砿は、朝鮮人の戦時労働動員でも他の炭砿に「遅れをとった」かに見える。当時の新聞*[1]でも古河好間炭砿と共に100人の認可を受けながら、どうしたことか結果的には受け入れなかった様である。入山を前にした1939年10月13日に、10人の重軽傷者を出

すガス爆発事故があったためと思われる。

＊『磐城新聞』1939 年 10 月 16 日付

同じ炭砿の三沢新坑に、1940 年頃から数 10 人の独身朝鮮人が入坑していたという証言*がある。加藤飯場と言われた寮の跡には、今もコンクリートの残骸が残っている。又、ある労務係も 41 年頃から入山していたと証言している*。

＊長澤前掲「常磐炭田における朝鮮人労働者について」に、当時、労務課長補佐のＦ氏が証言している。集団移入が 1941 年から始まったと言うのもＦ氏で、今は亡くなっている。

砿夫数は、統計上、1942 年 4 月からあるので、これ以後を取り扱う。

大日本勿来炭砿年月別砿夫数　単位人

	砿夫数	増減	雇入	解雇	備考(動員地域・人数ほか)
42. 4	80	0			(42 年～43 年江原道 2 回、全羅南道 1 回)*[1]　忠北(鎮川 100)*[2]
5	80	0			
6	76	-4			
7	68	-8			
8	260	+192			(江原道?)*[1]
9	254	-6			
10	243	-11			
11	281	+38			忠北堤川隊入所(40)*[3]
12	258	-23			「暴力」事件
43. 1	231	-27			
2	234	+3			動員地不明
3	228	-6			
4	267	+39			忠南割当数 50・供出数 49*[4]
5	263	5	10	5	
6	338	70	100	24	京畿割当数 100・供出数 86*[4]
7	328	-10	0	10	
8	315	-23	0	13	
9	294	-21	0	21	
10	294	0	0	0	

11	294	0	0	0	
12	293	-1	0	1	
44. 1	393	0	0	0	
2	336	43	43	0	動員地不明
3	334	-4	0	2	
4	334	0	0	0	
5	366	32	38	6	動員地不明
6	473	107	121	14	京畿陽平隊(82?)6 月 22 日到着*5
7	474	1	30	29	動員地不明
8	428	-46	2	48	
9	445	17			動員地不明
10	554	109	142	32	動員地不明
11	512	-42	4	41	
12	484	-28	46	28	動員地不明
45. 1	469	-15	41	52	動員地不明
2	445	-24	2	26	第 2 次京城隊(34?)2 月 22 日*5
3	440	-5			忠南洪城隊(64?)3 月 23 日*5
4	426	-14			
5	423	-3	3	6	
6	390	-33	2	35	
7	340	-50	13	62	

*1 長澤前掲『朝鮮人強制連行論文集成』137 頁、F労務係の証言

*2 宋甲奎氏証言（第 2 巻第 3 回報告書、79 頁参照）。更に 1940 年、三沢新坑に入社の藤田久春氏の証言もある。

*3「～隊」とついているのは、入山記念写真から人数を数えたもので不正確である。また記入された日付についても、どこまで信頼できるかは定かでないが、写真の上に当時通訳官の労務係（元朝鮮で巡査）が書き込んだもの。堤川隊は 1944 年 11 月に定着記念写真を撮っている。契約期間は一般的に 2 年が多いので、その 2 年前を入所日とした。堤川勤労報国隊の集団事件は 1942 年 12 月 15 日（判決文）で、これ以前に入所したことは間違いない。

*4 長澤前掲「半島人労務者供出状況調」64 頁

*5 元通訳石川平三郎氏所蔵写真より計数

*上記以外は前記炭砿統計の出典と同じ

前掲「砿山別死亡犠牲者」の表で見ると、1939年、勿来炭砿1人となっているが、この年の11月2日に死亡した慶北の李双洙（当時28歳）が、出蔵寺の過去帳に載っているからである。

又、1940年3月3日の1人は、平安南道の李炳華（49歳）で、過去帳のみの記載である。今までの証言や統計から、これは既住朝鮮人として取り扱うしかない。この時点で勿来砿での「集団移入」の可能性は少ない。

次に証言*のある1942年の初期2回の江原における集団動員については、幸い死亡犠牲者は出ていない様で、実態は掴めない。42年11月の堤川勤労報国隊については、調査報告に詳しく述べているので繰り返さない（第2巻第2回韓国調査報告参照）。

＊大日本勿来炭砿のＦ労務課長補佐の言（長澤前掲『朝鮮人強制連行論文集成』137頁）

死亡者を地域別に見ると、京畿、忠南、忠北が各3人、慶北2、全北、黄海、平安が各1で、京畿と忠南北が集団動員の中心の様に思える。

ただ、1942年12月の「暴力事件」には、江原出身者が2人いて事件の中心にいるので、先の証言を裏付ける。又、この事件の発端となった2人は、黄海、平安出身者であり、古くからの砿夫を思わせる経緯を見ると、先の李炳華らと共に既住の朝鮮人である可能性が強い。勿来炭砿は昭和の初めには、かなりの数の朝鮮人を雇用していたが、1935年前後には著しく減少している様である。

（5）日曹赤井炭砿

日曹赤井炭砿は4大炭砿に次ぐ中位の炭砿で、1943年には入山採炭、磐城炭砿が60万トン前後に対し，古河好間炭砿42万トン、大日本勿来炭砿が28万トン、日曹赤井炭砿が10万トン、小田炭砿が15万トンの出炭実績を持つ。朝鮮人の戦時強制動員の歴史はかなり古く，既に40年初めには認可を受け、受け入れている。長澤前掲『朝鮮人強制連行論文集成』（161頁）によると、動員数は40年278人、42年148人、43年138人である。大日本勿来炭砿の1,028人についで777人に及ぶ。従って、死亡犠牲者も12人と大日本勿来炭砿に次ぐ。石炭統制会の月別統計は1943年4月からある。

日曹赤井炭砿年月別砿夫数

単位人

	砿夫数	増減	雇入	解雇	備考(動員地域・人数ほか)
40. 8				1	慶南1(山清1)死亡*2
9				3	慶南3(密陽3)死亡*2
11				1	慶北1(栄州1)死亡*2
40年					動員数278*4
41.10				2	慶南1(密陽1)、慶北1(高霊1) 死亡*2
42. 4				1	慶北1(栄州1)死亡*2
11				1	慶北1(栄州1)*2
42年					動員数148*4
43. 3				1	慶北1(安東1)死亡*2
4	106*1				
5	104	-2	1	3	
6	87	-17	3	20	
7	86	-1	3	4	
8	72	-14	1	15	
9	130	+58	60	2	慶北割当数100・供給数100*3
10	127	-3	1	4	
11	131	+4	9	5	動員地不明
12	130	-1	0	1	
43年					動員数138*4
44. 1	148	+18	26	8	動員地不明
2	135	-13	2	15	
3	139	+4	13	9	動員地不明
4	131	-8	1	9	
5	126	-5	0	5	
6	124	-2	1	3	
7	121	-3	2	5	

8	118	-3	1	4	
9	113	-5			
10	188	+75	82	7	動員地不明*4
11	179	-9	0	9	
12	38	-141	0	138	
44 年					動員数 204(日曹常磐を含む)*4
45. 1	24	-12	0	10	慶南(山清死亡 1)*2
2	20	-4	2	6	
3	122	+102			動員地不明　慶北(安東死亡 1)*2
4	132	+10			
5	120	-12	0	12	
6	108	-12	8	20	
7	97	-11	1	12	
45 年					動員数 11*4

*1 長澤前掲「炭鉱別朝鮮人鉱夫」162－164 頁

*2 龍田前掲「道郡別死亡者名簿」の年月日の分かる死亡者名から動員地道名（郡名死亡者数）を掲載

*3 長澤前掲「半島人労務者供出調」64 頁

*4 長澤前掲論文『朝鮮人強制連行論文集成』161 頁

*上記以外は前記炭砿統計の出典と同じ

統計上の死亡者 12 人から見ると 1940 年は慶北 6 人と慶南 6 人に限られ、この 5 郡に集中していたことが考えられる。特に密陽（4 人）と栄州（3 人）に多い。43 年 9 月の 100 人の動員も慶北である。

その後、砿夫数の増減からみる限りでは、44 年 10 月(+75 人)と 45 年 3 月(+102 人)には、かなりの規模の動員が行われたことが分かる。尚、先に見た石炭統制会東部支部の資料*では 1945 年 1～7 月の動員数 11 人となっているが、45 年 3、4 月の雇入、解雇統計が欠けており、実数ではない。表の様に 3、4 月に 112 人の動員があった。従って、45 年 1～7 月の日曹赤井炭砿の動員数は少なくとも 123 人あったと推測される。

*長澤前掲『極秘資料集』Ⅳ、109－122 頁。1945 年 1 月～7 月（但し 3～4 月欠）の「月末末勤労者数調」の雇用数は計 11 人となる。

しかし、44 年 12 月の 141 人減はいかなる理由があったのか。小規模炭砿とはいえ、考えられない程の減少数で、「内地人」も442人から366人に76人も減っているので、この打撃は大きかったのではないか。3ヵ月後に再び102人の動員を行っている。尚、統計は多少利用資料の違いから誤差はある。

（6）大昭上山田炭砿

いわき地区南部の典型的な小炭砿の1つである。最盛時には401人の従業員の内42%、168人が朝鮮人労働者という炭砿で、樺太転換朝鮮人労働者の受け入れ対象にも挙がっていたが実現はしていない*。

＊再検討の結果、樺太転換労働者は1944年10月68人、11月49人の雇用の中に含まれるものと推測される（長澤前掲『朝鮮人強制連行論文集成』50頁、表10）。

1943年4月から朝鮮人労働者の受け入れがあった様だが、集団動員によるものかどうかは不明である。本格的な動員は12月から始まる。

大昭上山田炭砿年月別砿夫数　単位人

	砿夫数	増減	雇入	解雇	備考(動員地域・人数ほか)
43. 4	8				
5	8	8	8	0	動員地不明
6	8	0	0	0	
7	8	0	0	0	
8	8	0	0	0	
9	16	8	8	0	動員地不明
10	16	0	0	0	
11	16	0	0	0	
12	87	71	71	0	忠南割当数100・供出数76*[2]
44. 1	87	0	0	0	
2	100	13	16	3	動員地不明
3	100	0	0	0	
4	95	-5	0	5	
5	95	0	0	0	
6	95	0	0	0	
7	127	32	36	4	115*[3]　動員地不明

8	127	0	0	0	115*[3]
9	107	-20			95*[3]
10	169	62	68	4	159*[3] 樺太転換?
11	206	37	49	12	196*[3] 樺太転換?
12	206	0	0	0	196*[3]
45. 1	214	8	18	0	214*[3] 動員地不明
2	214	0	0	0	
3	209	-5			
4	257	48			動員地不明
5	254	-3	0	3	
6	216	-38	0	38	
7	216	0	0	0	既住雇入 4、解雇 6

＊1 長澤前掲「戦時下南樺太の被強制連行朝鮮人炭砿夫について」

＊2 長澤前掲「半島人労務者供出調」、9 月から 12 月まで 10 人ほど朝鮮人砿夫数が違う

＊3 長澤前掲「給源種別労務者月末現在数調」7 月～12 月分、237－282 頁

＊上記以外は前記炭砿統計の出典と同じ。

1943 年 12 月の忠南以外は 43 年 5 月、9 月、44 年 2 月、7 月、10 月、11 月、45 年 1 月、4 月の動員地は分からない。特に 45 年 4 月にも 48 人の新たな雇用があり、全体として敗戦近くまで雇用が安定しているのが特徴である。

尚、44 年の 2 月には、朝鮮人労働者と食事を巡ってのトラブルが起こり、労務係が暴力を振るったところ、3 人が加担して回りの 10 数名が取り囲み、4 人が検挙されるという事件が起こっている*。同月に 2 人が送致されたが、3 人の解雇はそのためと思われる。

＊『特高月報』1944 年 3 月分『昭和特高弾圧史』8、204－205 頁

（7）小田鳳城炭砿

戦時期の最盛時には 1,000 人を超す従業員がいたこの炭砿は、1944 年 9 月以後、樺太から転換した朝鮮人砿夫を 149 人雇用し、終戦時には 64 人となっていた*[1]。この間、新たな集団動員は無かった様なので、表は省く。出身地は「道郡別死亡者名簿」によると 10 人中 2 人の既住朝鮮人を除き、8 人全て慶北達城出身者である。1945

年4月に、日本最大の炭砿災害で死亡した6人もこの中に含まれる*[2]。

＊1 長澤前掲「戦時下南樺太の被強制連行朝鮮人炭砿夫について」50頁
＊2 龍田前掲「道郡別死亡者名簿」慶尚北道達成郡、510頁

まとめ

（1）動員地の年次別・地域的特徴

集団動員開始当時（1939年）の募集地は、死亡犠牲者の入所記録により慶南（泗川、山清など）と1940年初期の死亡者の存在から忠南、忠北が考えられる。

40年に入ると、引き続き慶南（咸陽、咸安、蜜陽）の他に慶北（義城、醴泉など）がある。労務担当者の証言*もあり全南も加わる。

＊前掲木山証言「わが炭砿労務者管理を語る」参照

41年は全体として動員募集数は減っているが、入所記録から全北（益山、沃溝など)、忠北（陰城）がある。死亡者の存在からこの年を含むそれ以前の被動員者が考えられるのは慶南、慶北、忠南など南部諸道のほぼ全域に亘ると思われる。

42年は「満期現在調」により磐城・入山の両炭砿の動員地がほぼ正確に把握される様になる。つまり、第1の慶北は永川326人を始め、清道221人、慶州162人、奉化、義城、漆谷が100人近い規模で動員され合計987人に上る。次に、全南678人、全北438人、それに新たに江原748人、京畿282人が加わる。全南は宝城146人、康津149人、長興99人、潭陽、求礼が各50人規模である。全北は朱茂の150人を始め、高敞、任実、長水で100人規模。江原はどちらかというと道の北に属する伊川、淮陽、平康、襄陽、江稜などで100人規模の動員をしている。京畿は広州、楊州、高陽など100人規模である。合わせて3,133人であるが、引き続いて3分の2以上は南部の慶北・全北・全南3道（2,000人余）に依存していると言える。両炭砿以外の詳しい動員地は掴めないが、いわき地域内の炭砿での総動員数は3,840人に上る。

43年は「半島人労務者供出調」で、大まかではあるが供出数の全体像は掴める。

江原が1,954人、京畿456人で両道の比重が高くなり、最早、江原なくして常磐の戦時動員は語れない程になってしまった。従来の南部諸道は、全北227人、忠南225人、慶南200人、慶北100人と大幅に後退したことが分かる。代わって新たに入

った黄海 194 人が目立つ。茨城県部分は対象外としたが、いわき地域内の総動員数は 3,356 人に上る。

44 年は、死亡犠牲者の入所記録、砿夫月末統計による増減と死亡犠牲者の存否を参考にする方法により、江原 17 人、京畿 3 人と、同年の入所者が集中していることから、引き続き江原を中心に京畿が動員地となった。

更に、平安の入所者が 44 年の 10 月に 4 人いることから、この地も動員対象地となったことは確かである。

全南、全北、忠北にも 1 人ずついるので、ここも動員が行われたことは間違いない。但し、旧磐城炭砿系は 1944 年が最大の動員規模（1,505 人）*をなすが、旧入山系では動員の規模は 6～700 人台に留まる。月末砿夫数が 2,000 人台を維持しているのは 42、43 年の動員の蓄積によるもので、解雇数はどちらもほぼ 1,000 人位で同じである。他の炭砿もいずれも 44 年が最大規模の動員となるが、「大日本勿来の京畿楊平隊」以外は確かなことは分からない。ただ、45 年 8 月までは磐城（5、6、7 月）、入山（5 月）に 50 人以上の雇用があるが、どの様な性格の動員がなされたかは不明である。他の炭砿では、最後の動員が大日本勿来は 2、3 月、古河好間は 1、2 月までしか分からない。一般的に朝鮮海峡の渡航は困難と言われている中で、どの様なルートが使われたのかも分らない。

＊長澤前掲『資料集』Ⅰ、159－283 頁。1944 年の雇用合計

（2）炭砿別の動員地と動員時期

動員地について言及する時、当然、動員者の炭砿資本の動向に触れざるを得なかった。各炭砿の年月別砿夫数の表を通覧すると、動員地不明が目につく。一応、50 人近くの雇用がある場合は集団動員であろう。増減数からプラスの数字で少なくとも集団動員があったことは容易に想像が付くが、ただマイナスの場合にも集団動員がある場合があるので、戦時集団労働動員はここに表れたものに倍するかもしれない。即ち、増減数の多寡に関わりなく集団動員の可能性はあり得ると思われる。ただ、集団動員も割当数を一度に実現したのではなく、「充足残数」の補充や割当数が多くなると「目標値」を数回に分けて「充足」する場合も多い。

以下、炭砿別に大略まとめる。

①磐城炭砿（内郷砿）

磐崎砿も含めると、数字の上では入山採炭を上回っているが、磐崎（長倉）砿の独自の分析は殆ど出来なかった。39年、40年は動員数値さえ分からないので、殆ど入所記録に頼ることとなった。最低7回、月に10ヵ所、慶尚南北両道に亘り動員されたことは確認できる。41年は2道4ヵ所は読み取れる。42年は慶南と忠清道を除く南部5道で9回1,265人である。43年は京畿、江原、慶北の3道で5回以上（雇入のない月は2ヵ月だけ）1,273人以上。44年は江原、京畿に全北を加え5回、雇入統計のない1ヵ月を除き全て動員があった。45年も毎月雇入はあるが、動員先は全く不明である。

②入山採炭（湯本砿）

1939、40年は慶南、忠南、全南に限られ、5回以上の動員があった。月末統計の雇入増だけでも1,377人になる。41年も慶南、全北、忠南であろうか。雇入増は3回のみで751人。42年は全北、慶北、江原、全南の4道で9回、1,631人。43年は江原11回、京畿1回で1,657人。44年は江原、平安の両道で6回以上の動員で566人。45年には2回以上102人以上の動員があったが、動員地は不明である。

③古河好間炭砿

1939、40、41年は忠北、慶北で4回以上140人、42年は4回474人、動員地は不明。43年は忠南、黄海で5回379人、44年は8回以上682人、45年は3回以上149人、いずれも動員地は不明。

④大日本勿来炭砿

1942年は江原、忠北2回で220人。43年は忠南、京畿2回で135人。44年は6回以上426人。45年は2回以上61人、いずれも動員地不明。

⑤日曹赤井炭砿

1940、41年は慶南、慶北で278人。42年は148人、動員地は不明。43年は慶北138人。44年は204人、45年は111人、いずれも動員地は不明。

⑥大昭上山田炭砿

1943年は忠南3回92人。44年は4回169人、45年は1回18人、いずれも動員地は不明、計279人が動員されている。

⑦鳳城小田炭砿

44年は149人、全て樺太から転換した朝鮮人労働者である。

以上、動員数の経緯と動員地を記して、まとめに替えたい。

第3章　常磐炭田における強制労働と民族差別

Ⅰ　強制労働性

日本人が「全般的労働義務制」という強制労働の体系の中に組み込まれ、ファッショ的軍事的警察的支配の中に追いやられていた時、植民地から強制動員された朝鮮人労働者は、自らのおかれた政治的経済的精神的状況の下、暴力的強制的に故国から引き離されたという意味で日本人とは違う「強制性」を帯び、更に宗主国のひざ元で民族差別という二重の重圧を背負わされながら酷使された。動員（連行）時における強制性と動員現場における強制労働性とはメダルの両面をなし、その厳しさは、日本人の戦時動員の厳しさに比べ民族差別により倍加させられた。そこで本章の主題は、どの様な民族的差別があったのかを追究することにあり、そのことは日本人の戦時労働動員との違いを明らかにすることに通ずると考える。但し動員（連行）時における日本人との差、即ち強制の具体的検討は別稿に譲る*。

*龍田「常磐炭田における戦時労働動員」『戦争と勿来』20号、サークル平和を語る集い、2005年、14－18頁にも連行の実態について簡単に触れている。Ⅱ民族差別の項も参照。

1　労務管理の暴力的性格

「強制連行」された朝鮮人についていわき地域の人たちの記憶は、暴力による制裁を受けて「アイゴー、アイゴ—」と号泣する朝鮮人を見て「かわいそうだった」というものである。それ位動員された朝鮮人に対する暴力が振るわれたことは、当時としても印象的な記憶であったと思われる。一般的に軍国主義の風潮の中で、「指導」と称する暴力は、軍隊始め国民の日常生活の中にはびこっていた。そして、植民地出身の人達や捕虜などに対する暴力は、表面上は決して奨励された訳ではないが横行していた。

西成田氏は「移入」朝鮮人の労務管理の型として、「軍事的抑圧型労務管理」と「宥和的労務管理」の２つの型を挙げ、軍事的抑圧的労務管理を「基調」(基本型）としつつ、宥和的労務管理を副次的な型として挙げている。そして、軍事的抑圧的な労務管理は記録として残ることが少ないとしながら、住友鴻之池鉱山の「形より入いる」軍隊式生活の訓練になじまない者への「特別指導」として、「座らす」「欠食」「外出禁止」「食塩水注射」「鉄拳制裁」「警察署留置」「たこ部屋留置」の例を挙げている*。同じことが、常磐炭田における労務管理においても言えることと思われる。即ち暴力的管理は「軍事的抑圧的管理」の中心的役割を担うもので、宥和的管理はこれに支えられて初めて成り立つものである。以下、具体的な実態を取り上げて見たい。

＊「半島労務員統理要綱」(1941 年 1 月)、山田前掲『近代民衆の記録』10 在日朝鮮人、新人物往来社、1988 年、478 頁。但し、「鉄拳制裁」については「専ら警察官に依頼するものとし、百害ありて効果少なし」としている。

（１）特別訓練所への収容

日本人徴用令違反容疑者を「勤労犯罪者」と呼び、「勤労犯罪者戦時特別措置要綱」に基付き、「練馬特別訓練道場」という施設に収容し訓練した*[1]。常磐炭田においても、当時の労務係の戦後の座談会*[2]において、「錬成隊」という「不良工員」に対する再教育の制度があり、「1 日 24 時間拘束し続け、改心の情が顕著でないと更に継続され、相当被害を受けた人がいた」ということを振り返っている。

＊1『日本産業新聞』1944 年 12 月 27 日付、『石炭統制会東部支部史料』253「工場勤労者配置転換関係綴」茨城県立図書館所蔵

＊2「戦前から昭和二十四年春までの常磐地方並びに全国的な炭鉱労働運動―常磐における座談会記録」『日本炭鉱労働組合運動史資料』第 3 集、日本炭鉱労働組合運動史編纂委員会、1958 年、25 頁

朝鮮人「移入」労働者が、逃亡・怠業など「悪質」な規律違反とみなされた場合、警察に送り込まないで、実質的に「たこ部屋」や「納屋」的な懲罰施設へ一定期間送り込み「訓練」する場合があった（住友鴻之舞鉱山「半島労務員統理要綱」)。

「半島人労務者訓練要綱」によると、朝鮮人の特別訓練所は「寮とは別個の建物で、2 ヵ月を最長として厳重な監督の下、通常出稼、外出禁止、禁酒禁煙、一日数回の正座、訓話」などの方法を採る。精神的肉体的苦痛を与えるということでは、暴力と余り変わらない。又、本人に入所理由を理解させるなどが記されている*。

＊前田一著『特殊労務者の労務管理』山海堂出版部、1943 年、119 頁

常磐炭砿では、「入山青葉寮」にも、又、古河好間炭砿にも同様な寮が存在した可能性はある。

「特別訓練所」という施設があった。「班長らが出入りしていたから、特に焼きを入れていたところではないか?」という青葉寮にいた金起元さんの証言がある*。又、好間には「小舘訓練所」という寮があるが、その性格については資料がない。

＊石田真弓『故郷はるかに』アジア問題研究所、1985 年、120 頁

（２）朝鮮人訓練係

大日本勿来炭砿には「鮮人訓練責任者」という労務係がおり、在郷軍人出身者などが多く「指導」と称して暴力を振るうことが多かった様で、朝鮮人労働者の恨みを買っていた*[1]。最末端の労務係は直接暴力を振るうことが要請され、上部は宥め役と言う「分業体制」を思わせる節がある。磐城炭砿の「半島移入労務者訓練及び取扱要綱」には、就業に先立つ訓練は訓練所において綴、住吉、長倉、小名浜の訓練隊の下、班、組に組織し、訓練隊長及び特別指導員、担任指導員などを置くことになっている。この特別指導員は「教練及び作業に有能なる在郷将校及び技術者をもって充てる」となっている*[2]。在郷将校や軍人が多く、暴力的指導の役割を担わされていたのではないだろうか。

＊1 大日本勿来炭砿元事務員Ｅ氏の証言（龍田聞き取り　2005 年 3 月）、並びに 1942 年 12 月の福島地方裁判所平支部（旧平区裁判所）「集団暴力事件」判決文（山田昭次氏提供）

＊2 長澤前掲『極秘資料集』Ⅲ、274 頁

（３）逃亡時の暴力制裁

逃亡者への制裁は「焼きを入れる」と称して半ば公然と行われていた。「逃げたのだからやられても仕方がない」という様な半ばあきらめの気持ちがあったのか。「警察官か又は寮長以外のものは焼き入れをやめよ」などという要求が出された例もある*[1]。常磐炭田でもこうした私的な制裁、リンチが公然化していたことは枚挙にいとまがない。当の労務係、日本人労働者、朝鮮人の被害者の証言によると、

入山青葉寮にいた李八龍氏は「私が 3 組か 4 組、見たのはね、大体木刀はあるし、竹割ったやつもあるし、あと手で殴ったり足で蹴ったり」*[2]と。

元大昭炭砿砿夫の立原みちお氏は「寮でリンチの様なことをやられる。そういう

ことを1回ちょっと見たこともあるし、一緒に働いていた人から何回も聞きました。昨夜こんなことがあった」と*[3]。

＊1「住友奔別炭鉱」私刑致死事件における朝鮮人代表の要求事項。長澤「第二次大戦末期の朝鮮人の闘い」『日朝関係史論集』新幹社、2003年、573頁

＊2 長澤「ある朝鮮人労働者の回想」『朝鮮人強制連行論文集成』399頁

＊3 龍田「勿来地域における『朝鮮人飯場』と戦時労働動員についての調査メモ」『在日朝鮮人史研究』35号、緑蔭書房、2005年、102頁

（4）労務係による就労（入坑）督促のための暴力

「坑内で採炭させるとどんな強健な男でも、1日目で悲鳴を挙げるものです。いくら疲れたと言っても、翌日は叩いてでも強制的に坑内に追いやることだよ」

これは元田川警察署の特高主任の証言である*[1]。古庄氏は常磐炭田の労務係、麻生炭砿の元請願巡査、同じ職場の日本人、被害者らの証言は「寸分も違わず、暴力的就労強制の事実は一点の疑いもない」とされ、見事に就労督促の厳しさを証明されている*[2]。

＊1 元田川警察署特高主任満生重太郎の証言。林えいだい『消された朝鮮人強制連行の記録』明石書店、1989年、223頁

＊2 山田昭次・古庄正・樋口雄一『朝鮮人戦時労働動員』岩波書店、2005年、188頁

体力温存のための怠業は仮病とみなされ暴力の対象となったことを、入山炭砿の元坑内書記が証言している*。在日朝鮮人として地域に残った朝鮮人達が虐待された記憶として証言している多くは、このことに集中している。結果として、朝鮮人の就労率が日本人より高められたという指摘があるが、日本人より朝鮮人の方が常に就労率が高かったかどうかは検討を要する。

＊龍田前掲『在日朝鮮人史研究』35号、104頁

（5）公権力、警察官による抵抗者への暴力

逃亡、集団的怠業、暴動の首謀者と見做される労働者に対する処罰には多様な方法が取られたが、言語を絶する拷問は、朝鮮人民族運動家や社会主義者に対して行われ、多くの犠牲者を出している。一時、常磐住吉坑で逃亡支援の活動に従事したことのある鄭正摸の証言、近くは平警察署における拷問を目撃させられた蛭田うた氏の証言*[1]、又、平で歯科助手をしていて、炭砿の朝鮮人労働者5人に金をやって逃亡を援助したことで、特高に呼ばれた金憲輝は、「特高の部屋は朝鮮人労務者でい

っぱいでした。叩かれたり、泣いたり見るに見られないですよ。私は正座させられ、少しでも動くと叩かれました。私は植民地の被支配民族のみじめさをまざまざと見ました」と証言している*2。今のところ『特高月報』に見られる抵抗の事件についての被害者からの具体的な聞き取りは行われていない。

＊1『戦争と勿来』5号、1990年、23頁
＊2『百万人の身世打鈴』「百万人の身世打鈴」編集委員会編、東方出版、1999年、232頁

（6）その他

・坑内での先輩、炭砿周辺地域の日本人によるもの

作業中の日本語、作業の間違いの是正、空腹のための食べ物の「窃盗」への折檻などは日常的に見られた様である。

・日本人への口応えに対する暴力

一般的に暴力を振う場合、暗黙の了解がある。「朝鮮人のくせに」、「日本人より一段低い能力の劣る人間」であるので、この様な暴力も当然と言う民族蔑視の考えが支配的であった。

大昭炭砿の前出立原氏は、私が上役に口答えしても何でも無いのに、朝鮮人は飯場に帰ってからやられた、と証言している*。

＊龍田前掲『在日朝鮮人史研究』35号、103頁。本巻第4章 「資料　大昭炭砿の強制連行朝鮮人労働者についての聞き書き」186頁

2　労働拘禁性

朝鮮人の戦時動員の強制労働性、奴隷労働性が言われるのは、労務管理の暴力性とそれを基にした労働の拘禁性にある。果してどの程度の自由があったのか、日本人との違いに注目して以下検討する*。

＊前近代的な労使関係という場合「労働拘禁」の有無がポイントになる。絶対主義王政下の特権マニュファクチャでの労働拘禁性から見て、日本の明治期における労働力の性格は前近代的な面が強いとされる。団結権が法認されることは戦前期を通じて無かった。その後、産業革命期を経て独占資本主義が形成され、その下での市場関係の発展は、必然的に労働関係においても一定の変化をもたらした。しかし、昭和初期の恐慌を経て、国際的に孤立中の日本は侵略とテロ独裁を特色とするファシズムの支配するところとなった。その実態を加藤佑治氏は「軍事監獄」と表現した（加藤前掲『日本帝国主義下の労働政策』116頁）。戦時下労働動員された朝鮮人労働者は、近代的労使関係においては不可欠の契約破棄の自

由を持たない拘束された労働制の下にあったといえる。

（1）契約は破棄できたのか

本来自由な同意の下での雇用契約が結ばれて、日本に来た訳ではない。強制的に連行された者に、契約の自由があったのかという問いは意味がない。契約自身が守られない詐欺的契約が多かった。そのことに抗議して契約を破棄することができなかった。

まず、「募集期」においても、一旦募集に応ずると、契約を破棄することはできなかったと言われるが、元々国家動員計画の一環としての朝鮮人の動員は、強制を前提としており、人数が溢れる場合にだけ「自由募集」であった。足りない時はたちまち強制に転ずるという見せかけの自由であったから、契約を拒否しようとすると、たちまちその本性を現わすという性質のものであったと理解している。このことについては具体的な実証を必要とする*。就労後の逃亡が多く発生していることは、それ自体契約が片務的なものであった証拠であるが、そのことは後に検討したい。

＊「募集期」の募集の実態は、それ以前の会社による「自由募集」と大きく異なり、官主導で行われたことに、当の募集係が驚いている。北炭の社内誌『社友』第70巻第5号の「朝鮮募集座談会」によく出ている。又、山田氏は前掲『朝鮮人戦時労働動員』（83−84 頁）で、この期の縁故就職者の74％は工場に就業し、鉱山には8％足らずしか就業していない。しかし、「募集」の場合は 75％が鉱山で、工場は1％に満たないことから、希望しない危険な時局産業に無理に配置するため強制が働き、逃亡を生んだのではないかと推論されている。

（2）職業、職種選択の自由はどの程度あったのか

工場などには一種の憧れもあっただろうが、労働動員先が炭砿とか、行く先が北海道とかの場合は、分かれば「行きたくない」と言う人が多かった様だ。常磐炭田と知って、募集に応じたという話は今のところ聞いていない。

一般的には、到着約1週間から3週間の訓練期間終了後、年齢的、身体的、健康的な問題がない限り、大多数は充填夫、採炭夫、掘進夫などの直接夫の後山や運搬夫、仕繰夫などの間接夫の補助など坑内の仕事についた。その他は雑役など坑外に配分されることもあった。1939 年、北海道炭鉱汽船株式会社の「朝鮮人訓練及び取扱要綱」では、かなり系統的に訓練期間の「成績」に応じ、仕事の割り振りや訓練の継続を行っていた様である。先山や機械、支柱など、技術を要する職種への道も

開かれているように見える*。

*西成田氏は「北炭」における職種決定の仕組みの例を挙げている。3ヵ月の訓練期間の後、成績に応じ甲乙丙の三種類に分け、夫々先山、後山、保安・雑夫の訓練を引き続き行う「養成要綱」を示している。前掲『在日朝鮮人「世界」と「帝国」国家』268頁。

石炭統制会勤労部の勤労管理委員会の「検討事項」で、就労後の再訓練の中に先山の養成、幹部養成が「不良者」特別訓練と共に挙げられていることは、「北炭」の方針が統制会の一般的方針であったことを確認出来る。

しかし、私の見る限りでは、職種決定の仕組みを知ることのできる会社の文書はない。各炭砿の「半島人労務者取扱要綱」において、職種の割り振りについての項目が無いことは、その決定が機械的に行われたことを反映するのだろうか。

常磐炭田の代表的な炭砿である常磐炭砿、その前身である磐城炭砿、入山炭砿ではどうであろうか。個々の労働者の証言にその片鱗を窺がうことが出来る。

坑内労働の危険性、消耗性を知った多くの農民出身の朝鮮人労働者は、「実際は誰しも坑内より「陸」の方をね、表の仕事を希望する人が相当いたんだよ。けれどもやっぱり健康的にね、なんでかんで坑内で働かなくちゃなんない人は一度だって坑外では働けなかったよ」*[1]

「日本人ならば向き不向きによっていろんな職種に就けますが、向こうの人たちはそういう職種を選ぶ自由はない訳です。各炭砿によって若干別な方に使うことはあったかもしれないが」*[2]

*1 入山採炭、1943年8月の李八龍の証言。本人は2ヵ月間坑内で働いた後、先山に頼んで運搬夫から坑外(木工)を希望して入れられた。長澤前掲「ある朝鮮人労働者の回想」『朝鮮人強制連行論文集成』396頁

*2 同上書、元入山採炭坑内書記林三郎証言、102頁

炭砿における全国統計では、直接夫は1943年頃から実数において日本人を追い越し、半分以上が朝鮮人によって営まれていた。常磐炭砿では3人に1人の割合である*[1]。更に、これを江原道伊川郡の9月21日付雇用61名の「満期者名簿」59名について、2年間の契約期間が満了した時点での職種欄に基づいて調べてみると*[2]、

土建工手　4、採掘工手　11、採掘補手　42、資材運転手　2

採掘工手の内8人は組長であることから先山であることは間違いなく、土建工手が支柱夫だとすると、97%は坑内の直接夫であることと、17人(29%)が技術や資格を要する職種に就任していることは注目される。このことは、常磐炭砿において

も朝鮮人の技能的向上に機会を与えていたことを示すものの、日本人との数的比較をする資料を持ち合わせていない。

好間炭砿での証言を挙げて見よう。本人の希望は形だけにせよ聞いたという証言はない。「食堂の雑役夫であっても食べ物の係はさせなかった」と言う*3。但し、「修理の仕事をさせられたが、賃金が安いので、採炭の仕事を希望したら喜ばれた」という証言もある*4。

＊1 長澤前掲『資料集』Ⅰ、318 頁
＊2 長澤前掲『極秘資料集』Ⅲ、376 頁
＊3 古河好間炭砿に動員された韓氏からの聞き取り証言（龍田）
＊4 同砿李七星（仮名）の証言（龍田）

（3）一時帰国や外出の自由はあったのか

労働拘禁の有無について端的なことは、職場や宿舎が自由に出入り出来たかどうかである。そうした自由は著しく制限されていたと言うのが通説である*1。

基本的には逃亡防止を口実に、一時帰国や外出の自由は著しく制限されていた。宿舎の周りには板塀、垣が巡らされ、山や濠に囲まれているような地形が利用されることも稀でなかった。部屋の窓には格子が付けられた場合もあり、出入り口は 1 ヵ所で、労務係の部屋があり、出入りは厳しく見張られていた*2。

一般的には入所して 6 ヵ月間、訓練期間は集団での労働、又は監督者の引率の下での外出が許されるだけで、その後も許可を得た上で、制限された時間内で、場所も近距離の範囲であった*3。

＊1 長澤『資料集』Ⅰ、319－322 頁。なお、朝鮮人戦時労働動員は、学卒者を多く対象としていた製鉄、造船などの軍需工場と非学卒者による鉱山、土木関係とではその取り扱いに違いがあった。前者においては、多少外出の自由などは緩和されていた。しかし、厳しく監視されていた点では、全く自由な労働であったとはいえない。この点についても古庄、山田の前掲書に詳しい。
＊2 証言はほぼ共通している。個別の宿舎の構造上の検討を含め第 4 章で取り扱う。
＊3 西成田前掲書や長澤「戦時下磐城炭鉱の朝鮮人労務管理」（『いわき地方史研究』24 号、いわき地方史研究会、1987 年、101－103 頁）によると厚生省、内務省では 1942 年 2 月、又、中央協和会でも同時期に「移入労務者訓練及び取扱要綱」を出した（北炭での同種の規定を模範にしたと言う）。

入山採炭でも 1942 年 9 月頃には「新移入者管理要綱」*が作られているが、「外出を中心とする訓練」として、

・外出時間中は外出を許可するも、1 週間は団体外出のこと
・1 週間後の外出は必ず世話所の許可を得て外出すること

・外出時間以外は外出を許可せず

とあり、かなり大雑把な規定である。

＊長澤前掲『在日朝鮮人史研究』3号、1978年、32頁。磐城炭鉱でもそれらの一環として、3月に東部支部への提出文書として「半島移入労務者訓練及び取扱要綱」を出し、訓練期間等は実際より整備されたように書かれている。訓練期間6ヵ月を3期に分け、終業後の2〜3時間の訓練を行うことになっているが、どの程度行われたかは不明である。むしろ「新移入労務者管理要綱」に見られる1ヵ月が実態に即していたと思われる。

入山採炭の朝鮮人労働者の証言では、訓練終了後も日曜日の外出も、せいぜい湯本町をぶらつく程度であり、寮内で過ごすことが多く、町を離れることはなかったし、食糧を求めて農家を訪ねる程の自由はなかった様だ*。

＊長澤前掲「ある朝鮮人労働者の回想」(李八龍の回想)『朝鮮人強制連行論文集成』402頁、405頁

古河好間炭砿の朝鮮人労働者の証言では、近くの炭砿に動員されていた義兄を訪ねて行ったことが述べられているが、平までの外出はなく、炭砿の周辺で買い食いする位で、又、その様な場所も戦争の末期には無くなっていった様だ*。

＊第2回韓国訪問調査における李七星（仮名）の証言

入山採炭では6ヵ月の訓練期間を過ぎると、「勤務成績と性格を精査」した上で、希望者は「家族呼び寄せ」も可能となり、その場合は一般の長屋住まいとなり、外出等も自由になる。しかし、その数は第1次入所者約500人の内55世帯、1割程度で、「官斡旋期」にはこの政策は破棄される。後で取り上げる。又、そうした制限のない既住の朝鮮人は、常磐炭田には統計上は僅かしかいないことになっている。

次に一時帰国について。故郷への帰国は親や兄弟の病気位では許されず、親の死に目にも会えないばかりか、葬儀にも参加が許されなかった。妻の病気の電報を本人に知らせず、5日後に判明して、仲間6人と怠業した事件があった*。

＊『特高月報』1940年2月分『昭和特高弾圧史』6、1975年、305－306頁

（4）監視労働

寮生活は監視と厳しい統制の下にあったが、労働の現場においてはどの程度の自由があったのか。

労働の編成は寮と同じく隊編成で集団出勤した後、職種によって編成される。危険性の高い坑内労働ということもあり、所持品の点検、器材の貸与が行われ、掘進夫、採炭夫、運搬夫、支柱夫と夫々作業班に分かれ、その日の仕事に就く。請負単

価と出来高、仕事の性格に基づく複雑な賃金決定システムがあるが、各人の作業能率は坑内書記が厳しくチェックして、賃金に反映される。又、戦時増産計画による大動員があり、期間中のノルマは厳しく追及された*。

＊龍田前掲『在日朝鮮人史研究』35号、101頁。本巻第4章前出資料、187頁

従って、現場では直接、物理的手段で労働を強制するのではない。住友鴻ノ舞鉱山の「半島労務員統理要綱」では、坑内で「鉄拳制裁」による督促は反抗の危険があるため坑外、寮に戻ってから、労務の手を経て行う方が効果のあることを述べている。日本人先山による新入の朝鮮人後山に対する仕事上の暴力は日常的に行われ、訳も分からず殴られたことへの恨みは消えない。同時に冷徹な労働評価と競争による強制が行われていた事も記して置きたい。

3　定着指導（契約延長・再契約強要）

（1）定着指導とは

通常2年の契約期間終了後も引き続き就業が強要されたことについては、「労働力拘束的定着指導」で西成田氏*が指摘されている。

＊西成田前掲書、279－281頁

この問題は「募集期」の「移入労働者」の契約期間が終わった1941年末から生じた。せっかく熟練した労働力として育った時点で、朝鮮での募集が困難な状況の中で再び苦労するより、引き続き就業させようという国と企業の政策による。「家族呼び寄せ」や優遇策を採ったにも関らず、会社の意図した様には定着していない。

「官斡旋」の開始と共に、家族呼び寄せ政策は一時中止された様である。「官斡旋」労働者が一斉に契約切れとなる頃、益々朝鮮での動員が難しくなっている中で、「募集期」にもまして強力な就労強制が行われる様になった。

1944年3月には、42年の方針を撤回し、「家族呼び寄せ」を奨励し、定着促進に転じた。4月には、厚生省、内務省、軍需省は「移入朝鮮人契約期間延長に関する件」により、一時帰休や延長手当の支給などの政策を打ち出した*。石炭統制会でも「定着勧奨令書」「家族慰問」「奨励金の支給」などの優遇措置と共に、それでも拒否するものには、警察力を導入して就業を「説得」した。

＊長澤前掲『資料集』Ⅱ、1996年、274－284頁。

「移入朝鮮人契約期間延長に関する件」では、定着指導の第1責任者は雇用主と

し、成績の良否を今後の移入割当に考慮すると共に、協和会、特高、鉱山、軍需関係所管長の協力の下、中央・地方の「定着指導委員会」の設置や朝鮮総督府以下出身地関係者との連携を取ることをなど総合的な指示をしている。同時に「昭和19年度における満期移入朝鮮労務者契約期間延長指導要綱」「期間延長者殊遇措置要綱」が出されており、その具体策と思われる「移入朝鮮人労務者定着対策」が残っている。

それによると、直接指導として定着指導班の派遣、定着者への奨励金の支給、一時帰休者の離散防止、「家族呼び寄せ」を出来る限り可能ならしめること、宣誓式を行うこと、地位身分、舎、その他生活環境の優遇、出身家族への総督府よりの寄託慰問金年間10円の支給、20円位の家族慰問金、慰問団の派遣、慰問袋の送付、会社よりの家族への通信など多様な対策を立てている。定着奨励金は6ヵ月50円、6ヵ月以上100円、1ヵ年以上150円、1ヵ年半以上200円とし、3分の1は再契約終了後に支払うとしている。1942年の入山の「満期者処遇の件伺」では50円、43年「奨励に関する件」では100円としたのに比べ額は大きい。

（2）入山採炭での初期の定着指導

定着指導の実態は、長澤「日帝の朝鮮人炭鉱労働者の支配について―常磐炭鉱株式会社を中心に」（続）*に詳しい。以下検証する。

*『在日朝鮮人史研究』5号、1979年、81－91頁

1940年4月～12月、入山採炭では「家族呼び寄せに関する件」として、第1次移入朝鮮人労働者についての「家族呼び寄せ」のため、45万円を勤務成績、性格精査の上で、労働者の55世帯130人の「家族呼び寄せ」に必要な旅費の支出を稟議している。大田・湯本間の3等汽船、汽車の運賃と弁当代である*。

*長澤前掲『在日朝鮮人史研究』3号、1977年、44頁

1942年3月、入山採炭で「第二次移入半島人満期者移入処遇の件伺」として、第2次移入の朝鮮人248 名中、現在残っている118名について、

・永久帰国者78名については退職金を支給せず、土産料15円、帰郷旅費実費支給。

・やむ得ない事情での1ヵ月の一時帰郷者25名については、退職手当は支給せず、積立金一切清算、土産料25円、往復旅費実費支給。

・暫定1ヵ年の定着者18名は、定着奨励金5円、郵便貯金1ヵ年預かり、2年未満

退職の場合は退職金支給なし。定着2年を超えると、日本人と同じ普通砿員扱いにするという伺いを出している*。

＊前掲『極秘資料集』Ⅲ、305頁

まず、残留者118名の内78名（66%）が「円満帰郷」していることは、当時の定着政策の現状を現している。

そのまま実施されたかどうかはともかくとして、当時の集団移入労働者に対する関係者の意識はよく反映されているだろう。一時帰休を含め定着者は43名で、永久帰国者には不届き者という訳か、退職金が払われないし、土産も僅か15円、貯金は清算されるのだろうが冷遇。それに対して一時帰国者にはかなり気を使っている様だが、帰国中の行動には監視の目があったことは後に触れる。

又、文字通り読めば、2年つまり合計4年いなければ、一般砿夫扱いにならぬということであり、集団移入者の位置付けを知ることのできる規定である。

（3）定着指導の再開

1942年4月、地方協和会と石炭統制会が派遣する「期間延長督励班」の来磐。政府の「昭和17年度下期石炭緊急対策要綱」の「引き続き勤労することの勧奨」政策に基づき、福岡や北海道と共に定着指導班4班が派遣されている*。

＊西成田前掲「在日朝鮮人の『世界』と『帝国』国家」280頁

1942年8月には、厚生局長より常磐炭田は船舶輸送の必要のない炭砿として、増産の要請が県知事に対してなされ、石炭統制会東部支部ではそれを受けて、「常磐炭緊急増産労務対策要綱」で、移入朝鮮人満期者の年内延長指導を決めている*。

＊長澤前掲『在日朝鮮人史研究』3号、46頁

1943年1月、東部支部では満期者858人の内749人が定着（定着率87.3%）したという。入山採炭では「移入朝鮮人定着奨励に関する件」として、1年以上の定着者に対し賞与金として100円の支給と退職手当金支給を稟議している*。

＊同上、44頁

（4）定着指導の本格化

1944年には常磐炭砿では「官斡旋」による「移入労働者」の満期者を多く迎えるに当たってか、44年1月から45年3月までの「満期者現在調」を行っている。その

数は旧入山採炭関係 788 人、旧磐城炭砿関係 445 人、合計 1,233 人に上る*。これは 45 年 3 月の朝鮮人労働者 4,718 人を例にとっても約 26%に当たる。

*長澤前掲『極秘資料集』Ⅲ、374 頁

1944 月 4 月、政府、石炭統制会、各企業が挙げて定着指導に狂奔し始めた時、常磐炭田でもその方針に従ったことは、これらの中央の決定文書が統制会支部に存在していることにより裏付けられる。常磐炭田における「定着政策」に対する朝鮮人労働者の抵抗が記録されているのは、今のところ他地方よりやや遅れ、この年の秋からである。

1944 年 6 月 20 日の支部勤労部長会議で、常磐班は「警察方面ノ意見、定着指導ニ強圧ナル警察ノ力ニマタナケレバナラヌトシタ。之ニヨルコトハ面白クナイト会議ガ一致シタ（中略）。

入山　一、三月定着ミタノデ之ニナラッタ

内郷　ヨロシ

好間　非常ニヨクナッタ。国語教育ガヨクナッタ。朝鮮人ノ情操教育ノ発達シ生花ヲ生ケル、□□（不明）ヲイケルモノアリタリ…。

勿来　空気ワルシ、定着指導ハヨクナイ、警察力ニヨッテ定着シタノデ結果ワルシ」

という記録がある*。結果的には、11 月には 19 人の堤川隊の定着記念写真が残っている様にある程度成功したのかもしれないが、この期に大日本勿来炭砿では警察力による定着促進政策を取り、不穏な状況が生まれていたことを推測させる。

*同上『極秘資料集』Ⅳ、172 頁

1944 年 9 月 21 日、契約期間満期の常磐湯本砿青葉第 1 西寮の第 1 回官斡旋労働者の 60 名が 9 月 30 日に帰国をしようとしたところ、平警察署に全員検束され、1 年間の契約延長を強要された。この動向を見ていた内郷砿の第 2 回官斡旋労働者 66 名が 9 月 26 日、満期と共に休業状態に入り、湯本第 3 西寮の 300 名、高倉第 1 西寮の 75 名も休業に入るなど険悪な状況になっていた。内郷砿の 66 名を検束の上定着をさせようとしたが、頑として聞き入れなかった。しかし、中心人物の説得に成功して他の者も勧奨に応じたと、『特高月報』に記されている*。

*『昭和特高弾圧史』8、1990 年、290－291 頁

1945 年 7 月に、常磐炭砿では、厚生、内務、軍需次官連名の地方鉱山局長宛の通

牒による石炭統制会東部支部長の通達に基づき、満期延長者の朝鮮の家族に対して4、5、6月分、該当者372人の家族慰問金44,400円の支出を稟議している*。

＊長澤前掲『在日朝鮮人史研究』3号、45頁

（5）定着指導の行き詰まり

戦争も押し詰まり、送金等の困難を考えれば、実施されたかどうかは分からぬが、1人宛200円に当たる額で、1944年4月の「定着対策」の20円と総督府寄託金10円を合せても高額である*。送金の未着が被動員家族の生活を脅かしている時、果してどの様な関連で出されたのか検討を要する。

＊長澤前掲『資料集』Ⅱ、283頁

以上の定着政策の動向を見る時、動員初期においては満期帰郷、定着政策拒否の自由はある程度あったが、43年頃は著しく狭くなり、44年以後は命をかける位の覚悟が必要だった様である。45年6月頃、友達3人で就労継続を拒否して帰郷のため、新潟に赴いた林潤植氏の例もある様に、強力な抗議により拒否した場合もあることを付け加えたい*。

＊石田前掲『故郷はるかに』44頁。「戦争は継続しているんだからもう1年いろ！」と言われた。だが、私は友達2人と共に「契約は2年なんだから辞めたい」と言い張って暇を貰った、とあるので一時帰休かもしれないが、清算金は120円となっている。

Ⅱ　民族差別

ここでは金栄達氏が提起した戦時動員された朝鮮人労働者の民族差別の内容として「待遇や賃金、戦後処理における日本人との差別」*を挙げられたことに関連して、古庄氏が特にこの3つの中に最大の民族差別があると判断された。私はこれに刺激を受け、常磐炭田に関して長澤氏の集められた資料を基に、事実関係を深めたい。

＊金栄達『朝鮮人強制連行の研究』明石書店、2003年、38頁

古庄氏はまず戦時動員された朝鮮人の賃金論として、賃金の高低論や技術水準の差論を共に批判された。朝鮮人労働者の賃金は、逃亡防止などの名目で、実際支給されたのは小遣い銭程度に過ぎず、退職時も、戦後帰国時も精算されず実質的な賃金未払い、無償労働をさせられたことにこそ本質があるとした。そして、送金、強制貯金、戦後の賃金の未精算などを詳細に検討され、「奴隷労働」に等しいとまで言

われたことさえあった。送金などについてはかなりの程度行われていたとしても、多くが国債購入などに協力させられ、家族の手に渡ったとは限らなかったとされた*。

*古庄「朝鮮人戦時労働動員における民族差別」『在日朝鮮人史研究』36号、2006、100頁。「奴隷労働性」という言葉はその後使われていない。「朝鮮人の賃金を見る上で重要なことは『額面上の高低ではなく、実際それが支払われたかどうか』ということである」とされている。

更に、氏は民族差別の内容として、その他暴力的管理、稼働率の高さ、危険な坑内労働への就業率の高さ、死亡率の高さなどを挙げられ詳しく検討されている*。

*同上

これらの論点を頭に置きながら、以下検討して行きたい

1 差別的賃金

(1) 炭砿における賃金の決定方法

炭砿夫への賃金の支払いは複雑で*1、集団動員された朝鮮人には、説明を聞いても理解しがたいものであったといわれる。基本的には定額賃金制と請負賃金制があり、職種の性格により決まる。坑外夫の選炭夫等は出来高払い(単価×作業量)で、坑内夫にも間接夫(仕繰夫、機械夫、運搬夫、工作夫、雑夫、助手)と直接夫(岩掘進、炭掘進、採炭夫)では異なる場合が多い。集団移入朝鮮人は請負賃金制を取る職種に就く場合が多かった。例えば、岩掘進の場合、請負間代(1間当り)単価は30円～40円とすると、これに函数をかけ総稼働高を出す。更に総稼働高を人数で割り、それに各人の割当率を乗じて賃金を出す。割当率は技量、経験年数、年齢、性別により0.6～1.05割の範囲で決定される。算出賃金が保証給(初任給)に達しない時は補填することになっている。この他、各種手当や懸賞金、遅刻・早退減額規定まで詳細な賃金規則があった。建前では朝鮮人と日本人の間には差は設けないことになっているが、会社文書には、始めから朝鮮人との割当率の違いを示す文書があり、それを裏付ける労務係の証言もある*2。以下、常磐炭田に集団動員された朝鮮人労働者の賃金の実態を基に、賃金論を検討して行きたい。

*1「常磐炭鉱賃金規則」(1943年8月)「古河鉱業好間鉱業所鉱員賃金規則」(1944年)石炭統制会東部支部資料、茨城県立歴史資料館所蔵

*2「割当率」(採掘支柱工手　1945年4月改定)、同上「労務関係者優遇綴」及び龍田前掲論文『在日朝鮮人史研究』35、101頁

（2）賃金は支払われていたか

まず、そもそも賃金など支払われていたのかという問題がある。戦時下の公文書程現実との乖離が大きいものも珍しいと思われるが、特に朝鮮人の戦時労働動員においては著しいのではないかと思われる。

古庄氏は、「朝鮮人賃金高額論*」に対する朴慶植に代表される「朝鮮人賃金低額論」や西成田氏の「技術水準、経験」の差論をも批判する。稼働率、稼働時間のみの総合的比較のない高低論を批判し*、賃金の民族的格差の存在を確認するとともに、強制貯蓄、送金、満期退職者や戦後帰国者の賃金の未精算など差別の「諸システム」の検討を提起された。このことについて以下検討して行きたい。

＊古庄前掲「朝鮮人戦時動員における民族差別」81頁

さしあたり、常磐炭田の代表的な炭砿である磐城炭砿の賃金規定は先に見た通りであるが、戦時動員期の常磐炭田の各炭砿における賃金の実態を系統的に知ることのできる資料は今のところない。僅かに、長澤氏や古庄氏が取り上げている様に、1942年7月、43年3月、8月の『労務月報』の「鉱夫賃金引去金額」「賃金指数調」「被保険者数及保険料額」の項と1944年9月「労務関係者優遇関係綴」、常磐炭田の「坑内新旧収得比較」、それに（1）「炭砿における賃金の決定方法」で扱った文書だけの様である。

古庄氏は長澤氏の資料*を基に計算し、常磐炭砿における坑内夫の日本人と朝鮮人の賃金格差は、1人当り朝鮮人が平均13%少ないとされた。

＊長澤前掲『極秘資料集』Ⅲ、383頁

一方、西成田氏は日朝間の採炭夫の賃金格差を明治鉱業所赤池炭鉱の『労務月報』から1.8%とし、その差は僅かで、技術、経験年数の差にすぎないとした。これに対し古庄氏は、常磐炭砿の例を挙げ、14.1%とその差は大きく、技術・経験の差論を批判した*。請負夫の割当率表がある限り賃金差別の存在は疑えない。

＊古庄同前、81頁

（3）常磐炭田における貯金と送金の仕組み―入山採炭の稟議書より

既に、長澤氏が「半島労務者預金並ニ送金取扱規程」の全文を紹介している*。規定は大変形式的な記述が多く、全体像を理解することが難しい。1941年12月上期より実施とあり、伺い書の理由には、従来、人事係が担当していた賃金管理について、特に国策に従い貯蓄を励行し、逃亡防止や生活善導のためにも有効であり、又、近年増えて来た「半島人」の賃金管理の繁忙化を受けて、会計係と人事係が分掌してこれを取り扱うことにして、事務の円滑なる運用を期すために作られた、ということである。立ち入って検討してみたい。

＊長澤前掲『極秘資料集』Ⅲ、307－310 頁

全体は総則と細則に分かれ、取り扱われる内容は、

・賃金ヨリ一時預金ヲ控除スル事項

・郷里送金ニ関スル事項

・一時預金ノ払出ニ関スル事項

・本人所持、現金ノ預入ニ関スル事項

・一時預金ヲ郵便貯金若ハ随意積立ニ振替ヘントスル事項

・其ノ他ニ関スル事項

となっている。細則は 2 条からなり、1 条は会計係、2 条は人事係の分掌事項について書かれている。

①会計係の分掌事項

一時預金の控除に関し、「個人別預金原簿」と「個人別郵便貯金原簿」「郵便貯金通帳」の整備保管、賃金精算金より 4 円以上 5 円以下を支払い、残り全額を一時預金原簿に記入整理保管することになっている。「一時預金原簿」とは「個人別預金原簿」のことであろう。とすると 2 つの「原簿」、1 つの「通帳」があり、更に後に「随意積立金」というのが存在したことが分かっている。この項に関して人事係では、寮長が原簿の写しを保管し、支払の前日に整理することになっているが、整理するとは何か。後に出てくるが、寮長の大きな仕事には、一時預金の払戻の管理がある。支払われる現金額は「新移入者管理要綱」(1942 年 9 月)の会計指導では、送金 3 ヵ月 20 円、3 ヵ月以上 25 円、小使い 10 円以下、残=貯金=随意積立金に戻し入れのこと、買い物指導（6 ヵ月間は食糧証明以外は発行せざること）となっている。又、買物票による購買所での支出は、別に一定の規定で行われる様になっていたと思われる。

②送金規定

人事係を経て送金願が提出されると、会計係は「預金原簿」又は「郵便貯金通帳」「郵便貯金原簿」を整理の上、遅滞なく送金することになっている。

送金方法は「価格表記送金方法」により、送料は本人負担で、「送金願」と一緒に世話所に提出することになっている。郵便貯金を払い戻し送金する時は、送金願と共に本人が捺印した「局払戻用紙」を添えて出し、送金受領書は世話所を経て本人に交付するとなっている。

これだけ見ると何の問題もない様に見えるが、字が読めない人が多かった当時の集団動員者の実情を考えれば、殆どこの手続きは寮長か、世話所の労務係に任されることになろう。まず、預金残額から送金額を決めて貰い、署名、更に預金払い戻し用紙に捺印、送金料の前借りなど、本人は言われるままに捺印、署名をするだけ。送金後の受領証なども果して本人に渡った所で、大切に保存することまで教えられたかどうか。こうした場合も稀ではなかったと思われるのは、送金についての記憶が極めてあやふやな場合が多いからだ。願形式を採ったにせよ、会社の方針はできるだけ送金させることが、労務政策上都合よかったはずであるから。個別の寮長らの理解はどの程度かは分からないが、社の方針に従っただろう。ここでは願いが出されない以上、送金は無かったことに注意をして置きたい。

尚、人事係の送金関係規定は、ほぼ会計係規定の繰り返しであるが、注目されるのは郵便貯金の払い戻しは送金以外にはしないことなっていることである。後の一時預金の郵便貯金への振り替えは、送金用として20円以上でなければ受け付けないことになっているから*[1]、郵便貯金からの送金をするにはかなりの積立と他の用途に転用しない覚悟が必要であったろう。1943年8月からの国策貯金協力の強制郵便貯金額は平均1ヵ月3円である*[2]。

＊1「新移入者管理要綱」『極秘資料集』Ⅲ、320頁
＊2「半島人鉱員郵便積立貯金ニ関スル稟議」『極秘資料集』Ⅲ、350頁

好間炭砿の被動員者A氏は300～500円を2回送ったことをよく覚えている。機械的に毎月送金するのではないから、飲み食いに所持金を使い果たしても、預金残額は自由に引き出させないとすると、預金は増えるばかりであろう。1942～1943年の磐城炭砿の『労務月報』に見える「半島人送金」は12,000円を超し、1人当たりとすると、月7～8円になることは長澤氏が示されている。個人的には、送金はある程度大きな金額にまとめて行う場合が多かったことが分かる。少なくとも毎月こうした手続きをするには、数十人を管理する寮長にとっても煩瑣な事務であったことには違いない。そうした意味で、一度送金すると「牛でも買ったか」と思うのはうな

ずけるが、その間、家族は生活が大変であろう*。入山採炭のみの検討であり、一般化はできない。他の炭砿の規定があれば参照したいが、今のところ見ていない。

*『強制動員口述記録集』6、国務総理室所属日帝下強制動員被害真相糾明委員会編・刊行、2007年、156頁、権五烈の証言。

③一時預金の払い戻し規定

この項も注目すべき実態がやや詳しく規定されているので重要である。

まず、会計係は人事係寮長より預金払い戻し受領書の提出があった場合には預金原簿を整理し、「預金払出資金」の精算は毎月、3日、6日、17日、21日、30日の5回とするとしている。この「預金払出資金」については、一時預金の払出事項規定で、寮長は、払い出し資金として1回200円を限度として、会社より仮出しできることになっている。預金者より小使銭、その他の理由による預金の払い戻し願があった場合は、その事由を精査し、願出人の受領書を取った上で仮出金より払い出すことになっている。払い出しの限度は、預金の90%以内となっている。寮長は精算日に受領書と仮出し残金を添え、人事係を通じ会計係に提出し、精算した上で新たに払出資金を受ける仕組になっている。

月に5回あるとはいえ、数十人又は多い場合は数百人に上ぼる寮生に対して、200円は多い額ではないことと、「願」に基づき理由を精査とあるが、元々小使銭程度に抑えられたことは想像に難くない。預金には一時預金の他、随意貯金と称する積立金もあり、退職時以外は払い出しは出来ない。

④本人所持金の預入規定

故郷より持って来た金など現金はできるだけ貯金させたのだろう。

⑤預金の郵便貯金もしくは随意積立への振り替え

郵便貯金に振り替える時は、「数ヵ月後一括送金セントスル金員ニ限リ一口弐拾円以上ヲ受理スベシ」こと、随意積立金は「退職マデ払出ヲ要セザル金員ニ限リ受理スベシ」とある。そして、振り替えは本人の「願い出」のある時、「振替願」に必要事項を記載の上、会計係に提出することになっている。これは本人の自由意思に従って、送金又は退職時までは払い戻ししない金員を、そうした性格の預金に自ら振り替える形式を取っているので、「強制貯金」の声をあらかじめ封ずる意味もあっただろう。1940年代当初の朝鮮人労働者達の「強制貯金反対、現金支給」の抵抗*があったことを考えれば、この規定の意味は重い。実際はこうした「願」提出もほぼ強制的に行われた可能性はある。

＊抵抗については、朴慶植『在日朝鮮人資料集成』第4巻、三一書房、1975年、540頁

⑥付則

人事係から会計係に提出する書類は、その日の分は翌日の朝8時まで一括提出。逃亡その他不在在籍については、そのつど遅滞なく不在報告をなすこと。「本規定以外の取扱は一切許さざること」など厳しい規定を付けている。

別に、「半島人鉱員郵便積立貯金ニ関スル稟議」(1942年)*が入山採炭稟議書にあり、1941年9月以降入山の者は、43年8月から郵便積立貯金として国策に従い、月3円づつの積立を実施することを稟議している。これによると、今まで寮長が代印を預かっていたものは人事係長に移行し、会計係に引き継ぐこととなって、湯本局に貯金通帳の保管を委嘱することになっている。送金貯金規定の確立と一緒に、今までの寮長、労務係中心の預金管理を会計係に移行する一連の制度変更の一環だったのだろうか。退職時の払い戻しに際しては、代印者廃止(人事係発行)と通帳交付依頼書(会計係発行)を持参すれば払い戻しができるとなっている。直接の労働者の窓口は寮長である。

＊長澤前掲『極秘資料集』Ⅲ、350－351頁

最後に、戦時朝鮮人労働者の賃金は、常磐炭砿の例で見る限りでは、1942年の規定の整備後は、賃金として手渡されるのは10円以下の小使銭程度で、送金は郵便貯金より一括20円以上送られ、随意積立とも退職時まで引き出せなかった。一時預金より引き出す場合も、寮長の規制の下で小額は可能であった。その90%までは引き出せることになっていた。

（4）満期退山者・中途退山者の賃金の清算

①満期退山者

古庄氏は満期退山者の賃金は、未払い金が多かったことを指摘された。驚くべきことに、旅費と手当(土産代)位しか支給しなかった場合もあった*。退職手当の支給、厚生年金脱退手当支給、国民貯金の払い戻しなどについては、多様な事例が挙げられている。

＊長澤前掲『在日朝鮮人史研究』3号、46頁

既に定着政策の項で示した様に、常磐炭田に残っている満期退山についての唯一

の資料である1942年満期の第2次入山採炭入山者の場合で見ると、定着政策の一環として満期退山者への冷遇が歴然としていて、退職金の不払い、厚生年金脱退手当などの手当不払い、郵便貯金や随意積立金の支払いさえ行われていない可能性もある様だ*。

＊長澤同上、45－46頁

参考までに満期退山者の率を示しておく。

朝鮮人満期退山者率 単位％

	1942年	1943年	1944年					
	3月	4～9月	4月	5月	8月	7月	8月	9月
全国		13.6	11.2	11.5	8.6	7.9	8.6	8.6
東北		13.2						
入山	31.5							

1943年、44年は、前掲『資料集』Ⅰ、83、84頁。1942年3月は、長澤前掲「日帝の朝鮮人炭鉱労働者の支配について」13頁の資料から算出。

②中途退山者の賃金

解放後の在日本朝鮮人連盟福島支部の要求書の中で、逃走者の積立金やその他の本人又は家族への支払いを要求していることでも分かるように、膨大な額の未精算金があったはずで、逃亡防止のために強制的に貯金させた経過から見て、その要求は当然であるが、実際は逃亡者の未払い金は、企業の費用として寮生の慰安に回したり、寮の雑費に使ってしまう場合が少なくないという*。

＊古庄前掲「朝鮮人戦時動員における民族差別」86頁

常磐炭田ではどうであろうか。これについては入山採炭1941年8月6日付の「逃走者ノ会計金支払停止ニ関スル打合」に、その一端を見る事ができる。その内容は、逃亡者と思われる長期欠勤者が舞い戻って、賃金支払いの当日賃金を受け取ってしまう場合があり、徴収金の回収が不可能になる場合が多い。移動防止の観点から、その間の行動の捜査に日数が必要のため、会計係への通知が遅れてこの様なことが起こる。そこで所在不明者が分かった時は、人事係はただちに会計係に通報して、支払の仮停止を行うというものである*。

＊「逃走者ノ会計金支払停止ニ関スル打合」1941年8月6日、『極秘資料集』Ⅲ、344頁

ここから見えるものは、逃亡に対しては積立金の精算はおろか、徴収金の精算が問題になっていることが分かる。

③死亡者や病死者の場合

業務上の死亡者や傷病者への援護規定は、募集要項や徴用者への援護規定により、公式の待遇は知ることができる。しかし、「非業務上の病傷者」の待遇も重要である。動員時に既に疾病があることも無視して来山の上で、労働に耐えられず送還される場合が少なからずあることは、当時の動員の強制性を現すものである。最短で10日の就業で病死している者もいる。過酷な労働と貧しい衣食の環境下で病気にならないのがおかしい位で、私傷・私病死者か業務上かの判定そのものが問題である。更に、その賃金の清算はどの様になされたのだろうか。

（5）終戦帰国時の賃金清算

常磐炭田の炭砿では、終戦帰国時、どの程度賃金の清算がなされたであろうか。

実質的に賃金未払いがあったのだろうか。あるいは未払い金があったとすると、どの位あったのだろうか。戦後帰国時に、在日本朝鮮人連盟を通じて民族差別による差額賃金や逃亡者への未払い金その他の請求がなされたが*、それらはどう処理されたのであろうか。強制貯金や各種積立金の清算は、どの程度なされたのであろうか。これらの問題を検討し、朝鮮人労働者への差別的賃金についての検討を終わりたい。

＊長澤「8.15直後の朝鮮人砿夫の闘い」『いわき地方史研究』23号、90頁

長澤氏の先行研究によると、常磐炭田、古河好間炭砿においては、一応帰国時に賃金の清算は行われたといわれている。氏によると帰国時の朝鮮人の所持金は、郵便貯金の払い戻し金、厚生年金特殊脱退手当、退職手当、慰労金（徴用解除手当、徴用慰労金）の合計であったが、1,000円を超す者は少なかったことが述べられている*。

＊長澤前掲「戦時下常磐炭田における朝鮮人鉱夫の労働と闘い」197頁

古河好間炭砿の2人の帰国生存者からの証言では、夫々400円、600円が支払われた様であるが、帰路に使い果たしている。前掲『故郷はるかに』の入山採炭（常磐湯本）の林潤植は、解放前の6月に契約期限が過ぎたので無理にでも辞めて帰国の途に着いた時は、「120円しか受け取れなかった」という。船がなく「解放後、山に舞い戻った時は、朝連から更に300円を『多分旅費として』受け取った」と述べている。

他に、中小炭砿の鳳城小田炭砿では米2升を持たせて帰させたと同居していた寮長の甥が述べている。

前掲『故郷はるかに』の中で李在善は、未払い金35万円が法務局に供託されていることを証言し、著者の石田氏は福島地方法務局で確認済みだが、「当事者のどちらかの委任状が無ければ原本は見せられない」と言われたとある。未払い金の原簿があることは確かであり、これが開示されれば、かなりの戦時動員被害者の情報が得られるはずである。尚、供託された背景について李氏は「金額で折り合わなかったか、払う意思のない常磐側が時間稼ぎに供託に付した」と推測している。

朝連側が最初に提出した要求書の賃金に関する項目*は次の通りである。

①帰国に関して、割増退職金の支給、帰国費用と食費の支給　②解放前の賃金差別分50銭の追加支給　③解放後の賃金割増支給　④契約期間延長後の賃金の割増　⑤労働災害者への見舞金　⑥逃亡者の預金の保全、などである

＊長澤同前論文、90頁

2　労働災害と高死亡率

全国的に見ても、日本人砿夫に比べ朝鮮人砿夫の方が、労働災害と死亡率が高かったといわれている。坑内就業率、しかも直接夫の就業率が高ったことからも必然的なことであった。

韓国政府発表（1962年、日韓交渉時）では、死亡者12,603人、負傷者7,000人となっているという*[1]。竹内康人氏の『戦時朝鮮人強制労働調査資料集』*[2]によると5,000人、実数はこれの3倍と推測している。全国的な労動動員における民族差別の実態は鉱山、土木、工場と個別に検討され、一括して論じるには資料は不足している様である。以下、炭砿における死亡率、労働災害率に見る民族差別性について常磐炭田を中心に検討する。

＊1 前掲『朝鮮人戦時労働動員』192頁
＊2 神戸学生センター出版部、2007年、121頁

（1）死亡率について

長澤氏によると全国の炭砿における災害死亡者は毎年1,500人を前後し、1939年

から 44 年までの合計は 10,330 人である。仙台東京鉱山監督局管内の災害傷病者数の内死亡者は、ほぼ毎年 100 人前後を出し、45 年には 174 人という多数に上り、この間の総数は 788 人を数えている。しかし、日本人、朝鮮人の死亡者数内訳は分からない。そこで氏は石炭統制会東部支部の 1939 年から 43 年までの「被強制連行者消耗者調」からほぼ毎年 30 人前後の死亡者を検出し、日本人の 1.5 倍程度の死亡率を算出している。更に 1942 年 7 月から 44 年 9 月までの東部支部管内の「災害原簿」の検討の結果、日本人 0.98、朝鮮人 4.28 の死亡率を算出している*[1]。本来同じ炭砿で同じ様に働いていたとすると災害、事故はほぼ平等に発生する訳だが、なぜこの様な違いが起こったのか。それは仕事の内容が日本人と朝鮮人とでは差があり、危険度が違ったこと、事故発生への対処能力に差があったことなどが考えられよう。既に多くの人が指摘している様に、戦時動員された朝鮮人は殆どが坑内夫で、しかも採炭の仕事をする直接夫が多かったということだ*[2]。全国 17 の有力炭鉱については「内鮮人別ヨリ観タル職別百分比」(1943 年 4 月)*[3] には実数が出ているが、地域別では実数が出ていないだけでなく、全国的な月末統計との実数が異なる。そこで職種別構成比率を比較して、常磐炭田における日本人との実態を調べて見ることにする。

＊1 長澤前掲「戦時下常磐炭田における朝鮮人鉱夫の労働と闘い」157 頁
＊2 同上
＊3 長澤前掲『資料集』Ⅰ、317 頁

東部支部

坑内夫　　　　坑外夫　　　　単位％

職種	日本人	朝鮮人	職種	日本人	朝鮮人
採炭夫	61.0	39.0	選炭夫	96.4	3.6
充填夫	欠	欠	運搬夫	79.6	20.4
仕繰夫	97.5	2.5	機械夫	92.1	7.9
掘進夫	72.3	27.7	工作夫	97.0	3.0
運搬夫	80.0	20.0	電気夫	98.9	1.1
機械夫	88.4	11.6	雑　夫	96.2	3.8
工作夫	98.9	1.1	平　均	92.8	7.2
雑　夫	80.5	19.5			

平　均	70.7	29.3	坑内外平均	78.6	21.4

「職別ヨリ観タル地域別ニ依ル内鮮人別百分比」1944年4月、長澤前掲『資料集』I、322頁

この統計では坑内夫に朝鮮人の占める割合はそう多くない。東部支部では朝鮮人が全砿夫に占める割合は最多時で19%に過ぎず、日本人砿夫の数が多いため、割合としては小さくなるが、戦時動員朝鮮人は大手炭砿の数社に集中していて、ここでは逆に朝鮮人2に対し日本人1であった。坑内では朝鮮人が日本人より多い上、朝鮮人は主として採炭夫であった。全体として朝鮮人は危険度の高い採炭、掘進、運搬の仕事に集中していることが分かる。

安全教育上の差は確認できないが、少なくとも研修期間には差がある*1。経験年数においては必ずしも両者に差がある訳ではないという指摘もある*2。短期労働者の内学徒、女子挺身隊は坑外が多いが*3、勤労報国隊や季節労働者は採炭夫等坑内労働に従事する場合が多かったことは、「災害原簿」にある5人の死亡者の職種が全て採炭夫である事からも明らかである。

＊1 戦時動員朝鮮人の場合は、実質1週間の入所訓練であるのに対し、転換労働者の場合は3週間の訓練所での研修期間がある。

＊2 古庄前掲「朝鮮人戦時労働動員における民族差別」81頁

＊3 学徒勤労隊や女子挺身隊は坑外労働に限るように規定されている、と聞いているが、どの様な「規程」によるかは不明である。

ここで「災害原簿」は極めて具体的に、しかもかなりの長期に亘る災害の実態を知る事の出来る貴重な資料であることから、個別に、朝鮮人、短期日本人、一般日本人について直接夫、間接夫、坑外夫の別を検討して見よう。

死亡者数　　　　単位人

		日本人一般	日本人短期	朝鮮人	合計
坑内夫	直接夫	20	5	48	73
	間接夫	27	0	10	37
坑外夫		12	0	1	13
合　計		59	5	59	123

『極秘資料集』Ⅳ、129－137頁、「災害原簿」より抽出。直接夫の朝鮮人と日本人との比率はおよそ2:1である。尚、坑内夫の内直接夫は、採炭（先山、後山）、充填、掘進、間接夫は支柱（仕操）、運搬（車夫）、工作（機械・電気）、雑夫（坑内）を指す。

全体数では約20%強の朝鮮人の死亡者と日本人の死亡者とほぼ同じということは、実際は日本人の約4～5倍の死亡率があるということで、長澤氏の検討の通りである

が、その原因は朝鮮人死亡者の90%以上が採炭夫、又は運搬夫等の坑内夫であったことに起因していることを裏付けている数字である。又、先の「被強制連行者消耗者調」(1939年～1943年)と「災害原簿」(1942年～1944年)では、朝鮮人死亡率について大きな差異が見られるが、検討対象の期間の違いによるものと思われる。末期程朝鮮人の死亡率が高くなるという長澤氏の指摘を採りたい。

(2)負傷率

負傷率　　単位人

		日本人一般		日本人短期		朝鮮人		合計	
		重傷	軽傷	重傷	軽傷	重傷	軽傷	重傷	軽傷
坑内	直接	24	1	14	3	19	2	57	6
	間接	7	0	5	7	1	0	13	7
坑外		3	0	6	2	1	0	10	2
合計		34	1	25	12	21	2	80	15
		35		37		23		95	
		72				23		95	

『極秘資料集』Ⅳ、129－137頁、「災害原簿」より作成

この表より分かることは、日本人短期労働者の負傷者が多いことと朝鮮人の負傷者が少ないことである。短期労働者の災害率が高いことは、十分訓練されないまま短期間に入れ替わるので、当然、負傷率も高くなったことを裏付けている。又、朝鮮人労働者の負傷者数が死亡者に比べ少ないのは異様にも感じるが、実は多くの朝鮮人の証言から、かなりの重症でも負傷扱いにされず、働かされた結果として現れた数字であることが推測される。

(3)労働災害に対する補償

労働災害に対する取り扱いは、建前はともかく、最も民族差別が行われ易い場面であったと思われる。動員被害者からの聞き取りを通じ、ハン(恨)として残っているのが、こうした場面であったことは印象深い。

一般的に労働災害に対する援護・救済規定は「鉱夫扶助規則」「健康保険法」又は

「国民徴用扶助規則」が適応され、移入朝鮮人については「官斡旋労務者援護規則」や「移入朝鮮人労務者ノ災害事故取扱要綱」（1944年9月）が適用されることになっている。

勿論、「内鮮一体」を謳う政府が差別規定を盛り込むはずはないが、それを保証する財源、組織、人員などの配置の仕方によって実質的な差別が生じることは勿論、運用する末端の個人の意識により、天と地の違いが生じてくる。

例えば、同上「取扱要綱」では「遺骨の送り届け、公私傷病者の帰鮮措置は鉱業所長の実任によることとし、事故に伴う報告、照会の迅速、用語への特別留意」から始まり、その取扱いは懇切、丁重を極め「納骨量はなるべく多量なること」「服装、喪章の佩用」「現地における葬儀状況の写真による報告」、「関係者の参列」「支給金計画書の詳細提示」など驚く程の取り扱いで、その「経費一切は炭砿の負担とする」こと、「参列者への昼食の支給」にまで言及している。

勿論、これらの規定は長い植民地人労働動員の経験蓄積の結果であり、労務管理の要諦として作られたものである。望ましい処方箋であったとしても、どの程度実行されたかを検討しなければならない。実際、この頃から死傷者の数が増え、遺骨の一括送付や送還自体が難しくなるのも数ヵ月後のことである。

まとめ

（1）戦時動員された朝鮮人と日本人の一般労働者の間に民族的差別があったのかどうかについて。第1に検討した労務管理における暴力の使用については、日本人の間でも暴力による指導や強制は当時普通に行われていたが、朝鮮人の場合は逃亡防止、労務督促、不服従への対策として系統的、恒常的に使用され、日本人に対する場合とは大きく違う。その根底には朝鮮人を日本人より劣った民族と看做す考えがあった。

（2）身体的な自由があったのか、労働拘禁がなされていたのかという点では、宿舎やその仕組み、通信の自由、外出の自由などの実態を検証したが、定着の度合いに応じ一定の自由は拡大されていったが、いわゆる一般の砿夫扱いになるには、4年間以上の「定着」が必要という規定さえあった。

（3）賃金においては、規定上差別はないとされながらも、社内の秘密の内規では差別規定があり実際適用されていた。強制貯金、送金、退職時清算、戦後帰国時清算などの検討を通じ、賃金上の取り扱いに明らかな差異があったことが分かった。賃金の清算が「一定程度」行われていたことも明らかにされた。これらの包括的な清算は今後どの様な形であれ、行われなければならない。

（4）労働災害については、死亡率において明白な差があり、危険な坑内労働に強制的に従事させられた結果、この様な差が出来たのではないかと考えられる。負傷率が低いことは、負傷者が少なかったからではなく、負傷として認定されなかったからでもある。災害時援護規定は一部検討したが、条文の上では差がなくてもが実質において大きな差があった。

第4章　朝鮮人寮から見た戦時労働動員

はじめに

1　検討の対象

先に『勿来地域における「朝鮮人飯場」と戦時労働動員調査についてのメモ』において、朝鮮人のいる仕事場ほどの簡単な意味で「朝鮮人飯場」*と言う言葉を使った。対象地域を常磐炭田に限定すると共に「朝鮮人寮」という用語を選び、会社直営の朝鮮人労働者の宿泊施設を中心に、寮生活における戦時労働動員の実態を明らかにしたい。

*龍田『在日朝鮮人史研究』35 号、2005 年。「飯場」「納屋」の制度は、土木工事や鉱山で日本の近代工業の勃興期の明治・大正期に、企業が労働力の募集・確保のための請負制度であり、低賃金と労務管理費の節約のため用いられた労働制度で、飯場を土台とした労働運動の発展に対抗して、会社による直接雇用、従来の飯場頭を労務職として位置付けるようになった。この制度の機能は本来①労働者の募集、②宿舎への収容と生活管理、③生産現場での作業管理、④賃金管理にあり、関西、九州では夫婦を基礎とする納屋制度、関東、東北では独身者を基礎とする飯場制度と呼ばれた。

寮は単に炭砿労働者の宿泊施設である以上に、労働力再生産の場であると共に、会社の労働者管理の重要な要をなすという経営側の意図があり、逆に労働者の立場からすると、抵抗と生活向上のための拠点でもある訳である。

なお、朝鮮人労働者の砿夫宿舎を①集団管理型の「寮」や「合宿所」の他に、②定着促進のための「家族呼び寄せ」の住宅、③既住朝鮮人の住宅の 3 種類に分類したのは長澤氏である。三者の間には密接な関係があるので、当然これらを含めて検討の対象としたい。寮論の対象は、①寮の管理組織、②施設の位置と構造、③炊事、食事、衣服、余暇管理、④自主管理組織、⑤寮における労働拘禁などが含まれると思うが、本章では施設の位置や構造を中心として、それとの関わりの範囲に課題を限定しておきたい。

2　主な関心の所在

同じ朝鮮人寮にしても、戦時期に復活したと言われる炭砿や土木業における北海道の監獄部屋（タコ部屋）*や納屋制度の伝統を受け継いだ九州地方の監獄部屋や「圧制炭砿」の様な現代奴隷制度ともいえる強圧的なものから、製鉄や機械工場など学卒者を対象とする軍需工場労働者の場合の様に、監視は厳しくても一定の生活上の自由を持っていたものまで地域、雇用経験、産業分野において色合いの違いはある。しかし、戦時期国民皆労働制の補完物として導入された植民地労働者が、前近代的、ファッショ的拘束性を伴う労働と生活を強いられた実態は共通していると思われる。

中でも、寮の窓には格子はあったのか、出入り口の構造等逃亡防止の実態、鉄道の駅との関係、労働編成や出身地と寮生活の関係など、寮の配置や構造から具体的に見えるものは、視覚的かつ直接的なものであるだけに興味深い。

そこで、常磐炭田における寮制度は全国的なそれとどう違うのか、まず概観しておきたい。そのため北海道、九州その他の土木現場や工場の寮を検討する。その主たる関心は、労働動員の「強制性」「拘束性」にある。

*タコ部屋とは、タコが自分の足を食って身を縮め「自分で身を滅ぼし」ていくのに例えたと言われ、近代の日本の資本主義の原始的蓄積期に北海道開発や鉱山などで採られた近代奴隷制。前貸しによる奴隷労働の強制が行われ、大正、昭和期になると次第に姿を消しつつあったが、戦時期の極端な労働力不足の中で、北海道や九州の土木工事現場などで復活し、特に朝鮮人や中国人の集団強制動員の中で用いられた。

Ⅰ　朝鮮人寮の形態と事例

現在、手に入る資料を基に、朝鮮人戦時労働動員期における朝鮮人寮を大きく3類型に分けて検討する。

1監獄部屋（タコ部屋）型—圧制型、2模範型・大工場寮型—宥和型、3中間型

1　監獄部屋（タコ部屋）型—圧制型

A図　監獄部屋型の構造

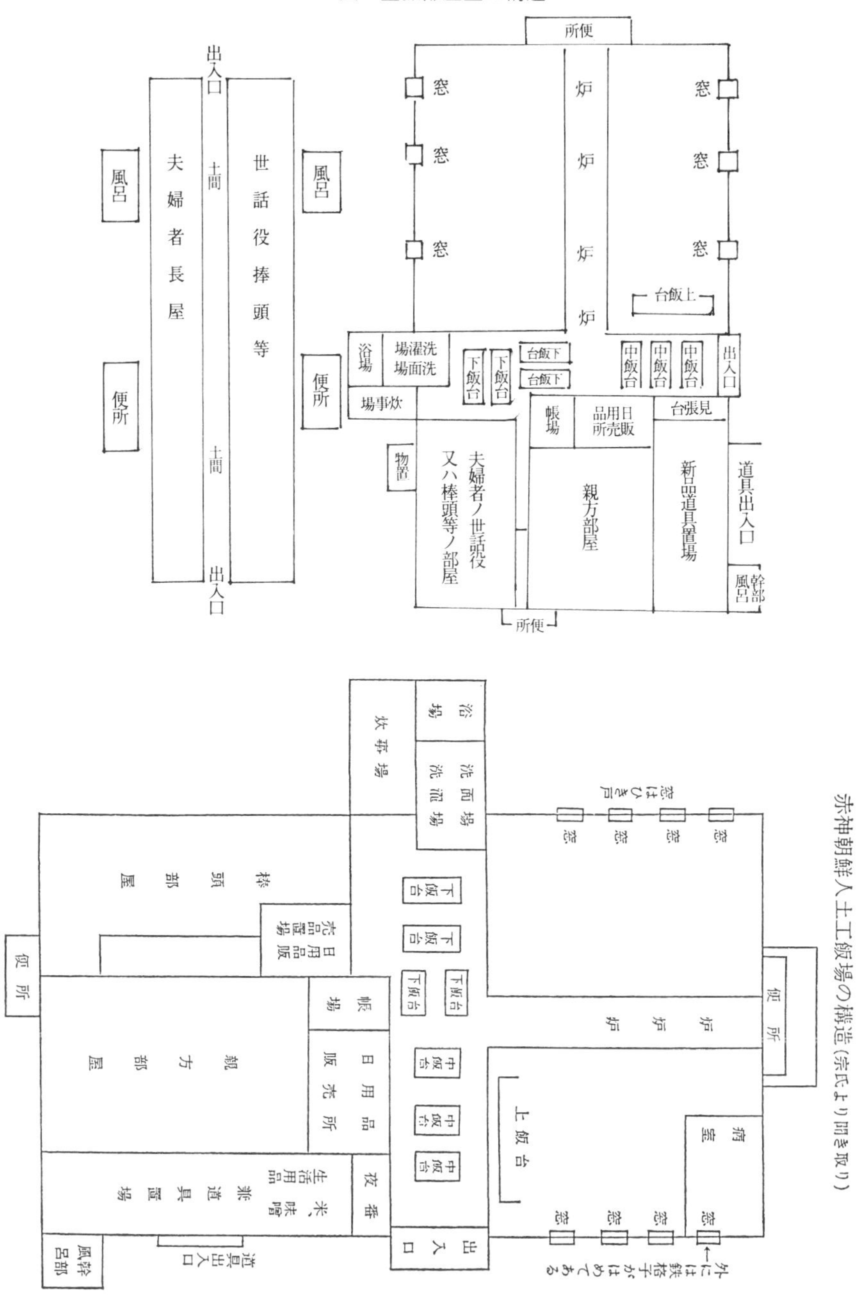

赤神朝鮮人土工飯場の構造（宗氏より聞き取り）

監獄部屋型の構造図面（Ａ図）は『朝鮮人強制連行強制労働の記録—北海道・樺太編』*に出ているが、元は白石俊夫「監獄部屋の真相とその撲滅」(6 頁) からの引用。これは昭和初期の土建業ものである。当時のいくつかの報告書からその実態を解説している。聞くに堪えないおぞましい奴隷労働の実態が述べられている。

＊現代史出版会、1974 年、122 頁

Ａ図は 1940～45 年頃、北海道の松前線の鉄道工事を鉄道工業株式会社から請け負った相良飯場で酷使された宋人鎬氏の証言とほぼ一致している*。

＊同上、267 頁

部屋は工事現場に近いが、周囲が山や絶壁に囲まれ逃亡が難しい場所に配置され、100 人以下の大部屋に「タコ」といわれる平土工が、10 人位を 1 班として棒頭の下に労働と生活を管理され、建物の出入り口は一つで、窓には鉄柵、夜中も見張り番が付き、犬や要所には見張り台が配置された。

この制度は北海道開発のため貧しい東北の農民が前貸しに縛られ「タコ」となった土建工夫、更にその前は囚人労働者に端を発する。

タコの語源のように、平土工は下請けの最低辺に位置付られ、幾重もの中間搾取により賃金は、前貸し金の返済や殆どが作業用具、衣服、食費等の名目で差し引かれ、働けば働くだけ借金が積もる仕組みになっていた。反抗や逃亡には、文字通り背中に鉛を流し込むなど「焼き」を入れられ、スコップで殴られ、死に至るものは跡を絶たなかったという。こうした制度は公然と認められていたため、逃亡者を警察が一緒になって捕まえ、元の部屋に戻していた。

炭砿に適用されたのは、既に飯場制度が命脈を失いかけた時、砿夫の会社直轄雇用制度の中で見直され、より劣悪な労働条件の下に復活したのである。この制度は最初、非採炭部門に多かった。戦時期に至り、採炭部門に投入された朝鮮人集団移入労働者に対し、「不良砿夫」の矯正施設として利用されたりもした*。ナチスの労働収容所の形式が持ち込まれたとする考えもある様だ。九州では、明治期の納屋制度の下で、炭砿でも孤島などで多く見られたが、それが戦時期に、新しい会社直轄制の下で復活したと言えるのかは分からない。九州において「圧制炭砿」と言われた炭砿は、北海道のタコ部屋とどの様な違いがあったのか。詳しい検討が必要である。常磐炭砿には、果してここに見られるタコ部屋を擁する炭砿はなかったのか。あるいは共通する労務管理の要素は何なのか、検討する。

＊「半島労務員統理要綱」小沢有作編『近代民衆の記録』10、新人物往来社、478 頁

2　軍需工場の朝鮮人寮・「模範的」炭砿寮―宥和型

（1）化学、製鉄、機械等軍需工場における朝鮮人寮

これらの工場は、比較的都市部の工場群の工員住宅街にある場合が多い。いわゆる独身寮や技習寮の系譜を引く半島「訓練生寮」には、窓に格子はなく、逃亡防止のための出入り口の統制などは比較的緩い。しかし、実際には監視の目が行きとどき、拘束が緩い訳ではない。その実態は、一連の企業責任訴訟の中で明らかにされている。福島県では三菱製鋼広田製作所、日本曹達会津工場などがあるが、その実態は分かっていない*。

＊大塚一二『トラジ―福島県内朝鮮人強制連行』（以下、『トラジ』と略記）鈴木久後援会発行、1992 年

（2）「模範的」炭砿寮

戦時労働動員の主体は独占資本であり、その国家性は資本の利潤追求競争との調整の中に貫かれているが、企業の主体性を否定するものではない。従って、その結果についての責任を回避出来るものではない。炭砿資本の合理的な利潤追求の志向は、強圧的労働管理に加え、融和的管理を併用することとなる。こうした志向を最もよく反映するのが、石炭生産の戦時統制機関や大手炭砿の労務担当者によって作られた「半島人労務管理要綱」である。東西 2 つの例を挙げて、炭砿資本の目指した「模範的」な朝鮮人労務管理の一環としての寮の「あるべき姿」について検討する。

①大内規夫『炭山における半島人勤労管理』1945 年*

氏は朝鮮銀行の幹部であり、大日本産業報国会の会員であり、朝鮮文化研究家でもある。この本を解説した朴慶植も「温情的管理の典型」としている。寮については、指導組織、施設及び備品、炊事と食事、訓練などを述べている。

＊『朝鮮人問題資料叢書』第 2 巻、朴慶植編・解説、アジア問題研究所、1981 年、1－257 頁

施設については、人数は 100 人～120 人、部屋数 10 畳で 6～8 人（1 人 1.5 畳弱）×14 部屋、平屋 2 棟～3 棟の組み合わせとした。既存の砿夫長屋を改良、利用することを可能にするためでもあった。

①の様に横に並んだ長屋を、縦の長屋で繋ぎ、②の様にすれば、まとまりも出来、安定感があるので、朝鮮人の習性にも合うとしている。又、新たに建てるのであれば、兵舎式にするか、専門家と相談をすると述べている。

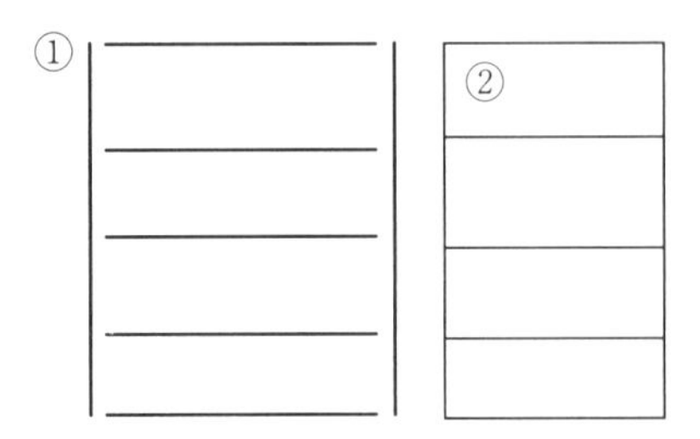

長屋の施設として、食堂、炊事室、事務室（寮母）、賄い方室、倉庫、便所、洗面・洗濯室、娯楽室、又は、病室、寮事務職員室、乾燥室を挙げている。これ以外にも、寮長宿舎、理髪所、売店、運動場、防空壕、花壇などを挙げている。

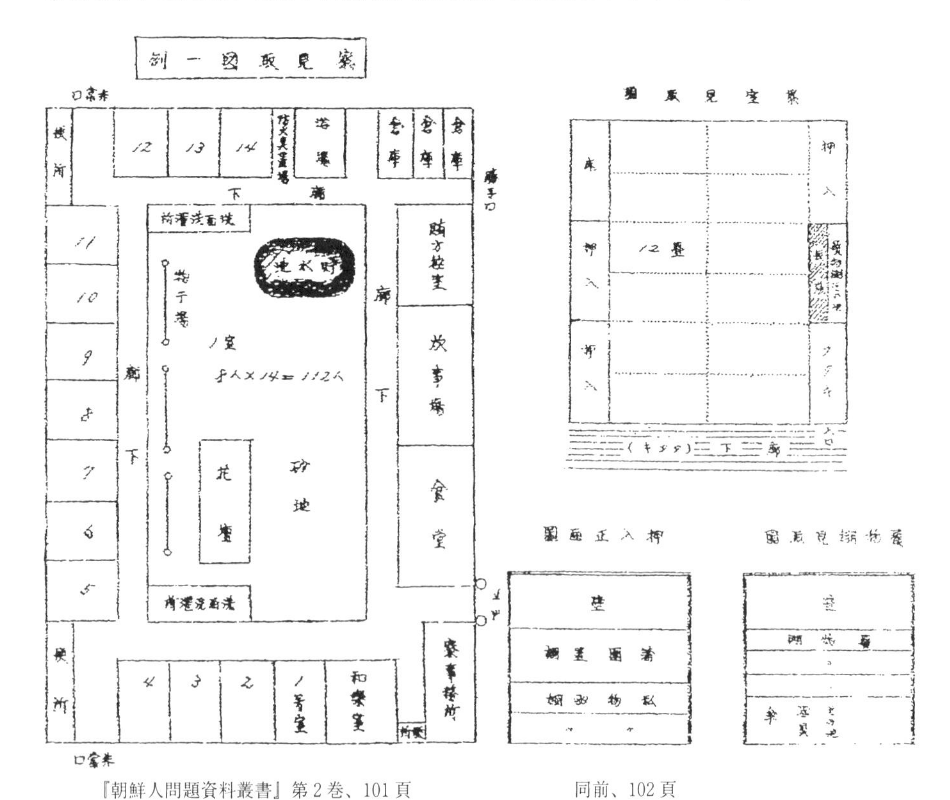

『朝鮮人問題資料叢書』第２巻、101頁　　同前、102頁

非常口が設けられていること、個々人の持ち物入れなど、プライバシーへの一定の配慮などが感じられる。しかし、実際の場では、娯楽室が特別指導の場となり、運用の仕方が重要な要素となることは後に検討する。

②前田一『特殊労務者の労務管理』

一方、東の労務管理のリーダーを任じている北海道炭鉱汽船株式会社の前田一は『特殊労務者の労務管理』*の第5章で「鮮人寄宿舎」を挙げ、寄宿舎の観念と構造、寄宿舎の設計、調度品の整備、その他の装備、従業員の配置について述べている。

収容人数は100人から最大でも120人、1室の大きさは10畳として6人、6人分の押し入れと床の間まで付けている。例図では管理棟は平屋、宿舎部分は2階建てで、15畳が基本になっている。

＊前田一『特殊労務者の労務管理』小海堂出版部、1993年、156頁

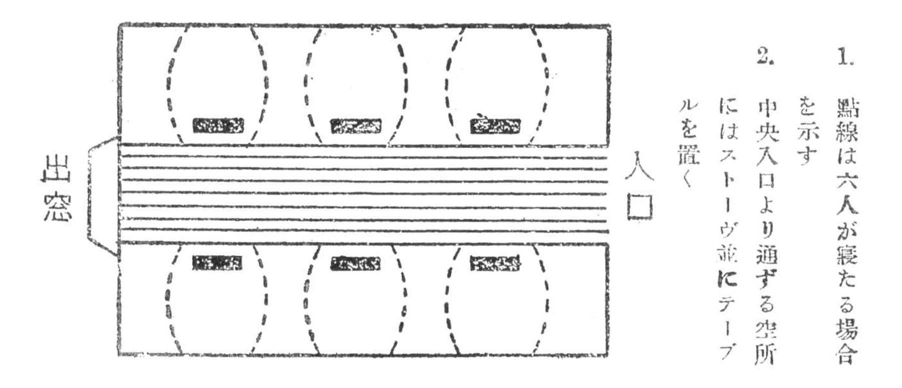

③寮の管理組織（従業員の配備）

大内は寮生の数を120人位としたが、「寮人員で450名などというのがある。食わして寝かして、それで良いというのであれば…よろしい。半島労務管理と言うものを少しでも考えるならば、『食う寝る処に住むところ』に終わってはならない。勤労再生産の場であり、半島人を皇民化する道場であると気付けば…適量以上の人数は…不親切極まりない」*と言っている。200人の場合は2つに分離することを提案している。これを前提に寮長の下に指導員2人、助手2人（半島人）、隊長1人（半島人）、寮母又は女事務員1人、賄い夫（住み込み夫婦含め5～6人）、雑夫1人としており、前田には指導員や寮母は無いが、掃除夫1～2人、浴場及び乾燥室番昼夜各1人、布団修繕婦若干、石炭雑品運搬夫2～3人などを付け加えている。寮生の縦の組

前田一作成の寮構造図

（參　考　圖　面）

鮮人寄宿舎平面圖例

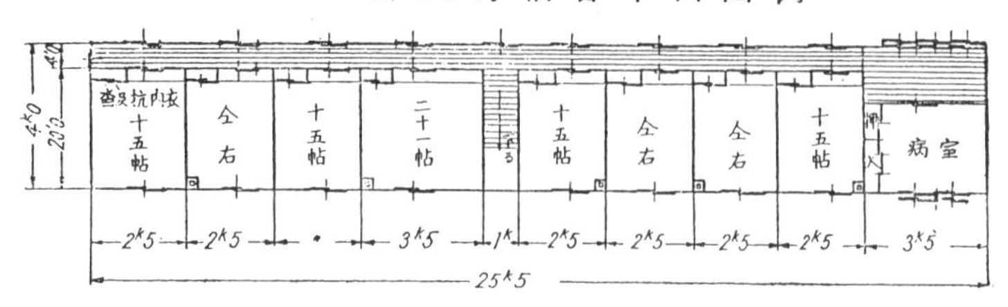

二階平面圖

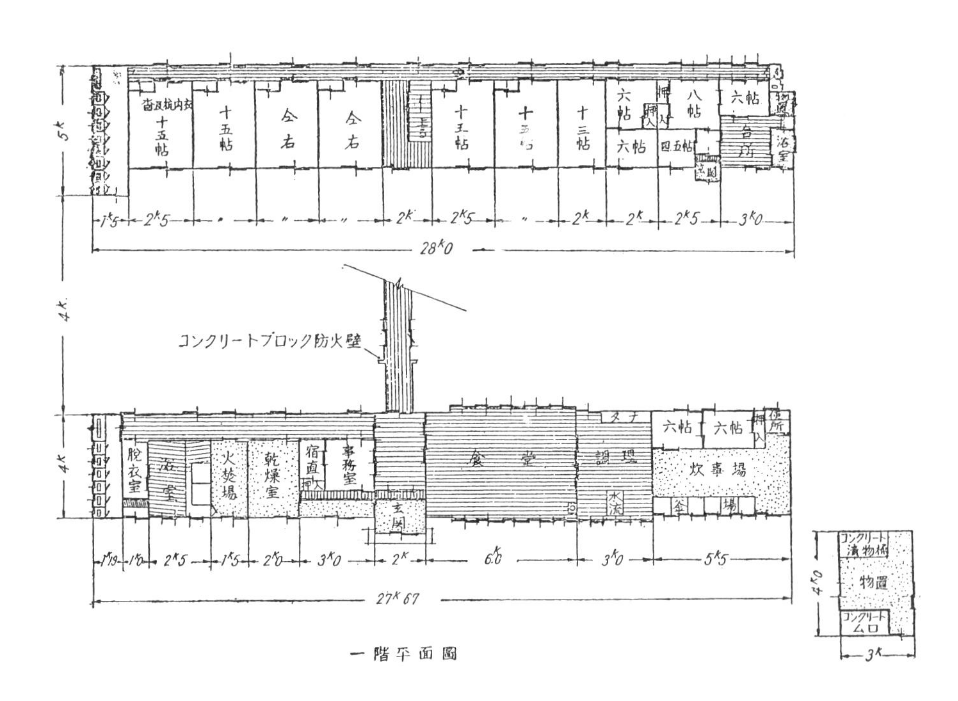

一階平面圖

織は、寮長1人－隊長1人－班長5～6人－室長3人－寮生6人位が目安らしい。寮長は元採鉱夫、教師、下士官、警察などだが、少なくとも中学校卒以上としている。これから見て、前田はより現実的な配備を、大内はより文化的に充実した人員の配置を提言している。現実的には両者とも、これ程の人的配置をする余裕は無いのではないか。

＊大内前掲『炭山における半島人勤労管理』90頁、91頁

3　中間型

実際の寮の多くはその中間型であり、以下、現在残っている実際の設計図（図面）を基に検討する。

（1）住友鴻之舞鉱山

この鉱山は、西成田氏の前掲書でも「軍事的強圧的労務管理」として分類されている。しかし、他の鉱山との比較のためにこの項目で扱う。

1940年の第2協和寮が作られた頃までは、1部屋24畳の大部屋形式が取られていた様であるが、「半島労務員統理要綱」が作られた41年1月の頃には、次の図に見られる様に1部屋12畳、8人を標準とする個室方式に変えられた様である。

林えいだい監修、白土仁康・加藤博史・守屋敬彦編集『戦時外国人強制連行関係資料集』Ⅲ（明石書店、1991年、2,082頁）よりの引用であるが、守屋氏の解説の様に、炊事場と食堂は付設されているが、浴場と世話所は別棟となっている。建物の出入り口には特に監視のための施設はないが、道路への出口にあたる所に見張所が設置されていることから見て、捕虜収容所や中国人労働者の宿舎と同じように、周囲が川や垣根、塀などで囲われ、逃亡は不可能な様になっていることが考えられる。第2協和寮の場合は大部屋形式で、出入り口の近くに別棟で世話所がある。第1寮と第2寮は1940年5月以前の動員初期に作られたが、図は省略する。

窓に格子があるかどうかは確認出来ないが、出窓の間隔から見て十分あったと考えられる。部屋には押し入れが両脇に2間ずつ計4間のものがあり、1尺5寸の棚も付けられているという。

新たに作られた第4協和寮（図参照）の建物はコの字型で、部屋は廊下を挟んで

新設半島人合宿所附近配置図

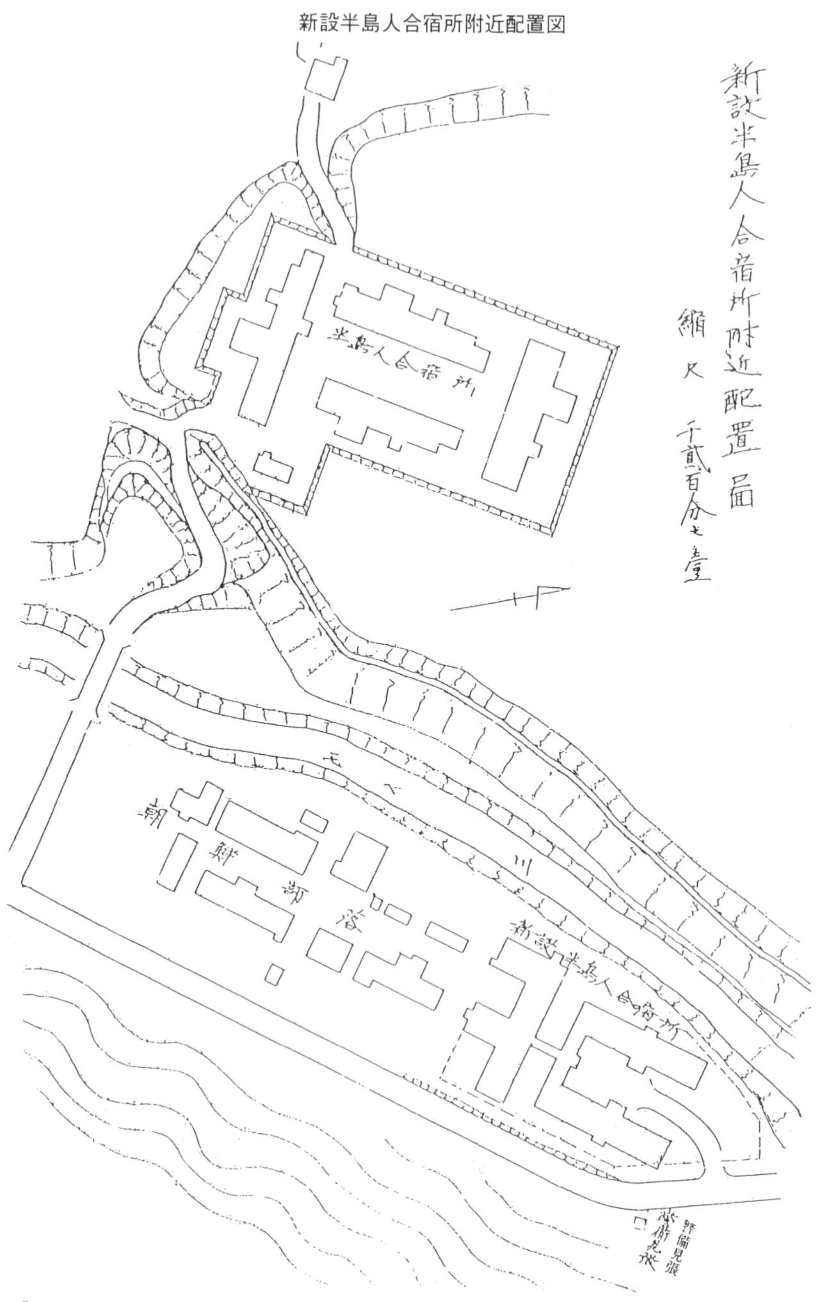

『戦時外国人強制連行関係資料集』Ⅲ、2084 頁

5号半島合宿所（第4協和寮）1階平面図

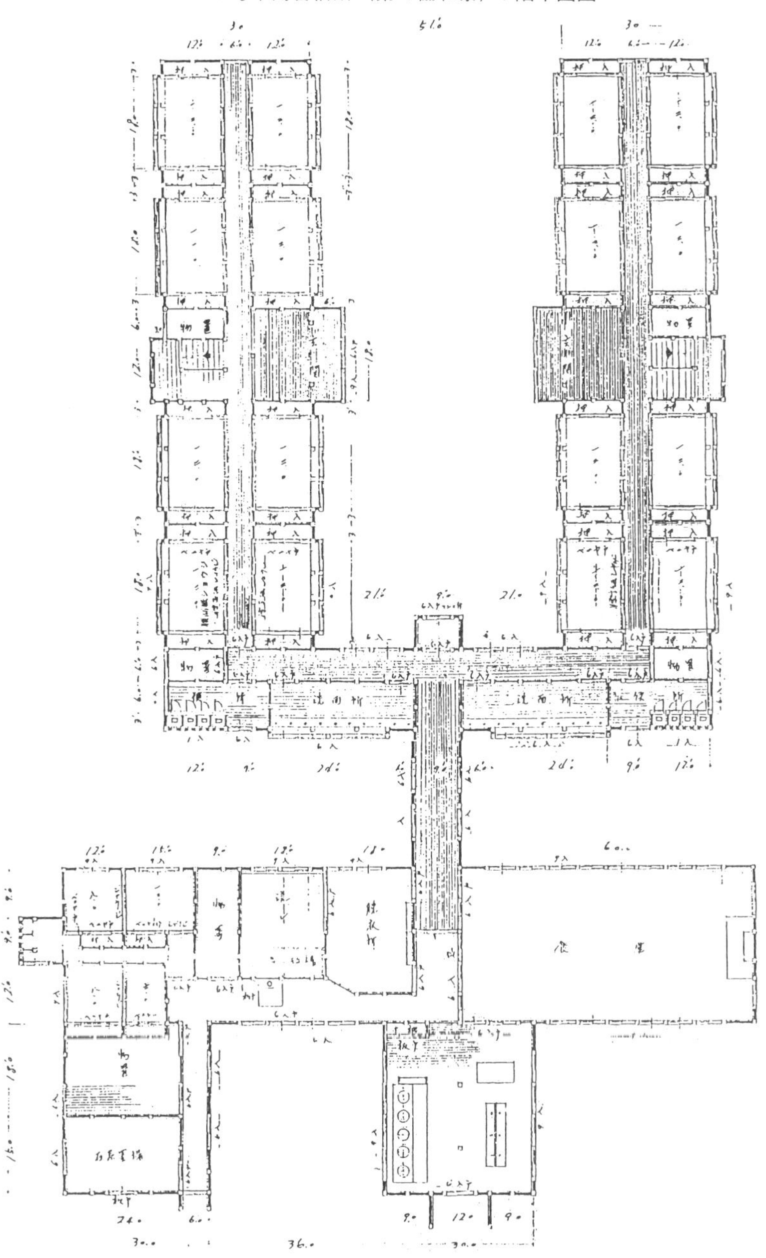

700分の1。『戦時外国人強制連行関係資料集』Ⅲ、2082頁

5号半島合宿所（第4協和寮）2階平面図

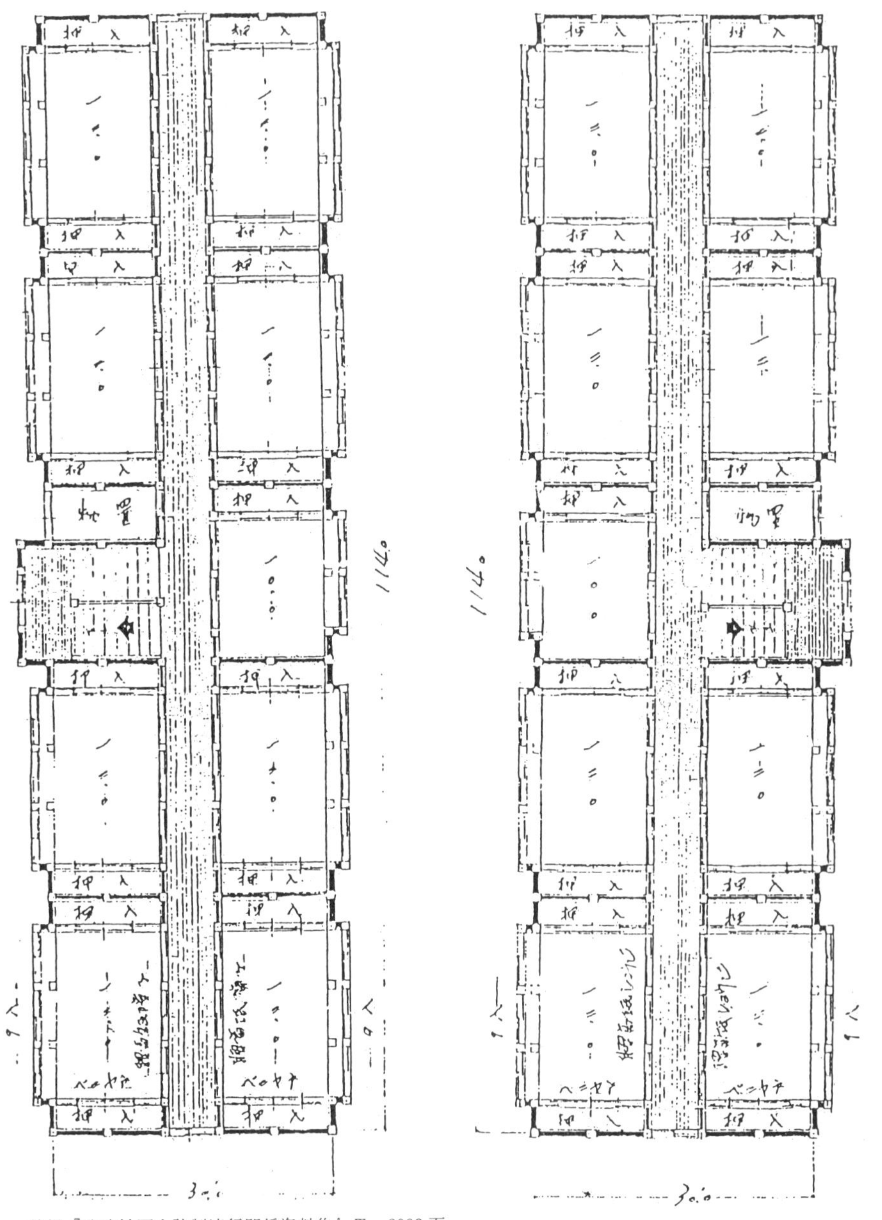

前掲『戦時外国人強制連行関係資料集』Ⅲ、2083頁

両脇にあり、その後、第7寮（図なし）が作られた頃は、1部屋6～8畳に4～6人の小部屋になって行ったと推測されている。

（2）北海道炭鉱万字炭鉱の寄宿舎

北炭の労務部長の前田一の模範例が描かれたのが、1943年11月頃だとすると、同炭砿の5月実施の「新幌内協和寮内務規定」は、一定の朝鮮人寮経営の経験を総括したものと思われる。以下検討する2つの寮は、模範例の様に新たに作られたものではなく、従来の日本人寮を廊下で繋いで改良された可能性もある。

万字炭鉱第1寄宿所は、1部屋16畳10人として6班あり、60人とすれば、こじんまりとした大きさである。食堂、炊事室、賄い部屋、浴室があり、事務所を玄関の横に設けていることも一般的である。しかも、娯楽室が一番奥まった所に設けられているのは、本来の機能を果すためとすれば、適当か。乾燥室などはない。各部屋の押し入れも1人当たり半間で、窓に格子などあるのかどうかは、図面からは読み取れない*。

＊『北海道と朝鮮人労働者—朝鮮人強制連行実態調査報告書』北海道強制連行実態調査委員会、1974年、263頁

万字炭鉱第1寄宿舎

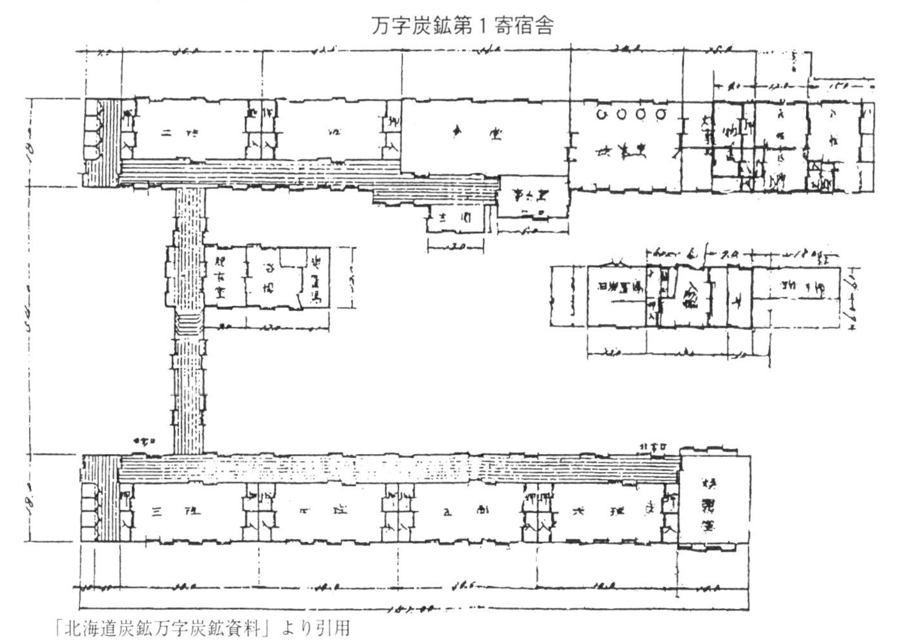

「北海道炭鉱万字炭鉱資料」より引用

幌内鉱第３協和寮間取図

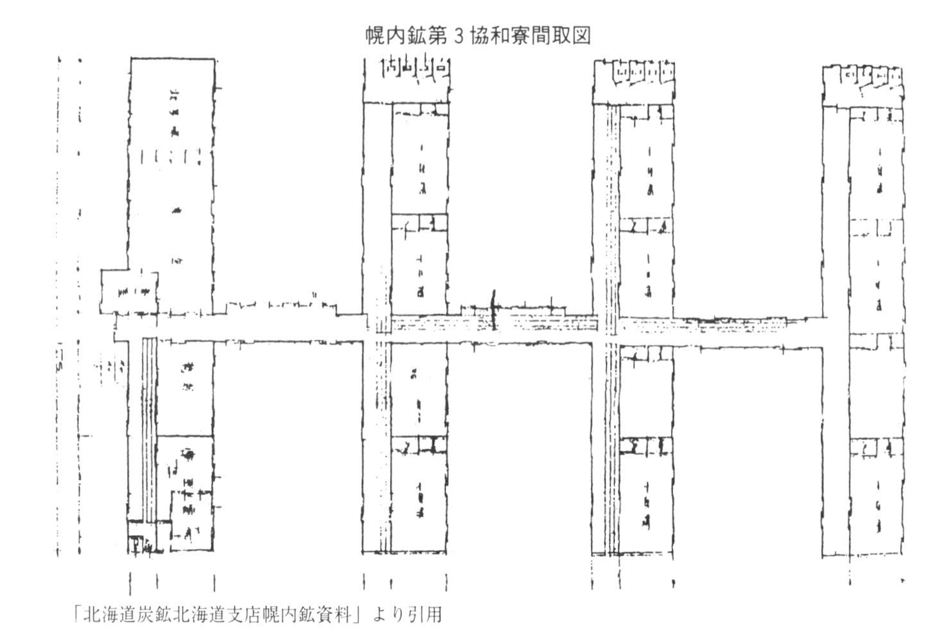

「北海道炭鉱北海道支店幌内鉱資料」より引用

一方、幌内砿第３協和寮は、従来の寮の真ん中を廊下で繋いだ形をしている。1部屋12畳で８人部屋とすれば、押し入れは１人半間で標準的である。事務所や出入口は１つと思われるが、どこにあるか読み取れない。浴室、石炭置場も読み取れないので、別棟か。全体の地形や配置図が分からないが、構造的に極一般的な外出等を制限し、出入口を事務所に限定したスタイルと思われる。

＊同前

（３）九州の三井山野鉱業所朝鮮人合宿所

この寮は全国でも唯一の詳細な朝鮮人を始め、中国人、連合軍捕虜の宿舎の建設設計図が残っており、近畿大学九州工学部建築科の研究室で、その模型を作ったということで注目されていた。幸い、これを公にされた武富登己男氏が作られた「兵士庶民の戦争資料館」に連絡したところ、氏は亡くなられたが、夫人から『異郷の炭鉱』三井山野炭砿強制連行の記録をお送りいただき、それを拝見出来た。中国人労働者と連合軍捕虜の宿舎の図面は、強制収容所型であることが確認できたが、朝鮮人の宿舎については、非常階段や濡れ縁も設置され、押し入れ等も整備されており、むしろ開放的な宿舎を思わせ、逃亡防止のための窓の格子などは勿論ない。しかし、解説者の近大九州工学部教授の桑原三郎氏によると*、本館完成後、逃亡防止のため高さ7尺、延べ140間の板塀が周りに施されたということで、なる程、模型写真には板塀が巡らされている。建設設計図は基礎工事から屋根までの構造図が、建物毎に描かれ、平面図、見取り図も添えられている。以下、平面図のみ引用させてもらう。部屋は12畳8人部屋で36室、288人収容可能の木造平屋建、瓦ぶきである。三井三池の宿舎に動員されたと思われるA氏の記憶も、2階建て宿舎の周りに板塀が巡らされていたと言う。

＊前掲『異郷の炭鉱』266頁、268頁

三井山野鉱業所朝鮮人合宿所

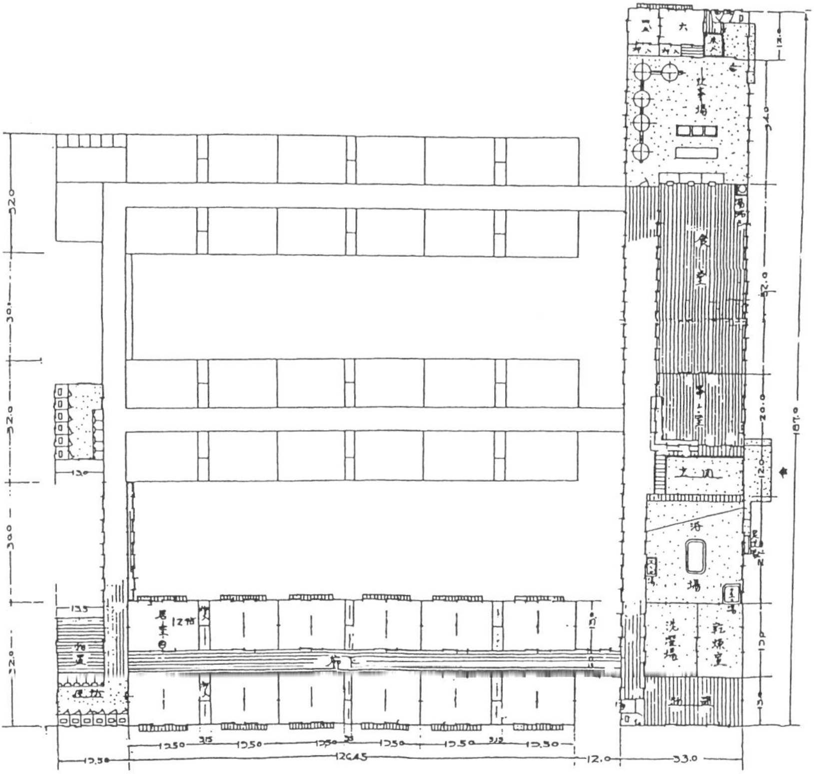

288人収容、木造平家建、瓦葺寮室（居室）は12帖に8人。1人当り1.5帖、各室に押入とぬれ縁が設けられている。

〔参考文献〕
『日本のすまい』（勁草書房）西山卯三／『近代日本炭砿労働史研究』（草風社）田中直樹／『石炭研究資料叢書』（九州大学石炭研究資料センター）

以上３つの炭砿の朝鮮人寮を検討したが、いずれも大手の独占資本系の炭砿の朝鮮人寮で、現在残っている図面を基に、その構造と労務管理の関係について点検し、従来、軍事的抑圧的と言われる労務管理の行われた炭砿とむしろ宥和的労務管理が行われていたと言われている炭砿の朝鮮人宿舎を比べても、構造上の大きな違いは見られず、むしろその運用において、労務管理上の違いが現れているように思われる。

Ⅱ　常磐炭田における朝鮮人寮

1　常磐炭砿株式会社の戦時動員期の生産と経営

まず、常磐炭田における最大の炭砿資本、常磐炭砿株式会社の朝鮮人寮について検討する前に、この会社の戦時期の生産と経営の実態について概観しておきたい。

1944年２月に入山採炭と磐城炭鉱が合併した後も、便宜上、常磐炭砿湯本砿、内郷砿、磐崎砿として、地域的に分散して取り扱うことが多かった。合併後も両資本内の人事的葛藤や経営としての統一性に欠けるところがある。多くの労務統計は新たに当時の行政区域に従い、湯本砿、内郷砿、磐崎砿に分ける場合と旧磐城炭砿と旧入山採炭に分ける場合があり、筆者もその様な取り扱いを行っていた。しかし、戦後の地域の石炭資本として、常磐地域における圧倒的な指導力を発揮した常磐炭砿の基礎は、やはりこの合併によって築かれたことを考えれば、これは文字通り、常磐炭砿の前史と本史の始まりに当たる画期である。戦争推行のため、国家の主導の下に個々の独占資本の合併・統合が行われた。国家と独占資本との融合と癒着が進んだ。

日本における国家独占資本主義の本格的な展開は、日中戦争を遂行する為の国家総動員法等関連三法の成立を背景とした国家総動員計画の実施、企画院の設置に画期を見る*。

＊井上晴丸・宇佐美誠次郎『危機における日本資本主義の構造』岩波書店、63頁では「移行」のメルクマールとする。

各種統制会の確立を背景に強力に行われた石炭産業部門内での合併政策は、いわきでは古河好間炭砿を含めた大合併政策として推し進められたが、この間の事情については『いわき市史』別巻の資料に紹介されている。

ここでは、資料的限界から、戦時期における両炭砿の生産と経営の統計的な検討は出来なかった。出炭量、販売高、設備投資、原料資材、労働者数と構成、賃金、収益利潤いずれの項目も、戦時統制との係わりでの検討は今後の課題である*。

＊入山採炭の「事業報告書」は1942年（96回）まで、磐城炭砿の「営業報告」は1943年（118回）まであり、常磐炭砿の営業報告書は、1945年（第1回）からである。又、入山採炭は「経歴書」を、磐城炭砿では「営業史一覧表」により合併前の自社の経営史を相互に提出しているというが、未入手である。

2　常磐炭田の朝鮮人寮概観

常磐炭田における朝鮮人寮についての研究は、大塚氏が多くの証言を集められ、その概要は掴めているが、図面等文書資料は乏しく、長澤氏の石炭統制会関係の『労務月報』*1や絵図*2などが一部残っているにすぎない。新たな証言を加えつつ出来るだけその復元に努めて見たが、他地域に比べても不十分である。

＊1 磐城炭砿『労務月報』1942年6月、43年3月、12月と入山採炭労働科学研究所が出した「半島労務者勤労状況調査報告」中の「事業場労務管理に関する報告」に寮名と人数が記録されている。個別の項で検討。

＊2 常磐炭砿の寮の配置と人数については唯一年月不明の地図が残っているにすぎない。石炭統制会東部支部資料（長澤前掲『極秘資料集』Ⅲ、129頁参照）。鹿島坑の寮についての記載がないなど、地図自体非常に不正確なものである。

3　5地区の朝鮮人寮

湯本地区　　入山系3、4、5、6坑、川平坑（青葉、協和、川平寮＝高倉寮）、
　　　　　　磐城系鹿島坑（鹿島寮）、長倉（磐崎）坑（長倉寮）

内郷地区　　磐城系綴坑（前田、浜井場寮）、住吉坑（宮沢、御殿、協和寮）

赤井、好間地区　古河系小舘坑（松阪、山ノ坊寮）（小舘訓練所）
　　　　　　　　小田系（渡辺寮）
　　　　　　　　日曹系（不動堂、大門寮）

勿来、山田地区　大日本系南坑、新坑（中村飯場、佐藤飯場）
　　　　　　　　大昭炭砿（協和寮）

北茨城地区　常磐中郷、常磐神ノ山、関本炭砿、山口炭砿、山一炭砿、東邦櫛形

朝鮮人寮分布図（いわき地区）

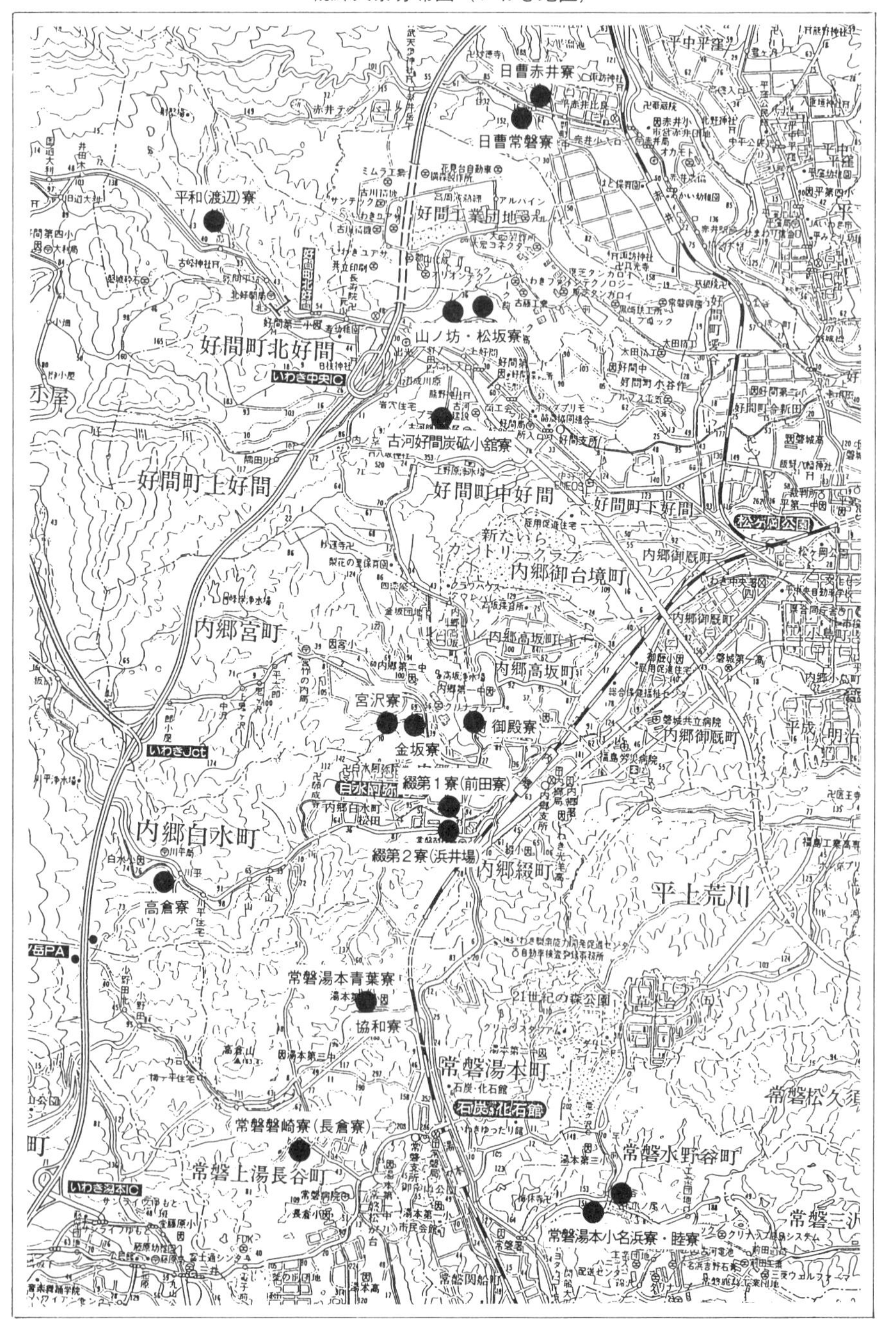

常磐炭田朝鮮人寮見取図

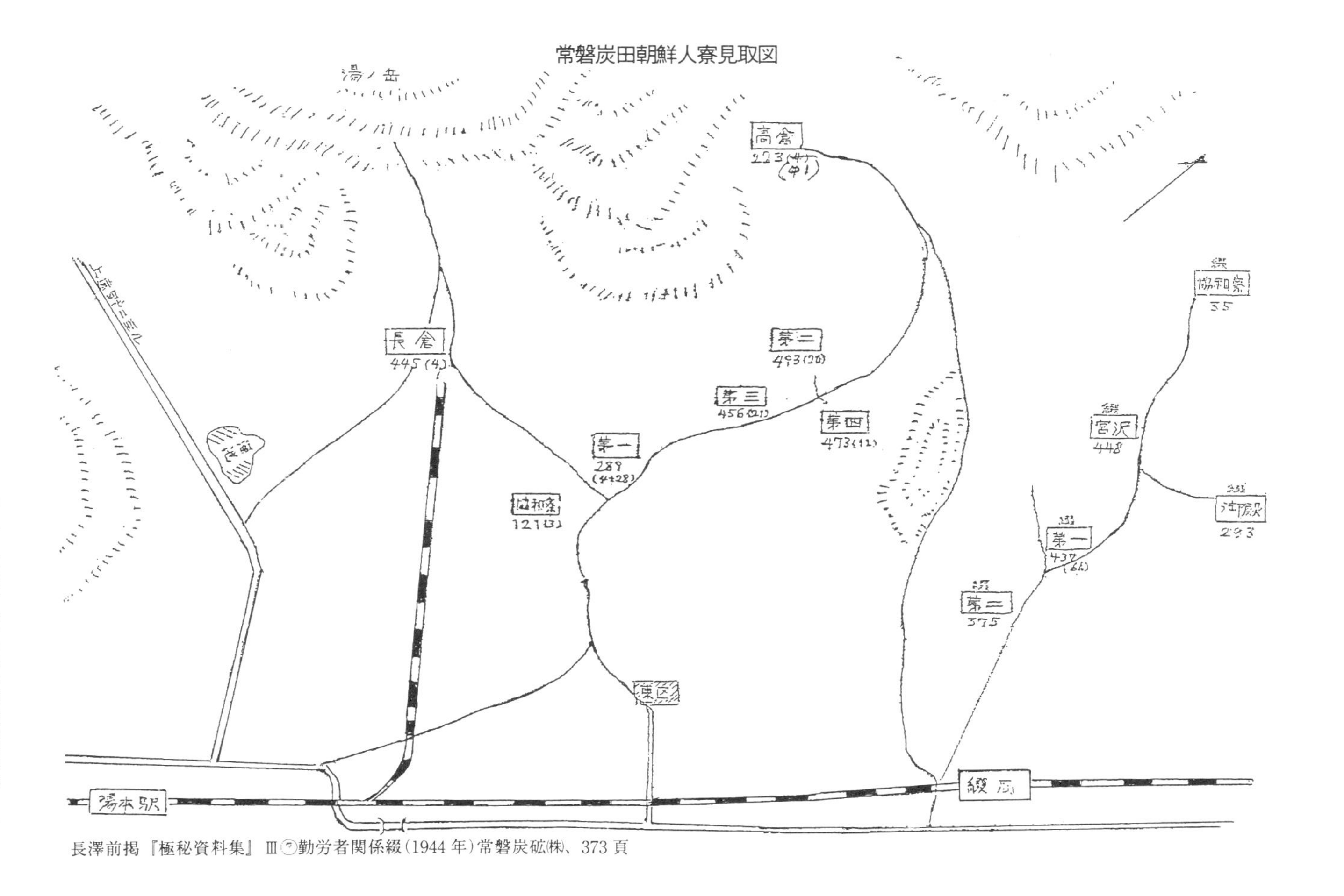

長澤前掲『極秘資料集』Ⅲ㋡勤労者関係綴（1944 年）常磐炭砿㈱、373 頁

川平坑は1945年12月から内郷砿に所属する様になる。又、鹿島坑は磐城炭砿の小名浜坑として出発したが、常磐炭砿との合併により鹿島坑と改名し、湯本砿に所属する様になる。常磐炭砿の比重は、発足当時から次第に湯本から太平洋の方に向って行く。

（1）湯本地区（磐崎・川平坑を含む）

①入山採炭系青葉区

青葉区は常磐炭田における戦時朝鮮人労働動員の最大の集中地帯と思われる。ここは入山採炭第4坑の足元に位置し、山を越えれば、入山3坑にも通うことが出来る。

入山採炭の発展の歴史は、1895（明治28）年に川崎財閥の創始者川崎八右衛門が、鉄道の開通を見越し、地元の政財界の雄、白井遠平の既設の磐城炭砿と張り合う形で設立された。資本金50万円で近代的設備を取り入れ、山を越えた内郷地区に流れる白水川の上流の第1坑（高倉）、第2坑（川平）より出発した。その後、常磐炭田発祥の地付近の第3坑に生産の重点は移る。明治40年代には、山を越えて南の湯本の日渡川の第4坑が開削され、大戦景気の後の不況期には、生産の集中と蒸気から電力への原動機の転換など、第5坑の開削や技術上の合理化がなされ、資本的には大倉財閥が進出する。昭和の初期には、第5坑の大災害を契機に歴史に残る労働者の大ストライキを経て、準戦時体制期には生産の拠点は常磐線を越えた第5、6坑へと海岸線に向かって移動していく。

戦時中は川平坑や第3坑の残った炭層や、残柱の採炭も行われたが、生産の重点は第4坑より数百メートル離れた第5、6坑にあり、常磐炭砿合併後は更に、東南方向の鹿島坑の生産も伸びて来る。

1944年12月末出炭量　　単位千トン

6坑	4坑	川平	鹿島	常磐合計
29.3	11.1	6.2	3.3	90.4

＊前掲『東北経済』65、『いわき市史』別巻、485頁

入山採炭系青葉区略図（1958）

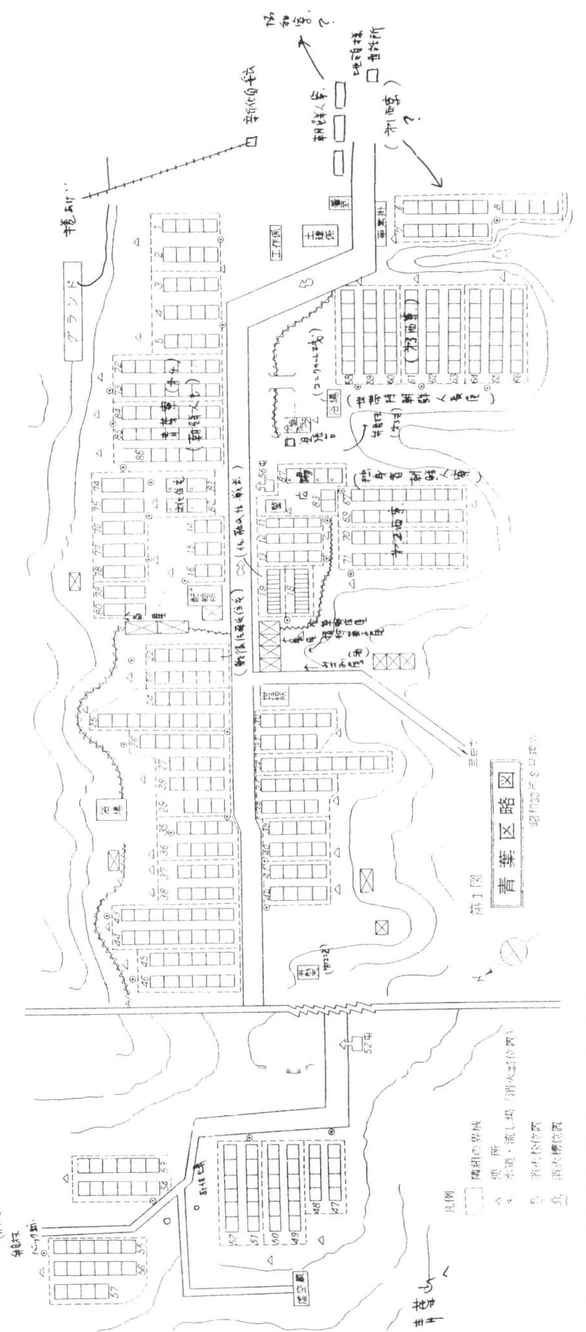

手書きの書き込みはS氏よりの聞き取り

常磐炭砿（湯本地区）朝鮮人寮（青葉寮と協和寮）位置図

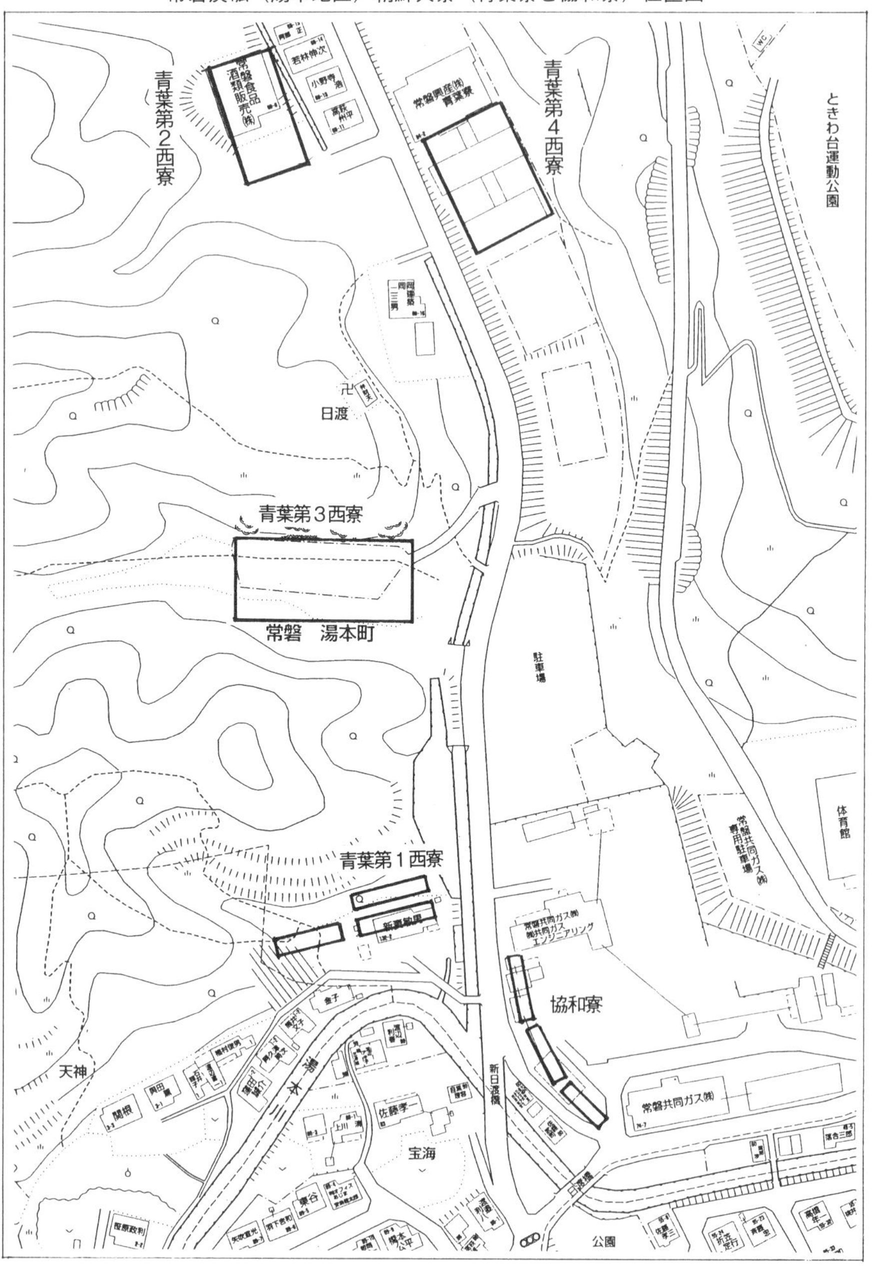

『ゼンリン住宅地図』（2002年版）に龍田が記入

湯本砿の従業員（1944 年 12 月）　単位人

日本人一般	集団朝鮮人	短期日本人	連合軍捕虜	合計
3,669	1,991	328	380	6,368

炭砿給原種別現在数『資料集』Ⅰ、282 頁

集団動員朝鮮人数の推移（各年 12 月）　単位人

1939	1940	1941	1942	1943	1944
429	1,048	1,260	1,856	2,383	1,991

「炭砿別朝鮮人砿夫数　常磐炭田」（長澤前掲『朝鮮人強制連行論文集成』162-164 頁）

入山採炭（株）入所式（1943 年頃、湯本）

長澤秀氏提供（原所蔵者は常磐開発（株）中村豊氏）

入山採炭に所属した朝鮮人寮は、高倉（川平）の一部を除いて殆どの集団移入朝鮮人は、青葉区と東区の 5 つの寮に入居（収容）していたと思われる。在日朝鮮人として戦後残られた人の証言*1 や当時の労務係の証言*2 では、青葉第 1 西寮 80 人、第 2、3、4 西寮 400～500 人、「家族呼び寄せ」40 人などの数字が挙げられている。文献的には先に挙げた労働科学研究所の報告*3 と東部支部見取図*4 では次の通り。

入山採炭朝鮮人寮在寮者数　　単位人

寮　名	第1西寮	第2西寮	第3西寮	第4西寮	高倉寮
世帯数		50	52		
人　数	227	294	361	299	212
絵図記入数	289	493	456	473	223

*1 長澤前掲「ある朝鮮人労働者の回想」『朝鮮人強制連行論文集成』398頁
*2 長澤前掲『朝鮮人強制連行論文集成』130頁表
*3 世帯数と人数は「半島労務者勤労状況に関する調査報告」『朝鮮問題資料叢書』第1巻、アジア問題研究所、1981年、129頁
*4 前掲『極秘資料集』Ⅲ、373頁

いずれも調査年月は確定出来ない。なぜなら、労働科学研究所の調査の場合、時期は1943年1月から2月となっているが、その合計が1,343人で、これに東区の協和寮分100を足しても1,500人に過ぎず、更に、川平（高倉寮）を足しても1,600人台とすると、1942年段階の人数である。このことから調査の時期そのものは、これより早い可能性があるからだ。見取図の数字は寮生の数であろうが、少なくとも合併以後の数字であることがわかるだけである。この数字の合計は、1944年の最盛期に近い1,854人（協和寮を加え）を数えることが出来、高倉寮を加えると2,000人近い数字になる。

さて、これらの寮の所在地を現在の地図上で確定したいが、今の所2つの資料で推測するしかない。1つは1930年作成の炭砿住宅の模式地図*[1]と1940年代の就業案内の絵図*[2]である。絵図では第4西寮がまだない事と、1、2、3寮が順に並び、東部資料絵図は1、3、2の順に並び第4寮は道路の反対側にある。在寮者の証言などを交え、各寮の実態に迫りたい。

*1 いわき中央図書館、地域史関係資料室所蔵（131頁「青葉区略図」参照）
*2「石炭統制会東部支部資料」茨城県立歴史資料館所蔵。本書では使用していない。

②青葉第4西寮（湯本町日渡）

入山採炭の寮の内、独身寮として初めから計画された建物としては、典型的なものと考えられる。建設当時の写真並びに朝鮮人入寮式の写真が残っており、これが第4寮であることは、当時の在住者により確認されている*[1]。又、1947年5月の被動員者林潤植氏の証言では「1部屋8畳10人、1棟12部屋が通路の両脇にあった。棟の一番奥にトイレがあり、周りは山に囲まれ、窓には鉄線が張ってあった。入口には詰め所があり、寮の手前には広場があり、監督の独壇場。逃げた人が見つかる

青葉第４寮玄関

永山亘氏提供

青葉第４寮入寮式

長澤秀氏提供

と、その広場に集めて見せしめのため半殺しにするのを見せられた」*2 と述べている。

*1 建設当時の写真は永山亘氏所蔵の絵葉書。寮の玄関前で入寮式の行われている写真は長澤氏所蔵。

*2 林氏は戦時労働動員され、戦後いわきに住み着かれた元入山採炭の労働者で、当時青葉区炭住在住（『戦争と勿来』13号、2000年、3頁）。

又、同じく在日の被動員者李八竜氏は「戦後、米兵（憲兵）が郡山から来て、食堂が一番大きかったのでここに集められた」*とも証言している。

*長澤前掲「ある朝鮮人労働者の回想」『朝鮮人強制連行論文集成』410頁

青葉第4西寮（推定図）では、部屋毎に押し入れを付けたが、証言がある訳ではない（連合軍捕虜収容所。元磐城炭砿と思われる小名浜寮にもあったので、推量し、挿入した）。しかし、個人の所有物を保管できる空間はあったとしても特定出来ない。8畳に10人は土台無理な話だ。証言通りにこうでもしなければ、最多時の456人は収容出来ない。更に、裏に狭くはなるが空間はあるので、ここを利用したことは考えられる。一般的に戦争末期の最大動員時以外は、1部屋6人を収容することが前提で、250人位を考えていたのではないかと考える。林氏の証言の様に通路を廊下と考えれば、1棟12部屋になる*。

*長澤前掲『資料集』Ⅳ、66頁

炊事場と食堂の比率から見て、炊事場がやや小さいかもしれない。なお、出入り口を玄関の他に採ったのは、証言を重視したためである。便所も片側の奥だけで充分かもしれない。寮長や住み込みの賄いが同居していたとすれば、管理棟玄関の右側であろう。

この図から推量される範囲では、模範寮から見た場合、プライバシーや娯楽・厚生への配慮は不十分なように思える。乾燥室や暖房の配慮はこの空間では無理であり、浴室は第3寮の様に他の寮と共用になっており（137頁、青葉第4西寮図参照）、日本人の場合もこの地域では一般的だったのかもしれない。大日本炭砿三沢新坑でも、朝鮮人と日本人の共用はない（177頁、大日本炭砿新砿砿員社宅景観図参照）。第4西寮ではどうであったかは確認出来ていない。青葉第4西寮建設の時期は、「官斡旋」が始まった1942年まで下ると思われる。元々テニスの練習場の跡に建てたという。正式の寮としては一番新しいものである。

③青葉第3西寮（湯本町日渡）

青葉第４西寮（炭砿直轄合宿青葉寮推定図）

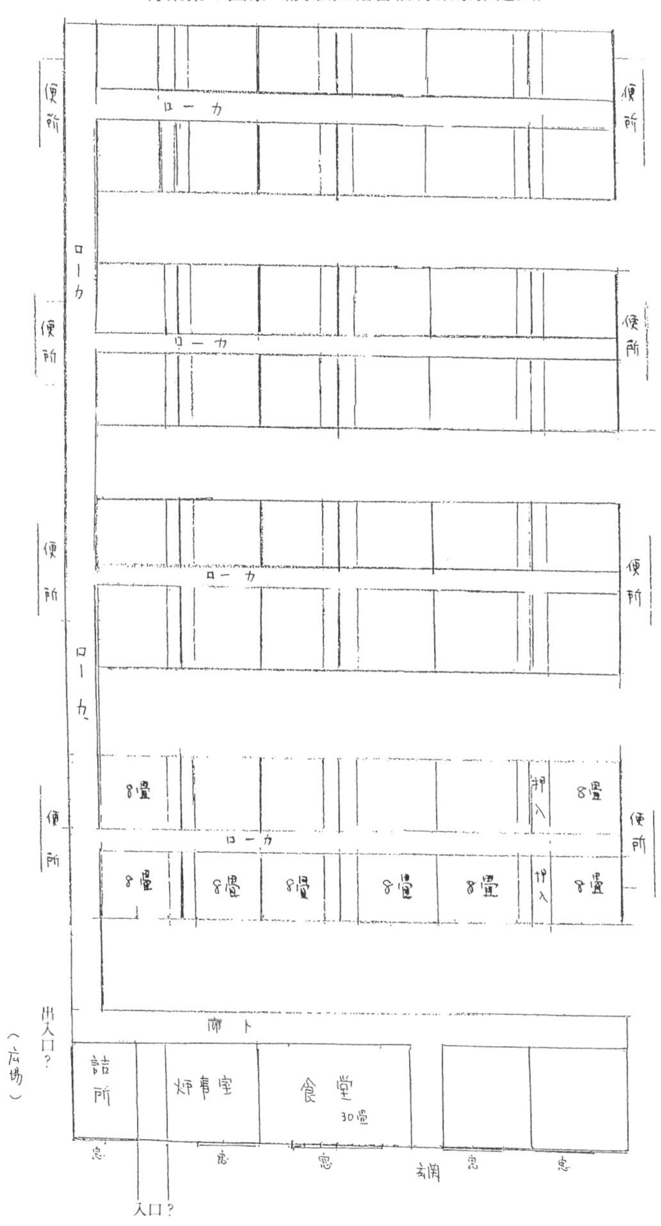

聞き取りと1946年の航空写真と寮の写真により推測・作成したもの。通路を左隅に取り、棟内の中央の通路両脇に部屋を取った。

ここは空間的には一番広く、以前は池があった所を埋め立てて一般日本人向けの住宅として作られ、朝鮮人の所帯持ちも住んでいたという証言がある*[1]。共用の風呂場跡が残っているため、ここが第3寮であることはほぼ間違いなかろう。最多数時は493人という数字が見取図（129頁参照、493人は第2寮の数字）には出ており、1930年代の模式図（139頁参照）でも9棟が描かれている。寮としての統一的機能を持たすために既存の砿夫長屋を廊下で繋ぐ方式を採ったと推測される。橋本顕治だと思われる寮長の証言で、「1941年6月頃には第3寮には340人から350人の朝鮮人がおり、全員後山でした。部屋数は40あり、10畳1部屋に7～8人入れました」*[2]とある。管理棟や連絡廊下の位置については証言はない。ただ、韓国の「真相糾明委員会」調査員の聞き取りによると、入山採炭への被動員者権五烈氏の描いた図面は、氏によると「三郎長屋」とされているので、第3西寮のことであろう。入山4坑に通っていたと思える。以下権氏の作図を『強制動員口述記録集』*[3]から再録して置く（139頁参照）。

＊1 前掲元入山採炭青葉区在住者の証言
＊2 長澤前掲『朝鮮人強制連行論文集成』177頁
＊3「手足さえ満足ならばすぐ行くんだ」前掲『強制動員口述記録集』6、166頁

事務所、食堂、垣根、道路、一部屋6～7人などが読み取れ、坑道に向かっての道路を経て、事務所、坑口までが描かれている。あるいは4、5、6坑に向かっていたとすると、坑口への道路の方向が90度逆である。権氏の手書き作図を模式図に合わせて建物の配置を示すと、両図は次頁の様になる。

石田真由美氏が『故郷はるかに』の取材のためにいわきを調査したのは、1972年春から秋とされている。この頃古い朝鮮人長屋が壊されていると言う噂を聞き、壊された後の写真も撮っている。少なくともこの頃までは、戦時中の長屋が残っていたと考える。戦後、元の砿夫長屋を改造していても、その大枠は残っていたはずである。だとすると、戦時中、最多時の490人は、10畳1間に10人押し込まれたとすると、十分収容することができる。1941年当時は10畳に7～8人とすると、40部屋で最大320人で、当時としても平均的な収容人員である。

④青葉第2西寮（湯本町日渡）

この寮は「青葉第2西寮前にある警務所では見せしめのために大勢の朝鮮人の前で、朝鮮人鉱夫が労務係によく殴られていた」*と言う証言から、当時の青葉寮の配置は現在、常磐食品酒類販売のあるこの一角しか考えられない（132頁参照）。

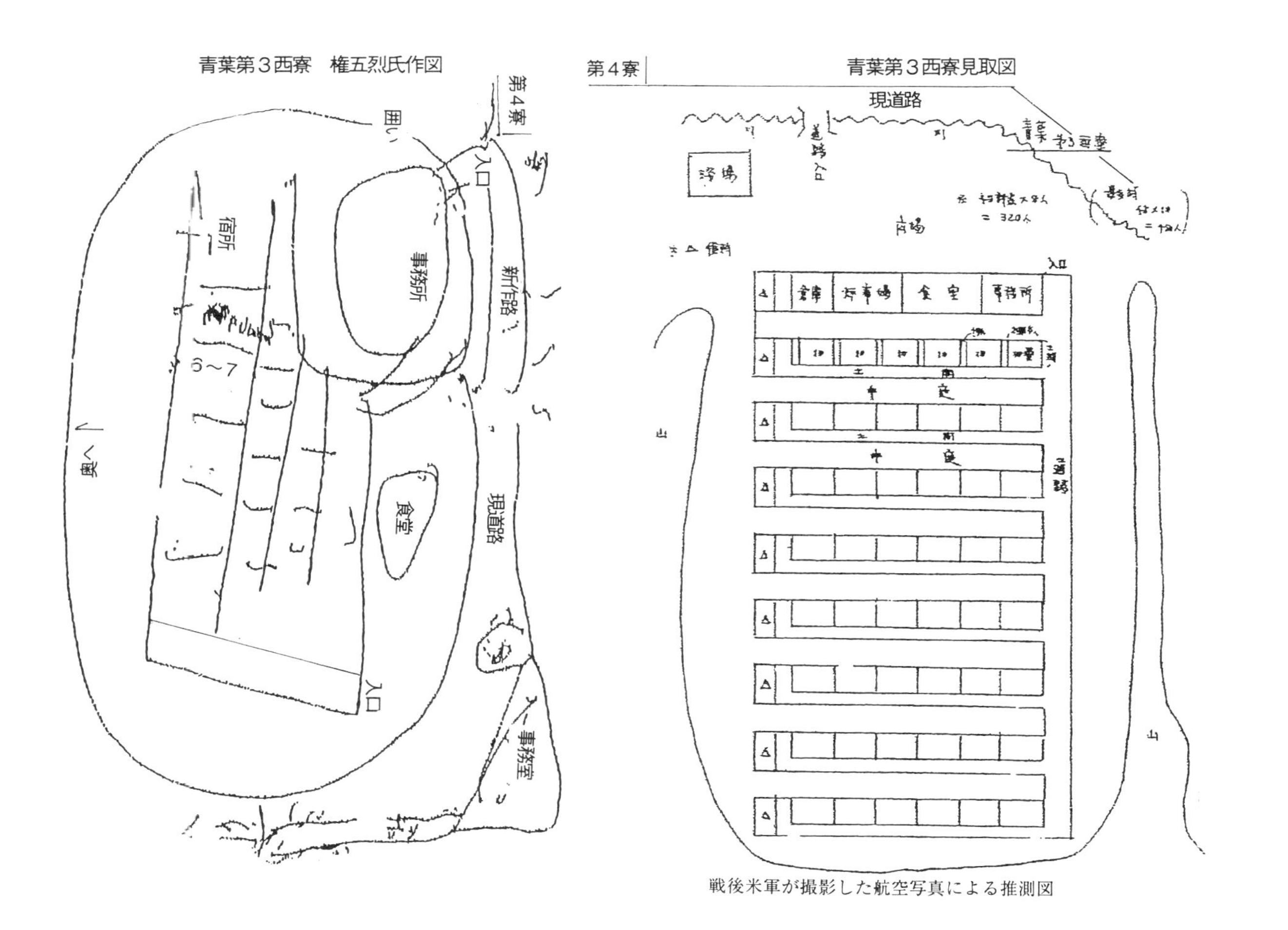

青葉第３西寮　権五烈氏作図
第４寮
囲い
入口
宿所
事務所
新作路
6～7
食堂
現道路
入口
事務室
第４寮
青葉第３西寮見取図
現道路
山
山
戦後米軍が撮影した航空写真による推測図

青葉第3西寮運動会優勝記念写真

長澤秀氏提供

＊長澤前掲『朝鮮人強制連行論文集成』177頁

周りは完全に山と崖に囲まれ、前は狭いが深い川で隔たれ、逃亡には非常に不向きである。しかも、その道路への出入り口に当たる所に巡査の派出所があるので警備は堅い。そんなことから、初めはここが独身寮の中心と思っていた。労務担当者によると第2、3、4寮は採炭夫と支柱補手で3交代、第1寮は車夫、電機工など多様で2交代制だったという証言もあり*1、特にこの寮が特別な存在ではなかった。労働科学研究所の記録*2にも世帯持ち50人との記載があるので、第3寮と同じく、既成の砿夫長屋の改良型と考え、先の模式図に当てはめて見た。ただ、動員され一番初めに在寮した李八竜の唯一の証言によれば「1棟の長さが大体部屋が7か8つ位あったんじゃないの。そこに部屋7人から8人、まあ畳にすれば8畳位だろう。畳1枚に1人位の計算だった」*3と述べている。

＊1 長澤同前、130頁
＊2 朴慶植『朝鮮問題資料叢書』第1巻、129頁
＊3 長澤前掲「ある朝鮮人炭砿労働者の回想」398頁

一番手前の棟を管理棟とすれば、事務所（詰め所）、食堂、炊事場、物置、各棟には便所、洗面所などは不可欠だし、各部屋には押し入れ、個人の所有物を入れる処も小さくともあるはずである。各棟を繋ぐ廊下は、かつての長屋の土間部分を打ち抜いて作られたと仮定すると、各部屋の入口には土足置場が必要で、この取り扱い

によっては、部屋の清潔度が大きく変わると思われる。床が廊下であれば、建物入り口にかなり大きな下足置場を確保しなければならない。そこで模式図では1棟に8部屋があり図の上でも4、3寮に比べ部屋の大きさが一回り大きく採られていることを考慮する。文献資料*によると在籍数は294人、最多時493人なので、残りの3棟に、1部屋は10畳、8人定員×24部屋＝192人、1部屋に10人も詰め込まれた場合は240人で、何とか収容は出来ることにはなる。前述の李氏の証言通り1部屋8畳だとすれば3棟では200人不足で、食堂、炊事場、詰め所などを管理棟の半分にして、他は全て部屋としてもようやく224人である。そこで間取りは少なくとも他の寮と同じく10畳もしくはそれ以上と考えられる。そうでなければ、東部支部の絵図の493人や400人などの証言はいずれにせよ現実味がない。第4寮の場合は裏手が空いているが、ここにはその様な空間は考えられないからである。この矛盾を解決するには新しい資料の発掘によるしかない。尚、家族持ちが多かったという証言もある。

＊長澤前掲『資料集』Ⅲ、373頁。前掲『朝鮮問題資料叢書』第1巻、129頁

⑤青葉第1西寮（湯本町日渡）

第1西寮については、日渡にある現在の常磐共同ガスエンジニアリングの前のクリーニング店辺たりにあったという朝鮮人寮か判断に苦しんだ。しかし、やはりこれは次に述べる協和寮と解釈して、青葉地区により隣接している住宅地図上の新安宅辺たりでは無かったかと推測している。ここに朝鮮人の住宅があったという近所の証言者はあるが確証はない。前出の文献資料では200人以上の在寮者がいたと言うことである。

この寮長を務めたという人の証言では最小時40人、最多時80人、車夫や電機工の他に修理工場や常磐製作所に勤めるものなど多様で、10畳に2～3人から8～9人いたと言う*。その証言の通りだとすれば、その当時の寮の建物は1棟のみの様である。200人以上の寮生がいたとなると、食堂等含め3棟は必要となろう。私の想定した模式図上の位置には3棟の建物がある（132頁参照）。十分な広さがあるとは言えないが、今の所模式図なども考慮してこの位置と判断して置く。

＊長澤前掲「常磐炭田における朝鮮人労働者」130頁

⑥協和寮（湯本町宝海）

第1西寮で言及した地域の古老達もよく知っている場所であり、朝鮮人寮があっ

たこともよく知られている。最近「海宝協和寮酒舗新築工事」に関する1944年8月の稟議書があることが分かり、この場所であることは間違いなさそうである*[1]。入山採炭の元職員林三郎氏からの聞き取りによると*[2]、道路沿いに3棟程の建物があったと言う。又、元青葉区在住のS氏の夫人*[3]によると、道路を通る時、朝鮮人労働者が日本人の折檻を受けている姿を見かけたという。建物の見取り図はまだ再現出来ていない。

*1 長澤前掲『極秘資料集』Ⅲ、356頁
*2 龍田　林三郎氏よりの聞き取り
*3 龍田　元同地区在住の労働者S氏夫人よりの聞き取り

⑦元「小名浜寮」と睦寮（湯本町水野谷）

当時陸軍の本部に捕虜派遣許可を受けるための計画書に添付された連合軍捕虜収容所の地図（1942年12月9日提出）がある。建物は朝鮮人及び日本人の合宿所（磐城炭砿「小名浜寮」）及び日本人住宅を改良して作ったと同計画書には書かれている*。まず、この地図及び建物の図面を検討することから始める。

*「派遣俘虜使用計画書」磐城炭砿株式会社砿業所、『資料集』Ⅳ、1992年、127頁

山側に見えるコの字型の宿舎は食堂も近くにあり、浴場も完備しているので、旧合宿所であったことは間違いなかろう。広さは1部屋10畳で押入付き、10部屋で理想的な規模であったと思える。他の4棟は廊下に当たる部分に依然として仕切りがあり、かつての砿夫長屋の出入口部分であったのだろう。捕虜宿舎の部分には出入り口がないか1つしか残されていない。

兵舎の棟には通路の仕切りはなく一本化しているが出入り口は5ヵ所残っている。食堂、炊事室部分も2間分を改造したに過ぎないことがわかる。捕虜収容所の本来の機能として付け加えられたのは歩哨や板塀だけで、隔離室、営倉、医務所、応接室、下士官室なども長屋を改造したのだろう。日本人住宅部分はどこだったのだろうか。所長宅とある所かも知れない。

この様に、この図は貴重な戦時動員期の合宿所と長屋の詳しい見取り図であり、いわき炭砿の住宅政策の一部を垣間見ることが出来る。日本人砿夫長屋は12畳、押し入れ、土間と台所、入口は隣り合わせなど典型的なものであろう。合宿所も朝鮮人の場合は10畳に10人は人数が増えるに従い普通となるが、建設当時は7、8人を予想していたことは考えられる。なお、捕虜は1人1畳程度と言う通達がある*。

*同前『資料集』Ⅳ

小名浜坑俘虜収容所配置図

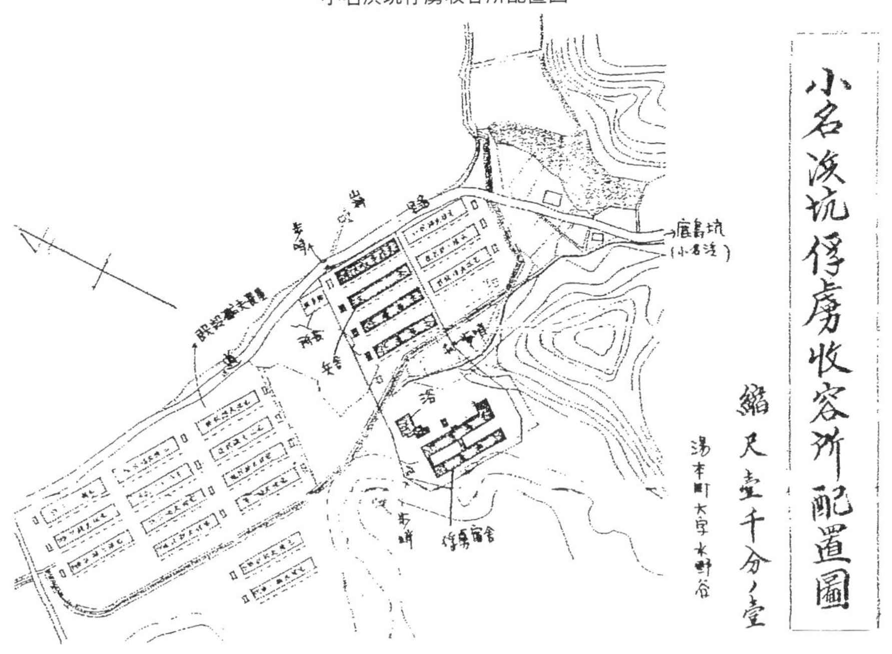

長澤前掲『資料集』Ⅳ、134 頁

小名浜坑俘虜収容所及び睦寮位置図

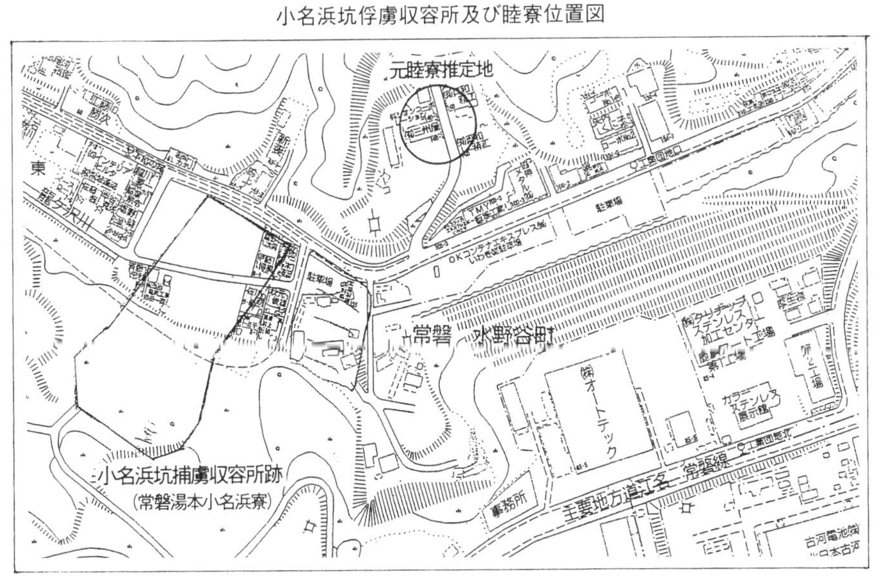

『ゼンリン住宅地図』（2002 年版）に龍田が記入

俘虜収容所平面図（縮尺200分の1）

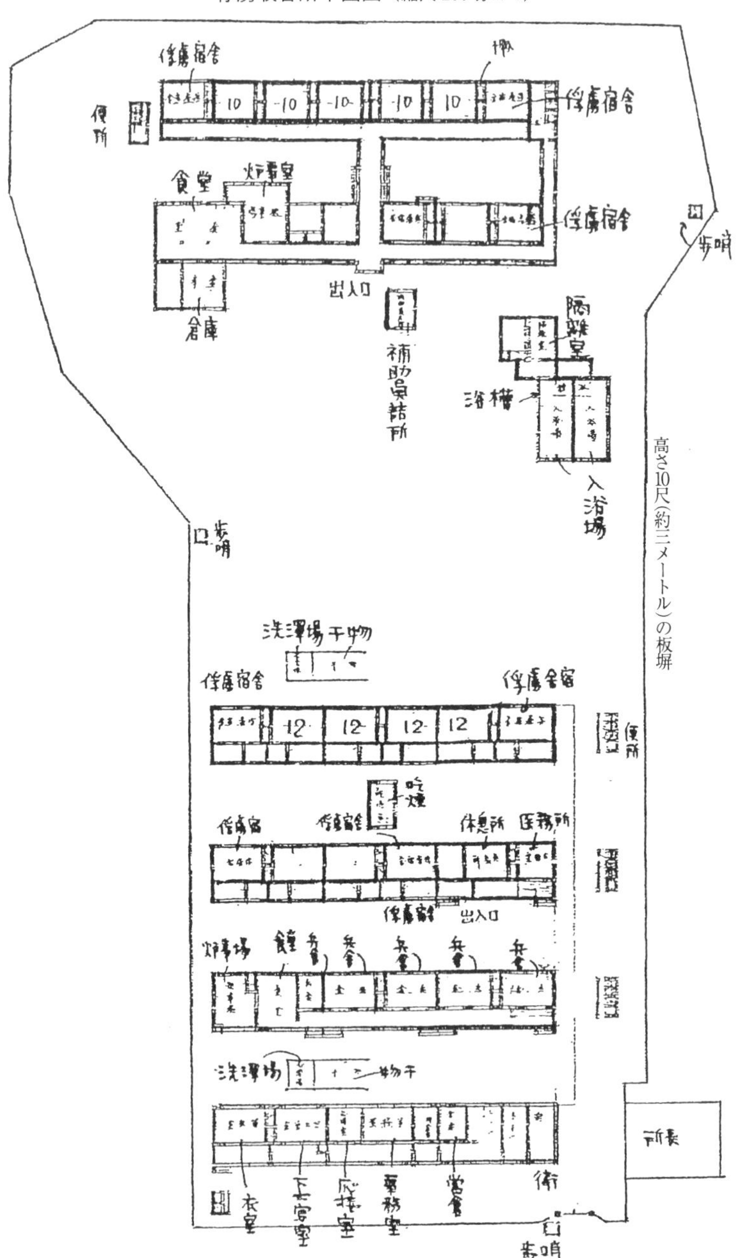

長澤前掲『資料集』Ⅳ、133頁。手書は龍田記入

さて、捕虜収容所が出来た後の朝鮮人寮はどこに移ったのであろうか。常磐炭砿成立後の記録はないが、大塚氏の『トラジ』の証言によると、

「ここも押入れ付きの10畳の朝鮮人寮があって、150人位収容されていました。ここの寮は出入り口は1ヵ所でした。中は通路が3本あり、10畳間に仕切った部屋…通路は広場兼物干し場でもありました。出入り口を入ると炊事場、食堂があり、寮の北側に集会所が一棟建っていました」*

*前掲『トラジ』161頁

既成の長屋4棟を改造したものと思われるが、この図面のどの長屋部分であるのかはわからない。捕虜との接触を避けていたのですぐ隣ということはない。以下地図と図面に龍田が一部手を加えたものを掲載して置く*（143頁参照）。

*その後、おやけこういち氏の「常磐地方鉱山鉄道」（私家版、2006年）の炭鉱施設配置図、194－216頁の12「鹿島坑沿線の炭鉱施設配置図」に「鹿島睦寮」の記載があった。元の「小名浜寮」は連合軍捕虜収容所に利用された後は、この睦寮に朝鮮人寮は移転されたものと思われる。

磐城炭砿の「小名浜寮」人数

1942年6月		1943年3月		1943年10月	
日本人	朝鮮人	日本人	朝鮮人	日本人	朝鮮人
23	57	43	—	22	—

長澤前掲『資料集』Ⅲ、「労務月報」288頁、290頁、296頁より作成

⑧高倉寮（川平寮）

この寮については、石炭統制会東部支部の見取図（129頁参照）にも描かれ、労働科学研究所の報告書にも、夫々200人規模の寮として記録されているが、高倉坑と共に資料を持ち合わせていない。川平坑は元々は入山採炭の第2坑に当たり、その北の入山第1坑は高倉坑と呼ばれ、高倉山の麓のこの地は高倉地区と考えられる。従って、高倉寮は見取図の位置とも一致するので間違いない。入山採炭の生産の重点が第4、5、6坑に移ってからも、戦時の需要逼迫の中、残柱など残炭の採炭が盛んに行われ、一躍この炭砿も一時活気を帯びた。戦争末期も月産0.6～0.7万トン台の生産があった*1。1943年12月の江原道における割当400人の大動員時も、その一部が川平坑に配当されたらしく、江原道洪川郡の動員犠牲者金學洙もここの地で亡くなり、白水の願成寺の過去帳にその名を見る。甥の金海榮が被害申告を「真相糾明委員会」に提出している*2。朝鮮人寮の位置はほぼ確認出来たが、建築物の間取り

常磐炭砿高倉寮（川平寮）の位置図

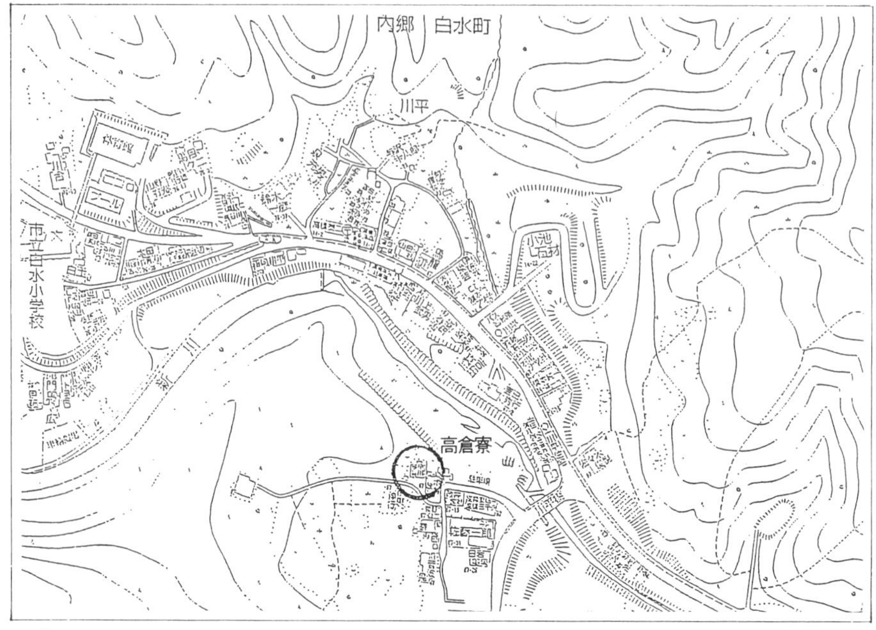

『ゼンリン住宅地図』（2012年版）に龍田記入（正確な位置は確認出来ていない）

高倉寮朝鮮人寮跡

等は確認出来ていない。

＊1 前掲『いわき市史』別巻、485 頁
＊2『戦争と勿来』23 号、2008 年、14 頁。第 2 巻第 2 回調査報告参照

⑨磐城炭砿系長倉寮（磐崎寮）

長倉坑は 1884（明治 17）年の磐城炭砿の発祥の地であり最も古い歴史を持つ小野田で始まり、力石、梅平、長倉へと生産の重点が移動している。長倉竪坑は 1911（明治 44）年には採炭を開始している。1939 年には長倉 3 坑が開坑、朝鮮人の戦時動員の開始と共に稼働しており、同年 10 月 27 日には坑内が危険なためと、150 人全員が入坑を拒否する事件が起きている*。

＊前掲『昭和特高弾圧史』上、298 頁

1944 年 9 月には磐崎本坑で出炭を開始している。このためと思われるが、川平坑や綴坑から 200 人程の朝鮮人が磐崎寮の方に移動して来ている。1944 年の出炭量は、月産 0.8〜1.0 万トン台で、45 年 5 月は最高の 1.2 万トンを記録している。朝鮮人の数は 1944 年の初めまでは 300 人台であるが、44 年の 10 月には 561 人の最多数に達している。以下、長倉寮の朝鮮人数を表にしておく*。

＊長澤前掲「戦時下常磐炭田における朝鮮人鉱夫の労働と闘い」164 頁。長澤前掲『資料集』Ⅲ、288 頁、290 頁参照。

長倉寮朝鮮人数

		1942.6	1943.3	1943.10	1944
在寮者数	朝鮮人	204	294	307	445
	日本人	30	119	36	
日本人砿夫数	一　般		994	693	864
	短　期		106	24	114
朝鮮人砿夫数			347	365	561

1943 年 3 月の砿夫数は前掲長澤『資料集』Ⅲ 1943 年 5 月分（95 頁）の統計から採った。又、43 年 10 月分の砿夫数は同書 10 月分、137 頁から採った。1944 年の寮在籍数は前掲見取図（141 頁参照）から採ったもので、何月かは明らかでなく、朝鮮人砿夫数は同上、長澤前掲『資料集』Ⅲ 264 頁の 10 月の数字である。空欄は不明。

長倉寮の位置は、慶尚北道義城郡出身で 1944 年 10 月 18 日死亡の兪守根の本籍地の戸籍には、長倉 72 番地で死亡となっている。現在の番地には常磐縫製があり、国民学校時代に朝鮮人寮のそばを通った菊地氏の証言*やその他を総合すると、図（149 頁参照）に示す場所にあったと思われる。現住所の上湯長谷町 2 番地。食堂は道路

常磐磐崎寮跡

常磐磐崎砿の万石跡

を隔てて別にあり、真ん中に通路があり、その両脇に部屋がある。長屋は2棟あり、面積は更に後ろに2棟同形のものがあっても不思議でない。片側は深い溝で隔たれ、入口は道路に向かって1つであったということである。最多時と東部支部の見取図（129頁参照）の445人の記録とはほぼ一致する。少なくとも片側に10部屋、1部屋10人以上とすると可能な場所である。

＊菊地氏の証言より（2005年聞き取り 小野田在住）。長倉の小学校に通学時の記憶。

磐崎（長倉）寮跡（現いわき市上湯長谷町）

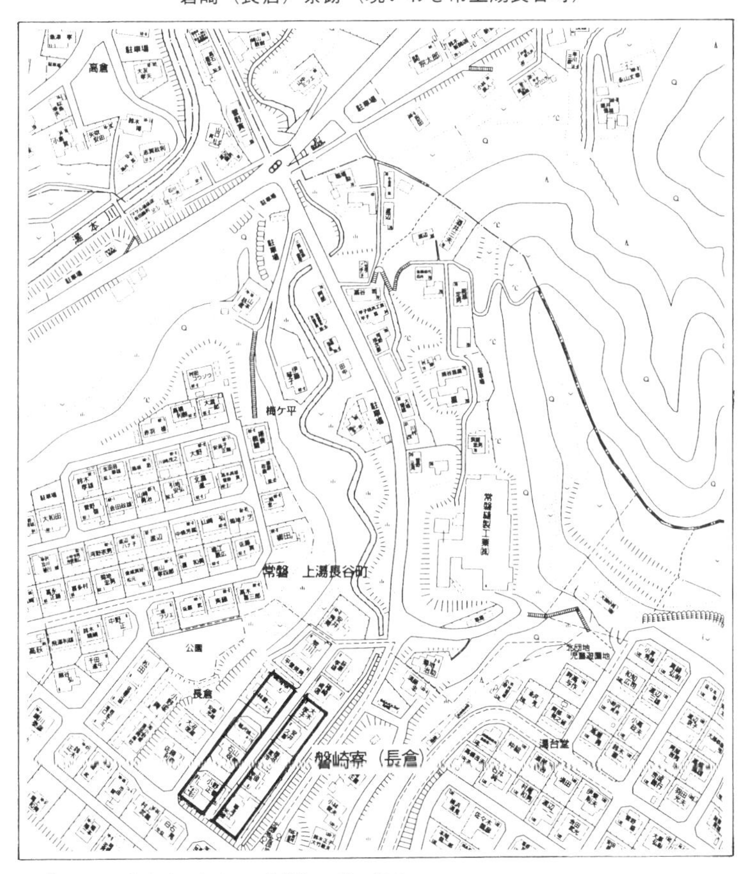

『ゼンリン住宅地図』（2000年版）に龍田記入

磐崎本坑とは約1キロ程離れ、日本人独身寮・「努力寮」、炭住、病院跡を過ぎると、間もなく本坑跡が残っている。斜坑の坑口も近く貯炭ポットや万石が、元軌道跡である道路脇に残っている。

長倉坑での死亡者はいわき市内の寺院に埋葬されている*。

*龍田「市内寺院より提供された戦時動員朝鮮人死亡者の埋葬許可証」『戦争と勿来』27号、2012年、35－37頁

（2）内郷地区

内郷地区は幕末期、片寄平蔵が弥勒沢で石炭を発見し、開発した炭砿発祥の地である。明治末期には磐城炭砿の町田坑、三星炭砿の綴坑など常磐炭田を代表する地域である。綴駅は日本でも代表的な石炭積み出し駅として名を馳せた*。

*山野好恭、岡田武雄『常磐炭坑誌』文献出版、1975年、72頁。「現に綴駅のごときは…その発送率においては全国一流に属し…」とある。

先に触れたように、磐城炭砿は1884（明治17）年に浅野総一郎が渋沢栄一郎らと企り、近代的な産業育成策に乗り、東京に近い炭山を求めて、いわきの小野田地区に開坑したことに始まる。日清戦争後の鉄道の開設後は生産を拡大し、明治40年代には内郷村の町田坑を開き、同社の生産の拠点となった*。

*前掲『常磐炭田史』167頁

その後、磐城炭砿は出水により水没していた三星炭砿の綴坑を買収した。しかし、町田坑の方は1927年の大災害が起こり衰えた。それに代わり白水川を下り、綴坑に至る中間点にあった内町の高坂、後の住吉坑の生産が上がり、住吉、綴の内郷砿は戦時期には磐崎本坑と共に磐城炭砿の中心的炭砿を構成する*。

*前掲『常磐炭田史』485頁。原載は「太平洋戦争末期の常磐炭砿の出炭量」『東北経済』65号

戦時期の内郷地区の磐城炭砿の出炭量を挙げておく。

1944・45年の内郷砿の坑別月産量　　単位千トン

	住吉本坑	住吉1坑	綴坑	合計
1944.6	6.0	17.4	16.0	39.4
1944.12	4.2	14.8	12.3	31.3
1945.6	4.6	10.5	8.4	23.5

前掲、別巻『常磐炭田史』1979年、485頁

住吉、綴両坑の出炭量の低下が見て取れる。

内郷砿夫数の変化　　単位人

<table>
<tr><th colspan="2"></th><th>1943.5</th><th>1943.12</th><th>1944.6</th><th>1944.12</th><th>1945.7</th></tr>
<tr><td colspan="2">朝鮮人</td><td>1,324</td><td>1,403</td><td>1,658</td><td>1,732</td><td>1,199</td></tr>
<tr><td rowspan="2">日本人</td><td>一般</td><td>3,710</td><td>3,743</td><td>3,562</td><td>3,637</td><td>3,966</td></tr>
<tr><td>短期</td><td>304</td><td>471</td><td>176</td><td>427</td><td>90</td></tr>
<tr><td colspan="2">捕　虜</td><td>140</td><td>140</td><td>138</td><td>-</td><td>-</td></tr>
<tr><td colspan="2">合　計</td><td>5,478</td><td>5,757</td><td>5,534</td><td>5,796</td><td>5,255</td></tr>
</table>

長澤前掲『資料集』Ⅰより作成。1943年5月は「労務者移動状況調」95頁、12月は「労務状況速報」153頁、1944年6月は同左、203頁、12月は「炭砿給源種別現在員数」28頁より作成。1945年7月は「昭和20年7月末現在勤労者数調」『極秘資料集』Ⅳ、113頁より作成。

磐城炭砿の住吉坑、内郷砿の綴坑に限定した資料*は1943年5月以降は、磐崎砿を統計上独立させ、磐城炭砿全体より引いたものになる。

常磐炭砿成立によるのか､鹿島坑の捕虜は44年7月より湯本砿扱いになっている。

内郷砿集団動員朝鮮人の各寮在籍数の推移　　単位人

<table>
<tr><th></th><th>1942.6</th><th>1943.3</th><th>1943.10</th><th>1944</th></tr>
<tr><td>御殿寮</td><td>168</td><td>194</td><td>339</td><td>293</td></tr>
<tr><td>宮沢第1(川口)寮</td><td>61</td><td>124</td><td rowspan="2">139</td><td rowspan="2">448</td></tr>
<tr><td>宮沢 第2 寮</td><td>60</td><td>164</td></tr>
<tr><td>金坂寮</td><td>70</td><td>-</td><td>-</td><td>不明</td></tr>
<tr><td>協和寮</td><td>-</td><td>-</td><td>13</td><td>35</td></tr>
<tr><td>綴第1(前田)寮</td><td>181</td><td>395</td><td>427</td><td>437</td></tr>
<tr><td>綴第2(浜井場)寮</td><td>238</td><td>263</td><td>312</td><td>375</td></tr>
<tr><td>合　計</td><td>778</td><td>1,140</td><td>1,230</td><td>1,588</td></tr>
<tr><td>戦時強制労働動員総数</td><td>不明</td><td>1,327</td><td>1,320</td><td>1,676</td></tr>
</table>

1944年は東部支部文書の見取図（前掲、129頁）より採った数字で、月は不明。その他は前掲、磐城炭砿砿業所の『労務月報』を原資料とする（長澤前掲『資料集』Ⅲ、1942年6月分は『労務月報』7月分、288頁、1943年3月分は『労務月報』5月分、290頁、10月分は『労務月報』10月分、296頁）。総数は長澤前掲『朝鮮人強制連行論文集成』163頁。1,327人は6月末、1,320人は10月末、1,676人は7月末の数字。但し既住朝鮮人は含まず。合計と総数は必ずしも一致しない。

①御殿寮

内郷地区朝鮮人寮位置図

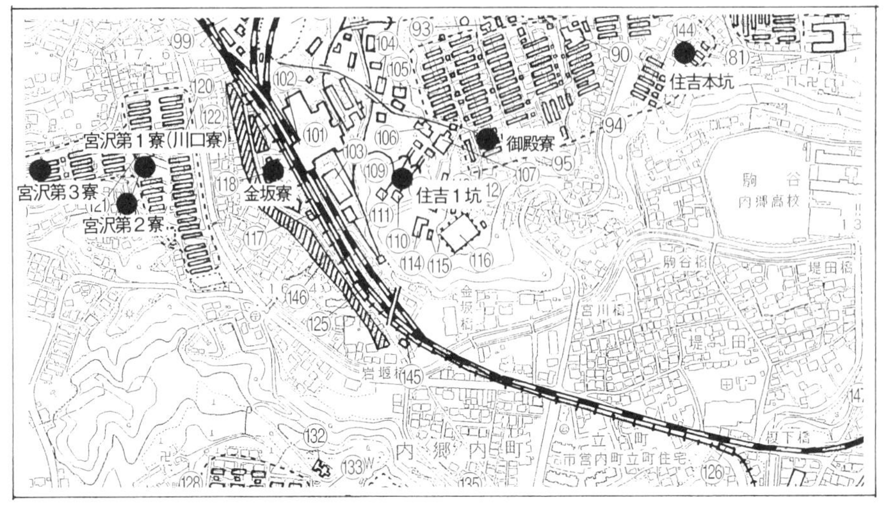

おやけこういち『常磐地方の鉱山鉄道』に龍田が記入

寮の位置は住吉１坑の真上の丘陵にあり、地名は御殿で戦後の南砿員住宅地区に当たる。金坂方面から吹き上げる風のため、ブーンブーンという音が聞こえ別名飛行機長屋とも呼ばれている。この長屋については前掲『「朝鮮海峡」深くて暗い歴史』の中で、早稲田中学校夜間部にいた鄭正模は、上部からの指令で強制連行朝鮮人の救出作戦を常磐炭砿でやることになり、13 人を脱出させたことを記している*。この寮の前で相撲大会があったことを記憶している地元の太田氏（82 歳）によると、周りは塀に囲まれ、入口に労務の部屋があったという。前表によると最多時 339 人に上る。寮の構造は不明である。

＊『いわき市史』別巻「常磐炭田史」477 頁、478 頁、出炭量は 475 頁。労働者数は長澤前掲『朝鮮人強制連行論文集成』164 頁

②宮沢第１、第２寮

御殿寮と共に住吉１坑に動員された朝鮮人の寮としては宮沢寮があった。『労務月報』には第３まであり、これは日本人用であった。44 年と思われる前出東部支部の見取図（131 頁参照）では宮沢寮として 448 人が記録されているが、第 1、第 2 の合計なのかどうかは明らかではない。1942 年 6 月では、第 1、第 2 とも 61 人、60 人という小規模な建物が予想されるが、450 人近い在籍者がいた末期の記録からは、真中に通路のある方式でなければ、2 棟では収容出来ないと思われる。第 3 寮も朝鮮人寮

とした可能性はある。実際の位置については、大塚『トラジ』（179頁）によると、宮沢2番地となっており、現在の市営アパート1号棟の番地に当たる。しかし、1944年の秋まで内郷で働いて召集によりここを離れた太田氏によると、この場所ではない、宮沢には朝鮮人寮は川口寮ともう1つあったという。川口寮は『トラジ』にも出ており、第1寮ではないかと思われる。現地を歩いて思い出してもらい、住宅地図に記録して見た。

③金坂寮

この寮は『労務月報』（長澤前掲『資料集』Ⅲ、286頁）の1942年6月には40人と出ているが、その後の記録では0ゼロで、東部支部の見取図にも記録されていない。現在、市立保育園のある所は、元常磐炭砿の技習生寮があった所である。付近の年寄の話でも、朝鮮人寮があったと言う。ここに想定して見たが、まだ確証はない。

④協和寮

この寮は1943年10月には17人が在寮。東部支部の見取図には、宮沢の北側に35

常磐炭砿（内郷）協和寮（円谷飯場の所在地）

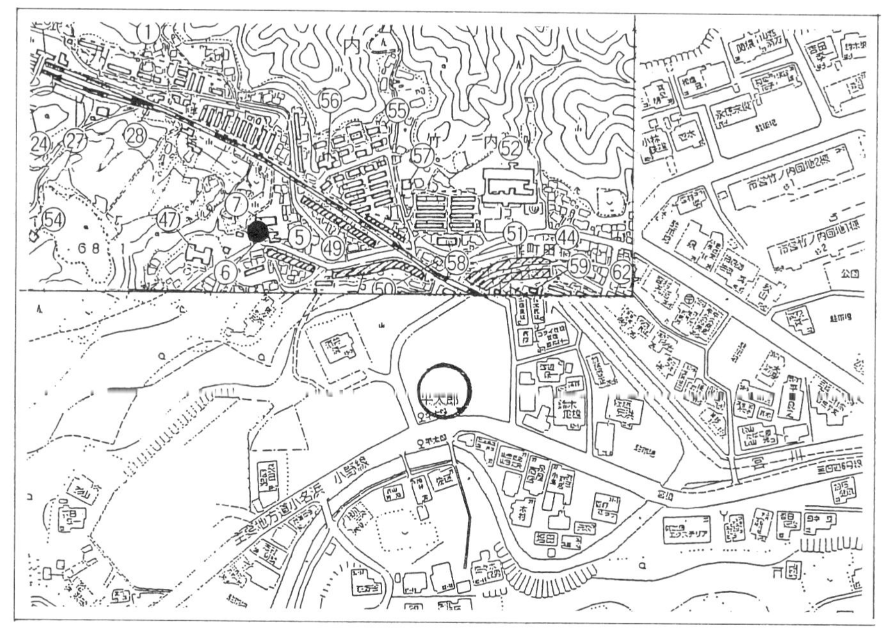

おやけ前掲書に龍田が記入（上）。『ゼンリン住宅地図』（2012年版）に龍田記入

人と記録されているが、場所は不明である。ただ、地図上のその位置には元円谷飯場という朝鮮人寮のあった大字平太郎の辺たりである。この平太郎40番地は、1941年に慶州北道義城郡の金山○鎮が死亡し、寮長であろうと思われる小豆畑仁左衛門が届け出をしたことが戸籍簿に記録されている。間違いなく朝鮮人寮はあったと思われる。協和寮のことではないかと推察している。坑口は住吉1坑であろう。

⑤円谷飯場

「高坂団地の西側の十字路の角」という証言が『トラジ』には出ている。現在、真言宗の真光院の過去帳に、鄭正奇と丁鐘守の2人の慶尚南道咸安郡出身の犠牲者の名があり、円谷飯場、御殿1番地と記録されている。この番地がどこなのか確認出来ない。円谷飯場の寮長は円谷兼広といい、有力な舎監であり労務係であったといわれる。真光院の前の駐車場辺たりには、会社の合宿所があったことは確認出来るが、それが円谷飯場かどうかは分からない。別に先に述べた平太郎に、円谷氏の元々の寮があったことは、この寮前の店の主人から確認している。この寮との関係も不明である。磐城炭砿の直轄寮名としては出ていないが、これは寮長の名で呼ばれている訳なので、正式には御殿寮のことであるかもしれない。

⑥綴第1寮（前田）

綴第2寮と共に綴坑に主として動員されたものと思われる。表（151頁）からも判るように、1942年に180人足らずの寮が1943年には400人前後の寮に拡大して、磐城炭砿最大の朝鮮人寮となった。

慶尚南道咸陽郡出身の鄭相根は、40年3月入所、41年7月に業務上死亡の犠牲者で、前田131番地で亡くなっている。過去帳は清光院（前田134番地）にある。

これらを手掛かりに前田寮の位置について調べたが、現在、この番地は確認できない。『トラジ』や清光院の元住職夫人によると「清光院から石段を下ったところ」にあったと言う。戦後の航空写真ではここに何棟かの長屋が確認できる。最多時にはこうした長屋を繋ぎ、まとまりのあるものに改造し、最低4～6棟を必要としたと思われる。

住宅地図に位置のみ記録して置く（155頁参照）。食堂や浴場などの構造は不明。

⑦綴第2寮（浜井場）

ほぼ200～300人、最多時には400人近い在寮者がいた。浜井場は綴坑のすぐ傍である。1940年7月に亡くなった初期の被動員者、慶尚南道咸陽郡出身の都世萬が、

綴1・2寮位置図

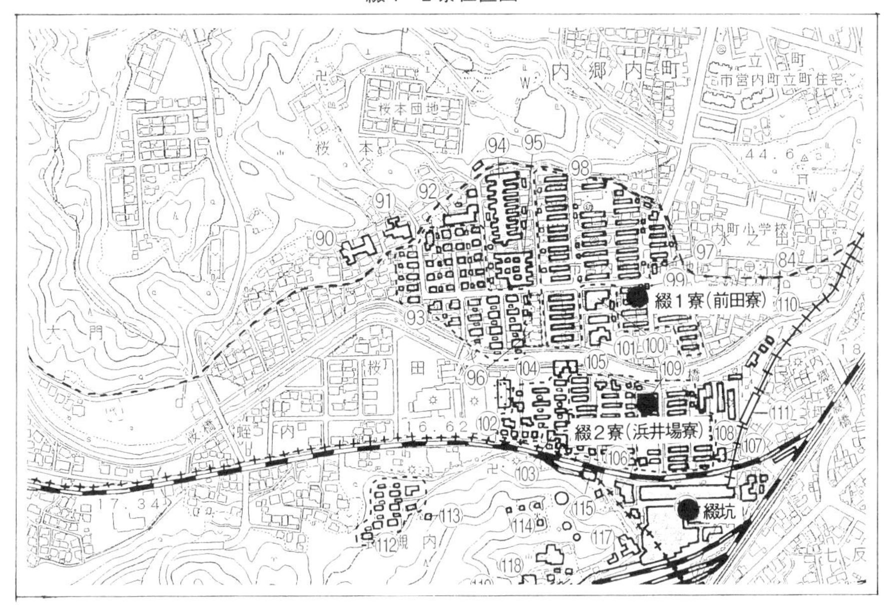

おやけ前掲『常磐地方の鉱山鉄道』に龍田が記入

綴2寮位置想定図

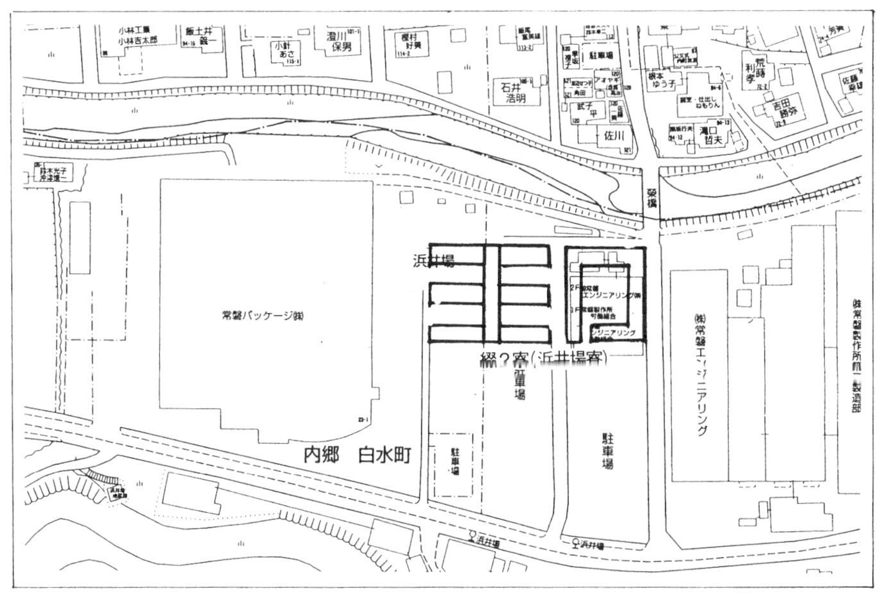

『ゼンリン住宅地図』(2012年版)に龍田記入

この寮にいたことから、第1、2寮ともに早くからあったことが分かる。

寮の位置や構造について『トラジ』の証言者は「今の常磐エンジニアリングの敷地内」「社員食堂のある所」と言っている。元この炭砿に勤め、若い頃、父親と一緒にこの寮の修理をしたことがあるというT氏によると、現在、常磐エンジニアリングの労働組合事務所、食堂のある隣の敷地当たりにあったという。入口に労務係の部屋があり、何棟かの長屋が廊下で繋がれ、そんな長屋が両脇にあったという。

別に1965年頃の航空写真には、口の字型の古い長屋が常磐エンジニアリングの位置にある。戦後すぐ召集から帰って来た元労務係のN氏によると、この建物は浴場と幼稚園の物置などに使われていたという。人数が多くなった時点で、主として浴場や食堂等に使用された建物であったと考えられる。これらの証言を基に、住宅地図の上に建物の位置関係のみを復元して見た（155頁参照)。

（3）好間・赤井地区

①古河好間炭砿

好間炭砿は常磐炭田において、磐城炭砿、入山採炭に次ぐ第3番目の大手炭砿である。設立したのは磐城炭砿、入山採炭と次々中央の資本を導入して常磐炭田で新会社の設立を図った政治家白井遠平であった。1906年、北好間の源平野地、間籬、堂田地区にあり事務所は堂田にあった。その後、1915年に古河財閥により買収され、1922年には現在、古河電機株式会社のある小舘に生産の拠点を移し、北好間の炭砿は小田吉治に譲り渡し、小田炭砿の所属となった。

好間炭砿株式会社は資本金50万円で、第1次大戦景気時には従業員3,786人、出炭量46万トンを誇ったが、戦後不況期には600人、10万トン台に落ちた。2つの竪坑と斜坑を持ち、日中戦争と共に生産を拡大し続け、1944年には従業員2,700人、出炭量47万トンに及んだ*。

＊大塚『東北地方における好間の歴史』1966年、241頁

戦時中の労働力不足に対しては、勤労動員や朝鮮人、連合軍捕虜の労働力を積極的に受け入れ、常磐炭砿と共に軍需会社の指定を受け、厳しい軍隊式労務管理により東日本の「優良炭砿」として商工大臣の訪問を受けている。以下、戦時動員期の朝鮮人の動員数を記しておく。

古河好間炭砿朝鮮人寮位置図

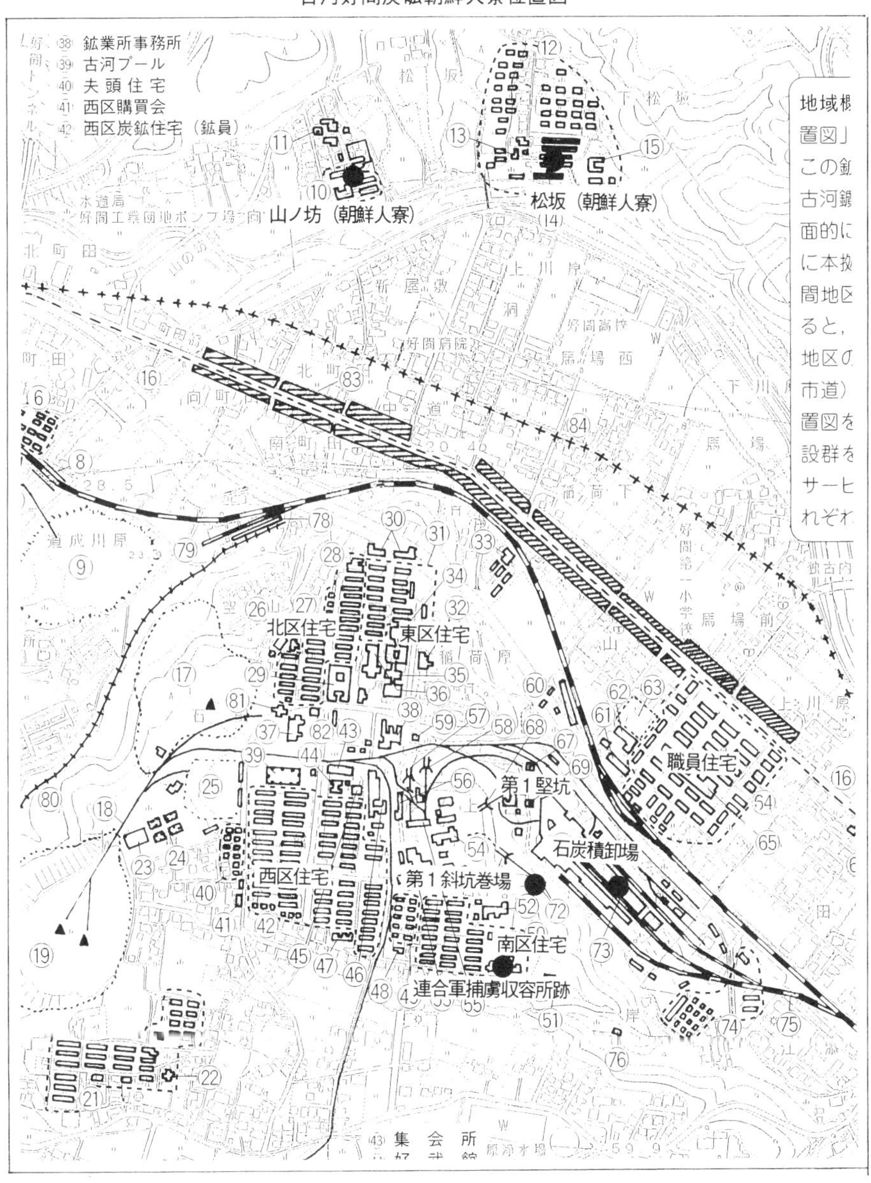

おやけ前掲書に龍田が記入

古河好間炭砿戦時期朝鮮人動員数　単位人

		1941.12	1942.12	1943.12	1944.12	1945.2
朝鮮人		219	477	540	1,005	911
日本人	一般	1,618	1,770	1,777	2,127	2,205
	短期	559	—	209	395	167
合計		2,396	2,247	2,526	3,527	3,283

「砿夫月末現在数内訳表」（鉱業権者会員分）長澤前掲『極秘資料集』Ⅳ、83－87頁

②松坂寮

好間炭砿の朝鮮人寮は、小舘の坑口から集落を越えて好間川を渡った松坂にあった。『トラジ』の小野忠孝氏の証言を引用すれば、「朝鮮長屋が松坂に出来る以前は畑や梨畑があり」「川原石を積み上げげた礎石の上にロープで繋いだ板橋を渡ると下松坂に至る。」「少し右折れして桜の木のある忠じっち（「おじいさん」の方言）の上に1棟、西側の畑に3棟長屋が作られ」「棟割り長屋の9尺2間1部屋に区切ってある」と具体的に語られている。

この証言から、現在入居者がいる長屋の西側で、今は藪となっている空地に元の朝鮮人長屋跡が並んでいたと考えられる。

同じく『トラジ』によると、5ヵ所の寮に夫々出身地別に分宿していたらしい。第2章の被動員者出身地調で述べた黄海道の1943年3月100人と6月94人は、碧城郡55人、延白・甕津郡の81人、信州郡77人の各寮の計213人の中に含まれると思われる。平安南道の价川郡、成川郡の59人がいつ来たかは不明。

寮の構造は1960年の長屋解体時の写真が残っており、そこから寮の構造が推察できる。真ん中に通路があり、その両側に9尺2間押入付き6畳の部屋が、6個ずつ合計12部屋あるのが分かる。窓には格子があるが、逃亡防止か泥棒よけかは不明。もし、戦時中の朝鮮人寮なら逃亡防止だが、戦後は日本人寮として使われていたのなら、盗難防止であろう*。

＊『よしまふるさとの歴史写真集』好間地区関係団体会議、2002年、15頁

松坂にはこの様な寮が5軒あったとすると、1人1畳宛てとして、6×12×5=360人は収容出来たと思われる。ただし、寮長、賄いの宿舎、風呂、食堂などは別になければならない。その他小さな宿舎があった様である。次の山ノ坊と合わせても、最多時の1,000人については更に考察を要する。

山ノ坊寮及び松坂寮位置図と社宅写真（写真の撮影場所は確定していない）

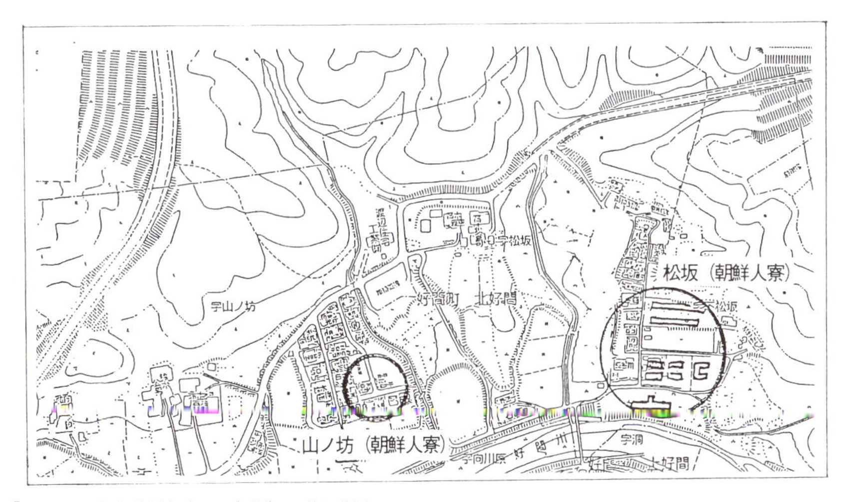

『ゼンリン住宅地図』（2012 年版）に龍田記入

③山ノ坊寮

好間川を渡ってもう 1 つの丘陵に山ノ坊寮がある。同じく『トラジ』によると、忠黄寮 54 人、平安寮 117 人、江原道寮 75 人の 3 つの寮があった様だ。平安寮は人数が多いので寮は大きかったと考えられる。1943 年 6 月頃、江原寮に 40 人と共に入寮した李八竜は、先に触れた松坂寮と同じ様な寮の構造を証言している。

尚、好間に忠清南北道からの出身者が多いことは、1943 年 4 月の全山を揺るがせた暴動の中心人物が、殆どがこの両道出身者であったことでも分かる。その前の 2 月に 100 人の忠清南道からの動員があった*。

＊大塚前掲『トラジ』214－215 頁。前掲「平区裁判所判決文」。長澤前掲「半島人労務者供出調」64 頁

④鳳城小田炭砿渡辺（平和）寮

小田炭砿は北好間、間籬、堂田地区の古河好間炭砿の第 1 斜坑を、小田吉治が 1927 年に買収したことに始まる。その後、日曹鉱業に手放したこともあるが、勿来山田の鳳城炭砿の経営に成功し、1941 年には買い戻し、鳳城炭砿小田砿業所とも呼ばれた。1961 年に閉山。坑口は堂田の第 2 斜坑、行人沢の平坑があり、1942 年の出炭量は 10 万トンを超え、1944 年 10 月の砿夫は日本人 1,120 人、朝鮮人 149 人で、常磐では旧 4 大炭砿に次ぐ生産量である*。

＊『いわき市史』別巻『常磐炭田史』477、8 頁。出炭量は 475 頁参照。労働者数は長澤前掲『朝鮮人強制連行論文集成』164 頁参照。

戦時動員された朝鮮人は、全て樺太の興南炭砿からの転換労働者 149 人で、家族 125 人と共に新潟港から汽車で常磐に到着している。

この炭砿での死亡犠牲者 8 人は、全て慶尚北道達城郡出身者で、他の咸鏡道出身の 2 人は既住の朝鮮人と思われる。尚、この 8 人中 6 人は 1945 年 4 月、65 人の犠牲者を出したこの年日本最大の炭砿災害で亡くなった*。

＊坑内事故については同前『常磐炭田史』510 頁。犠牲者は長澤前掲「戦時下常磐炭田の朝鮮人鉱夫殉職者名簿」及び『資料集』Ⅳ、274－275 頁

慰霊祭は 8 月 15 日に行われた。朝鮮人の遺骨は 6 月 11 日に持ち帰られ、一部は分骨して寺境内に埋葬された*。

＊長寿院住職白土氏の証言

行人沢の平坑に近い平和寮（渡辺寮）は、寮長渡辺勇の長男と甥の証言で、寮の位置や構造は図の通りである（161 頁参照）。

鳳城小田炭砿平和（渡辺）寮位置図

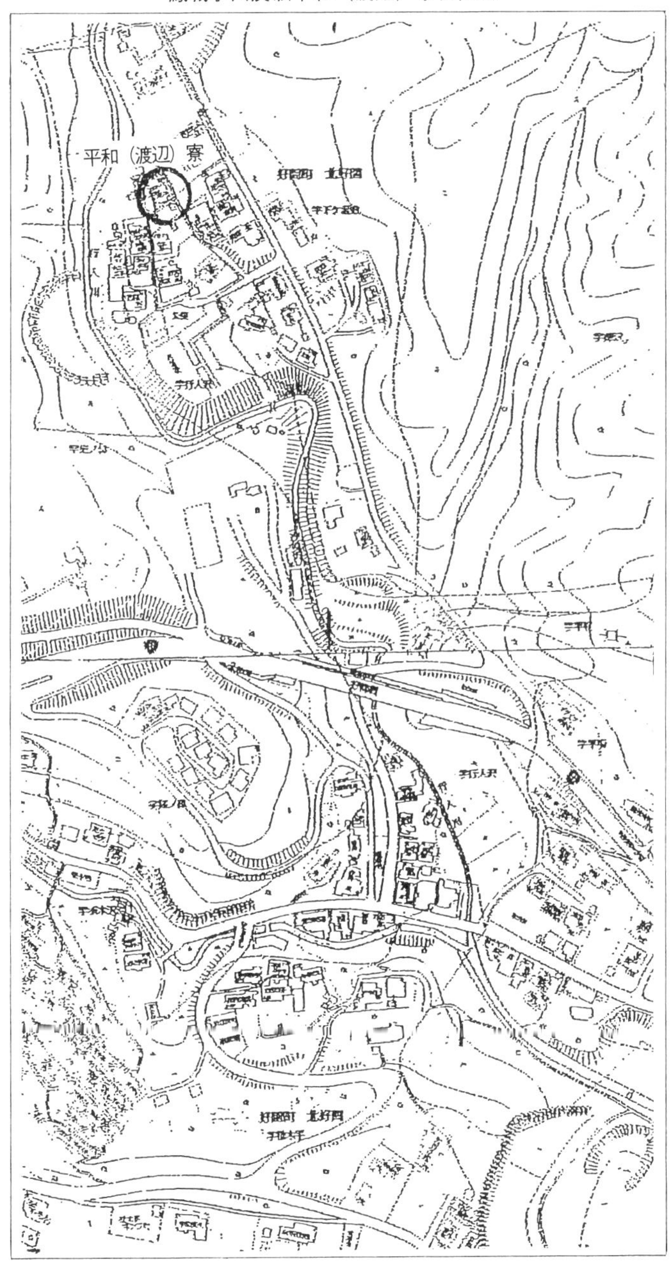

『ゼンリン住宅地図』（2000年版）に龍田記入

鳳城小田炭砿平和（渡辺）寮見取図

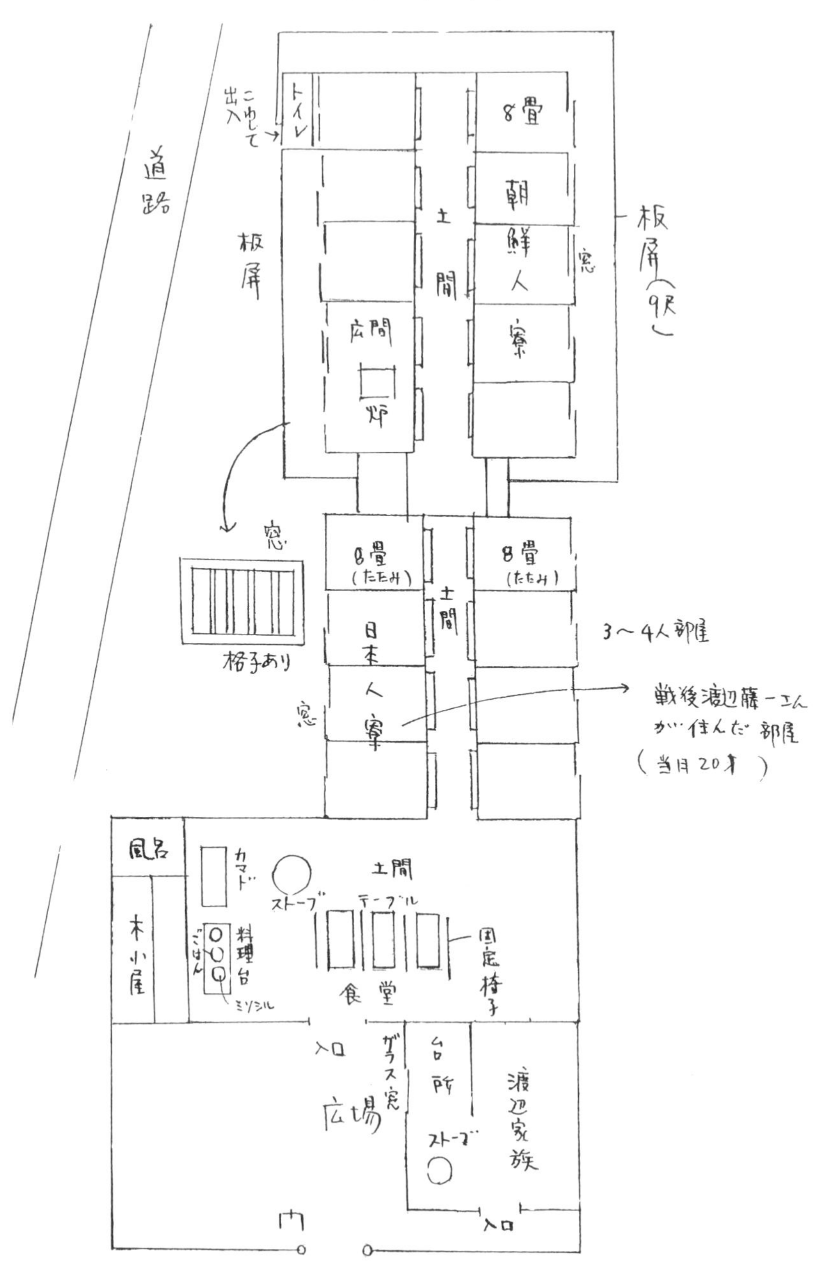

渡辺藤一氏の聞き取りに基づいて作成

1945年4月22日鳳城小田炭砿（朝鮮人6名）事故供養塔

好間地区の多数の炭砿犠牲者が埋葬された長壽院

労働者57人、家族83人計140人。11月6日の第2次の集団帰国者は、労働者12人、家族13人計25人である。帰国要求は8月16日に始まり、大日本勿来炭砿に次いで早い*。

*長澤前掲『朝鮮人強制連行論文集成』192頁、194頁

寮長は周りでも恐れられる厳しさと朝鮮人労働者に対しては働いて貰うために腹いっぱい食わせた。朝鮮人への暴力や差別を嫌うなどの温情的管理を行っていたという。食事は椀飯2杯を1つに盛り、おつゆは飲み放題、中には7杯も飲んだ者もいるという*。

*以上の証言は元寮長渡辺勇氏の甥渡辺弘氏の証言。氏は当時勇氏の寮に同居していて、記憶は鮮明である。

平和寮には独身者の他に40人位が住み、家族持ちもいた。日本人寮と寮長の前を通らなければ外出は出来ず、周りは板塀で囲まれていた。ただ、トイレの壊れた所から出入りする者もいたが、大目に見ていたという。

寮の1部屋にはストーブもあり、憩いの場になっていて、1部屋は8畳で5～6人で6部屋位。手紙は全て開封して中身を調べたが、樺太からは無かったという。家族持ちは椎の木平など日本人と同じ長屋に住んでいた様だ*。

*長寿院の過去帳に見える柳得天、安本甲生は、既住朝鮮人と見られる川村政吉の住む椎の木平13が、平沼平吉は隊長張本寛治の住む堂田局裏が住所となっている。

帰国時は25人に1人米2升を袋に詰めて持たせた。お礼に指輪等を残して行き、枡がいっぱいになったという。

大学出の朝鮮人のリーダー張（張田）は帰途、玄海灘で仲間により海に投げられたという噂があったという*。宥和主義の管理も逆に朝鮮人同士の中で大きな恨を残していたのだろう。

*前掲渡辺弘氏の証言。尚、張（張田）隊長については拓殖大とも京都大出身ともいわれる。地元の労務係の子息A氏によると、寮の前で朝鮮人の寮生が盗みをして「返せばいいだろう」と言い訳をしたのに対して、怒って鞭で打ちすえる姿を一度だけ見たとし、むしろ「筋が通っていた」と強く記憶していた。

その他、朝鮮人リーダーの1人と結婚した日本人女性の証言もある。

彼女によると、主人は朝鮮では酒屋を営んでいたが、事情により関係者を連れて樺太の炭砿で働き、石炭転換政策で常磐に動員されたという。夫は日本人以上に達筆で、戦後も常磐炭砿で勤めていた。

⑤日曹赤井炭砿朝鮮人寮（吉田飯場・長谷川飯場）

日曹赤井・常磐炭砿朝鮮人寮配置図（1945年）

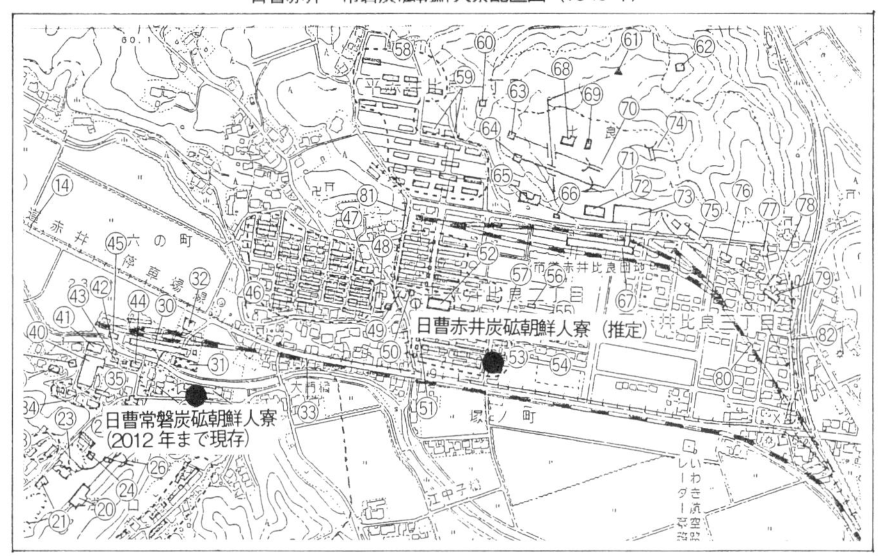

1945年頃の施設配置図　おやけ前掲書（195頁）に龍田が記入

父親が日曹赤井炭砿の寮の指導をしていたという。地域史家大塚氏の『トラジ』によると、大字寺井字不動堂に吉田飯場があり、慶尚南北道、忠清北道出身者が寮生となっていた。更に、坑夫長屋入居者（慶尚北道）が記されている。これは地図上の位置にあったと思われる。吉田飯場の位置は確かめられていない。次に、大字赤井字浅口に出身地不明の寮生がいる長谷川飯場の記録がある。この寮は大門橋近くに2012年まで現存した。朝鮮人寮の建物であったことは、居住者の証言で明白であり、日曹常磐炭砿の寮であったことは間違いない。

長澤前掲『資料集』Ⅰ（154頁、282頁）、同『極秘資料集』Ⅳ（115頁）により両炭砿の戦時動員朝鮮人砿夫の年次別人数の変化を記録しておく。

戦時期動員朝鮮人砿夫年次別人数　　単位人

	1941年4月	1943月12月	1944年12月	1945年7月
日曹赤井	106	234	38	97
日曹常磐	―	―	58	34

日曹常磐炭砿朝鮮人寮（浅口、長谷川飯場）位置図

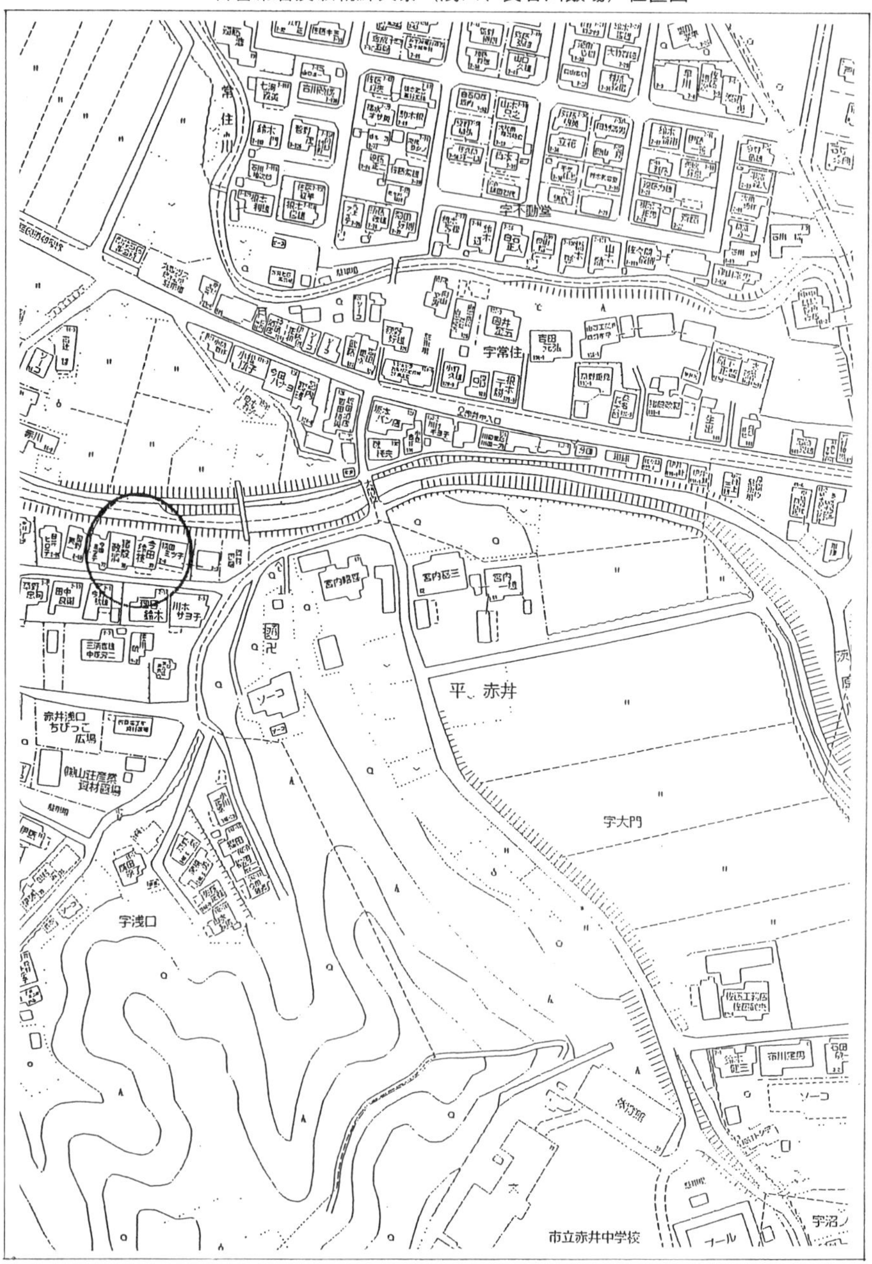

『ゼンリン住宅地図』（2012 年版）に龍田が記入

日曹常磐炭砿合宿所（浅口寮、朝鮮人寮跡）見取図

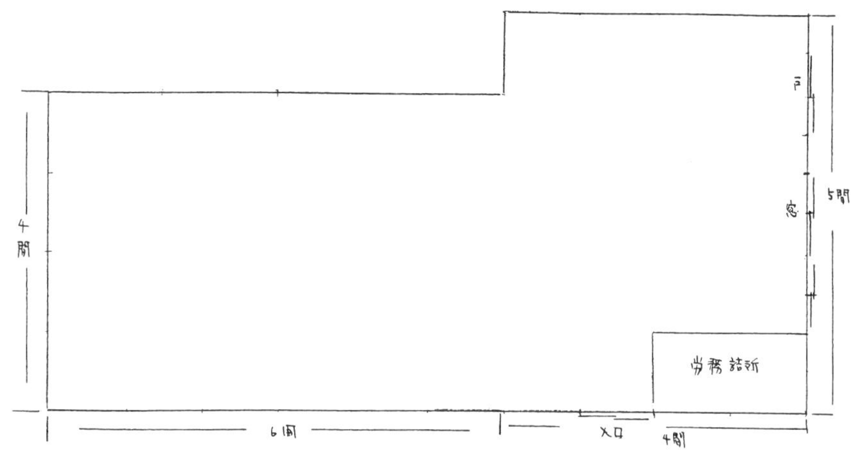

2015年3月龍田修正作成

2011年東日本大震災まで唯一残存していた日曹常磐炭砿（浅口）の旧朝鮮人寮

（4）勿来・山田地区

①大日本勿来炭砿の朝鮮人寮

ⅰいわゆる中村飯場

朝鮮人飯場の話をする地元の人は、すぐ勿来町大字酒井字赤坂の中村飯場の名前を挙げる。今回手に入った第2京城隊入山記念写真（172頁参照）の中には中村留吉氏（3列目右より5人目）の顔を見ることが出来る。

1952年当時の飯場の所在地の地図にも筆頭に挙がっていることから見てもその歴史の古さを感じさせる（172頁参照）。

中村氏の下で朝鮮人労働者の監督として働いた人の息子さん（1941年、国民学校卒業）の話によると、父は、1941年に勿来の中心坑となる南新坑の開坑と共に、中央坑より抜擢されて、新たに戦時動員で入山した朝鮮人労働者の監督となったという。これらの朝鮮人は既存の中村飯場の長屋に入ることになり、「朝鮮人寮」となったのだろうと証言している。

長澤論文*では1942年4月に80人、9月には260人の朝鮮人労働者の存在が記録され、1943年6月で338人でそれ以降は、1944年6月の423人までは、ほぼ300人台を前後しており、1944年10月に544人のピークを迎えることになる。

＊『朝鮮人強制連行論文集成』163頁

大塚前掲『トラジ』の証言者は「宮本寮」と呼んだとあり、東西に長い四棟の長屋と食堂、風呂を持つ1棟があったと言う。

1945年2月の入山記念写真（172頁）は、「花山寮」の前庭で撮ったものとある。いずれも寮長の名を取ったものと思われるが、朝鮮人入山者の増加と共に、既存の長屋が次々と朝鮮人寮として利用されて、中村飯場もその一つであったに違いない。

但し、大日本勿来炭砿では、1930年に、「朝鮮人長屋、今暁70戸焼失」したという記録がある（おやけこういち氏提供の新聞記事）。この朝鮮人長屋と「中村飯場」を始めとする戦時動員時の朝鮮人寮とは場所的には別個のものであったようだ。前者は勿来町大字酒井字出蔵とあり、後者は大字酒井字赤坂に所在する。前者は出蔵のどこにあったかは確認できている（172頁図参照）。

ⅱ寮の所在地と構造

赤坂の朝鮮人寮は既に常磐高速道路の工事でその下になり、今はもう確認できないということであったが、今回詳細に検討した結果、寮の前にあった防空壕が一部

常磐炭田勿来・山田地区炭砿朝鮮人寮位置図

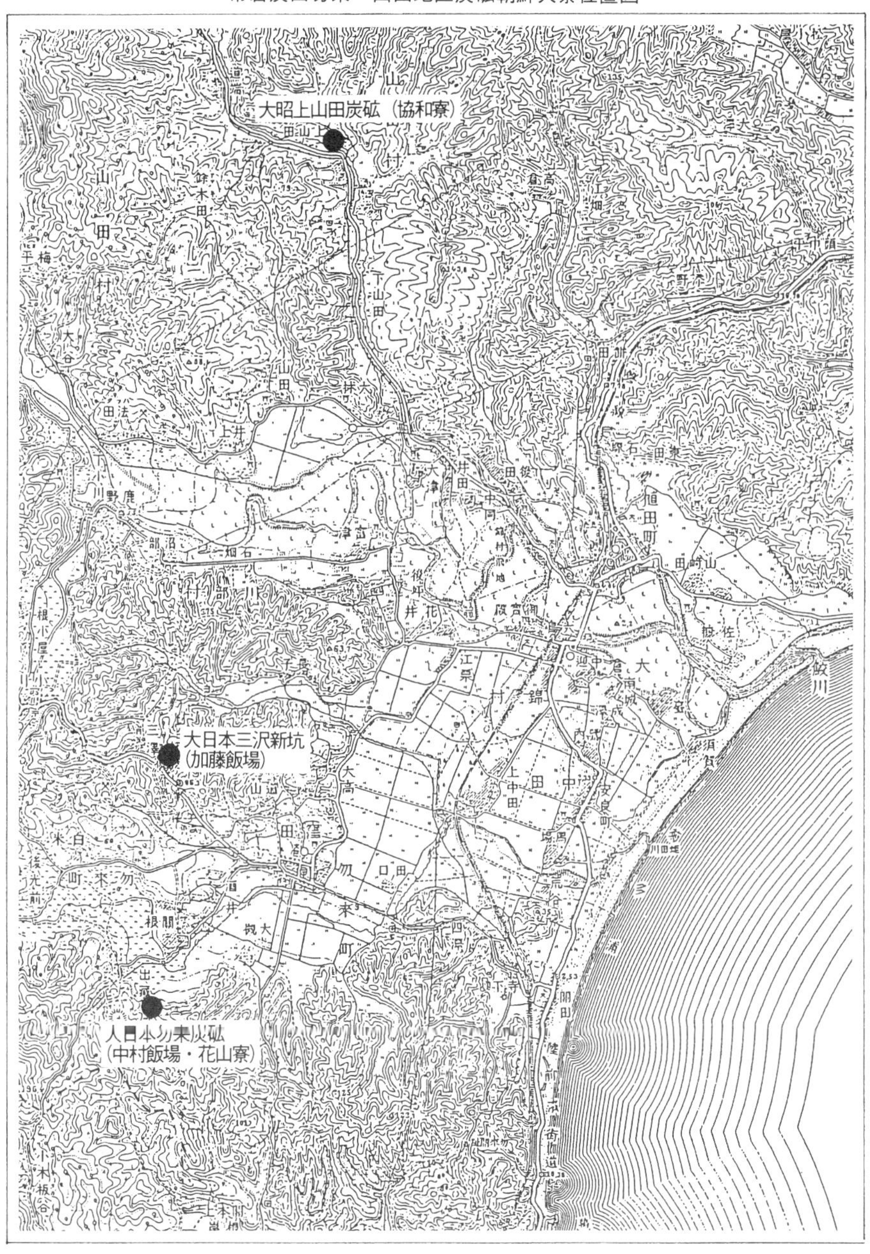

1947年、5万分一地形図（地理調査所）に龍田が記入

削り取られたまま、残存しており、その前にある現在の横浜技研の所在地に当ることが確認出来た。

1957年、浅野和男氏撮影による合宿所の写真はかつての朝鮮人寮の建物であったことが確認できた（173頁、第4回韓国調査時に宋甲奎氏証言）。

当時の寮の構造は真ん中に通路があり、その両脇の8畳に仕切られた部屋、入口があったという（大塚『トラジ』164頁）。

iii朝鮮人の管理と日本人との交流と抵抗

戦時動員の朝鮮人労働者の出身地については、募集に当ったＦ氏の証言で1942年から43年にかけ、江原道で2回、全羅道で1回募集したとある*。

＊長澤前掲『朝鮮人強制連行論文集成』137頁

入山記念写真からは、1944年5月京畿道陽平郡（現在の楊平？）80人、45年2月第2次京城隊30数人、4月忠清南道洪城隊60数人、又、44年11月定着記念写真（第2巻第2回調査報告参照）は忠清北道堤川郡から動員されていたことが分かる。

更に長澤「死亡者名簿」からは、忠清北道鎮州郡2人、忠清南道舒川郡2人、京畿道抱川郡2人、他に全羅北道完州郡、慶尚北道星州郡、金泉郡、黄海道、平安北道に及んでいることが分かる。

なお、入山記念写真からは、特に洪城隊のメンバーにまだあどけない童顔の隊員が多いことが注目される。又、第2次京城隊の写真（172頁参照）からは、服装、年齢の多様さなどが目につく。

労働者の管理については、写真にも見られる通り軍刀を持った請願巡査2名のほか肩章のある巡査1人、更に、10人を超す労務関係担当者かと思われる人達が一緒に撮っていることからも厳しい管理があったことが想像される。

写真を提供していただいた元朝鮮の巡査で朝鮮語を話せる書記官もいて、当時の日本人の労務に係わった人たちの様子をつぶさに知ることが出来る。

これら管理する側からの証言は貴重であるが、今の所少なく、組織や労務管理に関する記録は、まだ見ることが出来ない。

1942年12月15日の労務に対する朝鮮人労働者40人の抗議事件は5人の懲役と7人の罰金刑を出しているが、その真相は不明である（前掲『昭和特高弾圧史』8、204－205頁）。

龍田の聞き取りによると、住民の証言者の中には、逃亡した2人の朝鮮人が南大

大日本勿来炭砿付近坑外図

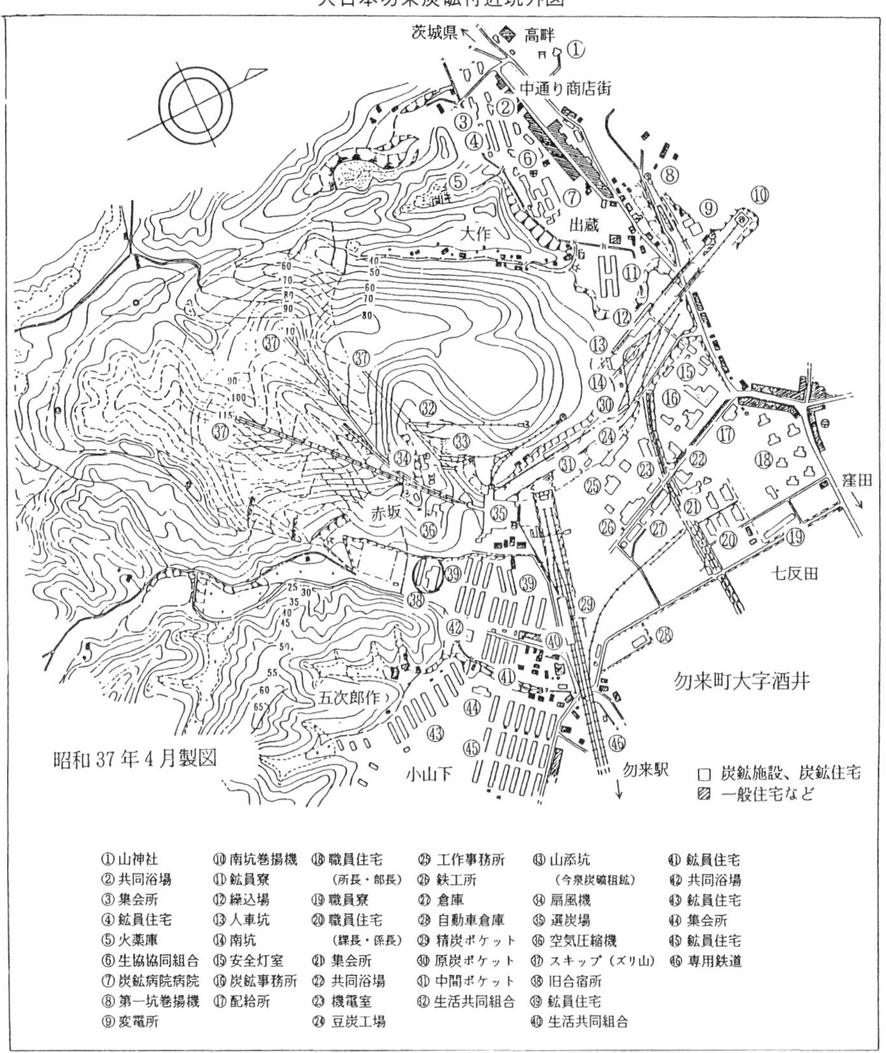

おやけ前掲『黒ダイヤの記憶』より

大日本勿来炭鉱朝鮮人寮いわゆる中村飯場①（1952 年当時）

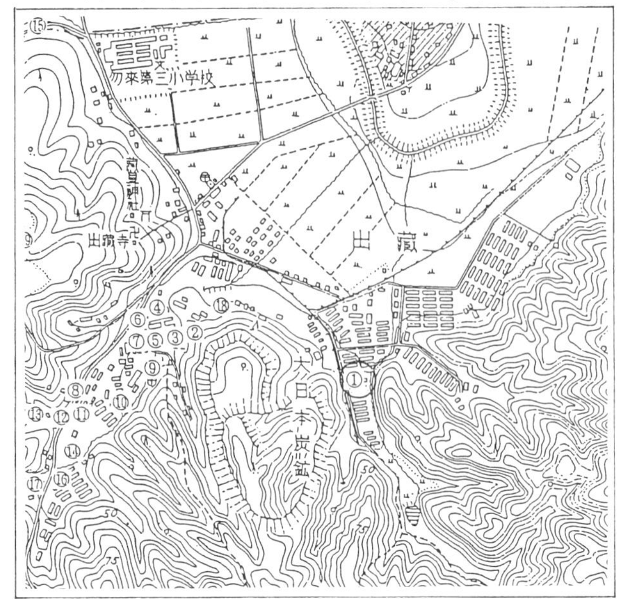

おやけ前掲『黒ダイヤの記憶』より

大日本勿来炭鉱第 2 次京城隊入山記念写真

花山寮前庭　1945 年 2 月 22 日（石川平三郎氏アルバムより）

もと大日本勿来炭砿朝鮮人寮のあった所（撮影当時「横浜技研」が所在）

勿来炭砿の山添炭砿住宅

1957 年浅野和男氏撮影。手前の 2 棟が元朝鮮人寮（おやけ前掲『黒ダイヤの記憶』より）

平の方に逃げて働いていたのが発見されて、手錠をはめられて連れ戻されたということを印象深く記憶している人もいる。

ここでも逃亡率は非常に高い。1942、43年の逃亡者は入山者553人に対し288人で50%を超えている（長澤前掲『朝鮮人強制連行論文集成』184頁）。しかし一方では、仕事の無い時など監督である日本人の家に遊びに来て、ご飯などを食べていったという当時の思い出を語る人たちは、2、3人に留まらない。厳しい管理の一方で、温情主義的管理という側面もあったのかもしれない。

ⅳ死亡者の原因

勿来炭砿は労働災害（ガス爆発）が多いということが言われたが、長澤氏の『戦時下常磐炭田の朝鮮人鉱夫殉職者名簿（改訂版）』によると、その原因には、爆薬破裂2人、感電死、圧死、単車連結用鉄棒切り込み肛門膀胱破裂、空車転倒肝臓破裂、火傷、脳髄脱臼（各々1人）があり、いずれも業務中の死亡である。その他、病死が4人、変死が1人、更に死因が分からない人が3人いる。

このうち11人は近くの出蔵寺の過去帳に記載され、住職の奥さんによると、2004年、韓国から関係者の代表が来て、北朝鮮に属するものは除いて遺骨等全て持ち帰ったとのことであった（これは2005年5月に行った調査で、霊位は京畿道坡州普光寺納骨堂に返還されていることを確認した）。

ⅴ帰国

8月、敗戦と同時に勿来では、朝鮮人の怠業が始まったと記されているが、その背景、理由については不明である。

帰国については、320人の帰国希望者が集団輸送計画以前に帰国を始めていた様である。1945年11月には、80人、30人、71人の3回に分かれ101人が集団帰国している*。

＊長澤前掲『朝鮮人強制連行論文集成』139頁

②大日本勿来炭砿三沢新坑

ⅰ元大日本勿来炭砿三沢新坑採炭夫藤田久春氏の聞き取り

1929年生れ（77歳）、川部町三沢前在住

日時　2002年10月1日

ⅱ炭住長屋と飯場、朝鮮人の飯場について

炭砿の景観図（177頁参照）を見ながら、跡地を回った。

社宅は道路の北に40数棟あった様だが、現在、道路沿いには僅かに2〜3棟、その面影を残すに過ぎない。1941年、1棟1,000円で請け負って建てられたという。

景観図にある①②の数字の付いた住宅長屋は、元朝鮮人の所帯持ちが入っていた所で、入口の方に半間程の軒を拡張しているが、ほぼ昔のまま残っており、その間取りも現在部落の集会所として使われているものと同じと考えられ、見取り図を作成することが出来た（178頁参照）。

朝鮮人の独身寮には佐々木飯場と加藤飯場があった。佐々木飯場の飯場頭は内郷高坂坑から来た元巡査出身の人で、日本刀を持って立ち回るような人であったという。

加藤飯場の加藤飯場頭は、どういう経歴の人かはよく分からない。

この時の聞き取りでは、この朝鮮人飯場について、藤田久春さんは1940年頃、国民学校6年の時、朝鮮人がやって来たことをはっきりと記憶しており、太鼓の音で起こされ、出勤していたことを覚えているという。なお、それについては、小宅氏の『黒ダイヤの記憶』の中にも「アリランの歌」などの藤田さんの思い出、その様子の聞き取りが収録されていることを付記して置きたい。

これが確かだとすると、大日本炭砿勿来砿業所では、戦時労働動員による朝鮮人「移入」が1940年には始まっていたことになり、従来の労務統計表に現われていない史実があったと考えられる。

加藤飯場の跡は幸い、この土地の所有者が居り、コンクリートの残骸から、炊事場、トイレ（？）など、全体の平面図で推測できる。藤田氏の記憶とも合わせて、その復元図を作ったが、40人程であったという記憶と建物の大きさはほぼ一致していると考える。（179頁復元図及び180頁写真参照）

但し、1941年の合宿所については、5棟記された藤田久春氏所蔵の文書が残っており、この飯場の構成員の名前が記されている文書もあるが、そこには、加藤合宿所にも他の合宿所にも朝鮮人と思われるような名前は見つけ出すことは出来ない。

次に会社の浴場跡についての説明では、風呂場が朝鮮人用、日本人男子用、日本人女子用の区別があったと言うことで、ここにも民族差別の実態があったことが分かった（177頁景観図参照）。

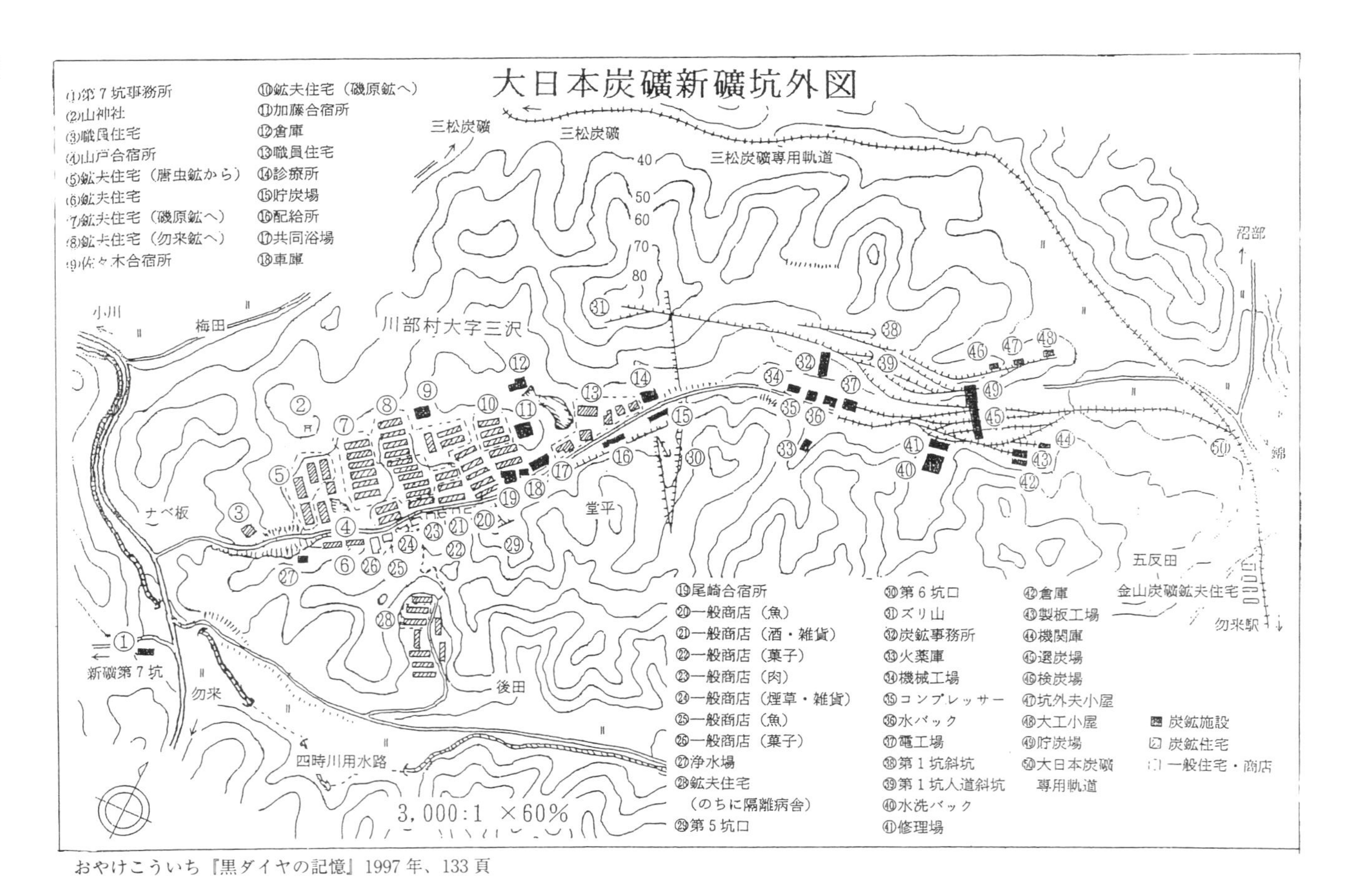

おやけこういち『黒ダイヤの記憶』1997年、133頁

大日本炭砿三沢新坑砿員住宅景観図（1942年）

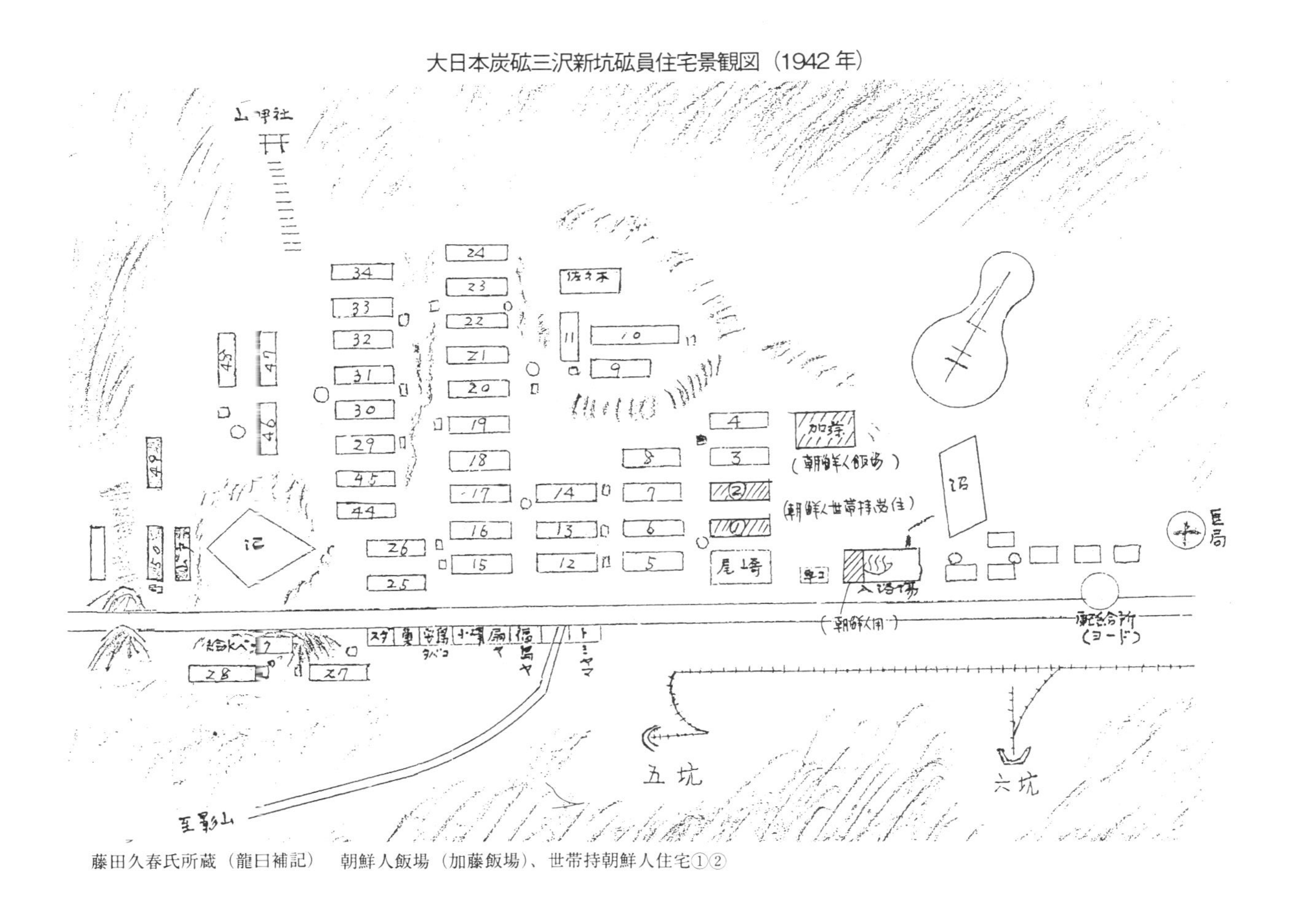

藤田久春氏所蔵（龍日補記）　朝鮮人飯場（加藤飯場）、世帯持朝鮮人住宅①②

三沢新坑炭住長屋一戸分平面図（現在部落の集会所利用）

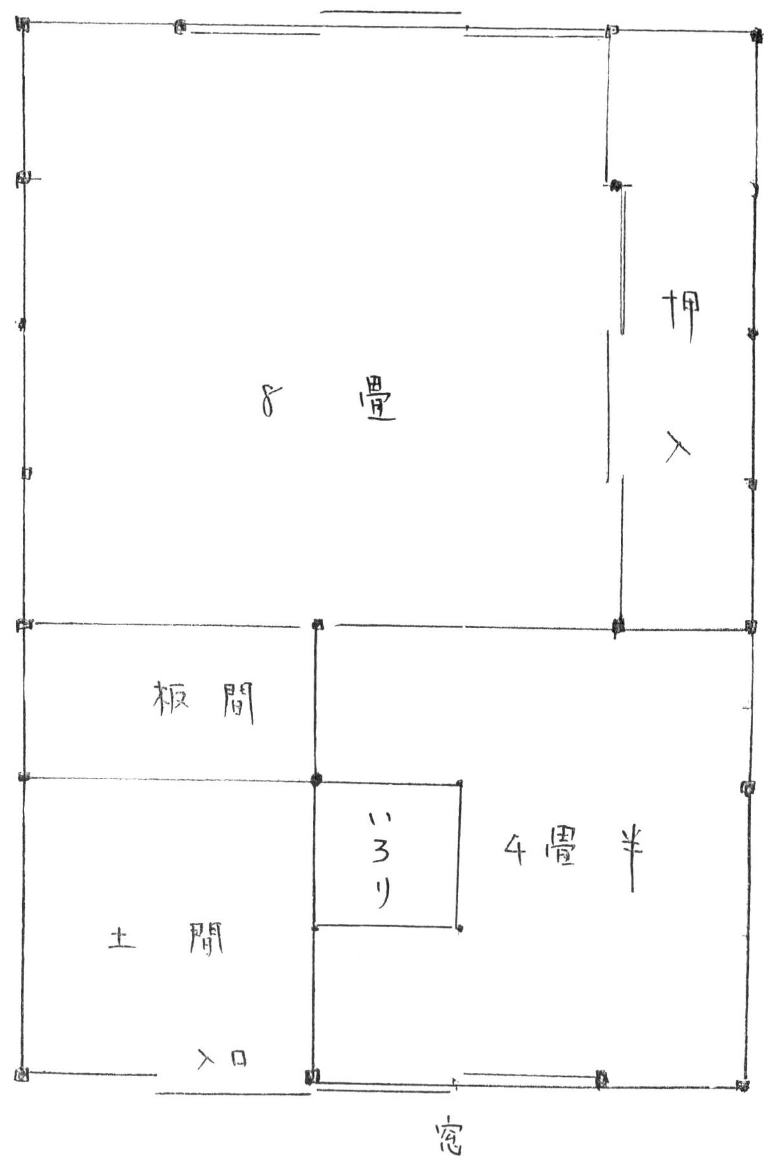

三沢新坑の平均的炭住は一棟に付5戸。藤田久春氏の聞き取り（2006年10月、龍田作成）

三沢新坑独身寮（加藤飯場）見取図

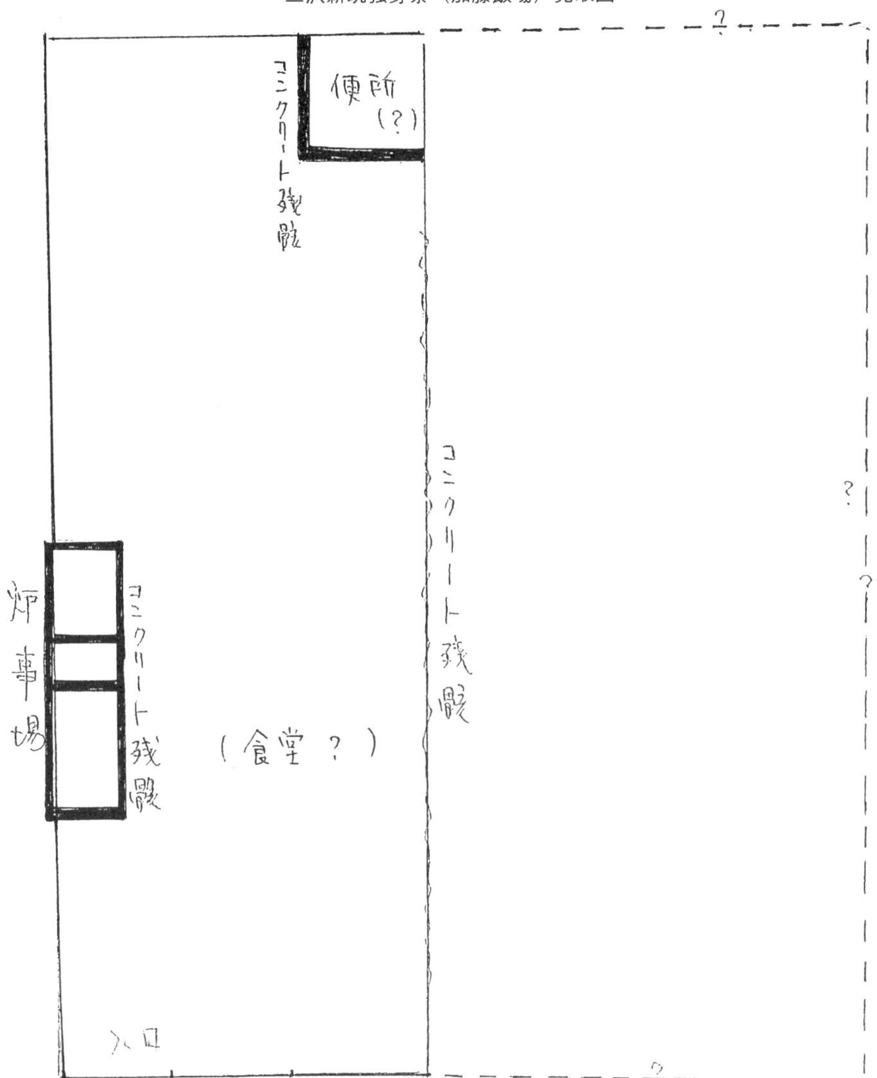

1940年頃から朝鮮人が入寮するようになった。藤田久春氏の聞き取り（2006年10月、龍田作成）

三沢新坑元朝鮮人独身寮跡（加藤飯場）

③大昭上山田炭砿の朝鮮人飯場

大昭上山田炭鉱は戦時増産期に生まれた中小炭鉱の典型で、1940年10月に同地の堀の内に第1坑を開坑した後、近くの鳳城小田炭砿を買収して第2坑とした。朝鮮人飯場は第1坑の毛内地内にのみあったと思われる。

朝鮮人労働者は1943年5月に8人とあるが、これは既住の朝鮮人と思われる。12月には87人となり、これが戦時動員によるものと思われる。

大昭炭鉱の朝鮮人戦時動員の特色は、1944年の11月に206人、1945年4月に257人と動員ピークが他の炭鉱より遅いことと、日本人鉱夫との比率が1944年10月時でも42％と非常に高いことである。

逃走者の比率は比較的低い様である（前掲長澤論文、184頁表24「被強制連行朝鮮人の消耗調」）。しかし、『特高月報』によると、1944年2月5日には、食事の不公平の争いから朝鮮人20人が日本人の隊長を殴打して、朝鮮人4人が送検されるという事件が起こっている（前掲『昭和特高弾圧史』8、204－205頁）。

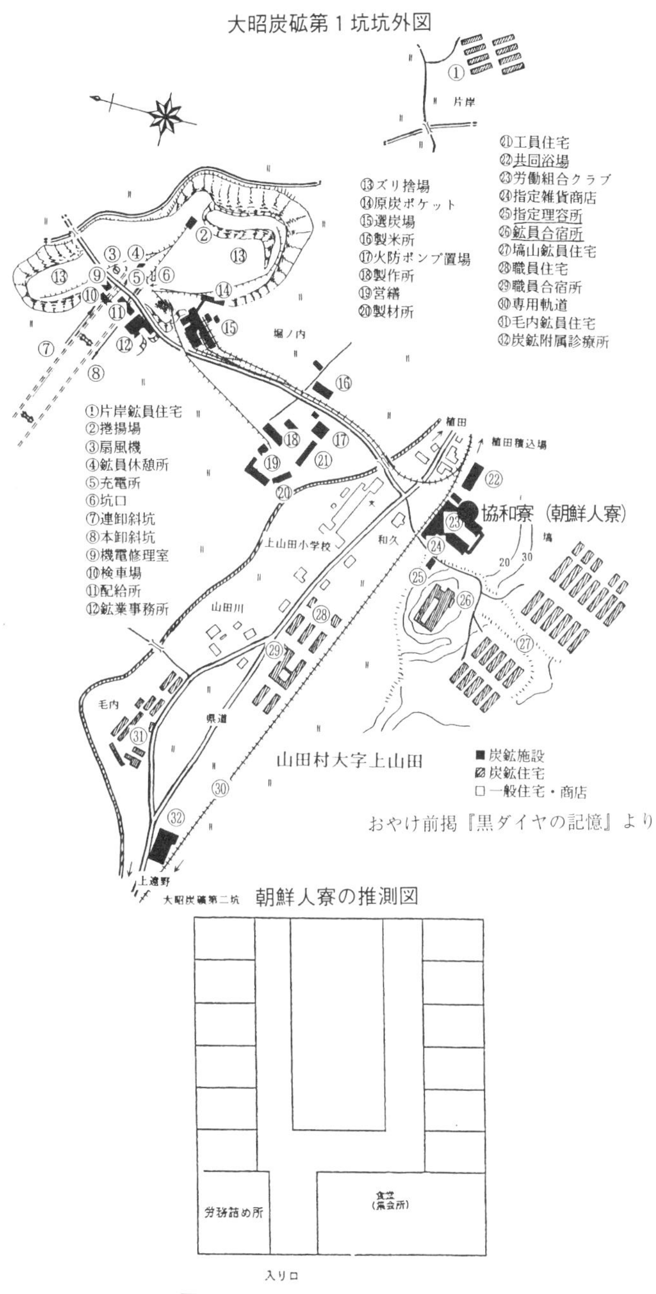

立原氏からの聞き取りによる

大昭炭鉱元朝鮮人寮の建物

長谷川達雄氏撮影（1955年頃、おやけ前掲『黒ダイヤの記憶』より）

事件の起こった寮の食堂は、戦後に労働組合の事務所などに使われたと言う建物の写真を見ればほぼ推測することができる。しかし、寮全体の間取りには不明な点が多い。

出入り口は1つで、そこには労務係が詰めていて、勝手には出来りが出来なかったという証言がある（181頁図参照）。

同じ職種で働く労働者同士の友好については、以下の聞き取り資料を参照してほしい。

なお、死亡者は近くの楞厳寺の過去帳に1人（兪長金、1944年3月17日、病死、公州群儀堂面）の名前が残っている。

資料　大昭炭砿の強制連行朝鮮人労働者についての聞き書き

語り手　立原みちお（山田町）

　　　　林　三郎（植田町）

聞き手　平和を語る集いメンバー

聞き取り年　1991年

○まず、大昭炭砿についてお話し下さい。

林　大昭炭砿の設立は、1939（昭和14）年、資本金当時1,000万円、本社は植田町金畑40、代表者池田光之助、法人名大昭炭砿株式会社。閉山は1962（昭和37）年頃。この辺たりの中小炭砿は、景気の浮き沈みで、経営者を含め、変遷が激しい。

○自己紹介を含め、テーマとの関わりについて、一言ずつお願いします。

林　私と朝鮮人労働者との関わりは、今で言う満18歳の頃、常磐炭砿の坑内書記として勤めていた時のことです。坑内書記とは、採掘現場の事務所で、出勤状態とか採炭量等のその日の記録をする書記で、当時、朝鮮人がいっぱい来ていました。その中で直接、朝鮮の人とも話もしたし、後は色んな生活状態、或いは職場の中での使われ方は見聞しています。

たまたまその頃、私の父が、この大昭炭砿で飯場をしていて、何十人かの世話をしていたので、時々日曜とかに帰ってきた時、父親の飯場にも、これは強制連行でない形で、それ以前に朝鮮から来ていた労務者が、日本人に混じって仕事をしていました。

それと同時に、大昭炭砿では、いわゆる強制連行で連れて来られた朝鮮人のための会社直営の収容所というか、当時はそうは呼ばなかったが、実質的に強制労働のための収容所がありました。そうした点についても、若干生活体験として持っています。

立原　私が大昭炭砿に来たのは、1942年で、安全灯係をしていました。安全灯係とは、坑内電灯を取り扱う仕事です。1942年から1962年まで勤めました。

安全灯係は、定員が6人で、その内4人は朝鮮人。朝鮮人4人は比較的歳の若い人らで、日本語も分かるし、新聞も読めました。

ある時、「どうだい、おめえらの飯場ちゃいい所かい」と聞いて見ると、「俺も初めて飯場に入ったけど、刑務所というのは、ああいう所でねえかなあ」と言うんですね。

自由に表に出られるのは、仕事に行く飯場との往復だけ、その他外出する時は、一々担当係の許可が必要なのです。そして、その許可が仲々七面倒らしいんですね。何時行って、何時までに帰って来る、行く先はどこに行くのだとか。

今でも覚えているんですが、朝鮮人は皆んな苗字が同じなんですね。山田一郎、次郎、三郎となる訳。それである時聞いて見たんですね。「あんたら皆んな親戚かい」。

そしたら「いや違う。これは日本の政府から貰った名前だ。俺の本当の名前は…

…」ということで、柳とか朴とかの朝鮮人の苗字で、朴などという苗字は仲々いい苗字で、日本でいえば、徳川とか、松平の様なものらしい。

そういう若い人は、日本語も朝鮮語も分かるので、私も若かったから、よい言葉は教わらないで、悪い言葉ばかり教わって、人には聞かせられないような、まあ言えばエッチな言葉ですね。

○大昭炭砿ではどの位の朝鮮人が働かされていたのでしょう。

立原　随分いた様な感じがしていたんだが、100 人まではいたかどうか。長屋に所帯持っている人もいたからね。

林　平の東部石炭協会に提出した資料によると、終戦後に解雇された人数は 174 人と記録されている。怪我とか病気で亡くなった方は 1 人で、病死している。実態は官庁資料のことだから、特に当時は隠されている部分もあると思いますが。ここで埋葬するとすれば、近くの楞厳寺に葬られます。帰りに寄って見ましょう。おじいさんの方のお坊さんがいますから話が聞けますよ。

飯場はここ（大昭炭砿）のも、常磐炭砿のも見ていますが、大体、監獄方式です。さっき出入りの自由が無いといった様に、窓には全部格子を張ってあったし、入り口も労務係が必ずいる。それ以外の出入り口は無い、という様なことは共通していました。

私は常磐炭砿の湯本の 6 坑という所にいたのですが、その時、色々あったのですが、一つだけお話しします。

食物がものすごく粗末だったということです。私なんかも、戦時中ですからいいものは食べられなかったが、同じ弁当を脇で一緒に食べられなかった。人間として恥ずかしいというか、いやあ、悪いなという様なそんな弁当だった。量からいっても粗末だし、内容だってものすごく粗末なんですね。

○賃金はどの位だったのですか。

林　賃金は、例えば日本人労働者が 10 だとすると、新米のものは 9~8 となります。朝鮮人の場合は、5~6 ですね。そしてうんと働くものは、6~8 位にという差は付けるんですよ。そういうことで、私は現場の監督の指示に従って、うんと成績が良いから今度からは 7 にしてやる、という。毎日の賃金の指数を書いてやった覚えがありますよ。だから賃金は極端な話が、悪けりゃ半分、よくても 70%位でした。当時、常磐炭砿で、中学新卒の日給 80 銭、鉄道で 15 銭です。

立原　当時炭砿には、一般とは違って特配というのがあり、酒とか砂糖とかお菓子とかが支給されたのに、朝鮮人には無かったのです。特配があった時、「アブジ（年上の人に使う朝鮮語）らも昨日お菓子の特配になったっぺ」と言うと、「私らにはそういう特配というのはありません」という。朝鮮人は学校の国語で勉強した標準語を使うので、つい私も「さようでございますか」などとふざけて、丁寧に答えたりしたものです。

○その他の労働条件はどうでしたか。労働時間とか、場所とか。

立原　朝鮮人は時間が来ても、ノルマを達成しないと坑内から上げて貰えなかった。日本人の場合はある程度時間が来れば上がるけど、向こうの人の場合は、皆んなが上がったのに、1時間も2時間も経ってから上がる人もいる。それで、「なんだ、皆んなが上がったのに」と言うと、「作業量が終わらないうちは、上がられないんだ」と、そんなことを言ってましたね。朝6時頃入坑して、早い人で5時頃、遅い人はその限りにあらずでしたね。

林　炭砿には色んな職種や作業場がある。掘る部分、運ぶ部分、岡に上がれば選別、貨車に積むなどがありますが、向こうから強制連行されて来た場合は、一番ひどい坑内の中の最前線の切り羽にぶち込むんですよ。日本人の様に、向き不向きによって色んな職種を選ぶ自由はない訳です。各炭砿によって若干別な方に使うことはあったかもしれないが、基本的にはそうでした。そこで使いものにならないものは、日本人の場合なら一時ここで働いて見ろ、という風になっていたのです。

○朝鮮人労働者の逃亡についての話は聞きませんでしたか。

立原　聞きました。私の知っている範囲内では、3人か4人だったね。それは植田の駅でもさもさしている内に、捕まってしまうのです。そして連れてこられると、さっき話した様に、ああいったことをやられてね。寮でリンチの様なことをやられる。そういうとこを1回ちょっと見たこともあるし、一緒に働いている人から何回も聞きました。「昨夜こんなことがあった」と。

朝鮮人の平均年齢は30歳位だろうか、国に奥さんなんかも残して来ていることも多い。一度かわいそうだなと思ったことにこんなことがありました。

20代か30代になったばかりの人が炭砿の裏の方に行って、アリランの歌を歌っているんです。目に涙を浮かべながら故郷の方に向かって歌っているのです。それで私は聞いたのです。「アボジ何やってんだ」。すると、「いや、国にいるかかあや、子どものことを思い出しているんだ」と涙を浮かべていました。

林　それに着物は逃げたら一目瞭然でした。どこの炭砿に行っても、朝鮮の人には皆同じような服を着せていました。国防色の目の粗い南京袋で作ったような服で、一般的に言って衣料は粗末な時代でしたが、大変目に立つもので、遠くから見ても朝鮮人だということがわかる。逃げた場合でも、外出した場合でも、ちゃんとそういう風な配慮が、政府なり炭砿なりのやり方の中にあったのではないでしょうか。履いている者も地下足袋だけしか支給されていませんでしたから。

どこに行っても逃げおおせるものではないな、とその当時思いましたよ。

当時の日本人の感覚では、朝鮮人はこき使われて当たり前、今でこそそんな差別語は誰も使いませんが、「半島人」「半島人」と言って人間差別をして来ましたね。

立原　確かにそれはありましたね。会社の上の人に何か言われると、私の場合は「何言ってんだ」と口答えしても何もなかったが、朝鮮の人が口答えなんかすると、大変でした。飯場に電話をかけて、何というやつが俺に対してこういうことをいったと。そして、飯場に帰ってからやられるんです。

○食事について先ほど触れられていましたが、どんな物を食べていましたか。

林　白いご飯ではなく、雑穀を混ぜたんでしょうね。昔の 1 等弁当にかすかに 7 分位、さっと盛ってある位で、それも麦飯以下のものです。私はそれを見た時は「ご飯では無いのではないか」と思った位です。おかずも大根の香の物の様なものが主でした。

立原　日本人の場合は、作業量によって米の量が違った。採炭夫の場合は 5 合とか、私の様なのは 2 合 5 勺とか。

林　だから腹が減りますよね。私は何人かに聞きましたよ。「腹が減って、腹が減っていられないって」。そして私は山田に帰って来た時、母から「朝鮮人の人らが、柿でも何でも食べてしまって農家の人らが、“油断も隙もなんない”とこぼしていた」というようなことを聞きましたよ。

○管理のための組織は、どうなっていましたか。

立原　最高責任者は中隊長。その下に何人かの係がいて、その一番下にいるのが班長というのがいる。その班長は朝鮮人の中から選ばれる。その人は多少読み書き出来る人ですね。班長は通訳みたいなものですね。

林　湯本の坑内では、苗字は例えて言うと植田とか、佐藤とかありますね。その上で、名前は記号の様に、一連の番号で一郎から十郎まであり、この10人が1組となりました。2組位の単位で班長を置き、班長は日本語も出来るし、読み書きも出来、現場監督の指揮に従って作業をやらしていました。

よく働くのは評価します。しかし、ああした組織的抵抗が出来ない所では、私も軍隊での経験がありますが、後はサボリしか抵抗の方法がありません。少しでもこき使われることから逃れ、体を休めるためには。ところがそういうことは厳しく監視していました。「あいつらは怠け者だ」ということで、そういう者には賃金は最下等にしました。本来ならあまりにも過酷な労働なのだから、サボリは正当な休養の要求なのです。

しかし、その様には見られません。そこで病気にも本当の病気と仮病の両方がある訳です。ところが本当の病気の時も、「仮病だろう」という形で、皆サボリと同じように認定されてしまうのです。

そういう場合は酷いですね。坑内の温度が40度も50度もある所で、ふんどし一つで続けて労働出来なくて、5分か10分働くと水をかぶり休んで熱を冷ましながら、又、働かなければならないという現場なんです。

私もそういう所へ行っていたことがありましたが、ほんとにじりじりと体が焼ける様な、あの地熱の中で働くのですからね。ちょっとでも風邪なんか引いたり、体の具合が悪い時なんか働けませんよ。それが朝鮮人の場合だと、本当に具合が悪い時でも、仮病だとか、「とんでもないあの野郎」とかで片付けられてしまいますね。

途中でようやく、岡に上がってもいいという許可を受けて、やっと寮に帰って来たかと思うと、今度はそれより酷い鬼のような労務が待っているのだから。「仮病」だとか、「怠けの癖に」という様な仕打ちを受けるのです。医者にかけるのではなく、リンチを受けるという様な、全く非人間的なことをその当時見受けましたね。

立原　精神がたるんでいるからだ。気合いを入れなければ駄目だとかで。

林　その上「半島人でも、俺らと同じ日本人なんだぞ」と全く朝鮮の民族をゼロにしたような考え方が、当時の同じ労働者の中にも一般的な風潮としてありました。

○敗戦後については

林　戦後、朝鮮人の労務係をやっていた人は、一斉に逃げましたよね。

立原　玉音放送の次の日「戦争終ったから帰れていいな」と話しかけると「大人をからかうな」と言って怒られたのを覚えています。

○厳しい民族差別の中でも、立原さんの様に朝鮮人との間に人間的な交流があった思い出などありましたらお話し下さい。

立原　そうですね。私らも同じ職場で生活していると、人情が移ってね。「今度の休みに遊びに来いよ」と言って、向こうの話を聴いたり、お茶のみをしたりしました。それで、やっぱり朝鮮に帰っていく時は、名残り惜しそうに「立原さん、1年ちょっとだけどお世話になったな。今日12時ちょっと過ぎに帰んだ」と。当時、植田からここまでトロッコがあったので、あれに乗って帰ったんです。私らもトロッコの所に行って、「体だけは大切にしろよな」とお互いに言い合ったのを覚えています。

林　確かに働いている人の間では、交流はありましたよ。私の父親の所なんかにも、来て話しているのを見かけましたよ。

○当時外出など、簡単に出来なかったと聞きましたが。

立原　それでこんなことがありました。「あした平へ映画見に行かないか」と言うと、「いや、映画も見に行きたいが、あんたらみたいに自由きかないんだ」「だったら、俺が明日の朝9時ごろ飯場さ迎えに行くから」と言うことで飯場に行きました。

労務係が「なんだ、お前、俺とこの者と映画さ見に行くというがほんとか」と聞く。「そうだ、休みだから、何処さ行こうと勝手だっぺ」と言うと、「まあそれはそうだけど、そんならお前に任せっから、逃げられないようにしろよな」ということになりました。

家に帰って来て「そんな服では一緒に歩くと、俺も恥ずかしいから、俺の古いやつがあるから着て行きな」ということで、私のも大したものではないが、貸してやりました。そして平に行って来たことがありましたよ。

林　そうですね。強制労働でなく、以前に来た人との間でも、同じものを食って、働いている者としての、連帯感みたいなものが生活の中にありましたね。

（5）常磐炭田北茨城地区

①被動員朝鮮人数

	1942年	1943年	1944年	1945年	計
常磐中郷	146	142	112	38	438
常磐神ノ山	—	—	77	26	103

関本炭砿	−	−	75	23	98
山口炭砿	−	−	22	−	22
山一炭砿	−	−	75	−	75
東邦櫛形	99	134	220	6	459
合計	245	276	581	93	1,195

長澤前掲「戦時下常磐炭田における朝鮮人砿夫の労働と闘い」161頁

②出炭量と従業員数

	1944年生産額t	労働者数(1945年5月)
常磐中郷	101,440	1,065
常磐神ノ山	13,416	265
関本炭砿	20,760	202
山口炭砿	66,521	616
山一炭砿	26,709	245
東邦櫛形	48,170	518

相沢正一「茨城県地区炭砿案内メモ」2005年より

③会社の履歴

○常磐中郷炭砿　1944年創業→茨城無煙炭→大倉鉱業→入山採炭→中郷無煙炭を経て1944年に常磐炭砿直轄に。1971年閉山。

○常磐神ノ山炭砿　1940年創業　磐城炭砿→神谷炭砿を経て1944年に常磐神ノ山炭砿に。1971年閉山。

○関本炭砿　伊藤甚蔵により1940年に創業、1969年閉山。

○山口炭砿　1894年鈴木久次郎により創業。山口一良により1936年山口炭砿に。1957年閉山。

○山一炭砿　1940年上田長一創業。1945年古河鉱業と共同経営に。1968年閉山。

○東邦櫛形炭砿　1937年櫛形炭砿創業、1942年に東邦櫛形、1945年高萩炭砿櫛形砿に。1973年に閉山。

＊以上、相沢正一「茨城地区炭砿案内メモ」2005年

常磐炭田北茨城地区炭砿図

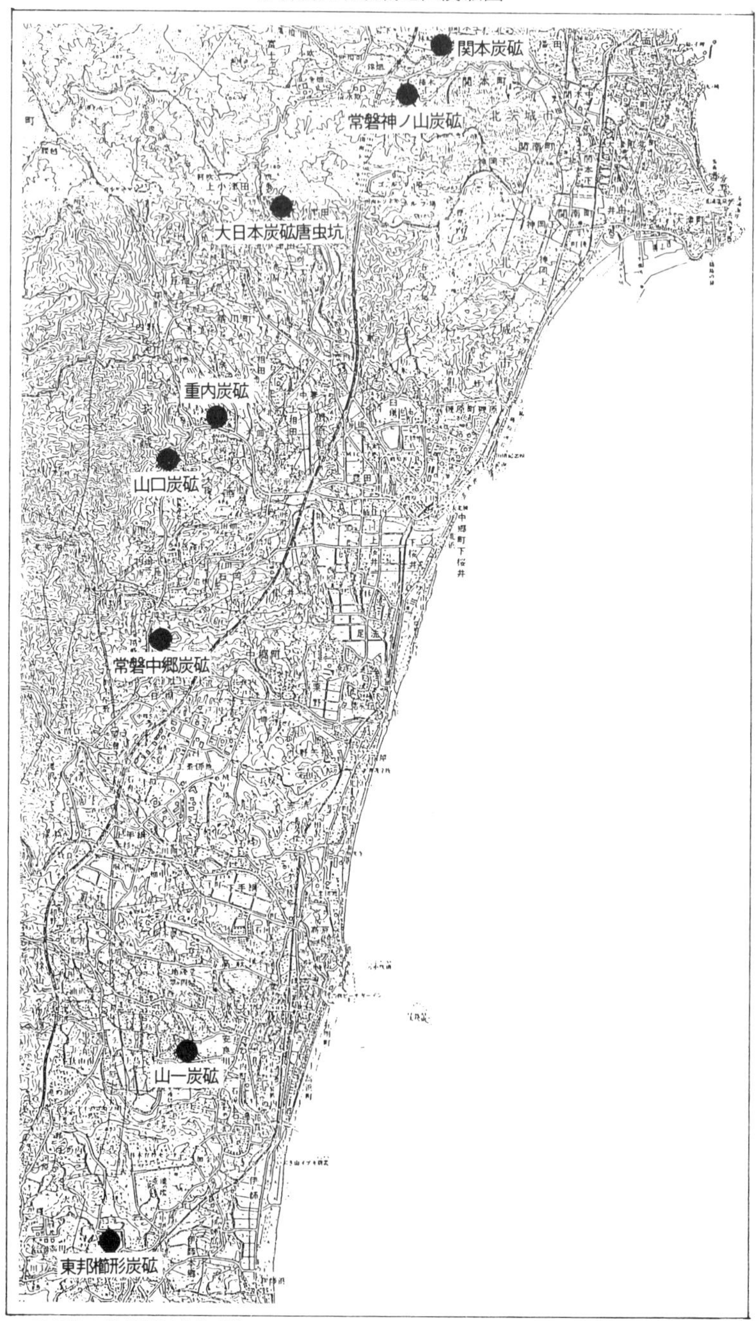

2002年９月発行国土地理院５万分の１の地図に龍田記入

関本炭砿・神ノ山炭砿位置図

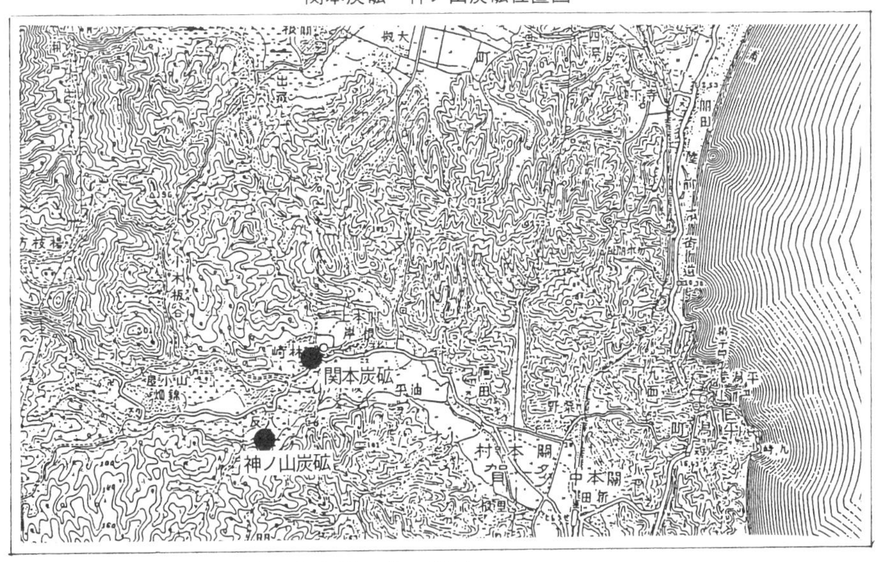

1947 年、5 万分の 1 地形図（地理調査所）に龍田が記入。

関本炭砿・神ノ山炭砿施設配置図

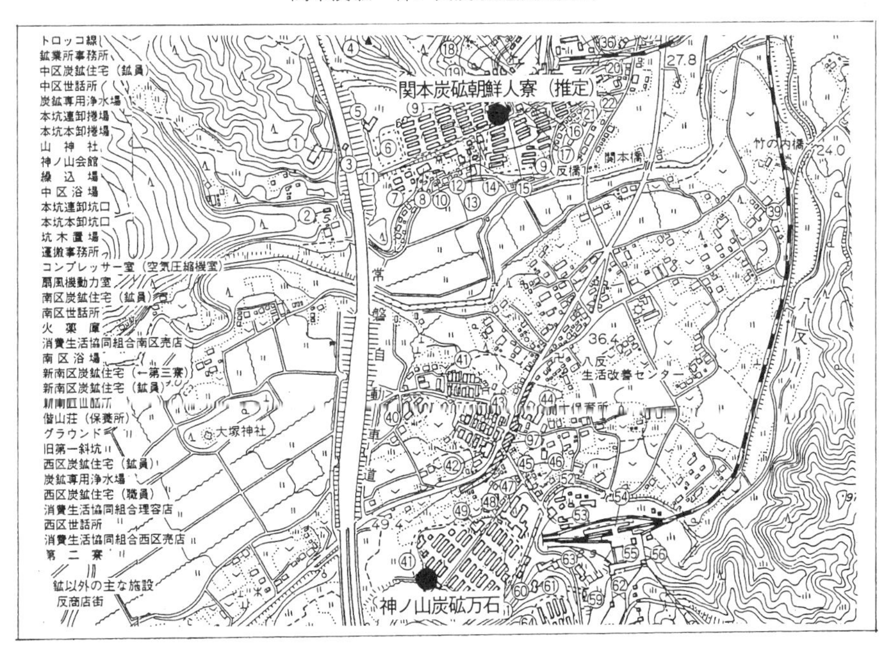

1965 年頃。おやけ前掲書に龍田が記入

関本炭砿万石と引込線

大沼一郎氏提供。中央の建物が万石、その右が選炭場

関本炭砿本坑入口

大沼一郎氏提供。閉山前の写真

神ノ山炭砿万石・選炭場跡

神ノ山炭砿軌道跡

山口炭砿・中郷炭砿位置図

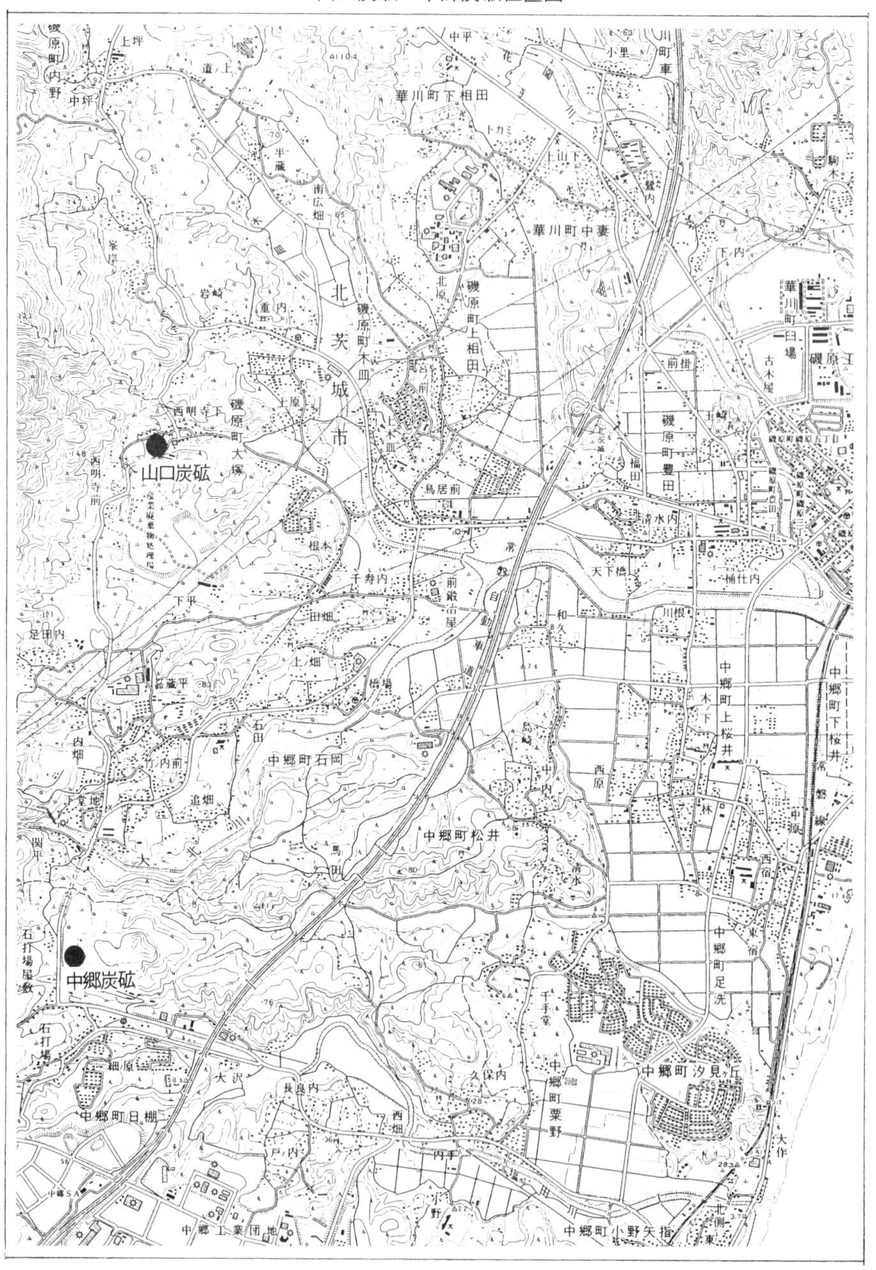

「茨城県磯原」25,000分の1地図（国土地理院、2001年発行）に龍田が記入

山口炭砿施設配置状況略図

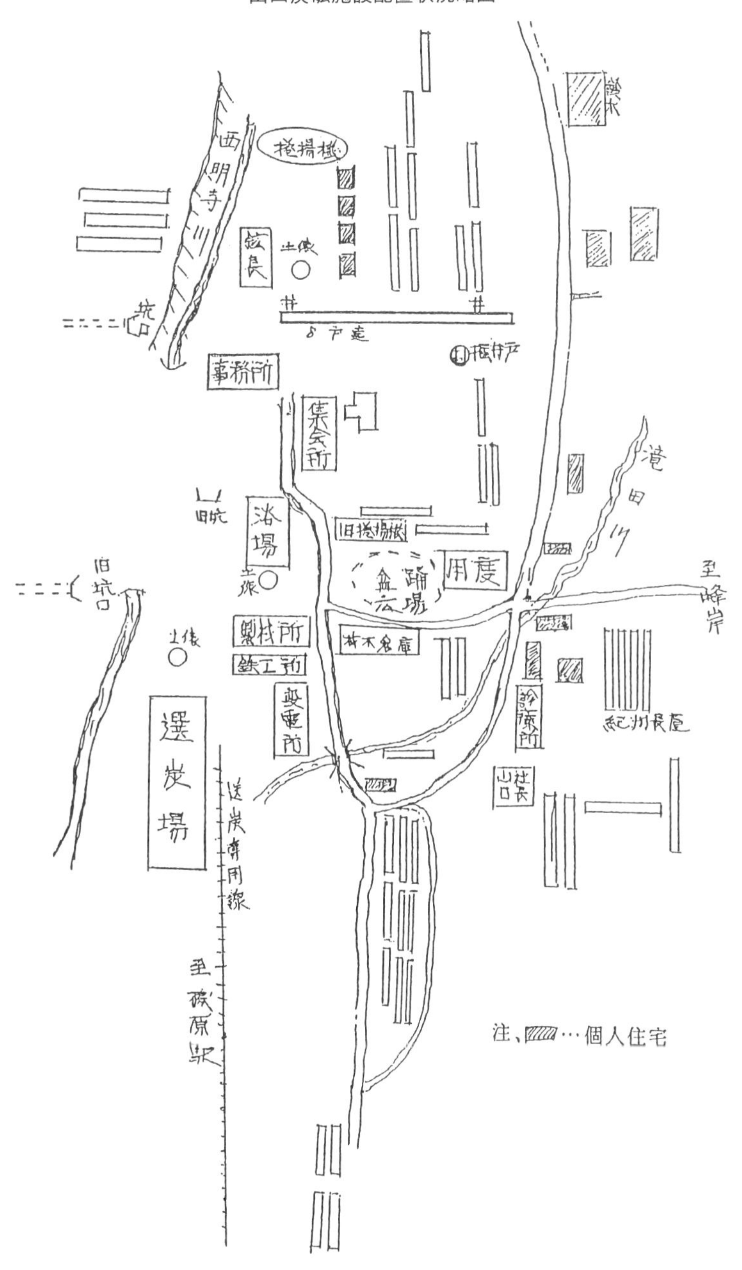

おやけこういち氏提供

山一炭砿・東邦櫛形炭砿位置図

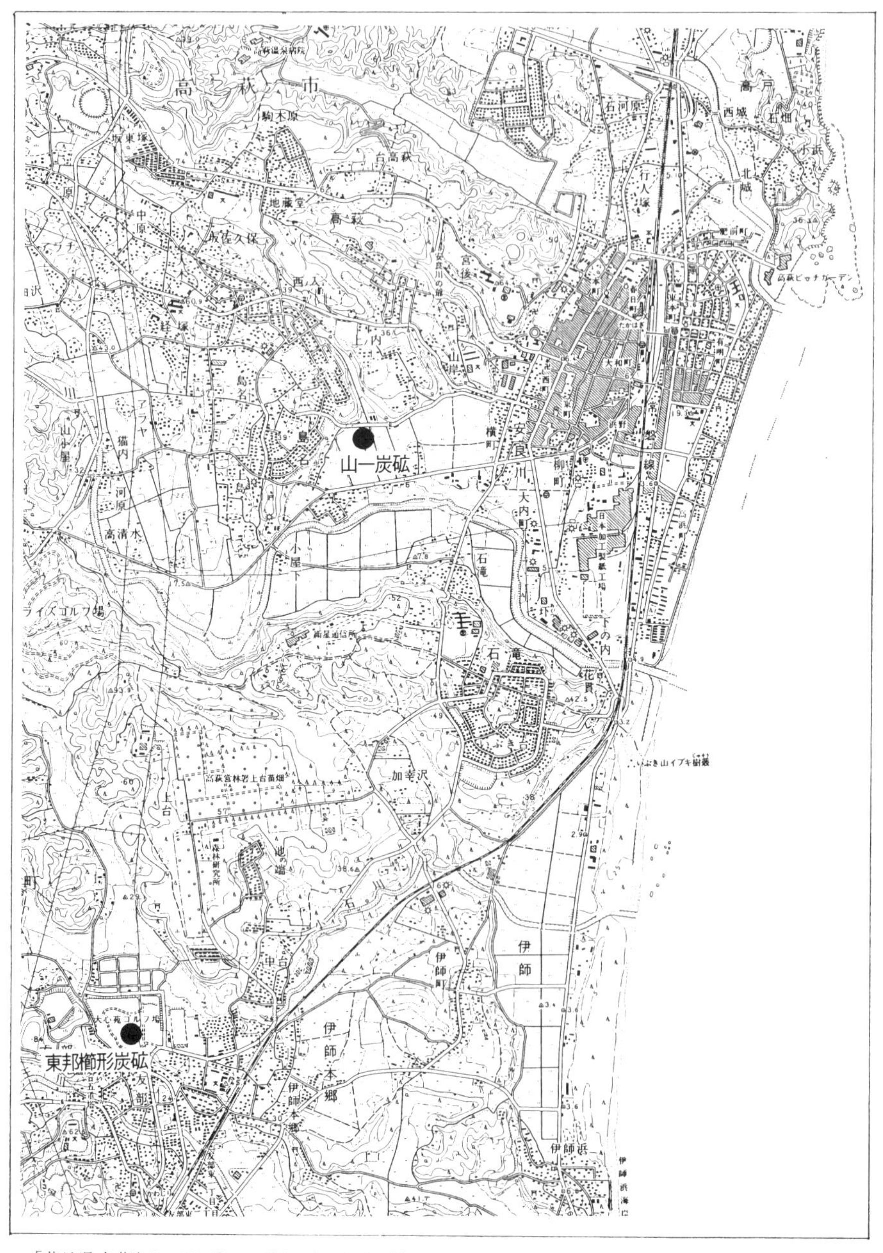

「茨城県高萩」25,000分の1地図（国土地理院、1992年発行）に龍田が記入

山一炭砿跡

東邦櫛形炭砿炭住跡

まとめ―いわき地区を中心に

現在、常磐炭田で砿夫長屋や寮の正確な図面は、常磐炭砿湯長谷の連合軍捕虜収容所の長屋と長屋改良型の寮だけである。写真は青葉第4寮と好間の松坂寮、大日本勿来花山寮、大昭上山田協和寮がある。聞き取りにより、大日本勿来炭砿の寮、長倉炭砿の寮が中央に土間があり、その両脇に部屋がある棟割り長屋の規模を持つ大型建物であることが分かった。湯長谷の長屋を寮形式に改造されたものは10畳、長屋型は12畳であるが、これがほぼ平均的な部屋の大きさと思われる。押し入れは必ず付けられていたと考えてよい。捕虜に対しては、捕虜管理規則の趣旨に沿った石炭統制会の「捕虜使用要領」の規定の1人1畳程度を満たしている。朝鮮人の小名浜寮がこの寮だったとすれば、1942年6月に57人なので、10畳×10部屋あるので、日本人23人を加えても余裕がある。又、小名浜寮や長倉寮は日本人が同じ寮を使用していることは注目される。同じ寮でも棟は違うかもしれない。水野谷の寮には浴槽は2つあり、食堂は1つしかない。大日本勿来炭砿の三沢新坑においても、浴槽は朝鮮人用と区別されている。常磐炭田では、九州や北海道の大型の専用独身寮の様に2階建や浴場を寮内に持つようなものはなく、棟割り又は片面の砿夫長屋の改良型である。浴場は全て別棟であり、勿来、綴、長倉、青葉西寮は朝鮮人専用のものであったと考えられる。寮長又は労務係事務所が、殆どは寮の入口又は一部は近くに置かれていた。寮の周りには板塀又は垣根が置かれ、それがない場合は窓に格子があった。こうした物理的束縛がない場合も労働の拘禁性は全て共通していた。募集形態別に見ると次の通りである。

「募集期」の朝鮮人寮については、初期から受け入れを行っていたのは磐城炭砿、入山採炭、古河好間炭砿、日曹赤井炭砿の4社で、大日本炭砿については三沢新坑に受け入れの証言があり、その寮の跡も確認出来たが、統計上はこの動員数は出ていないので、「官斡旋期」からと考える。

磐城は1939年10月には150人を受け入れており、坑内の危険を理由に入坑拒否をしている長倉、更に御殿、宮沢、協和寮は、取りあえず既成の長屋を改良して迎えたと思われ、受け入れ時には逃亡防止のための厳しい設備があったとは考えられない。入山も青葉第1西寮又は協和寮から次第に人数の増加と共に、第2、第3と寮を増やしていったと思われる。この頃発行した就業案内では、寮の名は道に沿って1、2、3となっており、第4寮はない。朝鮮人受け入れの経験のない入山では、初期には「一視同仁」で「日本人となんら変りなく労務管理をやった」ということから、宿舎等に柵等の物理的逃亡防止策のようなものは無かったと思われる。しかし、各種の民族差別によって逃亡や抵抗が高まる中、「強圧的労務管理」に転じ、寮の全景をガラス張りにして見えるようにしたなど、当時の朝鮮人労務責任者の木山氏は回顧*している。窓の格子など物理的拘束策が強化されたと思われる。部屋の収容人数は確認出来ないが、動員人数から考えても、1人1畳以上のゆとりのあるものであったと考えられる。常磐全体で、1940年が動員数4,000人を超えピークであるが、月末稼働人員は2,500人程度である。1941年は動員数も1,686人に激減し、現員数は600人台で、寮はガラガラになったと思われる。

＊長澤前掲「わが炭砿労務管理を語る」56、59頁

「官斡旋期」になると大日本勿来炭砿が加わり、年末までには各炭砿とも動員数、稼働員数も増え、「募集期」の経験を踏まえ、管理体制も強圧と融和策を併用して強化されたと思われる。入山では青葉第4西寮加え、磐城もすべての寮が揃い、寮の収容人数も1人1畳位の広さは確保されていたと思われる。

「徴用期」になると、青葉、宮沢、御殿、綴、松阪、大日本、上山田で1人1畳という通常考えられる収容人数を超えているので、何らかの形で宿舎を確保したと思われる。或いは「寝て食わせるだけ」はおろか、ゆっくり寝ることも出来ない程のギュウギュウ詰めであった可能性もあるが、聞き取りの中では、布団のみすぼらしさや虱については述べても、場所が狭かったという様な証言はなかった。

通信の秘密、外出の自由が著しく制限されていたことは前章で述べた。食事については部分的に述べるに留めた。

第5章　朝鮮人労働者の抵抗

はじめに

戦時動員された常磐炭田における朝鮮鮮人労働者の抵抗闘争については、長澤秀氏の「戦時下常磐炭田における朝鮮人鉱夫の労働と闘い」と山田昭次氏の「戦時下常磐炭田の朝鮮人労働者について」という論文があるだけで*[1]、戦時動員期の朝鮮人運動や労働運動史の上で扱われているものは多くはない。ここでは遠藤公嗣、岩村登志夫、朴慶植、戸塚秀夫、西成田豊氏らの論考*[2]に多くの示唆を受けた。戦時下の労働運動全般については、大原社会問題研究所の「太平洋戦争下の労働運動」（『労働年鑑』別巻、1971年）、粟屋憲太郎「国民運動と抵抗」（『岩波講座日本の歴史』21、近代8、1997年）、日中戦争期については、市川亮一「戦争の拡大と長期化」（『日本民衆の歴史』9、三省堂、1975年）を参考にした。又、その他では、趙景達氏*[3]の民衆思想史の観点や積極的な「運動史」だけでなく、民衆の在り方に広く目を向けられた樋口雄一氏や外村大氏、朝鮮農村近代化や日本の支配の在り方を論じた松本武祝氏*[4]の著書などがあるが、本章には十分反映させられなかった。常磐炭田の朝鮮人の抵抗闘争は、戦時期の日本帝国主義支配下での民衆の抵抗運動の中でどのような位置を占めるのか、検討はこれからである。

＊1 長澤前掲『朝鮮人強制連行論文集成』明石書店、1993年、146頁。山田論文は、小沢有作編『近代民衆の記録』10「在日朝鮮人」新人物往来社、1978年、643－652頁。長澤氏は他に「8.15直後の朝鮮人炭坑夫の闘い」（『いわき地方史研究』23号、1986年）がある。

＊2 遠藤公嗣「戦時下朝鮮人労働者連行政策と労使関係」（『歴史学研究』567号、青木書店、1987年）で、1942年閣議決定以後の抵抗運動の「質的変化」について触れている。岩村登志夫『在日朝鮮人労働運動史』（校倉書房、1972年）には「重工業大経営への連行」「大量逃亡」「日朝両国人民の共闘」「協和会拡充」「弾圧の凶暴化」「戦後史への継承」が取り上げられている。朴慶植『在日朝鮮人運動史』（三一書房、1979年）には「多くの独立運動クループ」「熾烈な労働者の闘い」としてこの期の独立運動労働争議の網羅的な記述がある。戸塚秀夫『日本帝国主義の崩壊と「移入朝鮮人」労働者』（東京大学出版会、1977年）は北炭を調査対象として「移入」朝鮮人を位置付けて「帝国主義を内

部から突き崩す重要な戦略的地位」、「企業レベルでの追及」の重要性など貴重な問題提起をしている。西成田は『在日朝鮮人「世界」と「帝国」国家』（東京大学出版会、1998年）で抵抗形態の地域的差異に注目している。

＊3 趙景達『植民地期朝鮮人の知識人と民衆』（有志舎、2008年）第11章「戦時動員体制と民衆」、佐々木啓「徴用制度下の労使関係」（『大原社会問題研究所雑誌』№568、2006年、23－37頁）では軍需会社段階での徴用による労使関係の「国家性」の強化に注目して、管理職の任免権、皇国勤労観による徴用の栄誉化に伴う労務管理の軍隊式強化、家族主義、福祉厚生の制度化を挙げている。

＊4 外村大『在日朝鮮人社会の歴史学的研究』緑蔭書房、2004年。『朝鮮人強制連行』岩波書店、2004年。松本武祝『植民地権力と朝鮮農民』社会評論社、1998年、松本『朝鮮社会の植民地近代化経験』社会評論社、2005年。

Ⅰ　資料と問題意識

1　資料

手持ちの常磐炭田関係の文献史料としては、内務省警保局の『特高月報』『社会運動の状況』の関連資料と山田氏提供の「平区裁判所の判決文」、茨城県立歴史館の「石炭統制会東部支部資料」の一部のみである。その他、地域の労務関係者や韓国での関係者からの聞き取り調査を継続している*。又、各地の朝鮮人強制連行真相究明運動の成果の一部も使用した。

＊抵抗闘争についての既存の聞き取りとしては、大塚一二氏の「常磐炭田を中心とした戦中朝鮮人労働者について」（『東北経済』64号、福島大学東北経済研究所、1978年）の資料編の中に唯一の聞き取りがある。尚、同資料には「平区裁判所判決文記録」が収録されており、暴力事件5件、窃盗事件3件の計8件以外の暴力事件1件2判決、逃走事件4件、窃盗事件8件、計14判決について収録されている。間接資料ではあるが龍田、斎藤による韓国での聞き取り調査結果も本書に反映させた。

2　主な問題意識

常磐炭田に戦時労働動員された朝鮮人の抵抗闘争の特徴を明らかにすること。

中でも朝鮮人戦時労働動員における抵抗闘争として特徴的と思われる①1943年以後多発する「集団暴力事件」などの「直接行動」と②被動員者の半数近くに上る「逃亡」の実態と性格を明らかにすること③出来れば①②の「在日朝鮮人」世界や伝統

的民衆の意識の世界との関わりも検討出来ればと考えている。

そのためには、④怠業や罷業形態を採る労働争議や、⑤個人的「犯罪」や流言飛語、「時局犯罪」、不敬事件に現われた個人的自然発生的抵抗との関わりを検討する事、⑥更に協和会の事業や民族主義的運動や社会主義的運動、治安維持法関係事件などの抵抗闘争との関わりを明らかにしなければならないと思う。

又、こうした抵抗運動の昭和初期の朝鮮人運動や戦後朝鮮人運動との関わりやその継承性、連続性についても追究したい。

但し、抵抗運動の社会的基盤である動員された朝鮮人の「生活の状態」についての検討は、常磐を重点に検討する。

3　抵抗運動の対象

『特高月報』や「判決文」で、常磐炭田における朝鮮人の関わる「事件」として内容の明らかなものは 34 件ある。暴力事件 16 件、動員初期の賃金その他労働条件を巡るストや怠業 8 件、その他、1941 年に集中する食糧関係 4 件、末期の定着拒否、帰国闘争 2 件である。『特高月報』の統計上で見ると、1939 年 10 月から 1943 年 12 月までは、「移入」朝鮮人 15,451 人中、参加人員 3,121 人、件数は 73 件、対移住者参加率 20.2%である（附属資料 6 表①～表⑥参照*[1]）。抵抗運動における「逃亡」については、消極的闘争と見るのではなく積極的な闘争とし、地域形態の差にも目をやる必要がある*[2]。その数は同じく『特高月報』によると、1939 年の労働動員計画以来、1943 年 12 月までの「移住者」の累計では 15,451 人、逃亡者の累計は 5,153 人、逃亡率 33.3%である（附属資料 6 表⑦参照*[3]）。ここでは主として「逃亡」と「直接行動」「暴力事件」について分析を行い、(1)(2)(5)(6)（次頁参照）の課題は今後を期したい。

＊1 本来の参加率は争議発生経営体の従業員数に対しての比率であるべきだが、1941 年の『特高月報』の資料に不備があるため、その数字と思われる「労働者数」を採用できなかった。資料の整っている移住労働者数を採った。移住者関係の 1942、43 年の数字は 39 年以来の累計である。備考によれば争議件数、参加人数等は 1 月からの年間累計となっている。同じく 43 年については 2 半期毎の実数と思われる数の合計から算出した。

＊2 西成田前掲『在日朝鮮人の「世界」と「帝国」国家』298 頁

＊3 移住労働者関係表の逃亡者の数字は、全て 1939 年労務動員計画以降の累計である。

朝鮮人の戦時労働動員での抵抗運動の対象範囲を分類、整理する。

（１）個人的な犯罪　窃盗、賭博、性犯罪、喧嘩、放火、殺人など
（２）個人的な怠業(欠勤、遅刻、早退)、流言飛語を流すなど
（３）「逃走」(「逃亡」)
（４）「直接行動」(「暴力事件」)　監督者や日本人砿夫への暴力、集団暴力（寮、事務所の破壊、日本人や上司）
（５）団体行動　陳情、交渉、示威行進、怠業、罷業、協同組合・労働組合活動
（６）民族主義的、社会主義的政治運動、独立運動、社会教育運動など

(1)(2)は個人的対応で、(1)を「抵抗」と呼ぶには議論があろうが、間違いなく検討の対象である。(3)(4)は個人的な動機もあるが、組織的要素が強い、(5)(6)は組織的で意識的な対応である。朝鮮人の戦時動員に対する抵抗運動では(3)と(4)が特に重要な位置を占めると思われる。又、植民地期の朝鮮人の抵抗闘争の中で重要な視点として、(2)と(3)(4)の分野に属すと思われる不服従の「パッシブな抵抗」「日常的抵抗」の視点は、民衆の側からの歴史には不可欠である。戦時期の朝鮮における各種の抵抗の形態については樋口氏の数々の論点があり、在日世界における朝鮮人部落や女性の存在などから多くの指摘がなされている*[1]。又「流言飛語」の優れた分析には宮田節子氏の日中戦争期のものがある*[2]。

＊1 樋口雄一「戦時下朝鮮農民の生活と社会行動」『シリーズ歴史学の現在』13（『韓国併合100年と日本の歴史学』）青木書店、2011年、327－355頁、樋口『日本の朝鮮韓国人』同成社、2010年、などで一貫して追究されている。
＊2 宮田節子「朝鮮民衆の日中戦争観」『朝鮮民衆と「皇民化」政策』未来社、1985年

Ⅱ　逃亡について

1　逃亡者数

常磐炭田における1943年度、従って1944年3月までの朝鮮人炭砿労働者の逃亡者数については、石炭統制会東部支部資料*[1]に炭砿毎、年度毎の「消耗数」があり、その累計は5,125人で、連行数14,752人の34.7%*[2]を占めている。Ⅰ-3で記した福島県の 43 年 12 月までの累計と茨城県側の分を除いた東部支部資料の連行者14,470人、逃走者5,092人 の数字との差は、炭砿以外の産業分野や常磐地域以外の強制連行数として推測できる。とするならば、1943年以前の他地域、他産業分野に

における強制連行者はそう多くないようである。これが1944年になると大塚氏が国立公文書館の文書より引用したという福島県の強制連行者 9,711 人に対し*3、統制会東部支部文書より算出した炭砿関係動員数 4,751 人*4 を差し引くと、4,960 人の他地域、他産業分野の朝鮮人労働者が多数いたことになる。

＊1 長澤前掲『極秘資料集』Ⅳ、101頁
＊2『特高月報』の数字と統制会東部支部資料の数字は異なるが、根拠は不明である。
＊3 大塚前掲『トラジ』153頁
＊4 長澤前掲『資料集』Ⅰ「全国炭砿労務者移動状況調」東北地方1943年度1月～3月、34頁、1944年度4月～12月、41頁より算出。

さて、上記の東部支部資料により常磐炭砿における逃亡者の割合を年次別に見ると、1939 年度44.4%、1940年度33.5%、1941年度53.69%、1942年度32.4%、1943年度27.1%と推移している。平均32.5%である。41年度の逃亡率は50%を超えている。『特高月報』の1941年末までの集計による逃亡率は67%となり、いずれも高い逃亡率を示している。中でも古河好間炭砿では、141人に対し逃亡者は102人と割合にして実に72.3%の高さである。1941年度末まででも平均してほぼ50%を占めている。同じく大日本勿来炭砿においてもほぼ50%の逃亡率を示している。一方、同じ中小炭砿でも日曹赤井炭砿の逃亡率は30%台で、常磐内郷砿や湯本砿とほぼ同じである。労務管理の在り方の違いが反映されているのだろうか。

他の産炭地との比較は、既に西成田氏が試みており、同期の累計比較によると、北海道20%、福岡30%、福島35%である。しかし、この割合は1944、45年には北海道10%、福岡42%、福島24%と福岡と福島の順位は逆転し、北海道は一貫して低い。西成田氏は争議件数の経緯と比較して、抵抗闘争の地域的特色を読み取っている*。結論的に言えば、常磐地域は逃亡件数の面から見れば、中間的位置にあり、交通の便でも京浜地帯の都市部にも近く、逃亡の機会は比較的恵まれていたといえる。

＊西成田前掲書、295－297頁

2　逃亡の原因と行方

西成田氏が逃亡を積極的抵抗の 1 つの形態とした理由は、同郷者を頼っての縁故逃亡が多いことと、それを支える強固な在日「世界」の存在を背景として行われ、「近代的雇用関係における仲間を見捨てた個人的対応」とは違う「強制連行政策」その

ものへの抵抗として積極的意義を見出している*。

＊双葉郡楢葉町(当時龍田村)の土木工事の請負飯場を開いていた家に嫁いだ在日の安氏は、義母が常磐線沿いに逃げてくる朝鮮人炭砿労働者に食事を与えるなど逃亡を助け、面倒を見ていたという。彼らは龍田駅近くの踏切のそばにある飯場の情報をあらかじめ聞いているようだったと証言している。又、戦前、平駅前で歯科助手をし、戦後在日朝鮮人連盟の事務局長になる金明福氏も逃亡を助け、平署に拘束されている(前掲『百万人の身世打鈴』東方出版、1999年、426頁)。

逃亡防止と「定着指導」は就労督促とともに労務管理の要であったといわれる。では、逃亡の理由を経営者側ではどの様に掴んでいたのだろうか。『特高月報』は多分、逃亡発見者からの聞き取りや残留者からの聞き取りなどを総合して判断したと思われるが*、逃亡の理由を統計上、7つに分類している。①「計画的渡航によるもの」、②「都会生活へのあこがれ」、③「煽動誘惑」、④「坑内作業の恐怖」、⑤「待遇その他不満」、⑥「転職」、⑦「その他」である。北海道の場合は「その他」の項目がずば抜けて多く、逃亡成功者とその数がほぼ一致している。次に多いのが「坑内作業の恐怖」で11%である。統計のある1941年12月の累計で見ると、全国的には「煽動誘惑」が第1位で23.4%、「その他」が23.1%、次いで「坑内作業の恐怖」の18.7%である。福島県の場合は「坑内作業の恐怖」28.6%、「煽動誘惑」20%、「計画的渡航」18.3%の順となっている。ちなみに福岡県の場合は「扇動誘惑」30%、「坑内の恐怖」27.8%で、「計画的渡航」15%である。全国的には「扇動誘惑」が第1位であり、九州で甚だしい。福島県、北海道では(「その他」を除けば)「坑内作業の恐怖」が第1位で、地域的特質が読み取れる。福島県の場合、他の地域と比較して特徴的なことは、1941年に限れば、「都会生活へのあこがれ」が22.3%で第2位を占めていることである。東京方面への逃亡者が多かったことが窺われる。

＊『北海道と朝鮮人労働者―朝鮮人強制連行実態調査報告書』朝鮮人強制連行実態調査報告書編纂委員会編、北海道保健福祉部保護課、1999年、279頁

次に逃亡者の発見率については、1940年では33.5%、41年は31.1%、42年は3.7%、43年は1.9%と年々低下している。

では、逃亡した朝鮮人労働者は、その後どの様な働き場所を見つけたのだろうか。このことを知る資料としては、「逃走移入朝鮮人労務者一斉取締要項」に基づき1944年4月15日から30日にかけて「東北・北海道ブロック」で実施された一斉取締の統計がある*[1]。これによると東北ブロックの調査人員35,534人の内、協和会員証無所有者*[2]は3,406人で、逃亡者1,088人、不正渡航者154人、その他協和会会員証

未交付者 1,669 人であったという。逃亡者の内 213 人は前の職場に引き渡し、逃亡先に就労 519 人、他の職場に就労 355 人、送還者 1 人で、多くが元の職場に戻っていない。発見場所は福島の場合、27 人の内 26 人は土木関係で、他の砿山や航空機関係などの工場関係はいない。聞き取り者からの証言は、一度、軍関係の土木現場に逃げ込めば、送り返されることはない*[3]という事を裏付けている。

＊1『特高月報』1944 年 10 月分『在日朝鮮人関係資料集成』第 5 巻付表、470 頁

＊2 協和会は在日朝鮮人の各種「福利活動や事業」を統制するための事業として出発したが、特高警察の指導の下取締と統制のための団体として強化され、戦時動員期は「移入朝鮮人」の住民登録機関の働きをしたと言われる。炭砿では会員証は会社側で保管して、逃亡者は所持していないので、発見の手段とされたともいう。

＊3 軍関係には警察は立ち入れないので逃げ込んだ（前掲『百万人の身世打鈴』426 頁、鄭雲摸の証言）。

逃亡した元の事業所は、炭山 8 人、金属山 2 人、鉄鋼・造船関係 2 人、土木関係 12 人で、土木現場を渡り歩いている結果であろう。

こうした逃亡先の仕事場は、仕事もきついが高賃金で自由があり*[1]、多くは受け入れ先として在日朝鮮人の請負業者の下に逃げ込んだ。これら請負業者は軍関係の土木事業の孫請けではあっても、平時の廃品回収などの限られた業種より高収益を上げることが出来、戦時経済は在日朝鮮人にとっても、僅かであっても経済的に向上の機会となったようである。東北ブロックからの逃亡先は地域的には東京、大阪方面の都市や、帰国に便のある九州方面が比較的多いのではという推論がある*[2]。福島県からの逃亡者が土木関係に多いのは、炭砿からの逃亡者が最終的には京浜地域を目指したとしても、途中の土木現場に一時滞留していたことを意味するのではないか。

＊1 第 3 回韓国訪問調査における金昌越の証言。

＊2 前掲『北海道と朝鮮人労働者』284 頁

3　逃亡の個別事例

福島県全体での 1944、45 年の逃亡者の数字を把握する資料はない。先に触れた様に炭山以外の朝鮮人労働者が急速に増えていること、その殆が軍需関係施設の建設現場である。炭砿との比率はほぼ 4 対 1 と推測している*。炭砿の逃亡者 4 人、土木関係 1 人について、聞き取りによる 3 つの事例と 2 つの平区裁判所の国家総動員法

違反事例を紹介する。

＊「福島県内朝鮮人就労事業所調」『福島の朝鮮人強制連行の記録』1993年、86－87頁。大塚氏の調べによると、炭砿が7職場、18,673人、その他54職場、5,031人としている。その比率は4対1である。1944年4月の東部支部の炭砿関係逃亡者数を調べて見ると、朝鮮人労働者6,720人で、逃亡率19.8%なので、1,331人となる。

（1）常磐湯本砿の趙泰久氏*—宇都宮の飯場を目指して

出身地は慶尚南道善山郡で、動員に応じた動機はお金を稼ぐためと言う。逃亡の理由は休みがなく、腹が減って、班長のいじめもあった。逃亡先は宇都宮の朝鮮人飯場を頼って行った。数人の仲間と一緒に逃亡したが、途中、石川でバラバラになった。本人は日本語が出来た。逃亡の経路は古殿、石川、矢吹へ。そこからは鉄道線路沿いに行った。協和会手帳は東京のあるスジからお金を出して入手した。その他に逃亡者には懸賞金が懸るので、通報されると危険であった。矢吹で親切な日本人から食事と路銀を貰った。今でも会えればお礼を言いたいと眼がしらを押えた。

＊趙氏からの聞き取りの詳細は章末附属資料1参照

（2）新井（朴）盛出氏*（炭砿・土木関係）—飯場から飯場を、九州から福島まで

出身地は慶尚南道金海郡。動員に応募した理由は、早く母を失い、義母の差別に耐え切れず土地も無いので、働き口を求めて応募した。動員先は横須賀の海軍関係施設の土木工事現場であった。契約期間前に逃亡し、捕まって強制送還された。2回目は九州の三池炭砿に動員された。ここは仕事がきつくて、体が持たないので、友人の兄のいる鳥取の飛行場の工事現場に逃亡した。2年程そこで働いたが、知人が牛の肉を大阪に運び、売る仕事をするというので、それを手伝って移動した。しかし、「危険な」仕事なので辞め、警察の紹介で名古屋近くの飛行機工場の建設現場に移動した。空襲が激しいので、何人かの仲間と一緒に宇都宮の仕事現場に移動の途中で、福島県の会津にいい仕事があるということで福島県に来た。その後も松根油の生産のため松の木の根掘り等転々として現在、広野町に在住している。日本人の妻に先立たれ、子供夫婦とは別居1人暮らしをしている。発破の技術は仕事をしながら覚え、土木現場を転々とした。身内、友人、知人のネットワークを通じ、東から西に職場を移動した典型である。

＊新井（朴）盛出氏の聞き取りの詳細は章末附属資料2参照

（3）古河好間炭砿の金昌越氏―群馬の水路工事現場へ

出身地は忠清北道清原郡。動員の経緯は面長の命令で1943年7月頃。逃亡の理由は坑内作業の危険に耐えられなかった。逃亡の経路は近くの発電所の工事現場の朝鮮人と打ち合わせして一緒に逃亡。逃亡先は群馬県の水路工事現場。賃金は炭砿の数倍、仕事はきついが自由があった。戦後、仲間と一緒に帰国した。

（4）大日本勿来炭砿の砿夫を逃亡させた良原徹錫―仲介人

出身地は慶尚南道蔚山郡で宮城県塩釜市在住。職業は土工で年齢は当時24歳。1945年5月24日に、大日本炭砿の朝鮮人砿夫7人を、総動員業務に従事しているのを知りながら、塩釜市の般東組白川万吉方への逃亡を助ける。そのため勿来駅又は関本駅からの乗車券の入手を斡旋したとして、懲役4ヵ月の刑を科された。

（5）日曹赤井炭砿の金佑東―炭砿労務も介在

出身地は慶尚北道栄州郡で、石城郡赤井の日曹炭砿吉田飯場在住。年齢は当時24歳。職業は炭砿労務係で、1945年2月7日、総動員業務に携わりながら無断欠勤をして逃亡し、同じく総動員業務に携わっている5人の朝鮮人砿夫を教唆して逃亡せしめたとして、懲役6ヵ月の刑に処された。

以上5つの事例は、いずれも逃亡を助ける強固な在日朝鮮人社会の存在と(1)の例は日本人社会の中にも逃亡を密告する人達と秘かに援助する人達がいたことが分かる。(4)(5)は平区裁判所の判決文による。

4　民族独立運動と結びついた逃亡支援活動―鄭正摸氏の場合

林えいだい氏の聞き取りルポに『朝鮮海峡－暗くて深い歴史』がある。その第3章に早稲田中学夜間部4年に編入されたきっかけは、練馬の飛行場建設現場の親方から神田の学生会館へ行く事を勧められたからだと記されている。彼から呂運亭や金九の大韓民国臨時政府の話を聞いた。そのうち李という学生と知り合い、その兄弟を通じ呂運亭に近いと思われるグループに入り、「戦争体制を根本から破壊」する為、「強制連行された朝鮮人を意図的に工場や炭砿から脱走させ産業機能を麻痺させる」「救い出し作戦」に加わることになる。1941年初秋、活動の対象は仙台の陸軍造兵廠と海軍基地から、急拠常磐炭田に変わり、高野炭砿の土木飯場に入る。そこで過酷な強制労働の現場の実態を知る。

そうした中で、磐城炭砿(株)の住吉一坑の「御殿寮」の砿夫の救出を図るため、同砿の沈澱パックの仕事の飯場に移った。監督の動向や勤務の実態を把握し、逃亡先の原町の受け入れ先と連絡を付けた。困難を克服して 3 交代制の交代の合間を利用して、13 名の脱出に成功した。汽車で原の町の陸軍造兵廠の拡張工事の飯場と岩手県の釜石と宮古に送り出した。しかし、何千人もの強制連行者の何人かを脱走させることの意味に疑問を持ち、むしろ海軍基地や造兵廠の爆破などの方が効果はあるのではと考えたりした。その後の仙台・岩手方面での工作には失敗した*。

*東北を離れた後、このグループは北海道への移動の命令に従って、タコ部屋での経験とそこからの脱出、三菱大夕張での救出作戦、層雲峡のダム建設現場への潜入などの活動をした。そして北炭夕張の 1944 年の 5、6 月の「祖国光復会」指導の大争議計画への参加を経て、東京本部の壊滅を契機に 3 年ぶりに東京に帰る途中、盛岡で逮捕された。厳しい拷問で 2 人の同志は虐殺された。釈放されたが後に宇都宮で再び捕えられて東京の憲兵隊に送られた。生き残っていた李も拷問の為にここで死亡した。体の丈夫な鄭正摸は何とか生き長らえたが、この時の後遺症は今も残っている。林えいだい氏は、彼らを指導していた上部機関は確定出来ないが、北海道に独立運動の地下組織があったことを確認している。又、鄭正摸氏は常磐炭田に林氏を伴って現場検証のため戦後再訪問をしている。聞き取りルポを完成したのは 1988 年 3 月である。その後、筆者は千葉県の現住所に電話をしたが連絡はとれなかった（『朝鮮海峡—暗くて深い歴史』明石書店、1988 年)。

Ⅲ　労働争議と「直接行動」(「暴力事件」)

「直接行動」(「暴力事件」) とここで言うのは、民族差別と軍国主義的風潮の中で横行した労務係や寮長、日本人労働者による差別発言や殴打に対して集団で報復する場合をさす。「傷害事件」「多衆暴行」事件として扱われるのが一般的である。強制性が強い「官斡旋期」や動員末期になると、「特殊事件」とか「特殊暴力事件」更に「集団暴力事件」などと呼ばれ、労務係はおろか警官や憲兵にさえ立ち向かい、宿舎事務所を破壊し、死者さえ出すような激しい「暴動化」した抵抗闘争に至る*。

*ここでいう「直接行動」は本来警察用語と思われるが、合法的、言論等の手段によらない暴力による意思表示の事で、『特高月報』では日朝間の闘争（抗争）と労働争議の両統計に分けられていることから非合法的暴力行為を指し、喧嘩、傷害、集団暴力、集団破壊などである。「集団暴力」などと共に歴史用語としてどこまで使用できるか検討しなければならないが、今のところ適切な表現が見つからないのでそのまま使用した。

「古典的」な理解による社会主義や労働運動の勃興期に見られた労働者の運動は、直線的に成長したのではないという。労働者階級の貧困、奴隷労働、病気、犯罪や道徳的堕落など「貧困の蓄積」、社会問題化する中で、労働者の抵抗は個人的復讐や犯罪という形で表現される場合も多く、更には集団的な「機械打ち壊し運動」(所謂「ラッダイト」)など自然発生的な「暴動」の形態をとる場合が多かった。そして、こうした個人の非生産的で犠牲の大きい経験を重ねる中で、「スト」や「集団的怠業」の戦術や恒常的な団結組織である労働組合の結成、更に議会に対しては参政権や政治的要求の運動に繋がって行ったと考えられる。

しかし、日本に戦時動員された朝鮮人労働者の直接行動や運動は単純ではない。既に全国的労働組合の指導部や労働者政党が壊滅した状態の中ではあるが、こうした「暴動化」した運動が強固な在日朝鮮人ネットワークの上で、アジアにおける国際的な反ファシズム統一戦線の影響や、上海臨時政府の民族主義的運動の流れ、既存の社会思想や傾向と結び付き、或いは伝統的思想意識を絆として、極めて意識的組織的性格を帯びる場合があったと思われる。そこで「直接行動」とか「集団暴力事件」と言われた事件が抵抗運動の上に占める位置や性格を検討してみたい。労働争議や日本人との間の紛争議がどの程度あったのかは、現在の所そのほんの一端が官憲側資料や会社資料に偏在するにすぎない様に見える。

それゆえ課題としては、こうした非組織的、自然発生的運動のように見える「集団暴力事件」が、意識的、民族主義的或いは社会主義的運動との接点はどの位あったのか。その可能性について、或いは支配と分断、統合政策の中で、両民族間の人民的、階級的、人間的連帯の可能性がどれ位あったかの検討を試みたいと思う*。更に、抵抗運動の担い手や意識の構造、時期的な変化にも目を向けたい。

*公安関系の資料は不可欠と思われ、企業関係者からの聞き取りや資料からは、抵抗に関する史実はなかなか見つけ出せない。北海道炭鉱汽船夕張炭鉱での 1944 年 6 月の大争議の資料を博捜された戸塚秀夫氏が、その存在すら実証出来なかったということに表れていると思う。そこで、口述資料や聞き取りが唯一の調査の手掛りとなる。

1　『社会運動の状況』『特高月報』の「労働紛争議」中の「直接行動」

(1) 統計的検討—年次別戦時動員朝鮮人労働者の紛争件数と参加人員、「直接行動」件数と参加人員

先でも触れたように、ここで言う「直接行動」は「傷害罪」に当たるようなものから「集団暴力」に当たるものまでを含み、日本人・朝鮮人間の内紛、朝鮮人間の内紛、単なる喧嘩、食事、差別用語の使用、殴打、酒酔いなどごく些細なことから出発しても大事件に発展する場合が多い。

全国・常磐総数・形態別数　　単位人

		1939	1940	1941	1942	1943	1944	合計
全国総数	件数	32	184	48	203	235	157	859
	人数	4,140	12,518	3,140	12,617	13,418	10,838	56,671
常磐総数	件数	4	11	4	5	3	4	31
	人数	301	888	286	222	436	443	2,576
罷業（全国）	件数	14	60	14	48	36	32	232
	人数	1,456	4,512	1,204	3,031	2,651	1,745	14,599
怠業（全国）	件数	3	48	11	68	41	35	206
	人数	255	3,122	855	3,515	2,755	1,926	12,428
直接行動（全国）	件数	24		10	35	80	37	186
	人数				2,091	4,532	3,181	9,804
同上（常磐）	件数	1	6	1	4	2	2	16
	人数	8	389	80	132	407	15	1,031
其他（全国）	件数	14	76	23	52	78	53	296
	人数	2,025	4,883	1,081	3,980	3,543	3,986	19,498

常磐の形態別数は「直接行動」についてのみ記載

上記の表は遠藤公嗣論文「戦時下の朝鮮人労働者連行政策の展開と労資関係」「表1　連行朝鮮人労働者の労働紛争数」（『歴史学研究』567号、青木書店、1987年4頁）を引用し、それに常磐地域のものについては筆者が追加した。遠藤論文の表には、いわゆる「日朝間の闘争」分は入っていない。1945年の総数は5月末日まで111件、5,102人　これを足すと総計 970件、61,773人。常磐炭田では総件数31件、参加人数2,576人、その内「直接行動」は16件 1,031人である（詳しくは附属資料6表①～⑧-12参照）。

2　全国的な朝鮮人紛争議における常磐炭田の労働争議と「直接行動」—前期

『特高月報』に見られる「労働争議」の事例を中心に、「日朝間紛争」を含めた「直接行動」に焦点を当て、7つの時期に分け検討する*。

*資料が主として『特高月報』に制約されたこともあるが、年次ごとに把握する事に重点を置いたためである。但し1939年10月から40年4月までは動員初期の特質を持っているのでひとまとめにした。なお、時期区分については、由井正臣の「太平洋戦争」(『岩波講座日本歴史21』近代8、1977年、75頁)、労務動員については、加藤佑治氏の「全般的労働義務制の史的究明」(『日本帝国主義下の労務政策』御茶の水書房、1970 年) 等も参考にした。尚、松村高夫氏は、加藤氏の「再編期」、「徴用制」の植民地労働力への適用は、アジアと反ファシズム戦線との関連を入れた観点が欠如している「国家論」抜きの「労働政策」論などと批判している (『歴史評論』245号、校倉書房、1970年、66－73頁)。

(1) 動員初期 (1939年10月～40年3月)の労働争議と「直接行動」

①初期戦時労働動員の特色

朝鮮人戦時労働動員の始まりは国家総動員法の制定を背景とする。1939 年7月に閣議決定した「労務動員実施計画綱領」に基づき、厚生内務次官の地方長官宛依命通牒「朝鮮人労務者内地移住ニ関スル件」と 9 月、朝鮮総督府政務総監の道知事宛の「朝鮮人労務者募集並渡航取扱要綱」が出された。毎年の「労務動員計画」に従って国家の必要とする諸産業に集団的に動員するものであった。それは募集過程、労務管理、待遇、生活まで国が介入し、統制したものであり、それ以前の縁故募集、自由募集などとは著しく異なるものであったと言われる*1。この「割当」による集団募集は、自発的な契約の要素が少なくなった分だけ、日本の現場に到着した時には、契約条件の不徹底による労働条件やその他の契約を巡るトラブルを多発させたのである*2。

*1 北炭『社友』(1940年5月25日、1,213頁)「朝鮮募集の座談会」の中で、天春純一郎氏は「朝鮮の募集は内地の募集と違ひ、官との接衝宜しきを得ば、労務者は凡て官の方で斡旋して呉れると云ふ様なお話でしたが、当時私は半信半疑で聞いてゐました」と述べている。又、この期には地方有力者や邑面長、道議会の非協力が伝えられており、村に告示しても字の読めない者が多く、駐在と会社の募集員が先立つ場合もあった、という外村氏 (前掲『朝鮮人強制連行』) の指摘もある。

*2 市原博「戦時期日本企業の朝鮮人管理の実態」『土地制度史学』157号、土地制度史学会、

1997年、20頁。「雇用契約が労使間の自主的雇用契約に基づいていなかったケースが多く存在」したことが、この様な雇用条件の違いを掲げた争議が多発した原因であるとした。

②多様な抵抗形態と要求

まず、『特高月報』の福島県分を統計上から検討する。今手元にあるのは、1940年4月末までの累計である（附属資料6表①参照)。全国と常磐を併記すると、移住朝鮮人労働者 38,442 人に対し 2,303 人、その内争議参加人数は 12,202 人に対し 1,048 人、争議件数189件に対し14件となっている。常磐の場合、争議参加人数は全戦時動員期を通じて、1939年10月から40年4月までの7ヵ月間が最多であり、その割合は全移住者に対して45.6%、対従業員比は55.1%で極めて高い。件数のみであるが、争議は要求、理由、手段、結果の4項目に分類されている。手段は陳情、怠業、罷業、示威運動、直接行動、その他の 6 項目に分類されている。この期の 6 項目の発生件数は夫々全国7人、39人、38人、21人、21人、20人に対し福島は0人、4人、2人、7人、0人、1人となる。全国では怠業が一番多く、次に罷業、福島では怠業が多く、次が示威運動となり、「直接行動」は福島ではゼロとなっているが、同月報に事例として4件挙げられているので、これは統計上のミスと思われる*。次に『特高月報』として挙げられている事例を、39年分と40年分とに分けて、より詳しく見る。

＊「示威運動」と「直接行動」の行のずれか。

③1939年内の戦時労働動員と紛争

『特高月報』の事例*で 39 年分（10月～12月）の紛争は 36 件ある。その内「直接行動」傷害事件まで発展したのは、山口県吉野郡の長生炭砿の事件。10月28日、逃亡して捕まった者に労務係が暴力を加え、それに抗議した 221 人が会社側への乱闘に及んだものである。他にも不穏な状態の事件も 2 件程あるが、傷害に及んだのはこの 1 件のみの様である。この事件の場合も抵抗は限定的である。多くは怠業、罷業の形態を採っている。尚、紛争 36 件中 26 件は北海道である。待遇改善、犠牲者の取り扱い（葬儀の仕方)、布団の要求などを掲げ、300 人近いデモや罷業で一定の要求を実現した事例もあり、「直接行動」は主要な形態ではない。256 人の朝鮮人同士の出身地別の争いが1件あり、取り扱いに不平等があった様である。

＊『特高月報』11月、12月分、前掲『昭和特高弾圧史』6、299頁

④常磐炭田—坑内事故、強制貯金

常磐炭田では磐城、長倉の4件で、内2件は坑内の危険性や、賃金の強制貯金に反対して罷業が起こっている*。この場合は夫々被動員者150人、130人の全員が参加している。もう1件は坑内変死に対して入坑を拒んでの怠業に13人が関わり、1人は送還されている。暴力を伴うものは1件、「言語不通」によるもので、朝鮮人8人と日本人が対立し、加害者が慰謝料15円を払い、お互い酒一升で和解している。

＊同前『特高月報』11月、12月分

⑤1940年1月〜4月

『特高月報』には4ヵ月の統計はないので、事例のみで検討する他はない*。この期に動員による抵抗闘争が一斉に噴出した感がある。40年1月に、「朝鮮職業紹介令」の実施により、労働動員の管轄は警務課から内務課に移され、「集団募集」の体制はより強化された。

＊前掲『昭和特高弾圧史』7、4月分

同事例の争議件数は75件に及び、闘いの形態も多様で、寮生活始め待遇の改善を要求し、整然とした行動で改善を勝ち取っている場合がある。この頃の要求貫徹率はほぼ1割で、殆どは慰留で、妥協（一定の譲歩を引き出す）も2割ある。この期の抵抗は一定の成果を納めていることも注目してよい。『特高月報』の資料*では、1941年までほぼ同一の傾向を示している。

＊「戦時朝鮮人抵抗運動等一覧表」（龍田、2012年作成）、章末参考資料参照

全国的に見て最大の労働争議は、北海道の雄別炭鉱において、3月17日から22日にかけて、契約期間の短縮や時短を掲げて457人が罷業を行い、60人の検挙送還者を出した事件である。これに次ぐ大規模な争議は、日立鉱山諏訪採鉱所で起こった3月3日の事件で、日本人鉱夫が、賭博類似の遊びに興じ就業時間になっても辞めない朝鮮人に対しスパナで殴り裂傷を与えた。日本人警察は信用できないとして363人全員が一斉に罷業に入った。又、見事要求を貫徹したのは、空知の昭和鉱業新幌内鉱業所での宿舎の窓への格子設置に対し、2日間、423人中328人が罷業を行い、撤去させた事件である。この期のこうした事件は、罷業や一斉の怠業の形で行われるのが特徴と言える。

一方、労務係や日本人労働者の暴力に抗議する抵抗闘争は、多くの場合、集団で対抗することとなり、傷害事件として刑事罰を受けるなど、本国送還を伴う場合が多く、この件数は15件に及んでいる。その内5件は福島（内4件は常磐）である。

全国的に見て、この期の最大の「暴力事件」は、長野県西筑摩の日本発送配電常盤発電工事の監督の暴力に抗議しての「集団暴力事件」である。日本人監督を含め 6 人の検挙者を出している。同じく、日本発送配電の三浦貯水池工事での労務係による逃亡者への私刑に抗議して 150 人の「集団報復」がある。過酷な労務管理が土建現場にはあったことを物語っている。又、福岡県の遠賀郡の日産化学工業所高松炭砿でも、労務係の暴力への 200 人の「集団行動」により労務係の更迭を実現している。いずれも労務係の暴力が原因である。初期の「集団暴力」事件と後期のそれとの性格に違いはないのか。件数や事例で比較する限りでは、発生率は極めて少ないといえる*。

＊附属資料 6 表⑧-11 参照

⑥金一齎の死—同郷の絆 430 人の抗議

常磐炭田におけるこの期の労働争議として最大規模のものは、1940 年 1 月 23 日から 25 日にかけて、労務係による「リンチ」をきっかけとして起こった死亡事件に抗議した「怠業」である。『特高月報』1940 年 2 月分には「○○性膀胱炎を患いたる金一齎が 1 月 19 日、肺炎を併発し死亡せる処、稼働中の朝鮮人労働者 430 名はその前日、会社側に対し、本人の怠業を戒めるため事務所の中のストーブ側に約 1 時間直立せしめたるに起因するものと激高し、1 月 23 日、一斉罷業断行せり。死者の近親者という 2 名は激高の余り事務所に至り、私刑を加えたる労務係宗像徳次郎に対し詰問せんとせるが、言語不通のため乱闘となり、傷害事件を引き起こせり。調査の結果、私刑による死亡にあらざること判明」とある。「所轄署に於いて調査の結果、3 名の扇動者に起因するものと判明、所轄署に検束、傷害事件手伝者内地人 2 名、朝鮮人 2 名を検挙し、説得に努めたる結果解決せり」と記されている。私刑の存在は否定されておらず、日本人側の検挙者の存在は、この事件が単なる朝鮮人の誤解に基づくものではなく、リンチが死亡の原因だった可能性は強い。今のところ『特高月報』以上の資料は手に入っていない。入山採炭の朝鮮人労務係の木山茂彦の回顧録*に、初期の労務管理は「一視同仁」で、逃亡や怠業が常態化、「寮にいて暴動は起こすのです」と述べ、「強権的労務管理」に転じたとあるのは、この事件などを指すと思われる。或いは 10 月 27 日の 80 人の「暴力事件」のことかもしれない。

＊前掲「わが炭鉱労務管理を語る」『東北経済』64 号、59－61 頁

入山採炭の最初の動員地の忠清南道を中心とする労働者の同郷意識は、強かった

と推測される。死亡者金一齊の遺族は、「真相糾明委員会」に被害申請をし、認定されているが、聞き取りは拒否された。結果は、日本人2人の検挙と「扇動者」と見做された朝鮮人2人が検挙され、事件は警察の説得により解決したとある。現在、真相究明は困難であるが、初期の入山採炭の労務管理に与えた影響は大きいと思われる。

⑦磐城炭砿では何があったのか

『特高月報』の事例で見ると、常磐炭田における「暴力事件」4件は全て磐城炭砿である。その内2件は「言語不通」による誤解がきっかけとされている。例えば危険な場所に腰かけているのを日本人が注意したのを誤解して起こったとなっている。しかし、多くの場合その下地として日常的な差別があったのではないかと考えられる。他の1件は日本人労務の労働督促への不服従で、先に暴力を振うのは日本人である。そうした意味でこうした「暴力事件」(「直接行動」)は朝鮮人労働者の抵抗の性格が強い。朝鮮人通訳への暴力(7人)以外は50人、150人、200人と規模もかなり多く、検挙、送還者を出している。常磐炭田以外の福島の他の1件は、高玉鉱山での日本人の暴力に対する朝鮮人7人による「集団暴力」である。『特高月報』の福島県分は統計上では「示威運動」に含められて0件となっているが、7件の誤りであろう*1。全国的にはこの期は比較的多くなかった「直接行動」が、常磐炭田で多発していることをどう解釈すればよいのか。私は磐城炭砿特有の問題があったと考える。朝鮮人の雇用に関しては、最も経験を積んでいたはずの同社で、なぜ労働争議、中でも「直接行動」や労働争議が多発したのか。1つは、労働災害や犠牲者が多いことからも、労務管理を含む経営に地域最大手にして古い歴史を持ちながら、「老境の域」にあるとまで言われた経営上の体質にあるのではないか。それが集団動員された朝鮮人労働者に主に現れ、この様な結果が生まれたのではないかと解釈したい。経営的特質から生じたものとして、初期戦時動員に限らず、朝鮮人の抵抗を見る上での1つの視点として考えられないだろうか*2。

＊1 これは統計上「手段」の「1940年4月」の欄が1行ずつずれたために起こった統計ミスであることは明白で、訂正後を( )で表した(附属資料6表②)。同じようなミスが6月分にももう1ヵ所あるが(『特高月報』1940年6月分、77頁)、これも同上の表で訂正した。

＊2「磐城炭砿・入山採炭の合併に関する資料」(『常磐炭田史研究』創刊号、常磐炭田史研究会編集・発行、2004年、19頁)で鞍田東氏は、磐城・入山の合併に対する「温度差」について言及している。「未開発砿区」を持ちながら「積極的増産計画」に欠く磐城と

「資力と技術」を持ちながら砿区の狭隘に悩む入山の合併が増産に結びつかない原因について、両社の幹部の対立などのなれあいを批判する同盟通信の記事も参考に考察されている。確かに入山採炭は動員初期には死亡事故は少ないが、江原道での動員期以後は犠牲者者が急増していることにも目をやる必要がある。

（２）1940 年 5 月～12 月

①「多衆暴力事件」の性格

『特高月報』の統計（附属資料 6 表①参照）、全国総計と福島を対比すると、移住労働者 50,365 人に対し福島は 2,666 人、争議参加者 11,381 人に対し、500 人、件数 149 件に対し、12 件である。期間は 8 ヵ月であるが、参加者は初期の半分である。この期、全国的には、怠業（61 件）、直接行動（40 件）、示威運動（40 件）、罷業（39 件）の順であるが、福島の場合は、直接行動（5 件）、その他（3 件）、罷業（2 件）の順である。「直接行動」が 1 位を占めるのが特徴である。福島県で内容が分かるのは、後述するように、入山採炭 1 件、磐城炭砿 1 件の計 2 件である。

『特高月報』に挙げられた事例は全国的にも 6 件で、全て暴力又は「集団暴力」に限られる。北海道 2 件、福島、高知、大分、宮崎が各 1 件である。怠業や示威運動より「直接行動」が注目されるようになりつつあるが、全国的にはまだそれ程顕著ではない。分類では「多衆暴行事件」として挙げられているが、まだ 1942 年後半以後の様な切迫感はない。統計的（附属資料 6 表⑧-11）には 1940 年を通しても「集団暴力」に至る事件は 40 件で、闘争の主要な形態にはなっていないと考える。

②判決に差別

『特高月報』の福島県での事例では*[1]、10 月 27 日、入山採炭において労務係の暴力をきっかけに 80 人が詰所に集まって、「不穏な行動」により 4 人が検束され制圧された。他の 1 件は、平区裁判所判決文の中にある 9 月 4 日の常磐炭田内郷住吉坑の飯場での事件である。川口寮寮長の川口善治とそこに出入りする日本人砿夫が、坑内詰所で些細な事で朝鮮人労働者をなぐり打撲傷を与えた。本人が平署に訴え出んとするのを阻止したので、同僚の朝鮮人 2 人が日本人労働者を殴った。それを知った寮長が 2 人の朝鮮人を靴で蹴るなどして傷害を与えた。そこで、朝鮮人砿夫 9 人が共同して寮長と日本人鉱夫を構内詰所及び食堂において薪、板片、棒などで殴打し、1 ヵ月以上の創傷を与えた。日本人、朝鮮人各々に懲役刑が科された。しかし、日本人は 2 人とも執行猶予となっている。この判決文を読む限りでは、元々の原因は日本人の側にあるにも関わらず、執行猶予が付いていることには不公平さを感じる*2。

＊1『特高月報』1940年11月分、前掲『昭和特高弾圧史』6、2004年、67頁

＊2「1940年磐城炭砿坑夫（9名）の合宿所への待遇不満（傷害事件）11月6日」（2福島県平区裁判所検事局裁判原本、1940年～1945年）山田昭次編『朝鮮人強制動員関係資料集』Ⅰ（在日朝鮮人資料叢書5、緑蔭書房、2012年)、29－31頁

（3）1941年1月～12月

この期は大政翼賛運動の組織が次第に整備され、末端組織の町内会、部落会、隣組組織を通じて国民生活がファッショ的に統制強化された時期であり*1、国民生活は益々窮乏した。6月には都市における配給米が、国民1人当たり2合3勺とされた。日中戦争は行き詰まりを打破するためにも、国民生活や物、金、人の動きをより強固に統制し、総動員体制の強化をめざした。その結果、日米開戦を前に次々と一連の経済、労働の統制法が出されていく。しかし、朝鮮人の「割当募集」による労働動員計画は困難になり、割当数と「移入」実績は全国では69％と大きく乖離し、北西朝鮮への労働者の需要とも競合して、ようやく農村の剰余労働力も払底し始めた。一方では、動員計画による受け入れ側でも、朝鮮人労働力の大量使用にも習熟し始め、炭砿毎の独自の労務管理要綱なども作られ始める*2。

＊1 1941年4月には部落会、町内会の結成は21万に増加し、配給、防火、防犯などの国策協力機構となり、戦時下のファッショ的官僚支配の背骨をなす。42年8月には、大政翼賛会の世話役、世話人と部落会、町内会長と隣保班、隣組長を一致させたことにより翼賛会による国民の形式的一元支配は達成されたと見る（木坂順一郎「大政翼賛会の成立」『岩波日本歴史』20、1976年、300頁)。

＊2 1942年頃には「労務管理の経験を総括し」（長澤「日帝の炭鉱労働者の支配について」『在日朝鮮人史研究』3、30頁)、「異民族の大量支配に自信を持ち始めた」（守屋敬彦「朝鮮人強制連行方法とその強制性」『戦争責任研究』51号、戦争責任資料センター、2006年、15頁）等の指摘がある。

①発生の数的検討

『特高月報』により、この期の労働者の逃亡や争議という抵抗活動の件数や人数を見る。逃亡件数は増加するが、争議件数は減少の傾向を示す*1。即ち1941年の逃亡率は44.2％の最高値を示している。しかし、1942年は30％台に戻る。一方、争議は全国では移住者99,429人、争議件数154件、参加人数10,043 人と1940年代より減少の傾向を示している。争議件数の減少は『社会運動の状況』に基づく前掲遠藤論

文でも 48 件、3,140 人と前年の 4 分の 1 に激減しているが、これは労働争議に限られたものである。『特高月報』*[2] によれば 154 件、10,043 人であり、これは日朝間闘争を含めたもので、いずれにせよ減少傾向と言えるだろう。『社会運動の状況』*[3] の原因、要求、手段、結果の統計は『特高月報』と同数である。

＊1 朴前掲『在日朝鮮人運動史』339 頁の表は、この期が最多となっているが、既に指摘されている累計と年次数の混同による誤りであろう。

＊2『特高月報』復刻版、政経出版社、1973 年、1940 年 12 月分（104 頁）、1941 年 12 月分（120 頁）

＊3 朴慶植編『在日朝鮮人関係資料集成』1～4 巻巻末付表、1939 年～1942 年（1943 年なし）、5 巻、1944 年

『特高月報』から採った 1941 年の福島県の集計は 23 件、865 人で、減少傾向はない。このことから、引き続き常磐地域では朝鮮人との紛争議は多発していることを示す。しかし、期間が 12 ヵ月なので、率としては減少している。紛争議の中身を検討すると、その内 8 件が「直接行動」で、ついで怠業 6 件、陳情 5 件である。残念ながら、企業別は分からない。事例*によると日曹赤井の集団暴力 1 件、古河好間の罷業 1 件、磐城炭砿の罷業、不穏文書各 1 件が分かっている。「直接行動」が 1 番多いことは地域の特質として注目される。又、日曹赤井以外の 7 件の「直接行動」の企業分布を解明する必要がある。結果の項目では、23 件全ての争議は、警察によると思われる「慰留」により解決したことになっている。しかし、事例の内容を検討すると、一定の譲歩を勝ち取っている場合もあるので、この統計の取り方の信頼性に疑問が残る（附属資料 6 表③参照）。

＊ここでいう事例は、『特高月報』の各月分（『昭和特高弾圧史』6～8 巻）で挙げられている事件を「戦時朝鮮人抵抗運動等一覧表」（章末参考資料参照）として龍田がまとめたものを多く利用している。

②「特殊事件」の発生

次に事例*から内容の変化を検討して見よう。まず新年早々、1 月分の『特高月報』は 3 件の「特殊事件」を挙げている。何が特殊かというと、従来の事件はどちらかというと抑圧から守るという性格が強かったが、これらの事件は日頃の不満から新年会の席でのトラブルをきっかけに攻勢に出るという行動様式を警察の方で読みとったのではないか。1 つは長野県の日鉄北浦鉱業所で新年休業中の観劇中、警備の巡査に酔って言いがかりをつけ、殴られたとして同僚 100 余人がつるはし等を持ち出し、私服の警官を袋叩きにした。警防団が出動し鎮圧された。他の 1 件は、福岡

県の日産化学遠賀川鉱業所の 2,000 余の朝鮮人労働者中 225 人が賃上げ等の要求を掲げ、多少の改善で妥協したが生ぬるいとして、翌日、大挙して事務所に押し寄せ不穏な状況となった。その内の悪質者 18 名を本国に送還したというもの。最後のものは、福島の日曹赤井炭砿での正月の餅の配給をめぐるトラブルで、日本人より包丁で傷害を受けたため、朝鮮人 80 人が炊事場などを破壊した。結果は、事件を起こした日本人加害者が傷害罪に問われた。いずれも積極的に朝鮮人の側から要求を出したことがきっかけとなっている。

＊前掲『特高月報』1 月分、212 頁

その他、林えいだい『消された朝鮮人強制連行』の「抵抗運動」の章*[1] では、日炭遠賀川鉱業所高松炭鉱第 2 坑で、1941 年 3 月に、賃金が約束の 3 円より 50 銭安いこと、鶴嘴代を差し引くこと、労働時間も長いことに抗議して、何人かのリーダーの下でストライキに入ったという。第 2 砿だけでなく他の訓練所にも呼び掛け、数百人が起ち上がり事務所を破壊した。警官が 60 人程トラックで来て、憲兵隊の指揮で全員トラックに載せ、折尾の警察署に留置してから憲兵は引き揚げた。10 何人かの指導者は、強制送還されたが、お蔭で道具代が差し引かれなくなったと証言している。『特高月報』には無いが、「募集期」の集団抗争の典型的な例であろう*[2]。

＊1 517－519 頁

＊2 尚、『特高月報』は軍隊が介在した事件は記載しない傾向があるという指摘がある。『朝鮮人強制連行と強制労働の記録—北海道・樺太編』現代史出版会、1974 年、476 頁

③積極的な「集団暴力」事件

こうした傾向は、長崎の日鉄北浦鉱業所 100 人による警官への暴力、北海道大夕張の 213 人による寮長の変更を要求して警官を袋叩きにした事件、北炭空知の宿舎を破壊し、検挙者の釈放要求した事件、更に、茨城県の日立鉱山、神奈川の国道改良工事現場、静岡の土肥鉱業、日本鉱業峰の山鉱山での「集団暴力」事件でも、警官への暴力、警察署への押しかけ、事務所の破壊など、攻撃的な側面が見られ、1942 年度に激増し始める「集団暴力」事件に通じて行くものと思われる。ただし、「集団暴力」事件として事例が出ているのはこの 10 件にすぎない。

④食糧問題をめぐる紛争の増加

この期の紛争の第 2 の特徴は、6 大都市における 6 月からの米穀配給の通帳制の導入、1 人宛消費量 2.5 合への改定に伴い、炭砿においても飯米配給が、およそ 8 合から 4 合（筋肉労働者 3.8 合）に減量されたのをきっかけとしたストを始め、怠業（欠

勤、早退、転職、兼職）など多様な抵抗が噴出した。ストによる一定の成果が得られた場合もあった。

常磐炭田においては、先にふれた日曹赤井の暴力事件の外に、飯米の減量、食糧問題に対する罷業や不穏文書を出した３件が記録されている。『特高月報』には２件が記録され、古河好間炭砿では、朝鮮人労働者 210 人の内 168 人が従来 7.5 合～8 合を支給していた飯米を、6 月 8 日より 4 合に半減したので罷業を断行し、会社は 6.5 合に増量する事で、翌日には解決している。要求が譲歩を生み出した数少ない事例である。もう１件の磐城炭砿の綴第１寮の朝鮮人労働者 280 人への飯米の支給を、6 月 1 日から規定により 8 合から 4 合に減量するところを 5.8 合支給にしたところ、3 日の 1 番方 90 人中 40 人が空腹を理由に就業拒否、罷業に出たが、所轄署の説得により即時就業したという。不穏文書については、同じ会社の長倉坑での同年 9 月の 1 人による行動の様であるが、詳しくは分からない。更に、翌年の 5 月 31 日にも同社の内郷砿で、隊長奉孟鐘の扇動で 86 人がハンストに入り、首謀者 3 人検挙取り調べ中とある。常磐では、空腹で働けぬという要求には、会社としても何らかの対応を迫られたと思われる。全国的にも戦争末期まで食糧問題が紛争の直接のきっかけとなる場合が多い*。

*本章Ⅲ-3-(3)-⑤「食糧問題に起因する争議」参照

3　抵抗運動の質的転換—後期

（1）1942 年 1 月～12 月—転換への兆し

①日米開戦、動員方式（「官斡旋」）の強化—「集団暴力」増加の兆し

日米開戦をきっかけに、朝鮮人の闘争は、日本人の様に一時的にも初戦の日本軍の勝利に抵抗運動が著しく後退するようことはない。流言飛語や多様な民族主義的運動の中にも、却って冷めた認識やチャンス到来と見る動きさえ見せている。強制連行政策の行き詰まりを打開するための方策として、より拘束性の強い「官斡旋方式」の採用*により、朝鮮人の運動にも一定の変化が見られる。

*1942 年 2 月 13 日の閣議により「朝鮮人労務者活用に関する方策」が決定され、漸く熟練工の不足に悩む朝鮮総督府も朴慶植氏によると、内地工場における「朝鮮人熟練工の受け入れ」を条件に「労働者の送出は朝鮮総督府の強力な指導により行う」としたという。この転換により従来の内地受け入れの制限を決めた 1934 年の決定を廃止し、本格的に労働

力として位置付けることとなった。これを受け総督府では「労務動員実施計画による朝鮮人労務者の内地移入斡旋要綱」を作り、朝鮮人の朝鮮労務協会という行政補助機関や各地の職業紹介所、郡邑面の行政・警察機関、民間の朝鮮版「大政翼賛会」である「国民総力朝鮮連盟」を通じ、事前に動員員数を準備させる日本国内の「勤労報国隊」形式である統一された輸送方式で行われるようになった。契約期間は2年として帰ることを前提としていたため「家族呼び寄せ」は行われなかった。ところが実際には国と「内地」の企業側の都合による契約期間の延長により帰国を困難にした。又、この頃も面・里の有力者達や面の役人の積極的協力は得られなかったという外村氏の指摘がある（前掲『朝鮮人強制連行』79頁、80頁）。「農村再編政策」の構想の下に里（区）長クラスの「中堅人物」の協力を引き出す経緯については松本氏の分析がある（前掲『朝鮮農民の植民地近代化経験』213−214頁）。

まず、『社会運動の状況』で数的な変化を検討する。全国的に見て、争議件数が増える中で、「直接行動」は労働争議の他に「内鮮闘争事件」という項目が新たに加わり*、「募集」の他に「官斡旋」が別表で加えられる。これらを合計すると、「直接行動」（暴力事件）は121件となり、総争議件数295件の41%を占め、半数近くが暴力を伴うこととなる。参加人員は16,006人である。「日朝闘争」を除いた労働争議のみでは237件、12,607人である。但し『特高月報』の事例で見ると、必ずしも大規模なものが増えた訳ではなく、その面では、1941年とほぼ同数10件が挙げられ、他は比較的小規模の50人以下のものが多い。以下少し詳しく検討する。

＊「内鮮人闘争事件」の統計は、既に『社会運動の状況』（朴前掲『在日朝鮮人関係資料』1〜4巻「内鮮人争闘事件原因調」）では1939年以前から取られていた。『特高月報』ではこの期に始まる。

②全国各地で規模・件数が拡大・増加傾向

北海道では2月、3月に空知郡砂川の三井鉱山砂川鉱業所で暴力を伴わない夫々326人、244人参加の罷業と怠業があった。食事の減量や賃金の支払の遅延に反対するもので、9月、10月には空知の雄別炭鉱で寮の設備改善や賃金、待遇改善を求める闘いがある等争議件数はかなりの数に上る。規模は小さくても待遇改善を求める罷業・怠業も100人規模の「直接行動」と同じ位多い。又、「集団暴力」には致らなかったが、兵庫県の日亜製鋼の賃金の支払い方法を巡る143人の集団行動や佐世保の海軍建築部の384人の一斉退所行動などがある。佐世保海軍建築部の事件は後の大規模な340人の暴力事件の伏線になって行ったのかもしれない。かなり大規模な「集団暴力」事件は、北海道に限らず各地で多発している。岩手県の松尾鉱山184人、新潟県の三菱佐渡鉱山160余人、神奈川県の日本鋼管99人、滋賀県の日窒工業95人、佐賀県の下杵炭砿270人、佐世保の海軍軍建部340人、同日産化学工業の佐世保鉱業所など鉱山、炭砿、工場を問わず起こっている。主に日本人労務の暴力への抗議を始め、待遇改善への不誠意、食糧減、徴用工との喧嘩、逃亡者殺害の噂など多様な原因で起きている。規模の小さなものは、殆どが労務係の暴力への抗議である。

③2件の「集団暴力」事件—ここでも紛争激化の兆し

福島県に限れば、統計では争議件数は11件、内「直接行動」4件で、怠業と同数である。「直接行動」の事例としては、古河好間砿業所において1942年12月16日、勤労出動隊の訓練を嘲笑したとのことで労務係が暴力を振るい、これに対して朝鮮人81人全員が報復をなし、慰留された事件である。もう1件は、同じ12月15日に、大日本勿来炭砿で堤川勤労報国隊員40人が、労務係の暴力に対する報復と事務所や合宿所破壊の傷害事件により、内9人が裁判所の判決を受けている*。又、先に触れた様に5月31日に飯米の減量に対する抗議のハンストを86人が行い、慰留された磐城炭砿の例がある。そして、1943年は「集団暴力」の発生は新たな段階を迎えることになる。

＊この「事件」の参加者で判決を受けた9名の内、生存者は見つかっていない。罰金刑を受けた1人安基浩は引き続き大日本炭砿に勤め、解放後帰ったことが、息子の聖一氏の証言で明らかになっている。本書第2巻「第2回韓国調査報告」(2008年) 及び『戦争と勿来』23回、2008年を参照。

（2）1943年1月～12月　運動の質的転換—運動の先鋭化と広範化

①動員計画の拡大と「集団暴力」事件増大

この期は太平洋戦争が対峙段階からガダルカナル撤退以後の守勢段階に入る。翼賛体制の絶頂期でもあるが、国内の労働力の動員体制は破綻し、捕虜や中国人の動員も始まり、鉱山や土木、鉄鋼、造船分野でも朝鮮人への依存度を高めていく*。「国民動員計画」に基づく朝鮮人の動員は13万人に上り、朝鮮での労働力は払底し、新たな動員方式への模索も始まる。この期の朝鮮人の抵抗形態を象徴するのは、『特高月報』に、新たに「労働争議」の中に「直接行動」(「暴力事件」) の他に「集団暴力」が加えられたことである。『特高月報』の事例は、「集団暴力」事件で埋め尽くされる。統計的に見ると、全国的には324件、参加人数16,693 人、「日朝闘争」を除いた労働争議のみでは235件、1,528人である。この内「直接行動」(「暴力事件」) は労働争議、「日朝闘争」の分を合わせると171件、参加人数6,490人となり、各々53%、

42%となる。福島県では13件、541人となっているが、実際の参加人数が控えめになっていることは、『特高月報』の事例として出ている数よりも少なめであることからも分かる。尚、この年4月25日に起きた好間炭砿の400人の大規模な暴動の事例については後述「4　個別的運動の検討」の所で詳述する。

＊松村前掲『経済学報』10、168頁。

②朝鮮人の争議件数のピーク

上の数でも分かる通り、1943年は朝鮮人の争議件数が、戦時動員期のピークをなす。『社会運動の状況』*によれば、「募集」による朝鮮人の争議件数は1年間で184件、12,518人となる。更に、既住の朝鮮人労働者の争議件数165件、人数5,831人を加えると合計18,349人となる(附属資料6表⑧-9参照)。『特高月報』では朝鮮人労働者と言う場合、既住朝鮮人労働者は含まない。あくまで労務動員計画に基づく朝鮮人労働者をさす。『社会運動の状況』*には既住朝鮮人労働者の争議統計が1940～42年まである。但し、その数は1941年1,837人、1942年2,525人とそう多くはない。戦時動員朝鮮人の争議が増えているのは動員数も倍増しているので当然の様であるが、1944年は動員数が5～6倍に増えても、争議件数、参加人員数そのものは、逆にいくらか減少している。その原因は不明である。統制が厳しくなったためか、統計の取り方に問題があるのか。

＊1940年～44年の「社会運動の状況」朴慶植『在日朝鮮人関係史資料集成』、全5巻巻末の統計表集参照

外村氏は、1943年も含め動員数の増加に対する争議件数の割合の低下を「受け入れ企業側の朝鮮人労働者への理解が進み、トラブルとなりうる要因の除去に努めたことの影響」*としている。又、1件当たりの規模も小さくなったことが数字で示されている。しかし、数はともかく、少なくとも事例の上では大規模なものが増えていることは明白である。

＊外村前掲『朝鮮人強制連行』161頁

③「集団暴力」事件が大半

『特高月報』の事例76件の内「集団暴力」が50件以上を占める。北海道、樺太7件で、九州では24件と非常に多い。1944年には1,000人規模を含む大規模な闘争が起こるが、この時点では北海道の4件にすぎない。樺太名好の飯場でのリンチ殺人事件の死者引き渡しを求めて、朝鮮人労働者102人の労務係5人への「集団暴力」や豊畑炭砿での食事の不正に対する舎監への暴力などが目立つのみである。むしろ、

九州の八幡製鉄所での賄いへの不満から、「隊長」*を中心に500人規模の「集団暴力」事件となったものや、貝島大之浦炭砿の260人全員で駐在所への連行を阻止した事件や麻生赤坂炭砿の185人が、取り調べ中の死亡事件に抗議しての「集団暴力」を振るった事件、三井田川鉱業での作業督促への抗議から125人の「集団暴力」、事務所破壊、三井山野の180人の無断外出を責められたことから舎監や事務所への暴力、嘉穂鉱業所の110人が逃亡者への労務の暴力に抗議して事務所、社宅破壊など、「過激」な行動も少なくない。同時に、他地域でも、例えば岐阜県の三井神岡鉱業所400人の宿舎破壊の大規模な「暴動」や、常磐の古河好間炭砿402人の暴動、宮城県の松島飛行場建設現場400人の守衛への不満からの「集団暴力」事件など。更に、佐賀、熊本などでも100人規模の「集団暴力」事件がある。労務係への暴力や事務所破壊、警官とのもみ合いなどに至るものが少なくないことが注目される。こうした「暴力事件」に至る原因は、目の前の抑圧者としての労務係とのトラブルに起因するもの（35件）が殆どで、その場合、欠勤者への減食、食券の配布時期、炊事婦への不満、粗悪な食事、食糧の不正糾弾など、食事を巡る対立から発展したものが多い。賃金に起因するものも数件ある。1942年以降の『特高月報』は、原因別の統計資料を欠いている。しかし、この時期、帰国を要求した事例は見当たらない。

＊寮長を大隊長に、以下隊、班組織を採ることが記録にあるが、朝鮮人の小隊長位の意味か。

結局、「暴力事件」の場合は殆ど例外なく警官により制圧され、検挙、送局の犠牲者を出して終わっているが、その後の労務管理に与えた影響は大きいと思われる。松島飛行場の場合は、武装水兵18人が出て鎮圧されているが、例外的である。

④三井神岡鉱業所の大規模な「暴動」

次に個別の事例を検討する。1943年5月10日に起こったこの事件については、金賛汀氏が事務職員、当事者、労働運動家から聞き取りを行っている*。

＊長澤前掲『朝鮮人強制連行論文集成』308－313頁

それによると、この事件は「自然発生的」な事件ではあるが、全く偶発的な、非計画的なものでは無いとされている。理由は①暴発にしては統制がとれ、②見張りが配置され、労務係は逃げる途中の見張所で全員捕まり、③食糧を欠いていたにも関わらず、事務所や社宅が破壊されても、食糧が保管されている倉庫の略奪はなかったこと等が挙げられ、計画的なものであったのではと推測される。

要求は日本人砿夫らも認める程当然なもので、生きていけるだけの食事、労務係のリンチの中止、配給物資のピンはねの中止、日本人と同じ入浴の回数などを要求し、3日間の罷業で完全勝利に見えた。しかし、その後、首謀者10人は逮捕され、警察署に抗議に行った者は全員残って、抗議したものも7人検挙、説得された。警察の拷問で死亡者が出たという噂もあったが、金賛汀氏*によると確認は出来ないとのことである。

＊金賛汀「戦時下在日朝鮮人の反日運動」『朝鮮人強制連行論文集成』306頁

炭砿での労働と違い、技術的、職人的要素のある鉱山労働の現場では、日本人鉱夫の同情もあり、同所に連合軍捕虜も収容されていたことから、捕虜に波及することを恐れ、一定の運動の成果をもたらしたと評価されている。しかし、結果的には他の闘争と同じ様に、「無残にねじ伏せられ悲劇的な結末を迎えた」とされた。背景には、炭砿や土木現場に強制連行された朝鮮人労働者の監獄と変わらない寮での抑圧の不満が民族的差別により倍加され、朝鮮支配に対する「感覚的な反日感情」と結び付いているとされた。

⑤古河好間炭砿の大規模な「暴動」

次に福島県の場合を取り上げる。この年の常磐炭田における「紛争議」は、統計資料（附属資料6表⑧-1参照）によれば紛争議13件、参加人数541人で、労働争議としては怠業2件、27人、「直接行動」3件、16人、その他1件、82人であった。「日朝闘争」の6件、413人には、次に触れる古河好間の「暴動」事件を含んでいると思われる（附属資料6表⑥参照）。『特高月報』の事例*[1]としては3件、436人である。2件は賃上げや飯米の増量、飯場料の値上げに反対するもので、8月に起きた神岡炭砿の既住朝鮮人と思われる17人のストは成功している。飯米の増量は拒否されたが、寮費の値上げを阻止したのは、数少ない一定の譲歩を勝ち取った例として評価されている*[2]。

＊1　章末参考資料「戦時朝鮮人抵抗運動等一覧表」参照
＊2　長澤前掲「戦時下常磐炭田における朝鮮人鉱夫の労働と闘い」190頁

他の1件*は国際的にも知られることとなった、常磐炭田で「朝鮮人炭坑夫の相当大規模な暴動が勃発した」と延安の中国共産党第7回全国大会で、岡野鉄（野坂参三）が報告した事件の事と思われ、国内の労働争議や怠業など厭戦的気分の広がりの例として挙げられている。1943年の4月25、26日に事件のあった古河好間炭砿では、前年の12月にも80人の労務への「暴行事件」があった。『特高月報』によると原因は「言語の不解と民族的偏見に起因」し、402 人に及ぶ大乱闘となり、日本人に1 人の死亡者と 16 人の重軽傷者が出て、所轄署は一同を鎮撫したと記録されている。尚、この事件については、「4　個別的運動の検討」において改めて取り上げる。

＊『野坂参三選集　戦時編』日本共産党中央委員会出版部、1963 年、431 頁

「日朝間闘争」の例として、区裁判所判決*[1]にもう 1 件、常磐炭砿の内郷砿綴第2 寮（浜井場）おける 6 月 14 日の「暴力事件」についての判決がある。これもごく普通の「日朝間闘争」の代表的なものの 1 つと思われ、日頃の日本人の暴力に不満を募らしていた朝鮮人砿夫達が、たまたま近くの劇場で、映画を観賞中拍手をしたことを日本人から制止され、激昂した 20 人程が、あらかじめ準備していた棍棒で日本人砿夫を殴打した。中心となった 1 人が懲役 5 年の刑を受けている。この時「難」を逃れた日本人の 1 人の回顧によると、普段の日本人の横暴が主要な原因であり、報復を企てられたものと振り返っている*[2]。

＊1 山田前掲「磐城炭砿雑夫の日本人への反抗（暴力行為事件）、6 月 14 日」35 頁
＊2 大田弘氏よりの聞き取り（当時、常磐炭砿内郷砿勤務）

（3） 1944 年 1 月～12 月　抵抗運動の先鋭化と慢性化

①30 万人の動員計画と徴用

1944 年は 7 月のサイパン陥落を境に本土空襲の本格化が始まり、軍事的には戦略的守勢期から絶望的抗戦期に入る。日本的ファシズムの戦時国民動員史上では、動員体制の崩壊期に入る*。しかし、軍事的要請からのとてつもない増産計画に基づき、30 万人を超す朝鮮人労働者の「移出」を図るため、朝鮮人戦時労働動員は「徴用期」に入る。即ち、9 月以降は「朝鮮人労務者ノ内地送出方法強化ニ関スル件」が閣議に要請され、朝鮮における新規徴用による動員が認められるようになり、「官斡旋方式」による動員の破綻を食い止めようとした。つまり、建前としては国の罰則を背景として強制するのではなく、国家への「協力要請」であった「斡旋」から、行政が全ての国民に平等に課する兵役と同じ様に、国民の義務として強制するものへと移行する。このことは動員対象が、建前上は部落の上層部や知識階級を含むものとなり、動員対象者の大きな変化をもたらし、抵抗運動の性格を大きく変える要因となる。

＊加藤前掲『日本帝国主義下の労働政策』257 頁

②帰国要求が争議の大きな課題

又、「官斡旋」により動員された朝鮮人の契約満期は 1944 年の頭初より始まり、抵抗運動の要求事項には、「帰国要求」と言う強制動員そのものに反対するより本質的な項目が挙げられるようになった。又、逃亡者は九州を中心に被動員者の 50%に上るようになる。独立運動と関係を持つ在日世界との連携による抵抗運動の増大や「移入労働力」の中核的地位を占め、技術を持ち増産運動の模範的労働者として表彰されていた層まで抵抗の運動に関わるものが生まれるようになる*[1]。特に 6、8、10 月には北海道空知の住友赤平 1,200 人、三菱系の雄別茂尻 800 人、住友芦別 300 人の大規模な帰国を要求する暴動が起こり、東幌内、住友奔別でも実質的な内乱状態に近いとまで言われるような支配層の混乱も見られた。『特高月報』10 月分には「最近とみに生産増強の要請による定着問題を発端とした集団暴力事件ないし罷業、その他の紛争事件の発生は注目すべし」としている*[2]。常磐においても 9 月末から 10 月初めの総勢 500 人を超える帰国闘争など、支配勢力への組織的な抵抗の地下水脈の存在を予見するような事件が相次ぐ。九州地方からの逃亡者は、在日組織のネットワークを通じ、南から北、北から南へ、特に空襲が激しくなるに連れて、地方に向かう朝鮮人労働者の移動も盛んになったのではないか*[3]。こうした中で、大きな地位を占めるのは、軍関係事業の孫請けであれ、膨大な軍事予算を背景に、平時では得られない上昇のチャンスを掴もうとする既住の朝鮮人も現れ、移動、流動労働力にも就業のチャンスが与えられていたと思われる。既住朝鮮人層の抵抗運動における役割の重要性は指摘されている*[4]。

*1 遠藤前掲書「戦時下朝鮮人労働者連行政策と労使関係」13 頁を参照
*2 前掲「北海道と朝鮮人労働者」290－291 頁
*3 附属資料 2 に掲載の新井(朴)盛出氏の聞き取りを始め、移動のきっかけは口コミによる情報であるが、その実態の把握は進んでいない。
*4 長澤氏は炭砿周辺の朝鮮人の営む「料理屋」が闘いを支援していたことに触れているが、朝鮮人土建業者が逃亡の温床であったことはいうまでもない（長澤「第 2 次大戦末期の朝鮮人の闘い―北海道石狩炭田を中心に」576 頁、孫邦柱の注）。

③「直接行動」(「暴力事件」) 159 件、6,883 人

以下、まず労働争議と日本人・朝鮮人間の闘争の数的把握から始める。11 月の統計を遠藤論文*[1]から援用すると、全国労働争議件数は 157 件、参加人員 10,838 人、その内「直接行動」37 件、3,181 人である。「日朝闘争」は 147 件、5,086 人、その内「直接行動」122 件、3,702 人である。労働争議と「日朝闘争」の内「直接行動」との合計は 159 件、6,883 人となる。『特高月報』1944 年 11 月分には紛争議に「直

接行動」の内訳として「集団暴力」の一項が加わっている。「集団暴力」は遠藤論文では「直接行動」とのみ記載して内訳の記載がない。北海道の「報告書」の1、2、3月統計では*2 別項となっている。この統計には県別統計はないので、福島県の場合は分からない。

*1 遠藤前掲論文、4頁
*2 前掲「北海道と朝鮮人労働者」5頁

『特高月報』の事例*は88件ある。100人を超えるものは17件で、特に先に触れた北海道の赤平炭砿の 1,200 人を超える定着拒否闘争は、この期を代表する大規模な闘争である。北海道には他に6件の定着拒否闘争がある。その内2件は 1,000 人前後の規模で、この期の大規模な運動の主なものといえる。

*章末参考資料「戦時朝鮮人抵抗運動等一覧表」参照

④警察官も対象に

運動の先鋭化のもう 1 つの側面は、警察官に対しても攻撃の矛先が向けられたことである。1944年3月12日の福岡県鞍田郡宮田町の貝島大之浦炭砿の「警察官による抜刀事件」は、警官への「集団暴行」事件へと発展した。この流れの中に同年 6 月13日、北海道岩見沢市の東幌内炭砿石山組第3宿舎での労務係に対する「集団暴力」事件への警官の介入で、警察官が捕えられて宿舎で 2 ヵ月の重傷を負ったという事件があった。市街地への飛び火を恐れて、砿山警備隊や警防団が出て、内乱に近い状態を呈したという*1。『特高月報』はこれに加え、7 月 4 日、北海道茅部郡楽部村鉄道工事現場の地崎組配下大矢組飯場での警官への暴行事件を挙げて、以上の3件は「国民動員計画による朝鮮人移入以来、初めてのもの」*2 として注意を呼び掛けている。

*1 前掲「北海道と朝鮮人労働者」290－291頁。
*2『特高月報』7月分

⑤食糧問題に起因する争議

全国的に 100 人を超す争議には、食糧問題に端を発するものが9件ある。山形の大泉鉱業所 184 人、秋田三菱尾去沢鉱業所 186 人、神戸川崎重工 500 人、岡山玉野造船所 277 人の柿の窃盗犯引き渡し拒否、三菱鯰田鉱業所 160 人、三菱上山田 101 人、佐賀唐津炭砿 150 人など「集団暴力」6件、ハンスト 2 件の闘争を誘発している。同じ食糧問題で 100 人以下のものは9件ある。

⑥その他の争議

その他の運動では、三井芦別炭鉱茅沼鉱業所 400 人の「集団暴力」は、同僚に寮長の暴力への報復を託した遺言によるものである。労務係の暴力に起因するものでは、樺太の日鉄泊岸鉱業所 100 人、三菱美唄鉱業所 160 人などがある。北海道では 100 人を超すものには、他に日発工事場の 107 人、三井芦別の 200 人、三菱美幌鉱業所の 160 人、厚岸の軍管理採石事業所の 317 人があるが、いずれも罷業形態である。100 人以下で労務係の暴力に起因するものは 15 件。

その他の争議の原因を調べると、再契約拒否は北海道の 3 件を入れれば 14 件である。その他賃金 5 件、送金、賭博、寝具などの原因によるものもが 1 件ずつある。

⑦北海道の「争議」、九州の「逃亡」

北海道 23 件、九州、山口で 27 件が事例として挙げられている。西成田氏は 1941 年までの「争議」の参加者の占める割合が圧倒的（48%）に高いことから、積極的な闘争形態として、九州、山口地区の「逃亡」と対比した。『特高月報』の 42、43 年の事例で検討すると、圧倒的という程の差はない。移入数に比べ比率は高くても数自体はほぼ同じ、又は少し低い位である。九州、山口地域でも「争議」そのものは決して少なくない*。しかし、先に述べた様に北海道では 1944 年段階での「定着指導」を拒否する大規模な運動の存在から、その特質とすることは理解できる。

＊章末参考資料「戦時朝鮮人抵抗運動等一覧表」参照

⑦砿山警備隊の常設—軍の投入

こうした運動の激化への権力側の対応として特徴的なものに、鉱山警備隊という中隊規模の軍隊による抑圧体制が挙げられる。その典型的な例は、1944 年 3 月 13 日の福岡県の古河大峰鉱業所における「筑豊鉱山地帯特別警備隊」（本部添田町）の出動（軽機関銃 2 丁、実弾 60 発用意）である。朝鮮人労務者へのリンチ死亡事故に 300 余人が抗議、警察により鎮圧されていたにも関わらず、軍の対面を巡り対立する程であった。砿山警備隊の成立・運営などは、元部隊長からの聞き取りに詳しい*[1]。もう 1 つは、北海道東幌内炭砿の暴動での出動である。他に、海軍施設部隊の多賀工事現場や鳥取の美保での争議や交通事故での現役軍人への反抗等で、憲兵隊に引き渡された例がある。又、1943 年 4 月の常磐好間炭砿での憲兵隊の出動も証言がある*[2]。空襲時等の混乱に乗じ朝鮮人が暴動を起こすという想定の下での警備体制は、在郷軍人の教育召集による訓練だけでなく、警防団の出動にみられる過剰な反応も、朝鮮人労働者の正当な要求活動を過酷に抑圧したと考えられる。

＊1 林前掲『消された朝鮮人強制連行の記録』138－145頁
＊2 赤坂治男氏よりの聞き取り、2005年

⑧「北炭」大規模争議の真実—背景に強固な「在日」世界

「朝鮮人強制連行・強制労働の記録—北海道・千島・樺太編」(強制連行真相調査団)に収録された趙宗泰の体験談によると、1944年6月の東幌内争議の4日目ほど後、1班100人の班編成をし、班長を集めて何回かの綿密な計画の下、夜中、電線・橋を爆破し、交番・労務の建物を抑えた。大夕張や新夕張の応援もあったという。しかし、岩見沢の駐屯部隊より憲兵隊も入り、団交渉の決裂の中、夕方には鎮圧された。67人検挙、38人起訴、懲役1年から10年までの判決が出たという。しかし、戸塚秀夫氏による北炭の会社資料の検討や証言からは、この動きについては証拠が検出されなかったという*。尚、この事件の背後には朝鮮独立運動と関係の深い指導者(金太玄)や組織が存在していたことを同書の記録から知ることが出来る。

＊前掲「日本帝国主義の崩壊と移入朝鮮人労働者」220頁

旭川の徐任善の朝鮮料理屋が会合の場に使われたこと等、在日朝鮮人社会との強固な繋がりについては、林前掲『朝鮮海峡—暗くて深い海』(179頁)の鄭正摸らの北海道での活動でも確認できる。長澤は「第2次大戦末期の朝鮮人の闘い—北海道石狩炭田を中心に」*の中で、1943年に旭川始め各地に広く朝鮮料理屋を営む孫邦柱や砂川、美唄、幾春別名の朝鮮料理屋、孫氏と連携して北炭の慰安所「南亭」を営む平沼繁男、大夕張の朝鮮料理屋「星の家」を経営する田原千守等と繋がる独立運動家安先浩についても述べている。この年に検挙があったとはいえ、そこで築かれた組織が1944年の北炭での蜂起の基礎組織に繋がっていたと推測される。又、戦後の朝鮮人の闘いに、出獄後の孫氏らの名前が挙がっていることも興味深い。

＊『日朝関係史論集』姜徳相先生古稀・退職記念、新幹社、2003年、193頁

⑨常磐における帰国要求の広範な動き

常磐炭田の統計資料は無いが、事例からの集計では4件519人である。2月5日に起こった大昭上山田炭砿での「集団暴力」事件は、食事の支給を巡るトラブルから日本人隊長に殴打されたのを見た周囲の朝鮮人3人が同情して、隊長を殴打したものである。更に、事務所に逃げ込んだところを、同僚10名で事務所を包囲し、全治2週間の傷害を加えたとして、4人が検挙送局されたもの。当時、100人の朝鮮人労働者が動員された500人規模の中小炭砿である。もう1件は「賭博」を労務係にと

がめられ、労務に暴行が加えられた事件である。

最も注目すべきものは、9月30日から10月2日に起きた契約期間の満期を迎え帰国を要求する紛争で、北海道における大規模な紛争と軌を一にしている。事の起こりは、常磐湯本砿第1寮において、第1回「官斡旋」の60人の内53人が期間の延長に応じず、帰郷しようとするのを全員検挙し、中心人物2人を説得し、1年の延期を約束させた。湯本砿の成り行きを見守っていた内郷砿の第2回「官斡旋」の満期終了者66人は、9月22日の満期終了以来休業状態に入っていたが、同砿青葉第3西寮の300人と高倉第1西寮の75人も休業に入る等、険悪な動きに立ち至った。警察は内郷砿の66名を検挙し、中心人物の説得に成功して、他の者も延長に同意し、休業中の375人も所管署の説得で就業したと、『特高月報』に記されている*[1]。こうした満期帰国闘争に影響を受けたからか、1945年には、契約期間が切れた時、強く再契約を拒否して帰国の途についた2件の例が聞き取りによって証明されている。その1つ全羅北道茂朱郡の劉鳳出は、1月に一緒に動員された先輩達と帰国している*[2]。定着率は統計的に把握できない。

＊1 1943年4月分、前掲『昭和特高弾圧史』8、75頁

＊2 龍田「第3回調査報告」及び『戦争と勿来』第24号、2009年、26頁。林潤植氏『戦争と勿来』第13号、1998年、4頁

（4）1945年1月〜8月

この期は総動員計画に基づく戦時動員政策の崩壊期であり、既に全国的な中央政府による動員計画は放棄され、地方の県に重点が移行する*[1]。朝鮮人の動員も5月以後は、海上が封鎖され輸送が困難な中、徴兵制された兵士であるが、実際は「武器を持つ戦闘要員」ではなく「労働者」として労務に服する形の動員もあった*[2]。移入が困難な中、抵抗闘争はどの様な展開をなしたか統計的な把握は難しい。事例として裁判記録には国家総動員法違反（逃亡）件数が少なからずあること、『特高月報』の事例*[3]も6件程残っているが、全て食糧を巡る争議であり、「集団暴力」事件である。規模の大きいものは、北海道和寒砿山の100人の倉庫開示要求、長崎三菱造船所の170人の事件である。

＊1 松村前掲書、168、169頁。既に制度的には1943年12月の閣議で決定されていて、1944年3月から国民職業指導所が、管轄市町村長の指導する「国民勤労動員署」に改称されていた。1945年3月には、勤労動員関係5勅令を廃止して「国民勤労動員令」に一本化し、職場・地域毎に「国民義勇隊」が編成された。しかし、実質的には労働力動員の基

盤がなく、45年度の「国民動員計画」の作成すら不可能になっていた。

＊2 塚﨑昌之「朝鮮人徴兵制度の実態－武器を与えられなかった兵士たち」『在日朝鮮人史研究』34、2004年、54頁

＊3 前掲『特高月報』212頁

4　個別的運動の検討—古河好間炭砿の事例

（1）個別的検討の意義

先にも触れたが、戦時中の日本国内に動員された朝鮮人労働者の抵抗運動の意義は決して一国史的観点だけでなく、アジアの国際的な反ファシズムの運動の中に位置づける重要性が指摘されていたが、そうした観点を実証するにはあまりにも資料が不足しているといわざるを得ない。残念ながら本章ではその点については殆ど取り上げられないことを断りたい。ここで取り上げる事例は、古河砿業*という日本の資本主義形成期に大きな役割を果たした財閥会社が赤（銅）から黒（石炭）に比重を高めた時期に、石炭砿業の中心的炭砿の1つである好間炭砿で1943年4月に起った事件であった。この事件は労務政策と極めて深い関係があるだけでなく、事件の概要を知るのに必要な資料が比較的多く、今後の常磐における抵抗史研究のきっかけとなることが期待出来るからである。

＊昭和初期に古河鉱業株式会社から石炭部門が独立して「古河炭砿株式会社」となったが、1941年に再び統合され「古河鉱業株式会社古河鉱業所」となる。ここでは他の炭砿の表記に合わせ、古河砿業に統一する。

（2）検討資料

・平区裁判所判決文　「暴力事件」6件、7判決中の「暴力事件」1件、2判決

・『特高月報』　事例23件、統計73件中の4件

・大塚一二氏聞き取り　1件

・S労務係からの聞き取り、A労務係の子息からの聞き取り　各1件

・被告遺族からの聞き取り　4件

（3）古河好間砿業の歴史と古河砿業所

①古河砿業所と好間砿業所

古河好間砿業所は、常磐地域の主な炭砿の創設に関わった白井遠平が、入山採炭の社長の座と引き換えに、好間に開いた好間炭砿株式会社の経営権を、1915年5月に、古河砿業が譲り受け、新たに同小舘地区に開坑したことに始まる。生産高は大戦期をピークに、昭和の不況期は16万トン台にまで落ちる。1933年には古河石炭砿業と改名し、銅山部門を切り離す。戦時増産政策の中で目尾や下山田砿の生産の低下の中、新たに古峯砿を開き、その中心砿となる。これを契機に1941年には再び、合名会社を吸収して古河鉱業株式会社となり戦後財閥解体まで継続する。

②好間砿業所—戦時軍需工場指定

好間砿業所は常磐の石炭分野で2番目の生産高で、戦時増産政策の中では特に朝鮮人や短期労働への依存率を高めながら、従業員数28,000人に上ったにもかかわらず、生産高は1944年47万トン、敗戦時の1945年30万トンで、大正期の55万トンにはるかに及ばない。1944年4月には、常磐炭砿と共に軍需会社に指定された。技術面で他社に誇ったイグナー式巻き上げ機による竪坑は、大正末に水没したが、1940年に修復した。排水はここでも最大の課題であった。坑内の温度は高くなく、メタンガスの発生は比較的少ない。戦時中既に坑道は数キロに及び、事故多発の可能性は高かった。福利面では鉱夫扶助規定等も1937年から適応されていた。

③「事件」前後の争議——一定の成果

『特高月報』1943年4月分によると*、朝鮮人労働者の紛争議の4件の内2件は「暴力事件」ではなく、1件は1940年の飯場料の50銭から60銭への値上げに対する25名の絶食同盟で、4人が送還された事件。もう1件は、1941年の飯米4合の減食に対し、40名が空腹を理由に罷業し、1合5勺の増量を勝ち取った数少ない譲歩を引き出した運動を経験している。他の1件は、1942年12月、勤労報国隊の訓練への嘲笑的態度に対し労務係が暴力を振るい、見ていた80人が報復をした事件。同じ時期に起こった勿来における堤川勤労報国隊の「集団暴力」事件と共に、翌年4月の大暴動の伏線であろうか。

＊前掲『昭和特高弾圧史』8、75頁

（4）「事件」の概要

『特高月報』によると*[1]、原因は「言語の不解と民族的偏見に起因」し、402人に及ぶ大乱闘となり、日本人の1人の死亡者と16人の重軽傷者を出し、所轄署が一同を鎮撫したと記録されている。大塚氏と同地区に住んでいた日本人の貴重な聞き取りによると「朝鮮人に信望の厚い某氏が調停して引揚げさせた」となっている*2。

*1 同前、75頁

*2 大塚「常磐炭鉱を中心とした戦中朝鮮人労働者について」『東北経済』137頁、138頁の高橋繁治氏からの聞き取り。これによると「1週間で殆ど帰されたが、主犯と思われる7名は帰って来なかったので、その後は不明である」となっている。これらのことを考えると、この判決の23人の他に「殺人罪」を含む7人の「主謀者」の存在が推測されるが、今のところその他の情報はない。

幸いこの事件に関しては平区裁判所の判決文がある。7月1日の6名の判決文*1と7月27日の17名の判決文*2があり、前者は比較的早く調書が取れたグループと思われ、科量が軽く最高3ヵ月の懲役、後者は最高10ヵ月である。事件の経緯も記載され、日本人長屋のある小舘地区と川を隔てた朝鮮人寮のある松坂地区から「木棒、竹棒、石等を携帯し」「抵抗不能の同坑坑内機械夫内地人」ら19人に重軽傷を負わせ、共同浴場、長屋27戸を破壊したなどと詳しい被害を記している。不思議なことに、この判決文は日本人の死亡の事実には一言も触れていないことである。龍田の聞き取りによると、当時小学生の記憶であるが、死亡者の子供が同級生であったこと、憲兵隊の出動を見たという記憶を持っていた*3。

*1 山田前掲「古河砿業好間砿業所古河炭砿採炭夫他(6名)と日本人坑夫の抗争(暴力行為事件)」35−37頁(附属資料4、5参照)

*2 同上「(17名)と日本人坑夫の抗争(傷害・暴力行為事件)」37−40頁(附属資料同上)

*3 小田炭砿労務係赤坂治利氏の子息、治男氏よりの聞き取り。当時、死亡した日本人T氏の子息と同級生だったという(附属資料4、5参照)。

(5)「事件」の裁判所判決の被告を訪ねて

この事件の真相究明のため、2008年6月、判決文にある被告の本籍地忠清北道の清州を訪ね、中央・地方の「被害真相糾明委員会」や面の戸籍係の協力により聞き取りを実施しようとしたが、被告23人中9人の被害者遺族の被害申告又はその消息は分かったが、被告自身は既に死亡していた。

①最年長の金先鳳の子息周讃氏の聞き取り—語り継ぐ事件

被告中最年長(当時43歳)の長男より聞き取りを行うことが出来た。刑期が8ヵ月で、年長者を敬うという当時の朝鮮人の風習から見ても大きな役割を果たしたと思われる。金先鳳は農業も巧みで、話と民謡が上手であったという。背は低くて細身だが、温和な性格で、送金は几帳面で欠かしたことのない父親であった。「監視が厳しく、うるさくて、すぐ叩き、自由を与えない」ことに不満を抱いた。又、「警察で死ぬほど叩かれた」という。そんなことを老人会館などで面白く話したという。逮捕されたことをむしろ誇りにしていたということは注目される。事情により帰国後、早々に死亡した。

尚、金の近所に住み、事件後、同炭砿に入所した82歳の友人は、殺人罪で問われた1人の朝鮮人について、名前以外は話してくれなかった。江原道からの6月の動員者達も、この事件については語らない。いずれも自分の所属した炭砿について「悪い事をしなければ」待遇はそうひどくなかったと証言していることは注目される。これらの聞き取りの報告は別に行っているので参照されたい*。

＊「第2巻　第3回韓国調査報告」参照。龍田「常磐炭田戦時動員朝鮮人被害者を訪ねて－第3回韓国調査報告」2008年。尚、その後、6回目の訪問で金昌越氏に再度このことについて質問したが、自分の命が危なく逃げることばかり考えていたので、前に起こった事件を聞く程の余裕がなかったからで、隠しているわけではないとの返答であった。

②若いリーダー周（中島）在勤の弟の聞き取り

在勤（本籍忠清北道沃川郡）の第3弟は、同行者で「真相糾明委員会」への申請時の証言者であるS氏から兄は5ヵ月間刑務所に入れられたこと、当時としては少ない国民学校を卒業し、体も大きくリーダーとしての立場にあったこと、肺結核（肋膜）に苦しみながらも、帰国後、里長も務めたこともあると聞いた。遺族会の活動もしているらしく、事件の真相糾明に関心を示す。補償問題には現在、韓国の政府にも異議があるという。在勤氏は戦後49歳で死亡した。

③判決1組のリーダー鄭（池本）達根弟の聞き取り―部落長老の家

本籍は忠清北道堤川郡の月岳山の麓の50戸ばかりの山村の部落出身。父は村の書堂の先生であり、4代の家族と一族の家があった。なぜ、古河好間炭砿の動員に応じることになったかは分からないが、同村にはもう1人の死亡犠牲者がいることから、何名かの動員者と一緒だったことは推測できる。事件2ヵ月後の7月1日に判決が出た1組6人と7月27日に判決の出た2組17人とに分かれている。彼は1組の中では、最高の3ヵ月の懲役刑を受けている。1組6人は家屋の破壊の罪は問われているが、傷害事件には関与していないようである。この違いについての情報はないが、彼の社会的地位からもその行動が推測出来る。帰国後も里長を務め、農学校を出ているので、公務員にもなれたが、読書と農業の生活に明け暮れていたという。朝鮮戦争ではこの部落も戦禍に見舞われ、一族は移動し兄と苦労を重ねたという。父はこの時亡くなっている。又、この事件の遠因の1つに、同郷（忠黄寮）で隣村の朴先奉の炭壁崩壊による死亡後の取り扱いの不満があったといわれる。彼の事件に関わりがあるのではないかとも考えられる。

又、彼の次弟は早くから日本との間を往来していたという証言もあり、事件の中心的な人々の社会階層的思想的な調査の必要が感じられる。

（6）古河好間事件から言えること

この事件は、1943年の「集団暴力事件」に共通する思想的組織的な援助のない孤立した大手炭砿に起こった大規模な抵抗運動である。そうした意味で、自然発生的な要素を持つ。しかし、その内部の発生のメカニズムを見ると、普段の強制と暴力の支配する労務管理と事故による死亡犠牲者への粗末な取り扱いに対し、同郷意識や日頃の民族的差別により強められた民族的連帯感に支えられていた。そして、その中心的役割を果たした人物は、農村社会のリーダー的地位にあるものと陽気で律義な働き者を含めた層の結合の中から生まれた。しかし、判決に見られるように、その終息、又は取り調べへの対応を巡り前記の様に2組に分かれた。リーダーの一部は殺人罪又は強制送還されたが、大部分は刑期を終え、引き続き同一炭砿で働き、戦後帰国した。事件に対する帰国後の評価は、自分たちの行動を同郷者に肯定的に語っている。こうした心理的な状況は、坑内労働と寮生活の日々の会話や態度の中で培われた共同意識に支えられ、決して突発的に起こったものではないと思われる。又、この後に動員された砿夫の中には、食事が良かったこと、監督も安全にも気を配り、優良砿であったと認識する労働者も現れた。生活の一定の向上は一時的とはいえあった。しかし、このことで彼らが暴力と競争による過酷な支配を忘れたり、認識していなかったと思うのは早計であろう。全て「悪いことをしなければ」の話である。「悪いこと」とは「抵抗」である。軍隊式の生活規律は、その後更に強まったと思われる。又、死亡犠牲者に対する取り扱いについて戦争末期のことではあるが、堤川より好間に動員された鄭樂源氏の証言によれば、その取り扱いが必ずしも教訓を生かした鄭重なものであったとは到底思えない*。

*氏は20人程の遺骨を一時帰休を期に労務係と共に一括奉還の仕事を委ねられた。そして、遺族から酷くののしられたことを契機に、会社に嫌気がさし、帰社後、逃亡を図ることになった。北炭の「移入朝鮮人災害事故取り扱い要綱」にある様な行き届いた死者への取り扱い要綱も、現場の係員が理解し、実行できるような余裕はなかったと思われる。

5　戦後直後の運動と帰国概要

戦後の常磐炭田における朝鮮人砿夫の闘いに関する資料は、石炭統制会東部支部の「常磐炭砿における朝鮮人の行跡」が一番詳しい。長澤論文*によると、それは福島の米軍政部に常磐炭砿から提出された英文の書類である。『いわき地方史研究』23号に掲載された他の3文書がある。一方、庄司吉之助の『福島県労働運動史』1巻に収録された「常磐炭田における炭砿稼働朝鮮人の不穏行動に関する件」3文書は、警察の行政文書と思われる。以下、それらを参考に簡単な経緯を述べておく。

*長澤「8.15直後の朝鮮人鉱夫の闘い」『常磐炭田における朝鮮人労働者の闘争』いわき地方史研究会、1986年、84－93頁

（1）朝鮮人労働者の要求と組織

①中小炭砿から自力帰国

8月15日の解放を迎えた戦時動員朝鮮人は、どの様な行動を採ったか。連合軍捕虜や戦勝国民としての中国人労働者と違い、直に仕事を辞め、帰国を要求する行動に起ち上がったものはそう多くない。常磐地域では赤井、小田、関本、大日本勿来の各炭砿では直ちに帰国を始め、賃金等の清算もせず、自費での帰国を始めた様である。今のところ確かな背景は分からぬが、それ以前からの「定着政策」への不満が蓄積していたに違いない。

②「湯本朝鮮人会」の罷業

常磐炭砿等の大手では、10月7日に「湯本朝鮮人会」組織と要求を掲げて起ち上がり、罷業状態に入った。その後12日には平警察署で在日朝鮮人連盟福島県本部が結成され、他砿にも罷業が広がり、16日に出来たばかりの在日朝鮮人連盟本部の金斗容が常磐炭砿の要請を受け、争議調停のため招請された。

③朝連中央の指導と金斗容の来磐

10月19日の金斗容の来磐により、運動は本格化する。23日には物資配給所の調査等を含む要求条件を出し、回答期限を24日とした。この間、日本人労務や警察官に及ぶ追及や倉庫の調査が行われ、ついにＧＨＱの軍事介入を招く。福島軍政部郡山分遣隊22名が完全武装して平に入り、27日、ヘース中尉が内郷、湯本で朝鮮人の

代表と会い、全面的に朝鮮人の闘争を否定、更に朝連幹部と会い、闘争の終了宣言を出させた。米軍の支持を受け、会社は朝連の要求事項に対して28日には零回答に等しい回答を、副社長大越新、労務課長中村豊から伝えた。

④日朝連帯の芽生え

29日の午前中には、自治会館で報告集会が開かれ、800人が参加した。夜は湯本座で朝鮮人500人、日本人も200人参加した「常磐炭砿労働組合準備会」を名乗る集会が開かれたが、日本共産党の今村均が演説中、シンバーグ中佐の命令により解散させられた。しかし、この闘争は周辺の炭砿に影響を与え、ほぼ同様の要求が出されたが、結果的には成果は出なかった。しかし、こうした運動が、日本人との共同闘争に発展する事を恐れ、又、朝鮮人労働者の就労が不可能なことを知り、米軍は政府や石炭統制会との調整を図りつつ、即時帰国の方針に踏み切った。

（2）帰国の実態

朝鮮人の帰国は1945年11月2日に始まり、11月17日に常磐炭砿の2,355人の帰国で、一部の残留者を除いてほぼ完了した。延べ家族を含め4,847人に及ぶ。しかし、16、17日に新潟港に向かった3,000余人の帰国者達は船がない為、約1ヵ月市内の収容所で過ごし、その後、佐世保港を経て群山に帰還した様である。この間、交通費は只だったが、食糧は自弁の為、殆どの所持金を使い尽くして、漸く家にたどりついたといわれる。

又、この時、会社側との十分な賃金や預金、積立金や各種団体の脱退金など清算しないまま、数百円の所持金を持って帰国した人達が多かった。又、樺太からの転換労働者は、家族と離散したまま苦難の道を歩むことになる。

（3）朝鮮人の戦後の闘争の意義

これらの闘争は、その後の福島県の在日朝鮮人運動の出発点となったこと。又、隠匿物資の摘発や分配を通じ日本人との共同闘争が生まれ、日本人の労働組合運動を始めとして、民主化闘争のきっかけとなったことなど積極的な面があった。しかし、連合軍を解放者と見たことや性急な政治スローガンの持ち込みなどの問題もあったと言われる。

まとめ

1　争議の数的検討

日朝間の闘争の全国統計は『社会運動の状況』によると、1933年の6,225件から35年3,461件、39年1,767件、40年1,795件、41年1,139件、42年734件と減少している（附属資料6 表⑧-5)。『特高月報』の「紛争議」全体の数字は1941年の154件、10,043人を最低として、1942年295件、16,006人、1943年346件、16,695人、1944年303件、15,230人（11月末まで）と漸増傾向にある（附属資料6 表⑧-6)。ただ、直線的に増加したわけではなく、1941年と1944年は減少気味で、45年は5ヵ月の統計しかなく、不完全なものかもしれないが減少している。

福島県の場合、『特高月報』の統計では1941年に最多の23件、865人を記録して、42年11件、167人を最少として、1943年13件、541人と又、増加の傾向にある。残念ながら44年以後は『特高月報』に県別表がない（附属資料6 表⑧-1)。又、1942年までの統計しかないが『社会運動の状況』*の県別統計では、やはり1941年を最少に、以後漸増傾向を示している（附属資料6 表⑧-2・3)。福島県の統計上の数字が41年をピークとし、しかも「直接行動」も多い事は経営体個別の問題か地域的特質かどうか興味深い数値を示している。

＊『特高月報』『昭和特高弾圧史』8、331頁

2　「直接行動」（「暴力事件（集団暴力を含む)」）について

全国的には「直接行動」の動きについて『特高月報』の集計によると*、件数、参加人数共に全国的に増加している（附属資料6 表⑧-11)。福島県の場合は、統計的には増加の傾向を確認することは出来ない（附属資料6 表⑧-12)。事例に採ると1943年3件、427人をピークに40年6件、389人と2つのピークを持つように見えるが、内容的に検討すると、破壊性、攻撃性で42年以後の後期の「直接行動」とは性格を異にする。戦時動員朝鮮人労働者の抵抗形態の特色として、「直接行動」は数的には特徴的な位置を占めているが、一貫して基本的な形態というより、時期的に後半に

集中した形態と見ることが出来る。

＊集計は龍田が『特高月報』の統計より抽出したもの。1939年～42年は「朝鮮人の状況」2「紛争議の状況」の「直接行動」、1942年1月～43年12月は同上「労働紛争議と朝鮮人闘争」の「直接行動」、1944年1月～11月は同上、「直接行動」「集団暴力」の項より抽出。

3　地域的特質と在日世界との関連

「労働争議」と「逃亡」を北海道と九州・山口という地域的特質として対比して見ることは、『特高月報』の事例を検討する限りでは必ずしも言えなかった。しかし、北海道炭鉱汽船鉱業所関係資料では*大規模な紛争議が6件掲載されているのに、『特高月報』では2件に限られており、特高資料にも限界があった。

＊長澤前掲『日朝関係史論集』563－574頁

常磐地区では逃亡者が比較的多い*[1]のと労働争議については、「直接行動」が多いことが地域的特質と言える。「直接行動」は、事例研究で見る限り最も多い抵抗形態である。逃亡率は全国平均的であり*[2]、九州に次ぐことなどが確認出来る（附属資料6表⑦）。

「在日世界」との繋がりと「逃亡」との関係性については、民族解放運動との関わりを持つ「逃亡援助活動」もあったが、継続性はなかった。「直接行動」については、今のところ直接的な関連について検証することは出来なかった*[3]。

＊1 長澤氏によると1939年度には44.4％であった（長澤前掲『朝鮮人強制連行論文集成』185頁）。

＊2 西成田前掲書、293頁参照。1939年は6％台、41年は50％台、40・42・43年は30％台後半であった。

＊3 九州や日本各地の軍需施設の建設現場、北海道の事例に見られる様な労働者出身の運動家と戦時動員労働者の「紛争議」・抵抗運動との接点は、朴慶植前掲『在日朝鮮人運動史―8.15解放前』や林えいだい前掲『消された朝鮮人の強制連行』等に多く記録されている。『特高月報』で住所の分かる労働者出身の治安維持法関係事件の当事者遺族を訪ねることを含め、検討材料は多数ある。

4　個別事例の検討

古河好間砿業の経営的特質は何か。政商から近代資本への転化を、日清・日露の戦争を期に成し遂げ、周辺農民との源初的な公害問題を体験し、又、日本労働運動史上最も早い自然発生的な大暴動の経験を教訓とした労務管理が行われたはずである。しかし、現実には戦時期に至るも石炭分野の主要作業場である古河好間炭砿、古河大峰炭砿での大規模な暴動が起こり、憲兵隊や鉱山守備隊の出動までに至る事件に及んでいる。事件後の労務管理において好間では、朝鮮人労務管理東日本一を誇る「優良砿」として、軍隊的規律訓練と食事等の改善は一部の労働者に対しては一定の成果を上げるが、多くの労働者の心を掴むことが出来ないまま8月15日を迎えたのではないか。

5　帰国運動と戦後の運動

なぜ常磐における戦後の運動が10月8日から始まったかについて、北海道の運動との関連を長澤氏が提起している*1。戦後の運動はまず連合軍捕虜から始まり、次いで中国人が起ち上がっている。それを朝鮮人の運動が継いでいる。常磐では連合軍捕虜の帰国は速やかで、朝鮮人の運動とは直接には結びついていないと思われる。ただ、米軍が朝鮮人の早期帰国を決意するきっかけになったのではないかという指摘もある*2。又、戦争中からの在日朝鮮人の運動を明白に継続した証拠は見つかっていない。10月22日の要求書の提出に名を連ねた32人の代表の内、福島県本部代表とした金蓬金以外は殆ど戦後の朝連の活動家に現われない名前である。彼らが戦争中どんな立場の人達かは今のところ分からない。一方、この運動に12月に活発化する日本人の労働運動が連動したというより、日朝労働者の要求運動に対抗した対策として企業の方から準備された面がある*3。全県の「朝連」運動の出発が常磐の闘争をきっかけにしたことも間違いない。

＊1 長澤前掲「第2次大戦末期の朝鮮人の闘い—北海道石狩炭田を中心に」『日朝関係史論集』559頁
＊2 元京都大学人文科学研究所の水野直樹氏のご教示による。
＊3 木山前掲「わが炭砿労務管理を語る」85頁

附属資料1　常磐炭砿における戦時中の「官斡旋」朝鮮人労働者の証言

語り手　趙泰久
聞き手　平和を語る集いメンバー

○趙さんの略歴をお願い致します。

趙　1910年、慶尚北道善山郡生まれ、現在81歳。日本名は安田正治。

1943年（昭和18年）2月2日に下関より31歳の時に入国。

現在は永住権（5年ごと書き替え）を得て、いわきに在住。

常磐炭砿入山三抗（四抗の間違い？）で働き、当時の名前は「かんよう」といい、趙という苗字は名乗れなかった。1941（昭和16）年に「かんよう」と名前に変えました（創氏改名）。朝鮮人はつらいですよ。自分の苗字まで無くしたからね。私の村は80数戸あり、その内学校へ行っているのは1軒に過ぎなかった。現在、あちらに家族は息子が1人いて、孫は大学にまで行っています。妻はもう無くなっています。こちらに来て以来50年間、私は一度も帰ったことはありません。

○日本に来ることになった経緯についてお話し下さい。

趙　炭砿で働くことは分かっていましたが、炭砿がどういうところかは分かりませんでした。お金を稼げるということで、村からは私が1人だけで、釜山から船に乗って来ましたが、途中で逃げるなどということは考えませんでした。

○炭砿に着いてからのことについて。教育訓練などの期間はありましたか。

趙　ありません。いきなり坑内に入れるのが当たりまえでした。逃げると半殺しにされ、それを見れば逃げません。蛮行ばかりでありません。休む日がないのです。とにかく話しになりませんでした。

ご飯は量ってくれました。朝飯と弁当と小さなどんぶりに、麦の半分混じったのをこう量って、おかずは沢庵3切れでした。腹が減って居られませんでした。お金は呉れないで、売店で使う札を呉れるだけです。だから湯本町へ出ても、ただ回って来るだけで、いくら食べたいものがあっても金がありません。だから腹が減ってしょうがないのです。

初めは坑内に入ってもうまく仕事が出来ません。班長がいじめるばかりで、話しは口では出来ないですよ、あの当時は。

でもそれはしょうがないが、今は朝鮮もああいうようになっているから、こうして大威張りで話せるのです。

趙　それで私は結局逃げたんですよ。当時は上遠野の向こうの農家では、捕まえれば5円貰えたらしいのです。私は逃げて、18日目に宇都宮に着きました。

歩いて、お金も無いし、食べるものも無し、乞食みたいなものでした。それでも日本の中にもいい人はいましたよ。

「乞食、乞食」というのはあの時覚えました。子供らが後について来て「乞食、乞食」と言うのです。

5人で逃げたけど皆バラバラになってしまいました。一緒にかたまっていると皆捕まってしまうからです。その後、捕まった人に東京で出会ったが、「ひどい目にあった」と聞きました。

あの当時は協和会というのが強かったんですよ。協和会手帳というのが無いとすぐ捕まってしまう。それで私は宇都宮で朝鮮人の土木やっている人の所へ逃げて行って働きました。親方が特高と仲が良いとかでしたが結局、協和会手帳の方はそこでは採れませんでした。東京の足立区で協和会手帳を採った人がいっぱいいると言うので、そこへ行って、タダでは採れないのでお金を出して、手帳を手に入れました。協和会手帳さえあればどこへ行っても構わないのです。

それであっちこっち、突貫工事などやればお金になるのでやりました。横須賀とかへ行って終戦まで働きました。そして植田に来たのは26年頃でした。

だけど日本人にもいい人はいるんですよ。いまでもその人が解ればお土産でも買っていってやる気持がありますよ。矢吹で…

○どういう風によくして貰ったのですか。

（しばらく思いが迫ってか答えられなかった）

私は逃げる時に50銭しか持っていませんでした。この50銭は、日本へ来る時の服を売って得たものです。前に日本へ来た人らが皆買ってくれました。逃げた時は、5～6人で逃げたけれど、誰もお金は持っていませんでしたので、その金で農家に行ってご飯を食べさせて貰いました。

東京に行くつもりでしたから、山を通って、夜しか歩けません。3坑のすぐ近くの山から逃げました。山の中に1軒農家がありました。そこで朝飯を貰ったのです。あの人達も見れば分かったのに言わなかったのですね。逃げればその日から探し始めていますから。

そして昼間は歩かないで夜歩きました。古殿に行くと発電所があるでしょう。あの通りです。あそこを夜歩いていると、飯場がいっぱいありました。

古殿から石川に行けば須賀川へ行く橋があるでしょう。5人で橋を渡って、丁度その時、田植え時だったので仕事をやってやるからご飯をくれと、その中で私がいくらか日本語を知っていたので農家に行ったのです。

そして、ご飯を貰って食べたら、様子がおかしい。後2人に、前2人、私は真ん中に入れられた。そういえば炭砿にいる時話しには聞いていた。「捕まえれば5円づつ貰える」と、「これはやっぱりおかしいな」と思っていると、子供らがついて来る。そこで小便をすると言って、1人で逃げ出しました。

他の仲間は捕まって、後でひどい目に逢ったということは聞きました。

その後は墓場や水車小屋の米を生で食べたりして、餓えをしのぎました。丁度矢吹に来た時、砂利を取っている1軒の家がありました。お願いするとご飯を食べさせてくれ、おにぎりを握ってくれた上、10銭のお金まで持たせてくれたのです。

それから鉄道線路に沿って歩き、その傍で寝たことを今でも覚えています。お金も無くなり、夜になると歩きました。幸い雨には逢いませんでした。

そうして18日目にやっと宇都宮の朝鮮人の所に行き、土方の世話をして貰い、なんとかなったのです。

逃げ出したのは夜の交替で仕事に出る時です。

炭砿にいた期間は、正月に来て、山神様の祭りが終わり、田植えの頃に逃げたものですから3~4ヵ月位でしょうか。

○契約期間はどれ位でしたか。

趙　なかったんじゃないですか、記憶にありません。

○労賃として渡された「札」について。お金の形では貰えなかったのですか。

趙　貰いません。

買物したのは、朝鮮から来る時はいい着物を着ていたので、それをここに来て、全部売って金に替えたものだけです。服は南京袋のここを染めた袋みたいなあの服は出たけど、それも1ヵ月ぐらい過ぎてからでした。地下足袋も配給で、仲々当たらなかった。タオルや石けんも金券の札と売店で交換しました。賃金はお金として貰ったことはありません。

○手紙を出すことは出来ましたか。

趙　手紙は出せましたが、殆どの人は出さなかった。当時は字を読める人はほんの少しでした。

＊『戦争と勿来』第7集、1994年、19−22頁より再録

附属資料2　新井(朴)盛出氏の聞き取り（抜粋）

採録日　2004年12月22日
場　所　新井氏自宅（双葉郡広野町大字下北場字新町）

1　新井氏略歴

（1）生年月日　1922年5月21日（現在、82歳）、新井は日本名
（2）出身地　慶尚南道金海郡山東面
（3）家族構成　現在1人暮らし

2　生い立ち

生まれ育った所は5～60軒位の部落であった。祖父の代は大きな地主であったが、父の代で博打をして働かなかったので、土地は全て無くしてしまった。

母は私が7～8歳の時亡くなり、父と弟（6歳位）、妹（5歳位）が残された。その後、親戚の世話で新しい母が娘1人を連れて来た。

継母は私達3人の兄妹を虐待し、ひっぱたかれない日は無かった。ご飯も十分食べさせて貰えず、私達にはご飯の麦のところばかり食べさせても、自分の娘には米のところをよそってやった。

私が母の暴力に抵抗できる年頃になると、引っぱたかれ無くなったが、私のいない所で、下の2人はひっぱたかれて、こぶを3つも4つも作り座って泣いていた。

そんな訳で妹は6歳位の時家出したまま、行方不明になり、今もって分からない。弟も私が一度目に日本に行って帰って来た時には、働ける年頃になっていたので、家を出ており、そのまま会えず、朝鮮戦争のとき亡くなったと聞いている。
そんな状態だったので、毎日、腹を空かせて、ひもじいので学校に行くどころではなく、勉強は何一つできなかった。

働ける年頃になると、叔父の家に当時、田15反と畑15反程の土地があり、叔父が亡くなった為に、叔母さんの手伝い、というより男手は私1人しかいないので、

殆ど1人で耕すことになった。

1年働けば5斗くれ、次の年は1石と年毎に増やしてくれると言うことであったが、腹いっぱいに食べられるということだけが取得の、そんな生活に満足できず、ここで3年働いた後、17歳の時、日本に働きに出ることになった。

この3年間はお盆と正月の他は家に寄り付かず、帰っても一晩泊まれば2日目にはケンカをして叔母の家に戻るという具合だった。叔母の家には小さい従兄弟がいて、可愛がったので、去年60余年振りに帰った時も、よく覚えていてくれて、喜んで迎え入れてくれた。

最近又、帰国した時、昔の祖父母のお墓のある所に行ってみたが、母の墓のあった辺りには大きな松が生えていて、懐かしい母の墓を見つけ出すことが出来なかった。今も残念だ。

父は博打に明け暮れ、母や祖母と捜しに回った。私を一緒に連れて行くと、父も帰って来たので、そんな時はいつも私を連れ歩かされた。ここは自分の家の土地だと思っていても、次に行くと、もうその土地は他人の手に渡っているという始末だった。

3　最初の集団募集に応じて横須賀へ

（1）募集に応じて日本へ

1939年（昭和14年）12月の暮、冬至の前の日だった。部落で行われた2回目の日本で働く募集だった。叔母の所で働いてもただ食べていけるというだけなので、日本に行けば金は稼げるし、ここよりはましだろうと思って、隣の部落の友人と話し合い募集に応じることにした。

この友人は、終戦直後に会津の工事現場で行き会ったことがあるが、現在どこに住んでいるのやらわからない。

当時は同年代の者で志願兵に応じなかった人は、募集の仕事があるということだった。賃金は1日2円49銭で兵隊より高いという事だったが、実際は雨の日は働けないので兵隊の方が高かった。私の部落から募集に応じたのは私だけであった。

面事務所の前で手続きが行われ、写真屋が来て写真を2枚撮られた。手続きは全て係りの人がやってくれ、「明日出発だからな」と言われて帰った。

翌日行くとバスが待っていて、金海まで行き、そこで並んで点呼を取った。人数は127人いた。40歳から45歳位の人が7～8人、他は15～6歳から20歳位の若い人が多かった。

そこで着物が配られ、色々話を聞かされ、宿舎で着物を着替えてそこに一晩泊った。翌日又バスで釜山まで行き、ここでも一晩泊り、夜、連絡船に乗り8時間位で下関に着いた。船に乗る前には、1人ひとり名前を呼ばれ、確認した。

（2）横須賀に着いてから

日本に来る前には、3ヵ月間訓練を受けて、訓練期間中も給料が支給されると言うことだったが、実際は訓練は3日で終わった。そして自分の好きな所を見学させるので選べと言うことだったので、半分以上の人が横浜を希望し、私は海軍基地の「三笠」の見学を希望した。

その翌日から、仕事が始まり、訓練は、朝と晩に2回ずつ3ヵ月間続けられた。

（3）賃金、其の他の労働条件

賃金の1割は強制貯金をさせられたが、私は最後にケツ割りで逃げたので、貯金は貰えなかった。1ヵ月に一度精算が行われた。契約期間は2年間だったが、契約期間が終わると、国へ帰されては困ると思い、2～3ヵ月前に、仕事場を逃げ出した。

仕事は軍事関係の工場を建設するためか、埋め立て地に人の背たけ程もある下水管を埋めたりしていた。大きな杭を打つ機械などが動いていた。

日本人もいっぱい働いていて、私たちは、現場の親方の様な人の下で、7人一組になって働いていた。

場所は追浜駅の近くで、久里浜で乗換えて行ける（語り手の勘違い）ところだった。戦後、たまたま自動車で、通りかかったことがある。お寺の蔭だった。

127人が1つの寮で生活し、1班20人で5～6班あった。部屋は区切りのない大きな部屋で、真ん中に通路があり、その両脇に寝る所があった。食堂、トイレ、事務所も同じ建物の中にあり、戦後、前を通った時はまだあった。

食べ物はご飯がいくらでも食べられ、白米で、おかずは沢庵とおつゆが出て、夕食には、頭をとった明太を一匹そのまま煮付けて、かんぴょうで結んだものが毎晩出た。布団も普通で、南京虫が出たが、そんなに悪いものでなかった様な気がする。

（4）逃げ出して

後から来た人たちの中には金持ちの人もあり、早く帰りたがっていた人もいたが、私の場合は、国に帰っても金を持って帰らないと親にいい顔されないので、同じ仕事を引き続きやりたいと思い、期限が来たら帰されると思って逃げ出した。

昼間遊びに行くと言って、寮を出てそのまま近くの仕事場で働いていた。しかしトロッコのピンをはずそうとして挟まれて大怪我をしてしまい、海軍病院に運び込まれ、手術をした。

手の甲から腕にかけて大きく裂けており、5人で手足を押さえ付けて手術をされたが、あまりあばれたりしなかったので、医者に「日本人か、 朝鮮人か」と聞かれた。朝鮮人は度胸があり、あまり痛がらないからだ。

そのまま仕事を続けたが、3ヵ月間は毎日痛くてよく眠れなかった（今も傷跡が大きく残っている）。その病院で前の職場の人に会って、会社に分かってしいまい、警察に捕まり、42日間ブタ箱に入れられ、強制送還で下関を経て釜山に帰された。

一緒に逃げた友人と2人で、釜山に一晩泊まり、線路づたいに家に帰って来た。

その後4ヵ月間程は、郷里の洛東江で舟に乗り、魚捕りをして暮らしていた。初めの募集で、日本に行った時は良かったが、2回目に行った時はひどかった。

4　2回目に日本に来て

2回目に日本に来たのは1942（昭和17）年の2月頃だった。どの様な手続きで、どの様にして行く事になったのか、記憶がはっきりしない。

同じ部落からこの時は、2人一緒だったが、写真を撮られた覚えもないし、宿泊したのか、どの様にして釜山まで行ったのかも覚えていない。賃金のことも聞いていないし、炭砿に行くことは知っていたが、どこに行くのかも分からなかった。

（1）下関から汽車で着いたのは三池炭鉱？

下関から着いたのはミキという大きな炭鉱だった。恵比寿炭鉱の近くでアメリカ人の捕虜もいた（「ミキ」ではなく、「三池」炭鉱ではないだろうか。外国人捕虜を使っていた大きな炭鉱で、この音に近いのは、三池炭鉱と思われる）。

（2）寮生活と仕事。

寮は、2階建ての大きな建物で、4人が1組となり、1部屋与えられた。この炭砿では挨拶は「おはよう」とか、「こんばんは」とは言わないで、朝、昼、晩ともいつも「ご安全に」と言う。又、どんな偉い人も必ず、首に「手ぬぐい」を巻いている。怪我をした時には、包帯の代わりになるのだそうだ。それ程に危険な所だということだ。

始めから炭砿に行くということは、分かっていたが、場所は分からなかった。とにかく、何よりも食事の量が少なく酷かった。

ご飯は、どんぶり7分目の量り飯で、おかずはなく、沢庵とおつゆだけ。朝も晩も同じで、昼の弁当を朝食ってしまう人もいる程だ。腹が減るので、うどんなどを買って食べるとお金は無くなり、少しも残らなかった。

友達と2人でうどんを付けにしてほしいと言ったが、付けにはしないと言われた。2杯食って、後で払うと言って食い逃げして来てしまった。

会計は一度だけ賞与として、400円貰ったことがある。それを紙にくるんで、土の中に埋めておいた（ちょっと、額が大きくてどういうお金なのか理解しかねるが、聞いたまま記して置く）。

仕事は、3交代制で、8時間、車輛1台いくらという型の請負い方式、機械を使って掘り進み、私達は、スコップで一斉にトロッコに積み、一杯になると機械が止まり、又、新しいトロッコに積むという仕事だった。

安全係の人からは、坑木がまっすぐ立っている前にいてはいけないとか色々言われた。タバコとマッチは一切携帯禁止でした。見つかると一日坑内の仕事は出来ず、他の所にやられるようになっていた。

（3）逃亡

3ヵ月余り経つと、食べ物が少ないので、体はやせる一方で、体の調子がおかしくなった。坑内に入ると力が出ず働けない。坑内から出て風呂に入ると元気になるが、とても続けられないと思った。

隣の部落から来た友人は、勉強も出来、兄が広島の呉に働きに来ているので、2人でそこに行こうということになった。

そこで隠して置いた400円を掘り出して、仕事の休み時間に塀の向こう側に着替えの着物を投げて置き、仕事場に行く振りをして、逃げ出した。

日が長くなりかける前の季節で、夕方薄暗くなる頃だった。外に出ると、炭砿で着る下は半ズボン、上は長袖の着物を脱ぎ捨て、投げておいた国民服に着替えて、一晩中歩き続けた。土管の中で一眠りして、明るくなったので、出てみると、元の炭砿から1里半もない所に舞い戻っていた。

捕まると大変なので急いで恵比寿炭鉱の辺たりまで逃げ、そこで働いたり、土方をしながら、田植えの終わり頃までそこで働いた。朝鮮人のお寺のお坊さんにお世話になったこともあった。[以下省略]

附属資料3　私の戦争の思い出—好間炭砿に動員された朝鮮人労働者と中国の戦線でのこと（抜粋）　いわき市在住の一戦争体験者（84歳）

1　私の経歴

私は1925（大正14）年、好間で生まれ、高等小学校を卒業したあと炭砿に入り、測量のテコなどをしていたが、会社の名前で東京の専門学校の採鉱科に入学させて貰った。しかし、1年半で戦争は急を告げ、石炭の仕事は手不足で勉強どころではなくなった。そこで炭鉱に帰って、あとで触れる様な採炭の仕事をさせられていたのです。1944（昭和19）年の夏に市内の会社から声がかかり、そこに勤めるようになった。1945（昭和20）年3月になると、繰り上げ徴兵で兵隊検査を受け、甲種合格で若松の東部24部隊に入隊し、そのまま中国戦線に送られることとなった。「先生」（教員）とも関係があり、実は当時小学校の先生の試験があり、受けて合格した。しかし、この資格では小学校の低学年しか教えられないということなので辞めたことがあった。帰国は兄より遅れて帰り、もう一度炭砿に復職しようかと思って炭砿に行って見たが、当時すでに引き揚げ者が多くて、みな復職しており人が余っていた。職があるのは北海道の雨龍炭砿か九州しかないということだったので、炭砿の仕事は辞めて、召集時の仕事に就くようになった。今の住所には4年前に転居して来た。

2　朝鮮人労働者の坑内死亡事故

当時、私は引率係（人繰）が連れて来る朝鮮人労働者を坑口まで迎えに出て、引き継ぐことをやっていた。山ノ坊の朝鮮人寮から 40～42 人を引率していた。普通、炭砿には入気坑と排気坑があり、入気坑が人車坑で、排気坑から石炭を積み出す。好間の竪坑は大きい方が人車坑で、小さい方から石炭を積み出す。この竪坑では、石炭は炭車といわれる約 1 トン積みの鉄製の車で、直接石炭を積み出した。まず、人車坑を経て議定場といわれる坑内の事務所に着く。そこで番割といって、日本人の先山 1 人に 2～3 人の朝鮮人が付き、3～4 人で 1 組を作る。12 組位の日本人の先山の下に分けて、夫々を切り羽に割り振った。切り羽には岩石掘進と炭層掘進があり、炭層の上層は 1.5 メートル、下層は 2 メートル位だった。私は 520 卸と 830 卸など 3 つの切り羽を受け持っていた。

そこで、私は 520 卸の現場見廻りをしていたが、1 人の朝鮮人がいないので「どうした」と聞くと、「用足しにでも行ったのだろう」という事であった。坑内にはトイレは無いので適当な場所で用を足していた。時間になっても帰って来ないので、次の卸を見廻って、1 時間後にもう一度現場に行って見ると、その男はまだ帰っていなかった。おかしいと思って排気坑の方に行って見ると、途中で 50～60 貫の岩が落ちていて、その下に足が見えた。本人は既に死亡していた。名前は忘れた。すぐに議定場から事務所に報告をして病院に運び、その後の処置を採ったが、既に死亡していて、なす術がなかった。その時は家族持ちの奥さんたちが「アイゴー、アイゴー」と泣いて悲しんだ。私は山ノ坊の寮でお線香を挙げて帰って来た。

その後、朝鮮人の大きな騒動が起こり、日本人 1 人の犠牲者が出た。排気坑での死亡事故への会社の対応の仕方が事件の原因の 1 つではなかったかと思う。私は担当者として報告もし、手続きを済ませて、後は労務係にまかせたのだった。この時は鎮圧のため原の町から憲兵分隊が来た。この事件の後で朝鮮人の労務管理が特に変わったどうかは分からない。私の仕事は、寮から坑口で引き渡しを受けて、人車に乗せて引率し、現場に引き渡すだけであったが、先山には「無理に使うな」「十分注意して」というようなことは言っていた。ただ、食事などは日本人と違う食事であった様だ。

3　私と朝鮮人

朝鮮人と私のことについて言えば、私はあまり差別をしなかった。「この人は酷い」と思うような人もいたが、現場でしかも年も若い私らは和気あいあいと仕事をしていた。当時、朝鮮人には日本人のことを先生と呼ばせていたのですが、戦後1950～1951年の頃、私は仕事で福島から原町、浪江に行くことがあった。そこで金子げんじゅうという人と会った。その人が突然「先生なぜここに」と驚き、「よく来てくれた」と握手を求めて来た。この人はここでパチンコ屋をやっていた。考えて見ると当時、朝鮮人を「半島人」と呼んでいたが、よく山ノ坊の朝鮮人の寮に行って、朝鮮の歌を教えてもらったり、強い酒を飲ませて貰ったりした。「先生、お世話になった」と高梁で作った飴などを持って来てくれたりもした。「アーリラン、アーリラン、アラーリヤ、アーリランコゲロ　ノモカンダー」いい思い出だった。たまには私も食べ物を持って行ってやったり、朝鮮の食べ物を持って来て貰ったりした。隊の名前は延白中隊といい42人もいた。中隊で一緒に撮った写真もあったが、残念ながら無くしてしまった。黒い服を着ているのが朝鮮人で、白い服を着ているのが日本人だった。[以下略]

＊『戦争と勿来』25号、2010年、19－20頁

證拠ヲ按スルニ、判示事実ハ当公廷ニ於ケル各被告人證人森田芳太郎ノ供述、検事及司法警察官ノ各被告人ニ対スル聴取書、医師大井光象作成ノ鈴木一外十九名ニ対スル診断書、実況見分書及被害者並家屋被害一覧表ヲ綜合シテ之ヲ認ム

仍テ判示事実ハ其ノ證明アリ

法律ニ照スニ被告人等ハ、判事所為中傷害ノ点ハ刑法第二百七条第六十条第二百四条ニ、損壊ノ点ハ、大正十五年四月十日、法律第六十号暴力行為等処罰ニ関スル法律第一条第一項ニ各該当スル処、両者ハ刑法第四十五条前段ノ併合罪ナルヲ以テ各罪ノ所定刑中懲役刑ヲ選択シ、同法第四十七条第十条ニヨリ其最モ重キ傷害罪ニ付、同法第四十条但書ノ制限内ニ於テ、法定ノ加重ヲ為シタル刑期範囲内ニ於テ、犯罪ノ情況ニ応シ、被告人姜命九ヲ懲役十月ニ、被告人金山先鳳、北村敬ヲ各懲役八月、被告人徳山潤夏ヲ懲役七月ニ、被告人善山秉珏、西原洙億、忠本夏錫、金田俊錫ヲ各懲役六月ニ、被告人木村貞石　東日秉雲、金川賢九、重光晃鎮、中島裁勤ヲ各懲役五月ニ、被告人岡本基路、森山永先、雲山相殷、砺山永根ヲ各懲役四月ニ処シ、刑法第二十一条ニヨリ各被告人ニ対スル未決勾留日数中三十日ヲ本刑ニ算入スヘク、訴訟費用ハ刑事訴訟法第二百三十七条、第二百三十八条ヲ適用シ、被告人等ノ連帯負担トナスヘキモノトス

仍テ主文ノ如ク判決ス

昭和十八年七月二十七日

平区裁判所

判　事　佐藤智彦㊞

〔『朝鮮人強制動員関係資料』山田昭次編、緑蔭書房、二〇一二年、三五―四〇頁〕

本籍　朝鮮黄海道信州郡蘆月面馬鳴里六二
住居　右被告人ノ住居ト同シ
運搬夫　砺山永根　当二十二年

右者等ニ対スル傷害及暴力行為等処罰ニ関スル法律違反被告事件ニ付、検事秋元元作関与ノ上左ノ如ク審理判決ス

主文

被告人姜命九ヲ懲役拾月ニ、被告人金山先鳳、北村敬ヲ各懲役八月ニ、被告人徳山潤夏ヲ懲役七月ニ、被告人善山秉珏、西原洙億、忠本夏錫、金田俊錫ヲ各懲役六月ニ、被告人木村貞石、秉錫事東日秉雲、金川賢九　重光晃鎮、中島裁勤ヲ各懲役五月ニ、被告人岡本基路、陽城永銀事森山永先、雲山相殷、砺山永根ヲ各懲役四月ニ処ス。

各被告人ニ対スル未決勾留日数中参拾日ヲ右刑ニ算入ス

訴訟費用ハ被告人等ノ連帯負担トス

理由

被告人等ハ、福島県石城郡好間村大字上好間字小館所在古河礦業株式会社好間礦業所古河炭礦ノ労務者ニシテ、被告人岡本基路、東日秉雲等ハ同字所在ノ同鉱小舘訓練所等ニ、其ノ他ノ被告人等ハ何レモ同村北好間字松坂所在ノ松坂寮ニ合宿シ居リタル半島出身ノ者ナル処、被告人岡本基路、東日秉雲ヲ除ク他ノ被告人等ハ、昭和十八年四月二十五日午后七時頃、小館ナル同炭礦ノ内地人坑夫長屋附近ニ於テ、半島人カ内地人ト喧嘩ヲ為シ居ル旨ノ急報ニ接スルヤ、半島人ニ加勢センコトヲ決意シ、木棒、竹棒、石等ヲ携帯シ、同宿中ノ同僚多数ト共ニ、直ニ小館ナル同炭礦坑夫長屋附近ニ殺到シ、既ニ内地人及右長屋ニ暴力ヲ加ヘ居リタル小館訓練所ノ同僚約九十名ト合シ、前同様棒等ヲ所持セル被告人岡本基路、東日秉雲ト共同シテ、他ノ同僚ニ囲マレ叩キ倒サレテ抵抗不能ノ状態ニ在リタル同礦坑内機械夫内地人鈴木一当五十四年等ノ頭部其ノ他ヲ、或ハ逃レントスル氏名不詳ノ内地人等ヲ見当リ次第、所携ノ棒類ヲ以テ殴打シ若クハ之ニ石、板片等ヲ投付ケ、又被告人姜命九、北村敬、徳山潤夏、忠本夏錫重光晃鎮、中島裁勤、砺山永根等ニ於テ、前記長屋其ノ他ヲ棒等ヲ以テ叩キ廻リ、或ハ投石シ以テ右鈴木一外一名ニ治療約三十日ヲ要スル骨折、打撲、裂創等ヲ負ハシメタル他、同礦従業員約十九名ニ、加療五日乃至二十一日間位ヲ要スル重軽傷ヲ加ヘ、同礦管理ニ係ル共同沿場及前記内地人長屋約二十七戸ノ戸障子等三十九個所、硝子六十四枚位ヲ損壊シタリ

住居　右被告人ノ住居ト同シ
　採炭夫　北村敬　当三十七年
本籍　朝鮮忠清南道論山郡城東面月城里一三二
住居　右被告人ノ住居ト同シ
　採炭夫　徳山潤夏　当二十一年
本籍　朝鮮忠清北道清州郡玉山面佳楽里八五
住居　右被告人ノ住居ト同シ
　採炭夫　西原洙億　当二十四年
本籍　朝鮮忠清南道論山郡上月面地境里三二二
住居　右被告人ノ住居ト同シ
　採炭夫　忠本夏錫　当三十年
本籍　朝鮮忠清北道鎮川郡文百〔白〕面文徳里
住居　右被告人ノ住居ト同シ
　採炭夫　木村貞石　当二十五年
本籍　朝鮮黄海道信川郡南部面鳳凰里九五
住居　右被告人ノ住居ト同シ
　採炭夫　東日秉雲　当二十七年
本籍　朝鮮黄海道信川郡文武面月南里四〇
住居　右被告人ノ住居ト同シ
　採炭夫　岡本基路　当二十一年
本籍　朝鮮京畿道安城郡二竹面竹山里六四
住居　右被告人ノ住居ト同シ　陽城永銀事
　採炭夫　森山永先　当二十三年
本籍　朝鮮忠清北道報恩郡懐北面龍村里番地不詳
住居　右被告人ノ住居ト同シ
　採炭夫　金田俊錫　当三十二年
本籍　朝鮮忠清北道報恩郡懐北面龍村里番地不詳
住居　右被告人ノ住居ト同シ
　採炭夫　雲山相殷　当二十年
本籍　朝鮮忠清北道清州郡文義面渡谷里五七六ノ二
住居　右被告人ノ住居ト同シ
　採炭夫　金川賢九　当二十四年
本籍　朝鮮忠清北道鎮川郡徳山面龍夢里五七二
住居　右被告人ノ住居ト同シ
　採炭夫　重光晃鎮　当三十二年
本籍　朝鮮忠清北道沃川郡青城面猫金里三八八ノ八
住居　右被告人ノ住居ト同シ　在勤事
　採炭夫　中島裁勤　当二十二年

證憑ヲ案スルニ以上ノ事実ハ、当公廷ニ於ケル被告人等ノ各供述、姜命九外十六名ニ対スル傷害及暴力行為等処罰ニ関スル法律違反被告事件記録中、被告人池本達根、同金山道理、同竹本泰賢（第一、二面）、同林弘変、及金川洪来、大槻浅勝、鈴木ツヨ、池田友喜、芳賀留吉、草野英幸ニ対スル司法警察官ノ各聴取書、岡本富造ノ被害顛末書謄本、平山徳煕外四十五名ニ対スル暴力行為等処罰ニ関スル法律違反被告事件記録中、被告人唐〔康〕川豊出、同金山基喆ニ対スル司法警察官ノ各第一、二回聴取書ヲ綜合シテ之ヲ認ム

仍テ判示ノ事実ハ其ノ証明十分ナリトス

法律ニ照スニ、被告人等ノ判示所為ハ暴力行為等処罰ニ関スル法律第一条第一項ニ該当スルニヨリ犯情ニ応シ、被告人池本達根、金山道理、竹本泰賢ヲ各懲役参月ニ、被告人林弘変、唐〔康〕川豊出ヲ各罰金七十円ニ、被告人金山基喆ヲ罰金五十円ニ処シ、被告人林弘変、唐〔康〕川豊出、金山基喆カ右罰金ヲ完納スルコト能ハサルトキハ、刑法第十八条ニ則リ金壱円ヲ壱日ニ換算シタル期間、同被告人等ヲ労役場ニ留置スヘク、訴訟費用ハ刑事訴訟法第二百三十七条、第二百三十八条ヲ適用シ、被告人等ノ連帯負担トナスヘキモノトス

仍テ主文ノ如ク判決ス

昭和十八年七月一日

平区裁判所

判　事　菅間正英㊞

古河礦業好間礦業所古河炭礦採炭夫他（一七名）と日本人坑夫の抗争（傷害・暴力行為事件）　七月二七日

判決

本籍　朝鮮慶尚南道山清郡生比良面下峴里二

住居　福島県石城郡好間村大字北好間字松坂好間炭礦松坂寮内

採炭夫　姜命九　当二十五年

本籍　朝鮮忠清北道清州郡玉山面小魯里二三八ノ一

住居　右被告人ノ住居ト同シ　金城事

採炭夫　金山先鳳　当四十三年

本籍　朝鮮忠清北道沃川郡郡北面[illegible]椿里三八三ノ一

住居　右被告人ノ住居ト同シ

採炭夫　善山秉珏　当二十八年

本籍　朝鮮忠清北道清州郡玉山面虎竹里三〇一ノ一

本籍　朝鮮忠清北道清州郡琅城面帰来里番地不詳
住居　前被告人ノ住居ニ同シ
　　採炭夫　竹本泰賢　当二十年
本籍　朝鮮忠清北道報恩郡報恩面金堀里番地不詳
住居　前被告人ノ住居ニ同シ
　　電工　林　弘変　当二十六年
本籍　朝鮮忠清北道堤川郡徳山面新現［峴］里番地不詳
住居　前被告人ノ住居ニ同シ
　　採炭夫　康川豊出　当二十四年
本籍　朝鮮忠清北道報恩郡報恩面吉祥里番地不詳
住居　前被告人ノ住居ニ同シ
　　採炭夫　金山基喆　当十九年（三月三日生）
右六名ニ対スル暴力行為等処罰ニ関スル法律違反被告事件ニ付、検事田島勇関与ノ上審理ヲ遂ケ、判決スルコト左ノ如シ

主文

被告人池本達根、金山道理、竹本泰賢ヲ各懲役参月ニ処ス
被告人林弘変、康川豊出ヲ各罰金七拾円ニ処ス
被告人金山基喆ヲ罰金五拾円ニ処ス
被告人林弘変、康川豊出、金山基喆等カ右罰金ヲ完納スルコト能ハサルトキハ、金壱円ヲ壱日ニ換算シタル期間、当該被告人ヲ労役場ニ留置ス
訴訟費用ハ被告人等ノ連帯負担トス

理由

被告人ラハ福島県石城郡好間村大字上好間所在ノ古河礦業株式会社好間礦業所古河炭礦ノ労務者ニシテ、同村大字北好間字松坂所在ノ松坂寮内ニ合宿シ居ル半島出身ノ者ナルトコロ、昭和十八年四月二十五日午後七時頃、右合宿所ニ於テ、同村大字上好間字小舘ナル同炭礦ノ内地人坑夫長屋附近ニテ、半島人カ内地人ト喧嘩ヲ為シ、半島人カ危機ニ瀕シ居ル旨ノ急報ニ接スルヤ、半島人ニ加勢センコトヲ決意シ、直ニ同宿中ノ同僚多数ト共ニ合宿所ヲ飛出シ、附近ヨリ集合シタル半島人数十名ト共ニ木棒又ハ竹棒等ヲ携帯シ、或ハ携帯セスシテ喚声ヲ揚ケ、内地人坑夫長屋ニ殺倒シ、気勢ヲ挙ケテ同所ヲ練リ歩キ以テ多数ノ威力ヲ来シ同所居住ノ内地人ヲ畏怖セシメ、或ハ長屋ニ投石シ所携ノ棒ヲ以テ同所長屋及共同浴場ヲ乱打シ、因テ山口喜四郎居宅外内地人居宅二十数戸及其共同浴場ノ表戸硝子扉等ヲ損壊シタルモノナリ。

の指令で暴れたか竹棒の床に座らされ 聴かれ素直に答えた者から帰られたが、同胞意識の強い「モラモラ」を繰り返す者は自白する迄竹床の上でこすられ 一週間で全んど帰されたが首犯と思われる七名は帰って来なかったのでそのごは不明である。

その後、日本人によってか 次のようなビラが坑道に貼られていたのが印象的であった。

「四月二十五日を忘れるな！」 ［実名は全てイニシャル表記とした］

（ C 氏～福島県いわき市好間町
当時採炭夫、昭和五十年八月聴取）

〔註1〕本事件の被害者は昭和十八年四月二十六日死亡、 T
の出身は石城郡上三阪村

〔註2〕一九四三年特高月報によれば「発生四月二十五日解決四月二十六日、内地人一七名朝鮮人四〇二名、移入朝鮮人労務者五名が人車等の捲上機をもてあそび居るを内地人労務者二名が発見、危険なる旨注意の上之を制止したる処、彼等の言語不解、民族的偏見に基因し、一方内地人労務者の誤解より、双方暴行闘争するに至れるが、之を同所附近に居りたる朝鮮人労務者四〇名、内地人労務者一五名が夫々加勢し、大乱闘を演じたる結果、内地人労務者一名死亡、重傷者四名、同軽傷者一二名出したり。所轄署は一同を鎮撫せしむると共に主謀者と認むる朝鮮人労務者十一名を検挙し取調中なり。」と報じている。

〔『朝鮮人強制動員関係資料』山田昭次編、緑蔭書房、二〇一二年、一三七—一三八頁〕

附属資料5 古河砿業好間砿業所古河炭砿採炭夫他と日本人坑夫の抗争他

古河礦業好間礦業所古河炭礦採炭夫他（六名）と日本人坑夫の抗争（暴力行為事件） 七月一ロ

判決

本籍 朝鮮忠清北道堤川郡徳山面道田里千百九十四番地
住居 福島県石城郡好間村大字北好間字松坂古河炭礦松坂
寮村田合宿所
採炭夫 池本達根 当二十七年

本籍 朝鮮忠清北道忠州郡？味面文化里三百六番地
住居 福島県石城郡好間村大字北好間字松坂古河炭礦松坂
寮太田合宿所
採炭夫 金山道理 当三十七年

附属資料4　古河好間炭砿の朝鮮人暴動

資料6　古河好間炭礦の朝鮮人暴動

昭和十八年四月二十五日 朝鮮人の一グループの数人が古河好間炭礦二斜坑捲上機運転室に入って何やら雑談をしていた。そこを通りがかった日本人坑夫が朝鮮人が 機械にいたづらをするものと思い込み、近くにいた日本人坑夫と共に運転室に入って「何をしているのか」尋ねても唯「モラモラ」を繰返すだけであった。こうした状況のとき 寄ってきたヤクザが「何んにも分んないって答えがあるか」とばかりお国言葉で口論となった。遂に日本人のヤクザから「その捲（捲上機のこと）は危いんだ、下手するといっぱい（多くの）人が死んでしまうから止めろ、止めなければお前等朝鮮の二人や三人死んだってどうってことないんだ、ばかやろう。」位の言動であった。しかし、日本人と接していた彼等は「死ぬ」「ばか」は良く理解していたので、この状況では日本人に殺されてしまうと早合点し 朝鮮人グループの一人が運転室から飛出し松坂にある朝鮮人社宅や寮に急を告げ「今仲間が日本人に囲まれて殺されかかっている」と話した。

この事件は同日午後八時頃の出来事であり 機械のある運転室に入っていたのは 黒い服を着ていた北鮮系の朝鮮人と言われている（或る程度出身地 色分けの服装制度が あったらしい）。急な知らせを受けた朝鮮人は 日頃ヤッポン（日本人）から圧えつけられているものがこの時一度に爆発し、数百人の朝鮮人が近くにあった「火たたき」（防火、消火用具）や棒を各々手にし、釣橋を渡って途中の日本人の家々の雨戸をたたきながら 竪坑の坂を登り炭住の西区の風呂場前の広場に集まった。炭住の日本人は何が何だか分らないまま雨戸を閉めてしまった。

この時、風呂場前の機械工場の塀に小用をしていた近くの残念長屋に住む　T　はこの朝鮮人の集団に捕えられ、訳が分からないうち身体を地面に伏せられ、近くに在った直径二〇糎位の石で上から突かれた。この状況を雨戸からのぞいていた人（採炭夫　I　）の話では、T　は地面に倒れ、その上に何度も石を落されたので助けに出ようと思ってもこちらの生命に危険がせまる情勢なので救えなかった。近くに住む　S　が見るに見かねて制止にかかったが 逆に押えつけられたのであわてて近くの手代木宅に逃げ込んだ。怒った朝鮮人は　A　宅を襲い逃げ遅れた一八才の少女を捕え足の骨を折るといった 不祥事となってしまった。炭住には請願巡査の　K　巡査が 警戒に来たが余りの状況に制止すら出来ない有様であった。そこで朝鮮人に最も信望の厚い　B（元下坂飯場、当時労務担当）が調停して引き揚げさせることができた。

しかし、翌朝全朝鮮人は平警察署へ連行され、何の目的で、誰

附属資料６　福島県朝鮮人戦時動員関係統計表

表①　福島県戦時労働動員朝鮮人紛争議月別調（1940年）

		1940.5	1940.6	1940.7	1940.8	1940.9	1940.10	1940.11	1940.12	合計
朝鮮人労働者数								0	0	
同上参加人数		98	150	79	44	49	80	0	0	500
争議日数		1	4	3	1	2	1	0	0	12
原因	言語・感情の相違	0	3	2	0	1	1	0	0	7
	災害発生	0	0	0	0	0	0	0	0	0
	待遇不満	0	1	0	0	0	0	0	0	1
	契約事項の誤解	1	0	1	0	0	0	0	0	2
	その他	0	0	0	1	1	0	0	0	2
	計	1	4	3	1	2	1	0	0	12
要求項目	賃金増額	0	0	0	0	0	0	0	0	0
	賃金算定方式変更	1	1	1	0	0	0	0	0	3
	労働時間短縮	0	0	0	0	0	0	0	0	0
	福利施設増進	0	0	0	0	0	0	0	0	0
	監督者排斥	0	0	0	0	1	1	0	0	2
	その他	0	3	2	1	1	0	0	0	7
	計	1	4	3	1	2	1	0	0	12
手段	陳情	0	0	0	0	0	0	0	0	0
	怠業	0	0	0	1	0	0	0	0	1
	罷業	0	1	1	0	0	0	0	0	2
	示威運動	0	0	0	0	0	1	0	0	1
	直接行動	0	2	2	0	1	0	0	0	5
	その他	1	1	0	0	1	0	0	0	3
	計	1	4	3	1	2	1	0	0	12
結果	目的貫徹	0	0	0	0	0	0	0	0	0
	目的不貫徹	0	0	0	0	0	0	0	0	0
	妥協	0	0	0	0	0	0	0	0	0
	慰留解決	1	4	3	1	2	1	0	0	12
	未解決	0	0	0	0	0	0	0	0	0
	計	1	4	3	1	2	1	0	0	12

『特高月報』「朝鮮人運動の状況」の「紛争議の状況」より福島県分を龍田が抽出し、集計したもの

表②　福島県戦時労働動員朝鮮人紛争議月別調（1941年）

		1941.1	1941.2	1941.3	1941.4	1941.5	1941.6	1941.7	1941.8	1941.9	1941.10	1941.11	1941.12	合計
朝鮮人労働者数														
同上参加人数		228	112	3	20	34	315	0	67	81	4	0	1	865
争議日数		4	2	1	4	2	6	0	3	2	1	0	1	26
原因	言語・感情の相違	3	2	1	3	1	2	0	1	1	0	1	0	15
	災害発生	0	0	0	0	0	0	0	0	0	0	0	0	0
	待遇不満	1	0	0	0	0	0	0	0	0	0	0	0	1
	契約事項の誤解	0	0	0	0	0	0	0	0	0	0	0	0	0
	その他	0	0	0	0	1	2	0	2	1	1	0	0	7
	計	4	2	1	3	2	4	0	3	2	1	1	0	23
要求項目	賃金増額	0	0	0	0	0	0	0	0	0	0	0	0	0
	賃金算定方式変更	0	0	0	1	0		0	0	0	0	0	0	1
	労働時間短縮	0	0	0	0	0	0	0	0	0	0	0	0	0
	福利施設増進	0	0	0	0	0	0	0	0	0	0	0	0	0
	監督者排斥	1	1	0	1	0	0	0	0	1	0	0	0	4
	その他	3	1	1	1	2	4	0	3	1	1	1	0	18
	計	4	2	1	3	2	4	0	3	2	1	1	0	23
手段	陳情	0	0	0	1	0	4	0	0	0	0	0	0	5
	怠業	1	1	0	0	0	2	0	1	1	0	0	0	6
	罷業	0	0	0	1	0	1	0	0	0	0	0	0	2
	示威運動	0	0	0	0	0	0	0	0	0	0	0	0	0
	直接行動	3	1	1	1	2	–	–	–	–	–	–	–	8
	その他	0	0	0	0	0	0	0	0	0	1	0	0	1
	計	4	2	1	3	2	4	0	3	2	1	1	0	23
結果	目的貫徹	0	0	0	0	0	0	0	0	0	0	0	0	0
	目的不貫徹	0	0	0	0	0	0	0	0	0	0	0	0	0
	妥協	0	0	0	0	0	0	0	0	0	0	0	0	0
	慰留解決	4	2	1	3	2	4	0	3	2	1	1	0	23
	未解決	0	0	0	0	0	0	0	0	0	0	0	0	0
	計	4	2	1	3	2	4	0	3	2	1	0	1	23

同上、『特高月報』より福島県分を抽出し、龍田が集計したもの

表③　福島県朝鮮人紛争議1940年累計と月別発生件数

		1940. 4	1940. 5	1940. 6	1940. 7	1940. 8	1940. 9	1940. 10	1940. 12	合計
朝鮮人労働者数(移住)		2, 303	2, 837	3, 001	3, 301	3, 473	4, 181	4, 432	4, 969	2, 666
朝鮮人労働者数(不明)		1, 893	2, 149	2, 103	2, 339	2, 368	2, 518	2, 812	2, 812	919
同上参加人数		1, 048	1, 146	1, 296	1, 375	1, 419	1, 468	1, 548	1, 548	500
争議日数		20	21	25	28	29	31	32	32	12
原因	言語・感情の相違	8	8	11	13	13	14	15	15	7
	災害発生	1	1	1	1	1	1	1	1	0
	待遇不満	4	4	5	5	5	5	5	5	1
	契約事項の誤解	1	2	2	3	3	3	3	3	2
	その他	0	0	0	0	1	2	2	2	2
	計	14	15	19	22	23	25	26	26	12
要求項目	賃金増額	0	0	3(0)	0	0	0	0	0	0
	賃金算定方式変更	1	2	0(3)	4	4	4	4	4	3
	労働時間短縮	0	0	2(0)	0	0	0	0	0	0
	福利施設増進	2	2	2	2	2	2	2	2	0
	監督者排斥	2	2	0(2)	2	2	3	4	4	2
	その他	9	9	12	14	15	16	16	16	7
	計	14	15	19	22	23	25	26	26	12
手段	陳情	0	0	0	0	0	0	0	0	0
	怠業	4(0)	1	1	1	2	2	2	2	2
	罷業	2(4)	4	5	6	6	6	6	6	2
	示威運動	7(2)	2	2	2	2	2	3	3	1
	直接行動	0(7)	7	9	11	11	12	12	12	5
	その他	1(0)	1	2	2	2	3	3	3	2
	計	14	15	19	22	23	25	26	26	12
結果	目的貫徹	3	3	3	3	3	3	3	3	0
	目的不貫徹	0	0	0	0	0	0	0	0	0
	妥協	1	1	1	1	1	1	1	1	0
	慰留解決	10	11	15	18	19	21	22	22	12
	未解決	0	0	0	0	0	0	0	0	0
	計	14	15	19	22	23	25	26	26	12

同上、『特高月報』より福島県分を抽出、龍田が集計したもの。1940年4月は1939年からの累計。

表④　福島県朝鮮人紛争議1941年累計と月別発生件数

		1941.1	1941.2	1941.3	1941.4	1941.5	1941.6	1941.7	1941.8	1941.9	1941.10	1941.11	1941.12	合計
朝鮮人労働者数(移住)		5, 569	5, 857	6, 419	6, 419	6, 435	6, 583	6, 714	6, 739	6, 791	6, 821	6, 821	7, 144	1, 575
朝鮮人労働者数(不明)		337	3, 473	3, 388	3, 642	3, 355	3, 496	6, 714	3, 369	5, 294	6, 821	6, 821	3, 302	
同上参加人数		1, 776	1, 888	1, 891	1, 911	1, 945	226	226	2, 327	2, 408	2, 412	2, 412	2, 413	865
争議日数		36	38	39	43	45	51	51	54	56	57	57	58	25
原因	言語・感情の相違	18	20	21	24	25	27	27	28	29	29	29	30	15
	災害発生	1	1	1	1	1	1	1	1	1	1	1	1	0
	待遇不満	6	6	6	6	6	6	6	6	6	6	6	6	0
	契約事項の誤解	3	3	3	3	3	3	3	3	3	3	3	3	1
	その他	2	2	2	2	3	5	5	7	8	9	9	9	7
	計	30	32	33	36	38	42	42	45	47	48	48	49	23
要求項目	賃金増額	0	0	0	0	0	0	0	0	0	0	0	0	0
	賃金算定方式変更	4	4	4	5	5	5	5	5	5	5	5	5	1
	労働時間短縮	0	0	0	0	0	0	0	0	0	0	0	0	0
	福利施設増進	2	2	2	2	2	2	2	2	2	2	2	2	0
	監督者排斥	5	6	6	7	7	7	7	7	8	8	8	8	4
	その他	19	20	21	22	24	28	28	31	32	33	33	34	18
	計	30	32	33	36	38	42	42	45	47	48	48	49	23
手段	陳情	0	0	0	1	1	5	5	5	5	5	5	5	5
	怠業	3	4	4	4	4	7	7	8	9	9	9	9	7
	罷業	6	6	6	7	7	8	8	8	8	8	8	8	2
	示威運動	3	3	3	3	3	3	3	3	3	3	3	3	0
	直接行動	15	16	17	18	20	16	16	18	19	19	19	20	8
	その他	3	3	3	3	3	3	3	3	3	4	4	4	1
	計	30	32	33	36	38	42	42	45	47	48	48	49	23
結果	目的貫徹	3	3	3	3	3	3	3	3	3	3	3	3	0
	目的不貫徹	0	0	0	0	0	0	0	0	0	0	0	0	0
	妥協	1	1	1	1	1	1	1	1	1	1	1	1	0
	慰留解決	26	28	29	32	34	38	38	41	43	44	44	45	23
	未解決	0	0	0	0	0	0	0	0	0	0	0	0	0
	計	30	32	33	36	38	42	42	45	47	48	48	49	23

『特高月報』より福島県分を抽出、龍田が集計したもの

表⑤ 1942・43年全国労働紛争と日朝闘争

年月				1942.1		1942.2		1942.3		1942.6		1942.12		1942	1943.1〜6		1943.7〜12		1943	1942・43
				募集	斡旋	募集	斡旋	募集	官斡旋	募集	官斡旋	募集	斡旋	合計	募集	斡旋	募集	斡旋	合計	総計
発生件数				28		47		71	9	171		92	203	475	38	136	12	138	324	29
同上参加人数				1,631		3,047		4,119	782	9,412		5,544	10,462	26,200	963	8,698	566	6,466	16,693	725
労働紛争議	形態	罷業	件数	16		20		26	1	38		6	42	87	5	16	5	12	38	
			参加人数	824		1,295		1,369	72	2,448		443	2,588	5,551	216	1,579	124	732	2,651	
		怠業	件数	5		8		14	2	43		22	46	135	3	16	1	21	41	6
			参加人数	222		339		783	133	2,311		1,155	2,360	5,959	38	1,046	25	1,646	2,755	90
		直接行動	件数	2		2		7	1	22		13	22	58	3	36	3	38	80	3
			参加人数	144		148		282	74	786		1,305	786	2,951	130	2,763	375	1,266	4,534	16
		其他	件数	5		11		13	3	36		12	40	91	7	24	1	46	78	2
			参加人数	441		1,102		1,100	359	3,117		743	3,227	7,446	328	1,754	3	1,458	3,543	175
	結果	要求貫徹		–		6		5	1	13		3	13	30	1	5	0	5	11	
		要求拒絶		1		3		10	–	16		3	16	35	0	0	0	7	7	
		妥協		10		11		14	4	28		6	33	71	7	21	4	12	44	1
		要求撤回		3		5		4	1	3		9	4	17	1	8	0	9	18	3
		送局		–		–		3	–	5		2	5	12	2	17	0	23	42	2
		自然消滅		2		2		3	–	3		3	4	10	3	2	0	4	9	1
		其の他		8		16		21	2	71		27	75	175	4	39	4	33	80	2
日朝闘争事件	形態	直接行動	件数	3		5		9	2	29		38	48	117	16	40	2	33	91	14
			参加人数	31		197		216	148	968		1,883	1,264	4,263	164	1,368	12	862	2,406	439
		其他	件数	–		1		2	–	4		1	5	10	4	4	10	10	28	3
			参加人数	–		1		161	–	234		3	237	514	87	188	2	268	545	5
	結果	送局	件数	1		3		6	1	16		13	22	61	12	18	2	16	48	8
			参加人数	19		106		123	48	349		403	548	1,348	103	348	12	111	574	157
		妥協	件数	–		1		3	1	7		7	9	24	2	9	1	5	17	
			参加人数	–		9		172	100	259		178	293	830	27	215	22	267	531	
		其他	件数	2		3		3	–	11		19	22	52	6	17	1	22	46	7
			参加人数	12		82		82	–	469		1,317	660	2,446	121	993	7	563	1,684	276

『特高月報』1942年1月〜12月の「朝鮮人運動の状況」の「労働争議と日朝闘争」の項より龍田が抽出、集計した。42年1月から6月までの数字は累計である。42年6月の官斡旋は資料欠。

表⑥　1942・43年福島県労働紛争と日朝闘争

年月				1942.3		1942.6		1942.12		1942	1943.1〜6		1943.7〜12		1943	1942・43
				募集	官斡旋	募集	官斡旋	募集	斡旋	合計	募集	斡旋	募集	斡旋	合計	総計
発生件数				2	0	3	0	8	3	14	2	4	1	6	13	27
同上参加人数				8	0	9	0	109	58	176	95	394	7	45	541	717
労働紛争議	形態	罷業	件数													
			参加人数													
		怠業	件数					3	1	4	1			1	2	6
			参加人数					49	14	63	13			14	27	90
		直接行動	件数									1		2	3	3
			参加人数									13		3	16	16
		其他	件数					1	1	1	1				1	2
			参加人数					50	43	93	82				82	175
	結果	要求貫徹														
		要求拒絶														
		妥協						1		1						1
		要求撤回						1		1				2	2	3
		送局							2	2						2
		自然消滅						1		1						1
		其の他						1		1		1				2
日朝闘争事件	形態	直接行動	件数	2		2		3	1	6		3	1?	2	6	12
			参加人数	8		8		9	1	18		381	7?	25	413	431
		其他	件数			1		1		2				1	1	3
			参加人数			1		1		2				3	3	5
	結果	送局	件数	2		2		3	1	4		2			2	6
			参加人数	8		8		9	1	10		139			139	149
		妥協	件数													
			参加人数													
		其他	件数			1		1		2		1	1	3	5	7
			参加人数			1		1		2		242	7	25	274	276

1942年3月・6月の数字は集計である。

表⑦　福島県戦時労働動員逃亡者調（1940年～1943年）

		移住者累計	移住者数	逃亡者累計	逃亡者数	逃亡率%	発見者累計	発見者数	発見率%
1940年4月		2,303		457		19.8	85		
5月		2,837	534	606	149	21.4	148	63	42.3
6月		3,001	164	759	153	25.3	199	51	33.3
7月		3,301	300	884	125	26.8	233	34	27.2
8月		3,473	172	1,029	145	29.6	244	11	7.6
9月		4,181	708	1,195	166	28.6	282	38	22.9
10月		4,432	251	1,393	198	31.4	334	52	26.3
11月									
12月		4,969	537	1,588	195	31.9	389	65	33.3
合計			2,666		1,131	42.4		314	33.5
1941年1月		5,569	600	1,731	143	31.1	421	32	22.4
2月		5,857	288	182	89	31.1	439	18	20.2
3月		6,008	151	2,005	185	33.4	472	33	17.8
4月		6,419	411	2,133	128	33.2	512	40	38.3
5月		6,435	16	2,239	106	34.8	554	42	39.6
6月		6,583	148	2,405	166	36.5	621	67	40.4
7月		6,714	131	2,508	103	37.3	636	15	7.8
8月		6,739	25	2,693	185	40	700	64	34.6
9月		6,791	52	283	137	41.7	755	55	40.1
10月		6,821	30	293	100	43	799	44	44
11月		6,821	0	3,015	85	44.2	823	24	28.2
12月		7,144	323	3,045	30	42.6	843	20	66.7
合計			2,175		1,457	67		454	31.1

		移住者累計	移住者数	逃亡者累計	逃亡者数	逃亡率%	発見者累計	発見者数	発見率%
1942年1月	募集	7, 285	141	2, 252	?	30. 9	132	?	
	官斡旋		0				0	0	
	合計		141	2, 252			132		
2月	募集	7, 285	0	2, 268	16	31. 1	133	1	6. 3
	官斡旋		0				0	0	
	合計		0	2, 268			133	1	
3月	募集	7, 846	161	2, 376	108	30. 3	134	1	0. 9
	官斡旋		0				0	0	
	合計		161	2, 376	108		134	1	
6月	募集	7, 779	?	2, 712	336	34. 9	142	8	2. 4
	官斡旋	991	991	179	179	18. 1	0	0	
	合計	8, 770	991	2, 891	515	33	142	8	
12月	募集	7, 779	0	3, 030	318	40	170	28	8. 8
	官斡旋	3, 781	2, 790	700	521	18. 5	17	17	
	合計	1, 156	2, 790	3, 730	839	32. 3	187	45	
合計	募集		494		778	157. 5		38	4. 9
	官斡旋		3, 781		700	18. 5		17	2. 4
	合計		4, 275		1, 478	34. 6		55	3. 7
1943年1～6月	募集	7, 779	0	3, 117	87	40. 1	185	15	17. 2
	官斡旋	6, 016	2, 235	1, 435	735	20. 7	30	5	0. 9
	合計	13, 795	2. 235	4, 552	822	33	215	20	2. 3
7～12月	募集	7, 779	0	3, 159	42	48. 3	187	2	4. 8
	官斡旋	7, 672	1, 656	1, 994	559	26	35	5	0. 9
	合計	15, 451	1, 656	5, 153	601	33. 4	222	7	0. 1
合計	募集		0		129			17	13. 1
	官斡旋		3, 891		1, 294	33. 3		10	0. 8
	合計		3, 891		1, 423	36. 6		27	1. 9

1940 年から 1941 年までの統計と 1942 年以後の統計とは明らかに基準が異なるがそのまま記した。又、各月の逃亡率は逃亡者累計／移住者累計を採ったが、年間の逃亡率は逃亡者数／移住者数を採った。逃亡失敗率は発見者／逃亡者数である。出典はすべて『特高月報』各巻の「移住朝鮮人労働者の状況」の「逃亡走者」の項から龍田が抽出して集計した。1940 年 11 月の統計は欠。

表⑧『特高月報』『社会運動の状況』掲載諸統計

1　『特高月報』の朝鮮人紛争議(日朝間闘争と労働争議を含む)

	39.10〜40.4	40.5〜12	41	42	43	合計
紛争件数	14	12	23	11	13	73
紛争人数	1,048	500	865	167	541	3,121
移住者数	2,303	4,969	7,144	11,560	15,560	

移住者は累計である。紛争件数、紛争人数は39年10月から41年12月までは累計から月毎に件数、人数を出して年ごとに集計した。42年は1月からの累計、43年は半年ごとの累計を合計した。理由は6月の件数が12月より少なく、人数の増加分が少なく12月分が1年の累計とは考えられないからである。全国の数字もおなじである。

2　『社会運動の状況』に見る福島県の日朝間闘争原因調べ

	1939	1940	1941	1942	合計
争議件数	14	14	19	21	68

参加人数の記載なし。日朝間紛争と労働争議を含むものと思われるが、『特高月報』とは一致しない。

3　『社会運動の状況』に見る福島県の労働争議

	1939	1940	1941	1942	合計
争議件数	4	9	2	8	23
参加人数	186	299	122	200	807

既住朝鮮人を含む。

4　区裁判所判決及び『特高月報』事例にある紛争議及び労働争議

	1939	1940	1941	1942	1943	1944	合計
件数	4	11	4	5	3	4	32
人数	301	888	186	222	436	519	2,647

常磐炭田関係に限る。ほぼ労働争議と考えてよいが一部「日朝間紛争議」を含む。

5　日朝間闘争事件

	泥酔の結果	金銭問題	作業上の手違い	感情及び言語の行き違い	痴情関係	日朝人間の勢力戦争	其の他	計
1933	685	462	224	526	151	45	4,432	6,525
1935	979	350	147	486	97	72	1,330	3,461
1937	870	353	156	38	329	87	193	2,026
1939	784	242	87	360	81	30	219	1,767
1940	719	161	179	24	400	56	256	1,795
1941	461	119	94	35	256	60	114	1,139
1942	218	73	69	27	226	43	78	734

『社会運動の状況』より

6　『特高月報』より見た全国戦時労働動員数（労働争議と日朝間闘争を含む）

	1939.10〜40.4	1940.5〜12	1941	1942	1943	1944.11まで	合計
件数	146	311	154	295	346	303	1,425
参加人数	12,202	11,181	10,143	16,006	16,606	15,230	81,455

7　『特高月報』に見る日朝間闘争

	1942年	1943年	1944年
件数	92	111	147
参加人数	3,399	3,078	5,086

争議一覧の表より採り出した。1943年は統計に多少の不備あり。1944年には直接行動の中に集団暴力の項がある。直接行動とは別に労働争議の集団暴力との合計130件、6,809人が欄外に設けられている。

8　『特高月報』による労働争議調

	1939年	1942年	1943年	1944年	1945年
件数	32	203	235	157	111

参加人数	4,140	12,607	13,5528	10,838	5,102

『社会運動の状況より』

9　戦時労働動員(募集)朝鮮人労働争議調

	1939	1940	1941	1942
発生件数	153(33)	184(165)	48(48)	96(76)
参加人数	9,630(4,140)	12,518(5,831)	3,140(1,837)	5,974(2,525)

『社会運動の状況』より　(　)内は既住の朝鮮人の争議。1942年はこれに「官斡旋」が加わると考えるべきか。それを加えたとしても10表との差は100件を超える。又、1941年の48件も下表との差は100件を超える。その差は日朝間闘争の分が加わっていると考えてよいのか。尚、1939年は労務動員計画以前の数を含む年間の数字であり、10月以後のみの場合は遠藤論文より採って( )で表示した。

10　朝鮮人各種紛争議の状況（労働争議と日朝間紛争議を含む）

	1940迄の累計	1941迄の累計	1942
発生件数	338	492(154)	292
参加人数	23,383	33,526(10,143)	16,006

『社会運動の状況』(　)は1940年は単年別の総計である。1941年は前年の累計数を引いたものである。1942年は「官斡旋」と「募集」の合計数で、この場合の募集の203件、参加数10,462人も前年累計より著しく減っているので累計とは考えられず単年の総計であろうと考えた。尚、「官斡旋」は92件5,544人である。

11　『特高月報』に見る全国の「直接行動」と「集団暴力」年次統計

		1939	1940	1941	1942	1943	1944
労争集団暴力	件数						36
	参加数						3,176
労争直接行動	件数				35	80	37
	参加数				2,091	4,534	3,181
直接行動	件数	21	40	38	121	171	159
	参加数				5,238	6,940	6,883
日朝直接行動	件数				86	91	122
	参加数				3,147	2,406	3,702
日朝集団	件数						95

暴力	参加数						3,632

集団暴力も直接行動の中に入る。労働争議を略して「労争」とした。「日朝」は日朝間闘争のことである。中央の直接行動は直接行動の総計を表す。1944 年は 11 月までの集計である。1939 年は 10 月からは 40 年の 4 月まで含む。従って 1940 年は 5 月から 12 月までである。

12　福島県の労働争議、各種紛争議における「直接行動」—『特高月報』と「調査事例」との件数、参加人数比較

	1939	1940	1941	1942	1943	1944	合計
特高件数	7	5	8	4	6		30
人数				10	413		423
事例件数	1	6	1	4	2	2	16
人数	8	389	80	138	407	15	1,032

調査事例は『特高月報』、「区裁判所判決」より取り出した。特高件数の人数合計は 1942、1943 年分のみ。

参考資料　戦時朝鮮人抵抗運動等一覧表

凡　例

1　本一覧表は、龍田が『特高月報』から作成したものである。出典は、明石博隆・松浦総三編『昭和特高弾圧史』第６・７・８巻「朝鮮人にたいする弾圧」上（６巻・1930～39年）、中（７巻・1940～42年）、下（８巻・1943～45年）（各巻所収の『特高月報』資料）、大平出版社、1975年
「抵抗」には「労働争議」だけではなく「日朝間抗争」を含む。
『特高月報』の所収年月号（分）は下記の通り。

1～26、1939.11～12	91、1940. 1	147・148、1942. 4	179、1942.11	211・212、1944. 1
27・28、1940. 1	92、1940. 4	149・150、1942. 6	180、1942. 7	213、1943. 9
29・30、1939.11～12	93～96、1940. 2	151～153、1942. 7	181、1942. 6	214、1943.10
31～45、1940. 2	97～99、1940. 3	154・155・1942. 9	182、1942. 9	215・216、1944. 1
46～50、1940. 3	100・101、1940. 4	156、1942.11	183、1942.11	217、1943.10
51～54、1940. 4	102、1940. 2	157・158、1942.12	184、1942. 7	218、1943. 5
55、1940. 3	103、1940. 3	159、1942. 2	185、1942. 4	219・220、1943.10
56～64、1940. 4	104、1940. 4	160、1942. 3	186、1942. 5	221、1943. 5
65・66、1940.12	105、1940.11	161・162、1942. 4	187・188、1942.8	222、1943. 9
67、1940. 2	106、1940. 4	163・164、1942. 9	189・190、1942. 9	223、1943. 2
68、1940. 4	107・108、1940. 3	165、1942.11	191、1943. 1	224、1943. 3
69、1940.11	109～112、1941. 6	166、1942. 8	192～195、1942.4	225、1943. 9
70～74、1940. 2	113・114、1941.12	167、1942.12	196、1942. 5	226、1943. 2
75・76、1940. 3	115、1941. 1	168、1942. 6	197、1942. 7	227、1943. 4
77・78、1940. 4	116～119、1941. 6	169、1943. 1	198～200、1942.12	228、1943. 5
79、1940.11	120～122、1941.10	170、1942.11	201、1942. 2	229、1943. 9
80、1940. 3	123、1941. 6	171、1942. 5	202、1942. 5	230、1943. 7
81、1940. 4	124～128、1941. 4	172、1942. 8	203、1942. 8	231、1943.10
82、1940. 3	129・130、1941. 6	173、1942.11	204、1942.11	232・233、1943. 7
83、1940. 4	131、1941. 1	174、1942. 8	205、1943. 1	234、1943. 6
84～86、1940. 3	132～142、1941 6.	175、1942. 4	206、1942. 5	235、1943. 7
87～88、1940. 4	143、1941. 1	176、1942. 8	207、1943. 7	236、1943. 6
89、1940. 3	144、1941. 3	177、1942. 9	208・209、1943. 9	237、1943. 4
90、1940. 4	145・146、1942.3	178、1942. 7	210、1943.10	238、1943. 7

239、1943.12
240、1943. 9
241、1943. 2
242、1943. 9
243、1943. 3
244 ～ 246、1943. 7
247・248、1943. 9
249、1943. 2
250・251、1943. 3
252、1943. 4
253、1943. 5
254、1943. 6
255 ～ 262、1943 7.
263・264、1943. 9
265 ～ 270、1943.10
271 ～ 274、1943.11
275・276、1943.12
277 ～ 279、1944. 1
280、1943. 9
281、1943. 2
282、1943. 7
283、1943.10
284、1943. 2
285、1943. 4
286・287、1944. 6
288・289、1943.10
290、1943. 4
291、1944. 2
292、1944. 1
293、1943. 7
294、1943.10
295、1943. 5
296、1943. 7
297・298、1944. 2
299、1944. 3
300・301、1944. 4
302、1944. 2
303、1944. 3
304・305、1944. 6
306・307、1944. 7
308 ～ 310、1944. 8
311・323、1944.10
324・325、1944. 4
326、1944.10
327、1944. 6
328、1944.11
329、1944. 8
330、1944.4
331・332、1944. 8
333・334、1944.10
335、1944.11
336、1944. 6
337、1944. 3
338、1944. 7
339 ～ 341、1944.10
342、1944. 6
343、1944. 8
344、1944.10
345、1944. 3
346、1944.11
347、1944. 3
348、1944. 8
349・350、1944. 6
351、1944. 8
352 ～ 355、1944.11
356、1944. 7
357、1944. 6
358、1944.11
359、1944. 2
360、1944. 3
361、1944. 4
362 ～ 364、1944. 6
365、1944. 7
366、1944. 6
367・368、1944. 7
369、1944. 8
370、1944. 4
371、1944. 6
372 ～ 374、1944. 4
375 ～ 379、1944. 6
380、1944. 7
381、1944. 8
382 ～ 384、1944.10
385 ～ 388、1944.11
389・390、1944. 8
391・392、1944.10
393、1944. 3
394 ～ 396、1944. 6
379 ～ 402、1945.1 ～ 6

2 「種別と争議形態」の内、集団暴力は警察用語でカッコを付けるべきだが、便宜上省いた。日朝間抗争には朝鮮人間も含む。
3 「場所」は、都道府県名・企業所在地・企業名（炭砿・鉱山等名）の順
4 「朝鮮人労働者」は当該企業の朝鮮人動員者数
5 「争議の原因又は要求」は①日本人の暴力に対する抗議、②要求の内待遇改善は、賃金、食事、労働時間、労働環境、宿舎環境等を含む。
6 「結果」欄
・警察制圧は警察によって抵抗行動が制圧されたことを表わす。
・制圧は警察・会社・労務係等により抵抗行動が制圧されたことを表わす。
・警察慰留は警察によって争議・行動を慰留されたことを表わす。
・慰留は警察・会社・労務係等により抵抗行動が慰留されたことを表わす。
・和解・妥協は多少犠牲が出ても当該企業との和解が成立し要求が一部実現したことを表わす。
・貫徹は抵抗側が犠牲者を出さず要求を貫徹したことを表わす。
・検挙は警察による検挙を表わす。
・妥協は当該企業と妥協が成立したことを表わす。
・送還は本国送還を、送検・送司は検事局への送致を表わす。

	種別と争議形態	場　所	争議期間	朝鮮人労働者	参加人数	争議の原因・又は要求	結　果
1	罷業	北海道 大森 大森鉱山	1939.10.18	100	100	賃上	貫徹 割増解決
2	罷業(警察、道庁訪問)	北海道 札幌 三菱手稲鉱山	10.21-23	293	293	待遇改善 食事その他6項目	妥協 一部容認 警察
3	集団行動(陳情書)	北海道 紋別 鴻之舞鉱山	10.27-28	150	150	暴力抗議 賃上等	警察慰留
4	罷業	北海道 紋別 北竜鉱山	10.29-11.3	30	30	雇用期間変更、賃上	妥協 一部容認 警察
5	罷業	北海道 空知 三菱美唄鉱山	10.30	318	150	賃金契約書と相違	警察慰留
6	罷業	北海道 空知 三井砂川鉱山	11.3-11.4	148	148	賃金差引	警察慰留
7	集団行動(不穏)	北海道 札幌 三菱手稲鉱山	11.7-8	292	292	犠牲者取扱 葬儀措置不服	制圧 検束 送還
8	罷業	北海道 札幌 浅野炭鉱	11.8	48	48	待遇改善 食事 賃金 労働時間	警察慰留
9	罷業	北海道 空知 北炭万字美流渡坑	11.8-15	60	50	賃金引去(寝具、作業着代)	警察慰留
10	罷業	北海道 空知 住友歌志内炭鉱	11.8-12	148	8	坑内労働忌避	警察慰留
11	集団行動	北海道 空知 三菱美唄	11.11	30	30	指導員による暴力負傷に抗議	警察制圧
12	集団暴力(破壊)	北海道 岩見沢 新幌内炭鉱	11.12-13	140	140	指導員との紛争	警察制圧
13	罷業	北海道 空知 北炭万字美流渡坑	11.14-15	68	68	賃金引去 賃上	警察慰留
14	罷業	北海道 夕張 夕張炭鉱	11.15	238	238	寮長暴力 更迭	警察制圧
15	集団行動(無断出坑)	北海道 夕張 夕張炭鉱大新坑	11.17	28	28	日本人暴力	警察和解 日本人送検
16	罷業	北海道 空知 北炭幌内万字鉱	11.21	108	47	坑内労働の危険	警察慰留
17	罷業	北海道 空知 三井美唄炭鉱	11.21	200	98	坑内労働の危険 落盤死	警察慰留
18	罷業	北海道 夕張 夕張鉱業所	12.2-20	1571	136	坑内労働の危険	制圧 全員警察収容
19	集団行動(不穏)	北海道 空知 弥生鉱業所	12.4	26	26	日本人による傷害に報復	警察慰留 日本人検挙
20	罷業	北海道 紋別 住友鴻之舞	12.5	280	280	日本人傷害 待遇改善 布団	貫徹 日本人送検
21	怠業	北海道 余市 田中鉱業所轟鉱山	12.5	30	30	坑内変死 宿舎変更	貫徹(警察斡旋)
22	罷業(遺族遺体引取拒否)	北海道 空知 北炭万字美流渡坑	12.6-10	68	68	坑内労働危険 爆発死 遺族補償	警察慰留 遺族検束
23	朝鮮人間抗争(乱闘)	北海道 夕張 北炭夕張鉱平和鉱協和寮	12.10	256	256	出身地差別	警察和解
24	罷業計画	北海道 夕張 夕張鉱業所夕張鉱	12.11-15	238	40	吹雪	(事前)警察慰留
25	罷業	北海道 夕張 北炭夕張鉱業所	12.13-23	118	118	日本人による傷害 共同作業拒否	貫徹 日本人検束
26	罷業	北海道 十勝 雄別浦幌炭鉱	12.15	130	130	日本人による傷害 待遇改善	警察和解 日朝送検
27	怠業	北海道 空知 三井美唄鉱業所 第3坑	12.23	198	55	保安不備 葬儀参列 貯金送金の自由	和解 18人参列
28	罷業	北海道 空知 歌志内 北炭空知鉱業所	12.26-27	81	81	賃金疑問 炊事夫差別	警察慰留
29	罷業	福島 石城 磐城炭砿長倉坑	10.27	150	150	坑内の危険	警察慰留
30	罷業	福島 石城 磐城炭砿	11.19	138	138	強制貯金への不満	警察慰留
31	怠業	福島 石城 磐城炭砿	12.18	61	13	坑内変死	慰留 1人送還
32	日朝間抗争(集団対立)	福島 石城 磐城炭砿	12.22		8	日本人暴力	和解
33	集団暴力(破壊・逃走)	山口 吉野 長生炭砿	10.28	221	221	逃走者への暴力	制圧 24人逃走
34	怠業	福岡 筑豊鉱業所	12.1-2	55	55	坑内負傷	警察慰留
35	怠業	福岡 嘉穂 日炭新山野炭鉱	12.28-29	196	170	奨励金差別	警察慰留
36	怠業	宮崎 新田原飛行場	12.20	194	144	待遇改善 蒲団 便所 病院 賃金 浴場	貫徹
37	罷業	鹿児島 始良 王山鉱山	12.29	99	99	日本人の暴力	慰留 日本人取調
38	怠業	北海道 空知 北炭幌内鉱業所	1940.1.1-4	69	69	寮長排斥 食事の改善 購買品値下	警察慰留
39	集団行動	北海道 空知 三井砂川鉱業所	1,21	31	31	日本人暴力	制圧 日本人検挙
40	怠業	北海道 山越 静狩金山静狩鉱業所	1,23	186	186	待遇改善 食事改善 前貸約束実行	和解 前貸認可
41	集団行動・怠業	北海道 芳部 日鉱森町大盛鉱山	1.22		120	日本人暴力 待遇改善 本人馘首と坑外労働	制圧 待遇留意
42	怠業	北海道 空知 三菱美唄鉱業所	1.24		35	賃金 労働時間	警察和解 待遇改善
43	集団行動(怠業 デモ)	北海道 空知 三菱美唄鉱業所	1.24-25		194	泥酔検束 釈放 待遇改善 5項目	和解 会社善処約束
44	怠業	北海度 空知 三菱美唄鉱業所	(1.30)		194	死者への弔意休業	和解 代表参列
45	陳情(郡長へ)	北海道 空知 北炭幌内幾春別坑	?	86	1	日本人との争論	警察慰留
46	罷業	北海道 赤平 茂尻炭鉱	2.8-9	195	195	待遇改善 改名 賃金本人手渡し 差別	慰留 1人送還

47	集団暴力(朝鮮人の間)	北海道 紋別 鴻之舞炭鉱	2.11		35	揶揄、炊事夫へ傷害	制圧 4人検挙
48	集団行動(暴力未遂)	北海道 空知 三菱美唄鉱業所	2.14		7	日本人の暴力	近隣者制圧 7人検挙
49	集団行動(陳上)	北海道 空知 北炭夕張鉱業所	2.24	72	72	寮長の暴力(賭博誤認) 排斥	和解 警察寮長厳戒
50	集団行動(怠業扇動 不穏)	北海道 空知 北炭夕張鉱業所	2.26	92	92	寮長暴力 排斥	慰留 寮長謝罪 2人送還
51	罷業	北海道 札幌 日鉱豊羽鉱山	3.6			日本人と口論	警察和解
52	罷業(陳情書署名)	北海道 空知 北炭幌内炭山	3.12	203	203	賃上げ	制圧 首謀者厳戒
53	罷業	北海道 夕張 三菱大夕張鉱業所	3.12-13	516	140	労務の暴力 更迭	警察慰留 労務係訓戒
54	罷業	北海道 札幌 日鉱豊羽鉱山	3.16	100	99	変死葬儀法 本国送還	警察慰留 火葬
55	罷業	北海道 阿寒 雄別炭鉱雄別鉱業所	3.17-22	485	457	契約期間違反 期間短縮賃上 時間短縮	制圧 70人検束 送還
56	罷業 集団暴力(事務所破壊)	北海道 空知 三菱美唄炭鉱	3.20	887	115	会社の処分の取消	制圧 12人検束
57	怠業・陳情	北海道 空知 雄別炭鉱茂尻鉱山	3.21-23	179	115	「不良鉱夫」送還取消	不明
58	罷業	北海道 空知 昭和電工豊里鉱業所	3.22-23	195	195	賃上 食事の改善	警察慰留 2人送還見込
59	集団暴力	北海道 空知 三井美唄炭鉱	3.28		15	日本人の暴力	制圧 2人検挙送局
60	罷業	北海道 厚岸 太平洋炭鉱新尻幌鉱業所	3.28-29	50	45	不当精算	制圧 1人送還
61	集団行動(付和雷同)	北海道 阿寒 雄別炭鉱雄別鉱業所	3.29	52	52	契約期間誤解	和解
62	罷業	北海道 夕張 北炭新夕張鉱	?	97	38	賃上げ時期	和解 既に出ていた
63	罷業	北海道 空知 昭和鉱業新幌内事業所	4.1-2	423	328	宿舎格子設置(盗難防止)	貫徹 撤去
64	罷業	北海道 空知 弥生鉱業所	4.6	197	197	賄料の値上、賃上	警察慰留
65	集団暴力	北海道 上川 真勲別発電工事現場	9.25	1300	70	管理人暴力	制圧 検挙 送局
66	集団暴力(日朝間)	北海道 空知 三菱美唄炭山	10.7	970	150	作業場のトラブル	制圧 検挙 5人送局
67	集団行動(ハンスト)	青森 上北 東北振興電力発電所工事	1.?	96	96	検挙者釈放 待遇改善(夜昼間区別、作業着等)	制圧 15人送還
68	怠業	青森 上北 上北鉱山	4.15-16	50	50	賃金契約違反	要求貫徹(手当として) 3人送還
69	集団暴力	宮城 栗原 三菱鉱業細倉鉱業所	10.9		20余	労務暴力	制圧 5人検束 訓戒
70	休業	福島 石城 内郷 磐城炭砿	1.?		15	看護休暇	監督慰留
71	怠業	福島 石城 内郷 磐城炭砿	1.3-4		5	妻病気誤伝	慰留 会社へ警告
72	集団暴力	福島 石城 好間 好間炭砿好間砿業所	1.5	64	7	通訳へ暴力	制圧 警告
73	陳情	福島 石城 内郷 磐城炭砿	1.?		24	契約違反(賃金)、強制貯金その他待遇改善	慰留 会社へ改善警告
74	罷業	福島 石城 湯本 入山採炭	1.24-25		430	リンチ後死亡 抗議	労務係慰留 中心人物検挙
75	集団暴力(日朝間)	福島 石城 内郷 磐城炭砿	2.12		50	言語不通のトラブル	制圧 検挙
76	集団暴力	福島 石城 内郷 磐城炭砿	3.17	200	150	日本人の暴力	制圧 2人送還
77	集団暴力(未遂)	福島 安積 日本鉱業高玉鉱山	3.24		7	日本人の暴力	慰留 労務
78	罷業・集団暴力(人事係へ)	福島 石城 磐城炭鉱長倉坑	4.2-4		200	言語不通によるトラブル、日本人の暴力	制圧 30人検束、10人送還予定
79	集団行動(不穏)	福島 石城 入山採炭	(11.27)		80	労務の暴力	制圧 4人検束
80	罷業(稼働拒否)	茨城 日立 日立鉱山諏訪採鉱所	3.3	363	363	日本人の傷害 会社、警察不信	制圧 8人隔離 日本人送検 送還1
81	罷業	栃木 塩谷 日本鉱業日光鉱山	4.15-19	69	69	賃金契約違反	要求貫徹(手当として)
82	集団行動(交渉)	新潟 佐渡 三菱鉱業佐渡鉱山	2.17	98	40	待遇改善	要求貫徹
83	罷業	新潟 佐渡 佐渡金山	4.11-13	97	97	契約違反賃金	和解(善処) 3人送還
84	怠業	山梨 西八代 富士川発電工事	3.15		15	労働時間計算不正	慰留 会社へ警告(警察)
85	集団暴力(破壊)	長野 西筑摩 日本発送電常磐発電工事	2.12	250	250	監督の暴力 傍観施設の不備	制圧 検挙6人と日本人監督
86	集団暴力(報復)	長野 西筑摩 日本発送配電三浦貯水池工事	1.30	200	150	逃走者への私刑(雪中)	制圧 住居侵入傷害15人検挙 6人送還
87	集団行動(紛議)	静岡 賀茂 日本鉱業河津鉱山	4.2-4	60	60	監督更迭	和解
88	罷業	兵庫 養父 明延鉱山	4.12	255	125	賃金契約違反誤解	和解
89	罷業	高知 幡多 内務省土木出張所渡川改修工事	3.2-3	73	73	賃上	妥協(時間延長、引上)
90	怠業	高知 吾川 県営水力加枝発電工事	4.3	321	300	賃上 直接家族へ送金	慰留 賃上拒否(善処)送還1
91	集団暴力(傷害)	高知 幡多			50	監督の厳しさ不満	制圧 48人検挙 18人送局
92	罷業	山口 宇部 東見初炭鉱	4.2	66	17	食事改善(外米混入誤解)	警察慰留
93	集団行動	福岡 遠賀 日産化学工業所高松炭鉱	1.1	400	200	労務の暴力	貫徹 労務係更迭
94	集団暴力(傷害)	福岡 嘉穂 山田炭鉱	1.15	250	2	労務の横暴	制圧 検束 本国送還

95	罷業	福岡 八幡製鉄所構内運搬共済組合	1.21-22	692	9	賄夫による傷害に同情	和解 加害者検挙
96	怠業	福岡 遠賀 金九鉱業大熊炭鉱	1.21-23	54	23	報国出炭時間延長不満、現金渡要求	慰留 3人送還
97	怠業	福岡 嘉穂 明治炭鉱	3.4-6	195	14	舎監更迭	警察慰留
98	集団行動	福岡 田川 古河鉱業大峰鉱業所	3.5	282	186	訓練緩和(係変更、外出、移動場所変更)	会社、警察慰留
99	罷業	福岡 田川 豊田炭鉱	3.16	199	32	舎監との対立	労務係慰留
100	罷業	福岡 嘉穂 古河鉱業下山田炭鉱	3.30	250	60	賃金支給についての誤解	警察慰留 2人送還予定
101	集団暴力(傷害)	福岡 田川 豊田炭鉱	3.?	200	30	労務との対立	警察制圧 2人送局
102	罷業	佐賀 東松浦 貝島岩屋炭鉱	1.30	160	30	待遇改善(賞与)	警察慰留
103	罷業	長崎 北松浦 住友鉱業潜竜鉱	2.18	258	88	同僚死亡葬儀休業	会社慰留
104	集団行動	大分 北海部 日本興業佐賀関精錬所	4.4	350	70	守衛と紛議	労務係慰留
105	集団暴力(事務所)	大分 大野 三菱鉱業尾広鉱業所	10.15	50	50	交渉中の会社側暴力	不明
106	集団暴力	宮崎 東臼杵 槇峰鉱山	3.24	199	190	監督の公休日点呼不満	警察慰留
107	罷業	鹿児島 始良 玉の山鉱山	2.23	150	93	死亡事故恐怖	警察慰留
108	罷業	鹿児島 川辺 春日鉱山	3.17-18	48	37	日本人の暴力(ラジオ体操強要)	警察慰留 会社に警告
109	集団行動(不穏)罷業意図	北海道 古平 古平町柏倉石鉱業所	1941.4.1	179	179	食糧2合6勺では不十分	警察慰留
110	罷業	北海道 古宇 泊村茅沼炭鉱	4.3	125	125	米3合1勺豆5割増では空腹	警察慰留
111	罷業	北海道 夕張 夕張 北炭夕張鉱業所	4.3	46	23	米豆計7勺減量、代用食要求	寮長慰留
112	集団暴力(警察署襲撃・示威)	北海道 夕張 夕張 大夕張炭鉱	6.25	800	213	寮長変更要求、警官袋叩き、34人検束、釈放要求	制圧 10人送局
113	集団暴力(宿舎破壊)・罷業	北海道 空知 北炭空知鉱業所中之沢協和寮	12.12	66	66	労務との紛争、宿舎破壊、検束者釈放要求	制圧 8人送局
114	集団暴力(警官・労務へ)	山形 最上 大蔵 古河合名永松鉱業所	12.1		28	賃金問題から帰国清算要求	制圧 28人検束、17人送局
115	集団暴力	福島 石城 赤井 日曹砿業所朝鮮人寮	1.1	80余	80余	食事問題から傷害事件への抗議	制圧 15人検束
116	罷業	福島 石城 好間 好間砿業所	6.8	210	165	飯米減量抗議	警察慰留、会社妥協
117	罷業	福島 石城 内郷 磐城炭砿綴1寮	6.1	280	40	飯米減量抗議(8合→4合)	警察慰留
118	集団暴力(警官へ)	茨城 日立 日立鉱山	6.11		50余	待遇改善交渉中	制圧 全員検挙 22人送局
119	休・怠業	東京 荒川 三河島方面	6.15			食糧不足	
120	集団暴力(逃亡密告者殴打)	神奈川 三浦浦賀町国道改良工事場佐原組	10.2		115	逃走密告、警察署へ交渉	警察慰留
121	集団暴力(傷害、事務所破壊)	静岡 田方土肥町土肥金山会社土肥鉱業所	10.11		167	事務所係暴力	制圧 11人検挙 8人送局
122	集団暴力(賄夫を殴打)	静岡 磐田龍山村 日本鉱業峰の山鉱山	10.5		24	食事(肉の使用量少ない)	制圧 7人検挙 本籍送還
123	罷業	三重 南牟婁入鹿村 紀州鉱山	6.25	113	113	食糧増配	警察慰留
124	怠業 退職	京都 伏見深草西川原町 黒川染工場	4月	30		節米のため空腹	市街転出
125	論争	京都 上京上賀茂町 八百屋西田	4.4		数名	差別的売り惜しみ	警察和解 店に警告
126	怠業(休業・転業)	大阪	4月		多数	食糧不足	
127	怠業	兵庫 川辺 川西町 北摂皮革工業組合	4.1		31	弁当持参不可能	
128	集団行動	兵庫 神戸灘区岸屋町7丁目	4.18		187	繰上配給	貫徹 要求受入
129	怠業	兵庫 飾磨市須賀 加藤耐火煉瓦	6月	18	18	空腹 食糧確保	
130	退職希望	兵庫 明石西王子町 日本工具第1工場	6月	24	11	農村へ転出希望	
131	罷業・集団示威	福岡 遠賀 水巻 日産化学 遠賀川鉱業所	1.12	2015	225	賃金値上、待遇多少改善 不満	制圧 38人検挙 18人本籍送還
132	怠業(中途退坑・欠勤)	福岡 嘉穂 山田町 山田炭鉱	5.25～	177	64余	空腹	
133	罷業	福岡 嘉穂 碓井町 平山炭鉱第2坑	6.3		37	空腹	警察慰留
134	怠業(早退)	福岡 八幡製鉄所構内運搬請負組合入江組	6.1	39	6	空腹	
135	怠業(早退)	福岡 戸畑市若松 港岸壁具島戸畑作業場	6.1		3	空腹	
136	怠業(早退)	福岡 20ヵ所	6.1～5		164	空腹	
137	怠業(早退)	福岡 八幡市黒崎 日本化成船舶荷揚労働者	6.2	110	20	空腹	
138	逃走(転住2件)	福岡 八幡市黒崎 日本化成船舶荷揚労働者	6.2	110	5	空腹	
139	逃走(転居)	福岡 門司市 鉄道工事現場 清水組	6.2		20	空腹	
140	怠業	福岡 嘉穂山田町 筑紫鉱業所	6.3		14	空腹	
141	買い漁り	福岡 嘉穂桂川町 米穀共同作業販売所	5.3		34余	主婦による	警察慰留
142	流言飛語	福岡 嘉穂碓井町 碓井駅石炭積込人夫			数名	配給減少は日本の敗戦	警察慰留 戒告

143	集団暴力（警官）	長崎 北松浦鹿町村 日鉄鉱業 北浦鉱業所	1.2	192	100	警官暴力	警察警防団185人圧制 全員検挙 24人送局
144	時局批判	佐賀 松浦入野村 大鶴炭鉱	3.16		4	郵便貯金引出	検挙 科料3円
145	集団行動	北海道 夕張夕張町 北炭夕張鉱業所渡日列車	1942.2.2	120	80	弁当支給	係員慰留 弁当支給 1人検挙
146	罷業	北海道 空知砂川町 三井鉱山砂川鉱業所	2.23～24	1056	326	減食（盛切）	警察慰留 14人取調中
147	集団暴力（逃走:計画）	北海道 美唄町 三菱美唄炭鉱鉄道工業会団組土工部屋	3.26	21	21	契約条件の相違 労務暴力	制圧 発見 厳重取調中
148	罷業	北海道 砂川町 三井鉱山砂川鉱業所中町第2親和寮	3.31	54	54	食糧減食	警察慰留
149	怠業	北海道 紋別紋別町 住友工業鴻之舞鉱業所	6.6		244	賃金支払延期	警察慰留
150	怠業	北海道 雨龍沼田村	5.27		35	寮内日本人同宿	警察慰留
151	怠業・集団暴力（傷害）	北海道 空知美唄町 三井美唄鉱業所	6.10		5	労働督促 暴力	検挙 取調中
152	罷業	北海道 夕張日之出 北炭平和鉱業所角田鉱	6.14	90	46	落盤事故	警察慰留
153	怠業（8日）	北海道 阿寒阿寒村 雄別炭鉱鉄道鉄道工業	6.4～12		10	賃金値上（契約満了）	検挙 重戒告
154	怠業	北海道 釧路市 市外鉄道工業	8.15		26	指導員暴力	慰留 指導員に注意 朝鮮人に厳諭
155	集団暴力（日朝間）	北千島 北方軍事要地	7.29	54	54	日本人の暴力	慰留 軍と警察協議
156	罷業	北海道 虻田京極村 日鉄倶知安鉱山第二協和寮	10.1	98	98	賃金値上	警察慰留
157	怠業	北海道 空知赤平村 雄別炭鉱茂尻鉱業所	10.13～18	100	100	契約条件との違い、両設備改善	不良分子1人送還
158	集団暴力（日朝間）	北海道 空知 美唄町 三井美唄鉱業所	10.16		数10	日本人の暴力	制圧 5人送検
159	集団暴力	岩手 岩手 松尾村松尾鉱山	2.26	790	184	通訳の暴力	制圧 全員検束 66人誓書
160	集団行動（不穏辞言）		3.4		9	通訳の詫び要求	制圧 6人送局 内3人厳諭
161	集団暴力（事務所）	岩手 和賀湯田村 日本鉱業赤石鉱山	3.21	80	20余	守衛の暴力	警察制圧 首謀者取調中
162	罷業	岩手 和賀湯田村 田中工業土畑鉱山	3.12	43	43	飯米増量 食費値下	事業主慰留 2人検挙取調
163	日朝間抗争（罷業）	岩手 下閉伊 田老村 鯛生産業田老鉱業所	8.29 30		20	日本人との喧嘩 釈放要求	警察制圧
164	罷業	岩手 和賀湯田村 三菱鉱業鷲合森鉱山	9.13		39	酒の配給差別	警察和解
165	罷業	岩手 和賀湯田村 田中工業土畑鉱山	9.15 16	54	54	賃上	制圧 1人検挙 他は戒告
166	怠業	秋田 北秋田阿仁合町 古河鉱業所阿仁鉱山	8.1	37	37	労務の注意に反発	制圧 首謀者2人特別訓練
167	怠業	宮城 遠田大貫村 大貫工業所	12.17	47	47	賃金募集条件と違い	事業主慰留
168	ハンスト	福島 石城内郷村 磐城炭砿	5.31	1301	86	米飯増配	警察慰留
169	集団暴力（労務係）	福島 石城好間村 古河砿業好間砿業所	12.16	81	81	労務の暴力	警察慰留
170	集団暴力	茨城 日立市 日立鉱山	11.9	52	52	食事問題	警察慰留
171	集団暴力（労務と事務所）	新潟 佐渡 三菱佐渡鉱業所	4.29	850	160余	とばく容疑で連行、奪還	制圧 首謀8人検束
172	暴力（日朝間）	新潟 中魚沼十日町鉄道省信濃水力発電工事場	7.31		2	日本人鉱夫に暴力	制圧 2人送局
173	集団暴力（日朝間）	新潟 北蒲原赤谷村 日鉄鉱業赤谷鉱業所	9.1	100	13	労務へ暴力 日本人8人	制圧 13人送局（朝）日本人説諭
174	集団暴力（日本人へ）	福井 吉田上志比村 日発発電工事場	7.3	33	33	作業中の争い	慰留 検挙取調中
175	集団行動（警察へ）嘆願	神奈川 津久井 熊谷組与瀬作業所	3.19	160	130	監督の暴力	捜査中
176	集団行動（被殺害事件2人）	神奈川 津久井中野町 大倉組池田事務所大槻組	8.4	13	13	逃亡発見 飯場頭更迭	慰留 加害者検挙取調中
177	集団行動（不穏）	神奈川 日本鋼管正親町製鉄所	8.30	100	99	指導員の暴力	制圧 首謀者3人検挙
178	罷業	静岡 榛原中川根村 日発発電工事柿間沢現場	4.6.7	1038	130	逃走者被殺害容疑	警察慰留
179	集団行動（逃亡計画）	静岡 田方上狩野村 持越鉱業所	10.18	11	11	帰国要求	警察慰留
180	集団暴力（日本人）	長野 東筑摩塩尻町 昭和電工塩尻工場	6.27		6	職場配置問題（負傷）	制圧 検挙 厳諭釈放
181	集団行動（暴力?）（下山意図）	滋賀 伊香杉野村 日窒工業土倉工業所	6.5	95	95	待遇改善要求誠意なし	警察制圧、自警団召集
182	集団暴力（日本人1人 日朝間）	兵庫 朝来生野町 三菱鉱業生野鉱業所	8.14		45	口論	制圧 3人検挙 34人逃走
183	集団行動（暴行意図）	兵庫 尼崎市鶴町 日亜製鋼	10.28	435	148	賃金支払方法	警察制圧
184	暴力	香川 香川郡		250	3	食糧の配給不正の疑	制圧 懲役3ヵ月
185	集団行動（事務所へ抗議）	山口 宇部市 東見初炭鉱	4.14	258	3	隊長暴力	警察慰留
186	集団行動（責任詰問）	山口 美弥 山陽無煙鉱業所	4.22 23		20	日本人責任者の暴力	慰留 炭坑側と3人に警察訓戒
187	怠業	山口 宇部市 東見初炭鉱	7.12	299	299	募集条件違背	制圧 20人送還
188	暴力（労務）	山口 宇部市 宇部興発沖の山鉱業所	8.2	104	2	労務に反発（暴言）	制圧 送還
189	罷業	山口 下松市 東洋鋼板圧延工場	9.1-2		33	賃金支払方式	警察和解
190	集団暴力（労務、事務所）	山口 宇部市 沖宇部炭鉱	9.1		25	労務の暴力	制圧 首謀者4人検挙取調中

191	集団暴力(事務所)	山口 小野田市 大浜炭鉱	12.18	32	30	酒配給増量	制圧 24人検挙 5人送還
192	集団暴力(日朝間)	福岡 八幡市 八幡製鉄所福富組	2.28	12	12	日本人労働者との対立	慰留 警察両者訓戒
193	暴力	福岡 八幡市 貨物積み込み現場	3.5		2	日本人労働者の暴力	慰留 警察両者訓戒
194	集団暴力(日朝間)	福岡 八幡市 枝光 朝日硝子硝子引揚作業現場	3.1		15	ケンカ	制圧 検束取調
195	集団暴力 逃走	福岡 粕屋 勝田工業所	3.6		9	怠業への労務の暴力	捜査中
196	集団暴力(傷害)	福岡 遠賀 水巻町 日産化学第3高松炭鉱	4.19			労務の徴戒的制裁	制圧 関係者送局
197	集団暴力(訓練所破壊)	福岡 遠賀 水巻町日炭遠賀川鉱業所第三高松鉱	6.6~7.7		20	弁当減量ストの検挙に抗議	制圧 全員検束 取調中
198	集団行動(暴力意図)	福岡 遠賀 中間町 九採新手本本坑	10.16	97	31	小銭借用交渉拒否される	警察慰留 1人逃走
199	集団暴力	佐賀 下杵 大町 杵島炭鉱	12.9	1400	270	食糧減給	制圧 6人検挙取調中
200	怠業	佐賀 下東松浦 厳木町 貝島岩屋炭鉱	11.21	700	27	食糧増配	警察慰留
201	一斉退所	長崎 佐世保市相浦町 佐世保海軍建築部	2.15	1580	80 (382)	守衛による暴力と賃金への不満	制圧 憲兵隊
202	集団暴力(警務員 宿舎)	長崎 東彼杵 川棚町佐世保海軍建部施設工事場	5.11	340	340	日本人徴用工との喧嘩	指導員慰留 憲兵隊取調中
203	集団暴力(労務 事務所)	長崎 松浦 日産化学鉱業佐世保鉱業所矢岳炭鉱	8.4	1050	153	逃走者殺害の噂 入坑拒否を警察に通告	制圧 67人取調中
204	集団暴力(日朝間)	熊本 荒尾市 東京第2陸軍造兵廠熊本出張所	9.22	62	41	日本人労働者の暴力	警察制圧
205	集団暴力(補導員)	熊本 荒尾 三池鉱業所万田炭鉱	12.5	265	48	補導員の暴力	制圧 労務 1人検挙
206	暴力(飯場頭へ)	大分 北海部 大在村 建設工事場	4.25	2000	1	食糧配給増	制圧 送局
207	集団暴力(管理人 事務所)	樺太 大泊 大泊町 佐々木組	1943.6.2-3	70	70	無断外出	制圧 10人取調中
208	集団行動(交渉 恐喝)	樺太 恵須取 恵須取町 木原組	4.25~5.14	69	28	賃上	制圧 首謀者9人検挙取調中
209	怠業	樺太 名好 小能登呂村 遠藤組	7月上旬~8.1	148	66	賃金値上	要求貫徹 首謀者逃走
210	集団暴力(労務係5人へ)	樺太 名好 柵田村 金山飯場	10.15	120	102	逃走リンチ死者引き渡し	制圧 関係者検挙取調中
211	集団暴力(飯場頭)	樺太 豊栄 落合町 渡辺組寄宿舎	11.29~12.1	140	10	飯場頭の物資不正配給	制圧 2人と飯場頭を検挙取調中
212	集団暴力(舎監 事務所)	樺太 名好 名好町 豊畑炭鉱	12.1-5	263	85	舎監への不満(食糧不正融通)	制圧 4人検挙取調中
213	罷業	北海道 常呂 留辺蕊町野村鉱業イトムカ工業所	6.28	160	160	貯金送金額増に反対	貫徹 従前通りとす
214	集団暴力(訓練隊長)	北海道 空知 三笠町 山口組	8.8	148	84	訓練隊長の暴力	制圧 4人検挙
215	集団暴力(事務所襲撃)	北海道 空知 三笠町 住友鉱業奔別鉱業所	11.14	570	50	労務の暴力	制圧 検挙取調中
216	集団暴力(指導員)	北海道 室根 室根町 菅屋組森田飯場	12.6	90	23	指導員への反感と不適切な指導	制圧 関係者23人を検挙送局
217	集団暴力(守衛)	青森 上北 天間林村 日本鉱業上北鉱山	8.14	357	約110	日本人守衛への反感(朝鮮人より変更)	制圧 警察 7人取調中
218	朝鮮人間抗争(既往と動員)	岩手 上閉伊 甲子村 甲子鉄工所釜石鉱業所	4.28~29	694	400	感情の行き違い	負傷9人
219	集団暴力(指導員)	岩手 上閉伊 甲子村 西松組	10.18	66	60	指導員の過失にもとずく	制圧 29人検挙 指導員過失致死取調中
220	集団暴力(指導員)	岩手 釜石市鳥ヶ沢 西松組鉄鋼工事場	9.3	61	46	指導員の暴力	制圧 検挙11人
221	集団暴力(労務)罷業	秋田 北秋田 古河鉱業阿仁鉱業所		102	81	労務の暴力	警察制圧 会社に警告
222	集団暴力(指導員)	秋田 北秋田 花岡町 藤田組花岡鉱山	7.16	650	205	労務の暴力	制圧 5人検挙 説諭釈放
223	集団暴力(守衛2人)	宮城 桃生 矢野本町 松島飛行場建設工事場	2.8		400余	守衛への不満	制圧 武装水兵18人で
224	陳上(警察へ)	宮城 遠賀 東北振興本貫鉱業所	2.15	44	5	事業主側の賄費経理不正	和解 警察調査不正なし
225	怠業	新潟 西頸城 青梅 電気化学工業青梅工場	8.1	28	26	賃上(運搬台数引き上げに見合う)	警察和解
226	怠業	福島 石城 内郷町磐城炭砿	1.25	1487	12	賃上(訓練期間後)	制圧 2人検挙
227	集団暴力(日本人・宿舎)	福島 石城 好間村古河炭砿	4.25.26	468	402	言語不解、日頃の不満	制圧 34人検挙 送局
228	怠業	東京 江戸川区 内外製鋼所	4.4-5	34	23	守衛暴力(外出の自由)	制圧 1人検束 他釈放
229	罷業	東京 城東区 南砂宮製作所	7.28-29	33	33	賃上げ	警察慰留
230	集団暴力(指導員)	神奈川 横浜市鶴見区 日本鋼管浅野船渠	7.26	26	26	食事差別	制圧 3人検挙
231	集団暴力(飯場頭、妻)	静岡 磐田 龍山村 日本鉱業峰の沢鉱山	9.21 22	94	39	飯場頭への不満	制圧 2人検挙
232	集団暴力(労務係 宿舎) 集団行動(宿舎内 警察へ)	岐阜 吉城 船津町 三井神岡工業所	5.10~13	1000	400	外出巡り労務暴力、宿舎周辺示威、釈放要求	制圧 17人(250人一旦)検束
233	罷業		7.10	100	25	賃金差別	警察慰留と労務
234	集団暴力(労務係宅)	福井 大野 下穴間 日本亜鉛	6.12~14	100	100	殉植者への会社の処遇	制圧 10人検挙
235	集団暴力(演芸係員と抗争)	京都 与謝 与謝村大江ニッケル工業	6.11	360	260	係員の暴力(演芸係員専用通路使用)	制圧 10数人検挙
236	怠業	大阪 西淀川 大阪製鋼所	4.23-24	99	99	待遇改善	制圧 12人検束 4人送還

237	集団暴力(事務所)	兵庫 尼崎市 大阪機械製作所	3.31-4.1	148	148	強制貯金 全額手渡し	制圧 検挙取調中
238	集団抗争(対被差別部落民)	兵庫 尼崎市東今北 日亜製鋼所	6.2627	450	17	被差別部落民女性への揶揄など	制圧 関係者検挙
239	暴力(日本人労働者へ傷害)	兵庫 芦屋市打出区 新田川崎重工製鉄工場	11.24		1	差別用語への反発	検束送局
240	罷業	兵庫 尼崎市 久保田鉄工所尼崎工場	7〜8月頃？	195	80	暴行検挙の同僚の釈放要求	制圧 11人検束
241	怠業	愛媛 新居角野 住友別子鉱業所東平採鉱所	2.6	297	15	酒の配給の民族差別	警察慰留
242	集団暴力(指導員)	愛媛 越智 住友鉱業田坂島製鉄所	8.2	80	60	無断欠勤者への減食抗議	制圧 3人検挙
243	怠業	愛媛 西宇和 七元町帝国鉱業開発今出鉱業所	3.7	24	24	食糧不足	制圧 4人検挙のち釈放
244	怠業	広島 呉市阿賀町 広島瓦斯阿賀工場	6.23,24	50	27	賃上	警察慰留
245	集団暴力(労務係 事務所)	山口 小野田市本山炭鉱	6.6	593	30	労務係の暴力(食糧不足)	制圧 7人検挙
246	怠業	山口 美弥 大山領町 日本鉱業		217	80	舎監の暴力	警察慰留
247	怠業	山口 宇部市宇部興産沖の岩鉱業所	7.26	190	190	不良指導員の排斥	制圧 5人検挙 指導員解雇
248	集団暴力(日死亡1 朝重症4)	山口 美弥大峰 日鉱山陽無煙工業所	8.16	686	300	侮蔑言語、少数の日本人の不満	制圧 警察消防報国90 日朝双方検束
249	集団暴力(朝鮮人労務係)逃走	福岡 嘉穂 日炭新山野炭鉱	1.2	273	97	同郷者指導に反感	制圧 82人逃走者発見、検挙13人
250	集団暴力(賄い方 食堂)	福岡 戸畑市日鉄八幡製鉄所	2.8	646	479	賄の処置不都合として	制圧 隊長班長検束、1人送還
251	集団暴力(労務係 事務所)	福岡 嘉穂 太平笹原鉱業所	2.16	150	25	坑内事故の原因	制圧 班長以下6人検挙
252	集団暴力(舎監 事務所)	福岡 嘉穂 三井山野工業所	4.1〜4	732	180	舎監の暴力(無断外出)	制圧 4人検挙 悪質者全員送還
253	集団暴力(警察官 住民)	福岡 嘉穂 日鉄二瀬鉱業所潤野炭鉱		1007	68	検束(泥酔注意)逃走中 検束阻止	制圧 53人検束取調中
254	罷業(朝鮮人間)	福岡 嘉穂 穂波村 三菱飯塚鉱業所	5.11	1127	92	訓練隊長(朝鮮人)間の傷害 逃走	制圧 加害者捜査中
255	罷業	福岡 小倉市許斐町 小倉製鋼	5.20	170	48	地下足袋配給不公平	警察慰留
256	集団暴力(労務係、食器等)	福岡 鞍手宮田町 貝島大之浦鉱業所	5.15	35	35	労務の冷淡さ	制圧 首謀者検挙
257	集団暴力(事務所・労務係社宅)	福岡 嘉穂穂波町 嘉穂鉱業所	6.22	110	110	労務係の暴力(逃走者への)	制圧 13人検挙取調中
258	集団暴力(舎監)	福岡 田川赤池町 赤池炭鉱	6.29	61	7	舎監の暴力(食券配布時期)	制圧 6人検挙
259	集団行動(公務執行妨害)	福岡 鞍田宮田町 貝島大之浦鉱業所	6.28	260	260	駐在所連行阻止(泥酔反抗)	制圧 13人検束取調中
260	集団暴力(舎監・事務所)逃走	福岡 遠賀中間町 九州採炭新手5坑	6.15 16	37	37	舎監の徴海戒	35人発見、首謀者検挙取調中
261	集団暴力(指導員・事務所)	福岡 大牟田市三井三池炭鉱	6.10	45	45	日本人指導員と隊長のケンカに加担	検挙7人厳諭釈放
262	集団行動	福岡 嘉穂碓井町 九州採炭笠原鉱業所	6.13 14	149	149	舎監排斥(飯米の不正)	警察慰留
263	集団暴力(労務係・事務所)	福岡 嘉穂庄内村 麻生鉱業赤坂炭鉱	8.16	184	184	窃盗容疑取調中死亡	制圧 24人検挙 取調中
264	罷業	福岡 嘉穂山田町 三菱上山田炭鉱	7.27	35	35	食寮不足(食糧特配停止危惧)	制圧 1人検挙
265	集団暴力(日朝間)	福岡 遠賀 海老津炭鉱	8.4	176	30	日本人(泥酔)の暴力	制圧 日朝検挙取調中
266	集団暴力(舎監・事務所・食堂)	福岡 田川川崎町 三井田川鉱業	8.29	923	125	日本人の作業熟練督促口論	制圧 40人検挙取調中
267	集団暴力(日朝間)	福岡 飯塚市菰田 浜崎豆炭工場前	8.29	1160	80	日本人による傷害(妻への猥褻) 復讐	制圧 30余人検束
268	集団暴力(事務所、駐在所)	福岡 嘉穂桂川町 麻生鉱業吉隈炭鉱	8.11	2600	30	食券めぐり紛争 警官の暴力	制圧 警察 在郷軍人 青年団80人 検挙送局
269	集団暴力(労務係)	福岡 大牟田市 三池四ツ山炭鉱	9.15	500	6	労務係の暴力	制圧 警察 関係者厳諭釈放
270	集団暴力(日朝間)	福岡 下田川 赤池町 赤池炭鉱	8.15	1174	24	酒気帯日本人の暴行	2人検挙
271	朝鮮人間抗争(殺人未遂)	福岡 大牟田市三井三池炭鉱宮之浦第1協和寮	10.16		33	博打に絡む隊と隊の対立	制圧 1人殺人未遂で検挙、他は厳諭
272	集団暴力(舎監、補導員)	福岡 大牟田市三井三池炭鉱宮之浦第4協和寮	10.19		50	舎監による暴力(無断早退)	制圧 検挙22人
273	集団暴力(舎監)	福岡 田川赤池町 赤池炭鉱第1愛国寮	10.18		40	舎監の暴力(自室朝食)	制圧 検挙2人、会社に警告
274	集団暴力(舎監、補導員)	福岡 鞍手宮田町貝島大之浦炭鉱第5坑第五訓練所	10.19		50	舎監の暴力(飲酒自由外出要求)	警察慰留
275	集団暴力(労務係)	福岡 遠賀 日本鉱業遠賀鉱業所第1高松炭鉱第3訓練所	11.7		50	労務の米持ち出し	制圧 検挙2人 1人送還
276	罷業	福岡 遠賀 日本鉱業遠賀鉱業所第1高松炭鉱第3訓練所	11.8		47	集団暴力事件の検挙に抗議	警察慰留
277	集団暴力(日本人)	福岡 糟屋志免 東邦炭鉱亀山1抗	12.9	95	36	日本人の暴力	警察制圧 6人検挙 釈放
278	集団暴力(事務所破壊)	福岡 築上 八屋 日本製鋼忠清寮	12.12	115	99	契約条件の違い(食料と作業着)	警察制圧 首謀者検挙取調中
279	集団暴力(舎監助手)	福岡 宮田 貝島大之浦炭鉱東3坑	12 ?	116	25	食事トラブル 舎監助手暴力	制圧 17人検挙取調中
280	罷業	大分 北海部 坂ノ市第二陸軍造幣所坂ノ市製鉄所	7.7	263	43	国民貯金額緩和	警察慰留 一部緩和勧告
281	集団暴力 怠業	熊本 荒尾市 四ツ山炭鉱	1.12	196	116	日本人による暴力(升降車割り込み注意) 釈放要求	制圧 16人検挙
282	暴力(日朝間))	熊本 荒尾市 三井万田炭坑	6.18		2	朝鮮人 人事係の暴力	制圧 日本人(傷害)検束
283	集団暴力(事務所破壊)	熊本 荒尾市 三井三池鉱業	8.18	1246	約100	酒の再支給	制圧 3人検束取調中
284	集団暴力(労務) 朝鮮人も負傷	佐賀 小城砥川 砥川炭鉱	1.25	103	62	労務暴力 双方酒	制圧 関係者検挙取調中

285	集団暴力(隊長 事務所)	佐賀 東松浦北波多 唐津炭鉱	3.1	538	150	同郷隊長朝鮮での社会的地位低い 食事問題	制圧 首謀者検束
286	集団暴力(炊事婦、食堂)	佐賀 小城東多久村 小城炭鉱	5.25	570	50	昼食に冷飯	制圧 13人検束
287	集団暴力(現場監督)	佐賀 西松浦郡山代町 浦之崎造船	5.8	60	60	外出許可拒否 日頃の監督への不満	制圧 9人検挙
288	集団暴力(労務係)	佐賀 杵島 杵島炭鉱	9.26	1987	6	労務の暴力(胡椒焦飯請求)	制圧 全員(6人)検束
289	集団暴力(採炭責任者)	佐賀 杵島 北方炭鉱	10.18	617	25	採炭責任者の暴力(伝達小声なりと)	制圧 4人検束
290	集団暴力(事務所 指導員)	長崎 西彼杵 長崎鉱業伊之島鉱業所	3.18	23	23	指導員の暴力	制圧 23人送局
291	集団暴力(労務 事務所)	長崎 北松浦小佐々村 日鉱矢岳炭鉱	12.10	1043	25	食事問題 労務の暴力	制圧 7人検束 送局
292	集団暴力(朝鮮人指導員)	長崎 北松浦小佐々村 矢岳炭鉱第一訓練所	12.26	130	32	指導員の徴戒に不満(炊事婦と食事への不満)	制圧 7人検束送局
293	集団行動(不穏)	長崎 日鉄北松鉱業所	6.16-22	51	51	通訳への不満 帰国要求	制圧 10人検挙説諭
294	罷業	大分 北海辺坂ノ市町第二陸軍造兵所坂ノ市製鉄所	7.4	263	43	貯金 送金緩和 待遇改善	警察慰留 会社に貯金その他改善報告
295	集団暴力(朝鮮人隊長、事務所)	宮崎 東諸県 鉄道工事会社	4.2	263	51	食事粗悪 隊長への日頃の不満	制圧 検束8人
296	罷業	鹿児島 出水 出水町 鉄道工業出水出張所	7.4	135	135	賃金値上(支払延期きっかけ)	警察慰留 即日支払
297	集団暴力(指導員 事務所)	樺太 敷香泊岸村 日本製鉄泊岸鉱業所	1944.1.1	863	100余	指導員の暴力 慰安会消灯と日頃の不満	(訓練隊長班長動員)圧制警察
298	罷業	樺太 敷香 敷香町 気屯古屯間鉄道線路敷設工事場惣坊組	1.9	4330		賃金請負制の導入反対	慰留扇動者に厳重戒告 公定賃金に達することなど組に勧告
299	罷業	樺太 敷香 三井鉱山	2.3		37	賃金支払 防寒作業着	貫徹 支払いと善処
300	集団暴力(日本人大工)	樺太 豊栄 樺太人造石油内淵鉱業所第1協和寮	2.11	128	60	ケンカを売り転倒させられる	制圧 12人検挙送局
301	集団暴力(寮長 補導員)	樺太 豊栄 樺太人造石油内淵鉱業第4協和寮	2.15	428	30余	寮長の酒の不正配給、無断外出者へ鉄拳制裁命令	制圧 27人検挙 寮長ら度量衡法違反取調中
302	集団暴力(寮長 事務所炊事室)	北海道 夕張角田村北炭角田鉱	1.3	58	数10	寮長の暴力(起床督促)	制圧 取調10人送局3人 寮長に注意
303	罷業	北海道 網走 荒巻組	1.4	25	25	賃金支払(請負人不払い遁走)	和解 警察 賃金半額支払
304	罷業	北海道 空知美唄町 三菱美唄鉱業所団組	2.14		14	再契約反対	警察慰留 就業
305	怠業	北海道 釧路市 太平洋炭鉱春採坑	2.7	111	27	給食混入雑穀馬鈴薯から切昆布に変更	警察慰留 就業
306	集団暴力 集団行動(警察労務)	北海道 空知 赤平鉱業所	6.19～25	1305	1200	定着指導拒否 検束者釈放要求	圧制 警察 警防団 57人検挙取調中
307	集団暴力(寮長 労務 建物)	北海道 空知 茅沼炭化鉱業茅沼鉱業所	6.20 21	814	400	寮長暴力 死に臨み仇打ち遺言	制圧 15人検挙取調中
308	集団暴力(寮長 巡査)	北海道 岩見沢市滝ノ上 東幌内炭鉱石山組第3寄宿舎	6.13	53	数10	寮長賃金支払に差別 日頃過酷な管理	制圧 本部警察 鉱山警備隊 29人検挙取調中
309	罷業	北海道 雄別炭坑 茂尻工業所	7.1	1100	187	任期満了帰国要求	警察慰留
310	集団暴力(現場監督) 警察へ	北海道 茅部楽部村鉄道工事場字崎組の大矢組飯場	7.4	80	80	現場監督の暴力(作業緩慢)警察の意見聞くため	制圧 20人検挙
311	罷業	北海道 標津標津 海軍工事場菅原組	7.19	87	87	契約期間満了 内地へ移動	制圧 憲兵 駐屯陸軍 警防団 6ヶ月延長
312	罷業	北海道 上川東川村 日発工事場荒川組	7.25-27	156	107	再契約反対	警察慰留
313	集団暴力(日本人労働者へ)	北海道 斜里小清水村海部施設部協力隊清水組	8.1	25	25	演芸会後飲酒して日本人とトラブル	制圧 25人全員検挙送局
314	集団暴力(通訳)罷業	北海道 空知赤平町 三菱茂尻鉱業所	8.12,25、9.1	45	45、35	通訳賭博の金品取り上げ、検挙者釈放要求	制圧 9人検束
315	集団暴力(現場監督へ)	北海道 亀岡七飯村 堀内組の丹野組笠井飯場	9.1		26	現場監督の暴力	制圧 7人検束送局
316	集団暴力(労務・事務所)	北海道 空知美唄町 三井美唄鉱業所第五協和寮	9.25	150	45	酒の分配不平等として寮長らを詰問	制圧 15人検挙
317	罷業	北海道 空知三笠町 新幌内鉱	9.2～9	1328	25	再契約反対	和解 一時帰休条件1ヶ年延長
318	怠業	北海道 空知三笠町新幌内鉱第2協和寮	9.19～21	1328	32	再契約反対(同意なし延長)	警察慰留
319	罷業	北海道 芦別町 三井芦別鉱	9.25～27	973	200	同僚が北方軍要員に供出反対	警察慰留
320	怠業	北海道 夕張夕張町 夕張鉱酒井組	8.11～17	58	33	定着条件への不満(一時帰国要求)	警察慰留
321	罷業	北海道 山越八雲町 八雲鉱業所	8.12	80	23	労務係の暴力(欠勤)	警察慰留
322	罷業	北海道 空知美唄町 三菱鉱業美唄鉱業所	10.1～2	2000	160	労務係の暴力(配置不満)	警察慰留
323	罷業(本店や集団交渉)	北海道 厚岸太田村字ホカマイ 軍管理採石事業場菅原組	7.19	317	317	再契約反対、	警察慰留 6カ月延長
324	集団暴力(事務所)	青森 北大湊 海軍請負佐々木組	3.9	644	319	労務係の暴力(朝鮮人炊事夫への)	慰留 隊長 憲兵隊取調中
325	怠業	岩手 岩手郡 松尾鉱山協和寮	3.15	742	33	食費無断天引き	要求貫徹(中止)
326	集団暴力(日本人工長 事務所)	岩手 宮古市 東亜鉱業田老鉱業所の宮古精練所	8.14		87	日本人工長の暴力(出勤札の処理を巡り)	制圧 11人検挙
327	集団暴力(指導員へ)	岩手 上閉伊 省線釜石線工事場西松組	4.11	48	20	指導員暴力(他人分食事を採る)	慰留 戒告警察

328	ハンスト 集団暴力(寮長羅4人へ)	秋田 鹿角市小去沢町 三菱小去沢鉱業所		520	184	食料減量に、増量分に寮長に不正ありとして	警察制圧と警防団50人
329	罷業	山形 東田川大泉村 大泉鉱業所	7.7	49	25	賃金と食料への不満	制圧 1人検挙取調中
330	集団暴力(現場指導員へ)	宮城 桃生 海軍飛行場菅原組矢本出張所	2.17	703	数10	指導員の暴力(病氣休業願を提出に対し)	制圧 4人検挙 罰金30円
331	集団暴力(事務室 帳場係)	宮城 釜石 石堂 西松組	7.21	134	76	日頃の労務管理の厳しさ暴力	
332	集団暴力(隊長と労務へ)	宮城 宮城多賀城村 横須賀海軍施設部多賀工事場菅原組の新川組多賀城出張所	7.22	360	360	定着指導への不満(無断了解した隊長と朝鮮人労務へ)	警察慰留 協和会 憲兵隊と懇談会 1年延長 6人検挙
333	集団鳳力(隊長に)	福島 石城 大昭炭砿上山田砿	2.5	60	数10	隊長とのトラブル(食事をめぐる)に加担	制圧 警察 4人検挙
334	怠業 帰国準備	福島 石城 常磐炭砿湯本砿第1、第4、長倉寮	9.2～30 9.30～10.2		428	満期到来、定着拒否	慰留 60人検挙 就業
335	集団暴力(傷害 労務係へ)	福島 石城内郷村 常磐炭鉱内郷綴第2寮	10.16		5	賭博「説諭」	制圧 5人送局
336	集団暴力(指導員) 検挙妨害	栃木 塩谷栗山村 大倉土木栗山出張所	4.11	100	18	技術指導員の暴力(言語不通)日頃の反感	制圧 18人検挙 3人送局
337	集団暴力(指導員と飯場係)	東京 八丈島三根村 横須賀海軍施設部八丈島分岐隊飛行場建設工事場菅原組	2.19		数10	指導員の暴力と飯場係の憲兵送致の言説咎める	警察 関係者厳諭
338	集団暴力(指導員)	東京 東区北砂 内外製鋼所 砂町工場	6.1	103	13	逃走中の衣類利用	制圧 3人検挙 本人返却
339	集団暴力(日朝間)	富山 富山市西宮 昭和電工	10.1		数人	日本人の暴力(入浴の仕方)	和解 日本謝り解決
340	集団暴力(事務員、飯場頭へ) 集団行動(組事務所へ)	長野 西筑摩岡田村 日発熊谷組土建飯場	9.12		45	送金の未処理 履行要求	制圧 5人検挙
341	罷業	長野 北安曇大町 昭和電工大町工場	9.21	195	85	見習終了休暇の民族差別	警察慰留
342	集団暴力(労務・食堂・寮)	岐阜 吉城船津 三井神岡鉱業所東町協和寮	4.11	243	80	食糧問題	制圧 7人検挙 送局
343	集団暴力(寮長、事務所)	岐阜 吉城 船津 三井神岡鉱業所第1協和寮	7.3	191	11	寮長の暴力(飲酒して睡眠妨害)	制圧 10人検挙
344	集団暴力(運転助手へ)	静岡 賀木宇久須村宇久須鉱業宇久須鉱山	9.27		30	指導者運転助手の暴力	制圧 10人検挙 傷害罪送局
345	怠業	静岡 田方土肥町 土肥鉱業所	2.14	24	24	満期帰国の切符入手遅れに抗議	警察慰留
346	集団暴力(指導員へ)	愛知 知多横須賀町 大同製鋼	10.11	185	5	指導員非団体行動を「説諭」	制圧 警察 厳諭釈放
347	集団暴力(賄夫婦・倉庫保管員へ)	三重 南牟婁入鹿村 石原産業紀州鉱山	2.4		26	朝鮮人賄い方、組長の食糧不正に憤慨	制圧 全員暴行傷害で送局 身柄事業主へ
348	集団暴力(舎監、巡査)	三重 南牟婁入鹿村 石原産業紀州鉱山	7.21	658	数10	舎監への暴力(不始末追及)に対する検挙に抗議	制圧 軍隊
349	集団暴力(職長)	兵庫 尼崎 久保田鉄工所	4.6	150	11	職長更迭 誤解	制圧 7人送局 4人説諭
350	集団暴力(指導員)	兵庫 尼崎 尼崎製鉄	5.17	183	61	指導員の暴力 日頃の反感	制圧 10数名検挙 13人送局
351	暴力(日本人応徴士へ加害)	兵庫県 尼崎中浜新田 尼崎製鋼所	7.2	270	54	飲酒暴行	制圧 6人検挙
352	集団暴力(舎監の部屋家具破壊)	兵庫 養父関宮村 三菱鉱業中瀬鉱山	1012	96	31	寝具の不足 舎監の更迭要求	制圧 1人検挙送局
353	集団暴力(食堂)	兵庫 神戸市須磨区川崎重工艦船工場第一東垂水寮	10.15	1221	501	食糧問題(説明不足)	制圧 6人検挙取調中
354	ハンスト(解放要求)	岡山 玉の造船所	10.21	277	277	教官による守衛への引渡(柿の窃盗)	貫徹 会社側解放
355	集団行動(交渉)	岡山 玉の造船所	11.2	277	7	日本人による暴力・差別是正と暴力への謝罪要求	警察慰留
356	集団暴力(警務員)	広島 加茂 安浦 海軍施設部徴用工	4.19	100	22	監督苛酷 暴力	制圧 両者見説諭む
357	罷業	広島 豊田 吉名 吉名煉瓦工場第1工場	5.21	10	10	賃金引上	警察慰留
358	暴力(係長)	広島 江波 三菱重工広島造船場	11.24	1338	4	待遇に不満 役職に見合わない	不明
359	集団暴力(賄夫・事務所へ)	鳥取 西伯大篠津村 美保海軍施設部第2宿舎	1月	430	30	飯量の不公平巡り賄夫に暴力	制圧 憲兵分遣所 首謀10人呼出訓戒
360	怠業	山口 小野田市 大浜炭鉱	2.21	45	45	食糧減量 会社管理の不適切	警察慰留 会社へも勧告
361	罷業	山口 徳山市 徳山曹達下請福本組	3.23	56	56	賃金支払遷延反対	警察仲介 要求貫徹
362	罷業	山口 下松市 東洋鋼鈑下松工場	4.22	248	8	帰国切符の入手遅延	警察慰留 就業
363	集団暴力(賄婦 監督事務所)	山口 宇部市 東見初鉱山	4月?		89	賄夫食糧不正に憤激	慰留 労務訓練隊長説得 検挙(暴行者と賄婦)
364	怠業	山口 宇部市 東見初炭鉱	4月	1182	95	契約期間延長反対	和解 少数ずつ帰国
365	集団抗道(労務 社宅捜査)	山口 宇部 宇部興産東見初炭鉱	5.29	1321	150	炊事係食糧隠匿 労務の問責	制圧 検挙3人取調中
366	罷業	山口 大津仙崎 山口木材仙崎作業所	6.5		10	単価引上	貫徹 日給10円に
367	罷業	山口 小野田 小野田駅 平原炭鉱石炭積み込沖仕	6.5-26		12	積み込み単価引上	和解 奨励金による増し
368	罷業	山口 小野田 沖野炭厚狭販売所	6.24		21	加配米横流し不正抗議	警察慰留 横領罪操作
369	罷業	山口 宇部 宇部興産沖島工業所	7.28	1074	8	地下足袋破損	警察慰留
370	怠業	福岡 嘉穂 三菱上山田炭鉱	3.6	1131	101	米特配に変わり豆粕混入への不満	警察厳諭12人 就業拒否の2人本籍送還

371	集団暴行(病院指導員詰所 指導員)	福岡 田川川崎町 古河鉱業所大峰第2坑	3.13		310	労務窃盗容疑取調中の暴力死	警察制圧 指導員10人 朝鮮人45検挙、鉱山地帯特別警備隊も出動
372	罷業	福岡 八幡市 黒崎窯業協和寮	3.21	55	55	豆粕入給食への不満	慰留 指導員の説得
373	集団暴力(舎監へ) 他も騒擾	福岡 鞍手 貝島大之浦炭鉱	3.12	1957	5	舎監の暴力(賭博発見)	制圧 5人検挙
374	集団暴力(日本人へ)	福岡 嘉穂 天道炭鉱	4.4		17	日本人の不正告発への不満	制圧 26人検束取調中
375	罷業	福岡 飯塚市 三菱飯塚鉱業所	4.6	2607	68	一時帰休延期反対	警察慰留
376	罷業	福岡 遠賀香月町 貝島炭鉱大辻炭鉱	4.23	541	46	一時帰休延期反対	警察慰留
377	集団暴力(労務係)	福岡 遠賀郡水巻町 日本鉱業遠賀鉱業所高松第2坑高尾 第2訓練所	3.21	175	30	労務の暴力(無断外出)	検挙6人取調中
378	逃走(輸送中)	福岡 飯塚市 住友忠隈鉱業所	5.24		54	帰還の不安(爆発事故の惨状の情報)	警察警戒
379	逃走輸送中	福岡 粕屋志免町 九州鉱業所	5.26	37	36	帰還の不安(期間延長)	警察警戒
380	怠業	福岡	6.24	1321	7	注射理由の休暇要求	係員慰留
381	集団暴力(舎監助手 巡査事務所)	福岡 飯塚市 三菱鯰田炭鉱豊道寮	7.17	1504	160	舎監助手の暴力(食事二重請求)駐在の検束 本部通告阻止	制圧 特高 14人検挙
382	集団暴力(指導員・守衛)	福岡 築上八屋町 日本鋼業			50	指導員の暴力 守衛の指導員引き渡し要求	工場長慰留 警察厳諭
383	集団暴力(日本人労働者へ)	福岡 遠賀中間町 大正鉱業所	8.3		数人	日本人との喧嘩	2人検挙送局(罰金100円)
384	集団暴力(日本人へ)	福岡 大牟田市 三井三池工業所	8.30		10数	炭車乗車を巡るトラブル	警察慰留 厳重諭告
385	集団暴力(職員)	福岡 田川 香春 浅野セメント工場	10.19	60	50	検量不足をめぐるトラブル	制圧 16人検挙取調中
386	集団暴力(警察官へ)	福岡 鞍手郡宮田町第5鉱第6協和訓練所	10.28	248	84	労務とのトラブル後警官講話 暴力抜刀に反発	制圧 22人の警察で検束(5,6名)
387	集団暴力(労務・事務所)	福岡 田川 三井第2共愛寮	10	2132	38	労務の暴力	不明
388	集団暴力(労務員)	佐賀 小城 砥川 砥川炭鉱	1.25	103	62	労務の暴力	制圧 関係者検挙取調中
389	集団暴力(日本人労働者へ)	佐賀 杵島江北村 杵島炭鉱	7.23	1778	50	労務の暴力(就業督促)	検束3人
390	罷業	佐賀 日満鉱業新屋敷鉱業所第1興亜寮	8.8	1325	85	満期期間算定間違い	警察慰留
391	集団暴力(労務係 事務所)	佐賀 杵島北方町杵島炭鉱北方炭鉱	9.16	735	58	期間延長と貯金の払下要求	制圧 6人検挙 1年延期
392	罷業	佐賀 松浦北波村 唐津炭鉱	10.11	550	69	一時帰休延期反対	警察慰留
393	罷業	長崎 西彼杵 三菱高島鉱業所	2.1	1278	13	食糧の増配継続	警察慰留
394	罷業	長崎 佐世保市 日鉄北松鉱業所池野鉱	3.1	381	55	一時帰休延期反対	警察慰留
395	集団暴力(隊長へ)	熊本 荒尾市 四ツ山炭鉱		895	60余	隊長の暴力(労働督促)	制圧 11人検挙
396	暴力(現役軍人へ)	大分 北海部佐賀関町 日鉄佐賀関精錬所1心寮	5.25		1	飲酒車両妨害を叱責される	制圧 憲兵隊引き渡し 送局
397	集団行動(恐喝)	北海道 上川和寒村 砂鉱開発和寒鉱山	1945.4.3		100	物資配給に不満、倉庫開示要求	制圧 4人検挙送局
398	集団暴力(賄係主任へ)	栃木 下都賀大谷村 皇国5027工場西山寮	5.26	31	6	食糧加配をめぐるトラブル	制圧 6人検挙送局
399	暴力(傷害)	富山 富山市田畑 不二越鋼材工業東岩瀬工場	5.2		3	飲酒 日本人とのトラブル	制圧 検挙拘留
400	暴力(朝鮮人工夫へ暴力)	富山 婦負長岡村 倉垣与生訓練隊	4.25	190	1	食糧不足 住民とのトラブル	和解 地元民厳戒
401	集団暴力(舎監へ)	岐阜 大垣市 揖斐川電気工業	5.5		15	舎監の暴力(食事問題)	制圧 2人検挙
402	集団暴力(班長、飯櫃)	長崎 彼杵福田村 三菱長崎造船所	4.18		170	食糧の量を巡るトラブル	制圧 13人検挙送局

第6章　常磐炭田戦時労働動員朝鮮人犠牲者と動員名簿
——鄭惠瓊氏の関連論文に寄せて

はじめに

本章は鄭惠瓊氏の 2 つの論文を参照しながら、これまでの龍田の調査等をふまえた分析を試みたものである。

1つは『在日朝鮮人史研究』40 号（在日朝鮮人運動史研究会、2010 年）所載の「韓国内所蔵戦時体制期朝鮮人人的動員関連名簿資料の実態及び活用方法」（北原道子訳、以下「第 1 論文」と略記）と『韓国民族運動史研究』59 号（韓国民族運動史研究会、2009 年）所載の「戦時体制期常磐炭田関連名簿資料を通じて見た朝鮮人労務者の死亡実態」（韓国語）（以下「第 2 論文」と略記）である。両論文は韓国の戦時動員朝鮮人被害者救済のための政府機関「日帝強占下強制動員被害真相糾明委員会」（以下「真相糾明委員会」と略記）に深く関わり、調査課長として活動される中で書かれた論文である。

内容は第 1 論文の戦時被動員者名簿の利用に関する包括的な問題提起で、翻訳されたⅢの名簿資料活用方法について「真相糾明委員会」での実際の検証過程が記され、「他の機関でも援用できる一般的過程」とすることも可能だとして、その成果が紹介されている。先行研究の個別論文での多面的な利用例も示され刺激的なものであった*。

＊守屋敬彦，長澤秀，樋口雄一、北原道子、古庄正、金明煥各氏の論文。鄭惠瓊第 1 論文Ⅲ「記録史料としての名簿資料活用方法」。

ここで鄭氏が取り上げているのは日本から移管され、国家記録院から得た数十万人の名簿や戦後唯一政府で行った戦時動員についての調査資料「倭政時被徴用者名簿」などの資料についてである。「真相糾明委員会」に提出された個別の名簿など収録されたものを含め、その数は 303 件に上るという*。そうした資料は、氏の提起される検証過程や電子化するなど整理がなされるなら、多くの資料も「ゴミから資料になる」とされる。龍田の理解によれば、ここに記された多くの被害者達 1 人ひとりの声を蘇らせるにはその背景や制度、人々の日常生活や運動、怒りや悩みなど個人の心の襞まで問う「歴史学的方法」が必要である。氏は経済史的、社会史的、地域史的検討など多面的な利用を提起され、記録学的、統計学的方法も援用する必要を説く。名簿はこうした検討の中で初めて光を与えられるとされた。そこで、検討は主とし第1論文を検討し、合わせて、常磐炭田の死亡者名簿を実際に適用した第2の論文も検討して行きたい。。

＊「強制動員名簿解題集」『強制動員記録叢書』1、日帝強占下強制動員被害真相糾明委員会、2009 年、341 頁

鄭氏が整理・発表した「常磐炭田朝鮮人死亡者名簿」は、電子化による利点と「真相糾明委員会」での被害者の判定に使われた手法を生かし、新たに 305 名の常磐炭田における死亡者名簿を確定したのである。論文の構成は6つに分かれる。

第1章　まえがき

第2章　戦時体制期常磐炭田に動員された朝鮮人労働力の実態

第3章　関連名簿の微視的分析

第4章　常磐炭田死亡者名簿を通じた朝鮮人死亡者の実態

第5章　あとがき

付録　常磐炭田朝鮮人死亡者名簿

順序は前後するが、私の関心のある付録の部分の「名簿」について言えば、さすがに「記録資料としての名簿」の「検証方法」で提起された手法を生かし*、至る所にその成果が現れている。常磐炭田に関する従来の研究を代表する基礎的名簿であった長澤氏の「戦時下常磐炭田朝鮮人鉱夫殉職者名簿」(以後、「長澤名簿」と略記)を始め、他の資料、中でも「真相糾明委員会」に申告され認定された被害者関連資料を含み、電子化の利点を生かした点でも、今後も多様な利用価値を持つものになったのではないか。その意味で、新しい水準を示す戦時動員被害者の名簿として期待できる。惜しむらくは若干の入力ミスが見られ、原資料との照合があればと思われる。ともあれ、名簿の分析や、死亡者実態についてのいくつかの論点は読みごたえがあり、今後、私たち地元にいる者の宿題として、氏の提起をきっかけに、地域史的課題として時間をかけて追究していきたい。以下、章立てに従いながら述べていく。

＊検証のプロセスとして①第 1 次分析（記録管理と調査の 2 段階)、②電子化、③名簿資料実態に関する情報の共有、④公開の範囲としている。特に①の段階では数種の名簿情報を一覧化して比較し、面接資料の内容と合わせ総合的、科学的な操作をした事例が示されている。

Ⅰ　常磐炭田と戦時朝鮮人労働動員の概要

本論文では特に論点というより名簿理解のための前提というべき知識が述べられている。多くのスペースを割いている表Ⅲでは、『いわき市史』収録「常磐炭田史」の年表などを中心に、各炭砿の歴史が年表風にまとめられ、これ自体地域炭砿史としても詳しいものである。戦時体制期の朝鮮人の動員概数や炭砿毎の朝鮮人労働力動員の推移は、長澤氏や相沢正一氏の論文や資料など、先行研究や現地調査の成果に依っている。よく整理されているので常磐炭田史の概略と朝鮮人労働者の歴史を知るのに便利な手引きとなっている＊。

＊ただし、表Ⅲ213－214 頁の常磐炭砿について、茨城県側の中郷無煙炭と常磐石岡は 1 つの炭砿である。元茨城無煙炭（石岡坑）が大倉財閥に買収され大倉鉱業中郷無煙炭となり、同系の入山採炭の子会社中郷無煙炭となる。その後、入山・磐城の合併で常磐炭砿直営の中郷砿となった。所在地は現中郷町大字石岡である。入山採炭の項の記述は正しい。従って、218 頁の 13 行目の茨城県側 7 つの炭砿は 6 つである。岩間英夫『ズリ山が語る地域誌』第 2 章（崙書房、ふるさと文庫、1978 年）参照。尚、220 頁の 15－18 行にかけての記述で、山一炭砿の朝鮮人労働者が 1945 年 5 月に 73 人から 41 人に減少した原因を「他地方への移動」に求めているが、当時の関本炭砿始めこの地域に動員された朝鮮人の状況から見て、「逃亡」等による離山と考えた方が自然ではないか。同年 11 月の解放後の新聞記事ではあるが、逃亡などの離山者は 53 人に上るという（相沢正一氏の「巡検資料」による)。

Ⅱ　常磐炭田の朝鮮人名簿の書誌的検討

1　鄭氏が依拠した名簿資料

氏が依拠した名簿資料は 7 種類紹介されている。中でも問題とされた 4 種類の名簿について先に検討する。

（1）「常磐炭田朝鮮人労働者殉職者名簿」(以下、「労働者殉職者名簿」と略記)。「日帝下被徴用者名簿冊」の中にある。第 3 次の日本政府が外務省を通じて韓国政府に移管したもの。

（2）「産業殉職者名簿」大日本産業報国会作成、同上冊より。第3次移管分。

（3）「殉職産業人名簿」同作成、「所謂朝鮮人徴用等に関する名簿」より。第2次移管分。

（4）「戦時下常磐炭田朝鮮人鉱夫殉職者名簿」長澤氏作成

以上について鄭氏は(1)を基礎に他の3つの名簿を勘案したように見えるが、実質的には（4）に回帰しているように見える。この4つの名簿について検討する。

2　「労働者殉職者名簿」

実はこの名簿ほど出所がはっきりしない名簿はなかった。私が戦時動員被害者を訪ねた時、各郡の「真相糾明委員会」の事務担当者が保持していた名簿がこれだった。これは長澤氏が作成した名簿を省略したものに違いないと思っていたが、日本政府から引き渡された第3次移管の冊子類の「日帝下被徴用者名簿冊」の中にあり、国家記録院での電子化の過程で、明治鉱業所の平山鉱業所の名簿の中に常磐炭田の「労働者殉職者名簿」が分類されたものであることが分かった*。鄭氏の解説によると、この名簿の冊子は解説文と310人の名簿と人名索引で構成されていることが分かった。資料となったものは①市内6寺院の過去帳から217名と②「調査資料殉職者名簿」、在日本朝鮮人連盟「太平洋戦争中犠牲同胞慰霊事業実行委員会」によるもの（以下、「朝連名簿」と略記）、③公文書「朝鮮人の遺骨調査について（回答）」（1958年3月13日付、福島県総務部長発在日朝鮮人総連合会福島県本部事務局長宛文書）（以下「県調査名簿」と略記）、④常磐炭砿株式会社資料（福島大学経済学部が寄贈を受けた文書）の4つである。

* このため地方委員会の実務担当者の多くがこの名簿を持っており、常磐炭田の被害者の中には九州の明治鉱業所で亡くなったものと伝えられていた。尚、国家記録院が日本から受け取った名簿の電子化の過程での不備については、鄭氏も第2論文（226頁脚注）で指摘している。従って「真相糾明委員会」では間違いを把握していたが、地方の同「委員会」が電子化資料を記録院から入手して、誤った情報が被害者の遺族に伝えられたものの様である。

今から30年前に作成されたという。検討した結果、名簿の構成と内容、索引もあることから、1970年代の後半に、長澤氏が作られたものに違いないと思われる*。

従って、この名簿を構成した4つの原資料の検討が一番重要で、これが1次的な資料であるかどうかの検討から始めなければならない。その後に、この名簿の意味が確定できる。鄭氏は310人の中から重複者16人と女性1人を除いて、293名を検討の対象としている。

＊長澤氏に直接確認したところ、1977年に朝鮮総連の東京本部の求めに応じ、差し上げた名簿が何らかのルートを通じ韓国に渡ったものだろうということで、間違いなく氏が作成した初期の名簿である。その後、1987 年には改訂したものをパンフレットとして発行し、更に、1996 年に「殉職産業人名簿」分を加えたのが、現在の「資料集」所収のものであるという。

3　「産業殉職者名簿」(1942.12～44.9) と「殉職産業人名簿」(1940～1942.11)

(2) の「産業殉職者名簿」(附属資料6) については原本を入手していない。鄭氏によると常磐炭田関係は 22 人という事だ*1。又、(3) の「殉職産業人名簿」(附属資料5参照) では福島県分は37人で、茨城県側2人となっている。龍田が国家記録院より入手した文書によると、茨城県側は0人で、福島側は34人である。印刷に重複や見えない部分があるので正確には分析出来なかった。鄭氏によると、その内他の名簿との重複者は16人あるとしている。長澤名簿の出典記録の「殉職産業人名簿」は 34 人だけだが、出典記録を書き忘れたと思われるものが 4 人ある*2ので、計 38人は「殉職産業人名簿」からも採ったと思われる。他の名簿と重複しない者は 4 人(金山成吉、平山八俊、平沼五賢、千葉相伝) のみである。39 人より足りない1人は「長澤名簿」にない茨城県側の1人かと思われる。

＊1 不明とされた「三松炭砿」は勿来地域にあった小炭砿名である。その後「羽幌炭砿」となる。尚、第6回の韓国訪問調査 (2011年8月) 時に、コピーを入手し検討の結果、他の名簿と重複しない2名の新たな死亡者を確認した。又、2つの名簿に重複が無いのは、作成主体の慰霊祭の時期の違いによると思われる (『在日朝鮮人史研究』42号報告、2012年参照)。

＊2 龍田の手元にある「殉職産業人名簿」には名前が出ており、長澤名簿には他の出典より登載しているものがある。単純な記載ミスと思われる。

4　「長澤名簿」

鄭氏がその資料的利用価値から高く評価していることは言うまでもない。今回、鄭氏は「真相糾明委員会」への申告者の中から新たな5人の死亡者を登載した他、他の名簿資料から5人の死亡者の存在を提起し、同時にこの名簿の重複者1人を指摘した*。「真相糾明委員会」の調査活動の成果を入れた鄭氏が行った新しい調査の基礎的な名簿となっている。

＊詳しくは名簿を分析したⅢで触れる。「第2論文」236頁6行～9行及び注37

この名簿は龍田が道郡別に分類作成して調査上の資料（「常磐炭田戦時朝鮮人労働動員道郡別死亡者名簿*」、以下「道郡別死亡者名簿」と略記）とした原本である。調査過程で気付いた点などを指摘した。例えば「朝連名簿」と過去帳や「会社稟議書」と「朝連名簿」との重複者が存在することや、1946年以後の死亡者の混在1人（朴元根）、「朝連名簿」からの2人（李完淳、中村女郎）の理由の分からない除外などである。しかし、選択基準の厳格さは群を抜いている。地名や氏名など一部を除いて極めて正確である。砿夫以外の女性、子供、年寄りの扱い、分類方法などについては、今後の検討課題ではないかと思う。

＊附属資料2参照

5　4つの根本資料

そこで（1）、（4）の名簿を検討するために、その原本となった根本資料の検討から始める必要があろう。（1）と（4）で使われた4つの資料を中心に検討したい。

（1）「調査資料殉職者名簿」太平洋戦争中犠牲同胞慰霊実行委員会

この資料について、写本原本の所蔵者であり、『いわき市史』のこの項目の執筆者である呑川泰司氏は作成年を1959年、作成者を在日朝鮮人総連合会（以下、「総連」と略記）とされている。193人の名簿に追加調査分78人を加え総数271人が記録されたものである。氏の承諾を得て「真相糾明委員会」に寄贈したが、2次的な参考資料として扱われている様である。しかし、「労働者殉職者名簿」では「在日朝鮮人連盟」を作成者として最初に挙げている資料であり、当然「長澤名簿」ではその内251人を採用して、実質的に第1次的資料として扱われているものである。構成は「～炭鉱殉職者（死亡者）氏名簿」（以下、「本名簿分」と略記）と「～市役所（役場）

調査追加分」(以下、「追加分」と略記) の 2 つの要素からなり、夫々氏名、性別、生年月日、本籍地、死亡別、死亡年月日、摘要がある。特に常磐炭砿分では、入所年月日の項があり貴重で、摘要の項目に業務上外の別がある。内郷市役所調査追加分には病名等死亡原因があり、次に検討する前掲「県調査名簿」と軌を一にする。市役所の火葬、埋葬許可書によると思われる*。

＊但し、石炭会社の報告を基にした「災害原簿」や稟議書等会社文書や火葬、埋葬許可書等は文字通りの第 1 次資料であるが、この名簿は厳密な意味では 2 次資料である。会社資料と違う場合は会社資料を優先すべきと考える。例えば鄭氏名簿 73 番の岩本榮斗は「災害原簿」では古河好間炭砿となり、「朝連名簿」は常磐炭砿となっている。この場合、当事者である会社文書を採るべきと思う。

しかし、この名簿は『いわき市史』や「長澤名簿」でも作成年月日不明とされていた。既に龍田は「真相究明委員会」の調査団がいわきに入った時、その巡検資料で触れている様に、1947 年 10 月 22 日に在日本朝鮮人連盟石城支部を中心として行った戦後最初の「朝鮮人労務犠牲者慰霊祭」の事業の一環として「本名簿分」は作られ、「追加分」はそれ以後に作られたものと考えている。その根拠は、慰霊事業として建設された慰霊碑の中に挙げられている各炭砿の犠牲者の人数が名簿の人数と一致し、総人数も 193 人と一致していることである*[1]。しかも、内容的に見て、常磐炭砿始め炭砿会社の協力なくして作ることのできない死亡原因や入所年月日まで記入されていることも、この慰霊祭の後援者に東部石炭砿業会が入っていることと切り離せないと考えられる。又、「追加分」は各町村の役場からの資料となっており、1951 年が最後の犠牲者となっていることから、「総連」ではなく「朝連」時代に作られたものであろうと推測される。尚、「本名簿分」1947 年作成説の傍証として、「本名簿分」には 46 年 1 月、死亡者が 1 人あるが、47 年以後のものは 1 人も含まれない。「追加分」には「本名簿分」との 9 人の重複があり、この他女性 4 人、老衰死 1 人、46 年以後死亡者 5 人計 19 人を含んでいる。「追加分」には戦時動員という観点は無い様に思われる。従って、総数 271 人より「追加分」の 19 人を 除くと 252 人となり、更に「本名簿分」に含まれる 1 人の 46 年以後死亡者を除いて、251 人が戦時動員朝鮮人砿夫数とみなされる。「長澤名簿」は更に 2 人の砿夫を除いている*[2] が理由は分からない。「鄭名簿」は、この「朝連名簿」の検討は当然行っていないが、その原型を留めている「労働者殉職者名簿」の批判や「大日本産業報国会関係名簿」の利用を通じて「長澤名簿」を修正したと思われる。しかし、「朝連名簿」「県調査名簿」など原資料の検討が無かったので、結果的には、「長澤名簿」の見落としと思われる部分も受け継ぐことになった。

＊1 碑は市内性源寺境内にある。「朝鮮人労務犠牲者の碑」で、裏面の慰霊文の後に、常盤炭砿　沈来福外 128 名、古河炭砿　金白壽外 30 名、大日本炭砿　李鐘徳外 12 名、日曹赤井炭砿　崔然燮外 8 名、大昭上山田炭砿　兪長金外 1 名、鳳城小田炭砿　裵在殷外 8 名と記されている。

＊2 中村女郎（好間役場追加分)、李完淳（常磐炭砿）の 2 人で、後者は前掲「道郡別死亡者名簿」で採用している。

（2）福島県総務部発在日朝鮮人総連合会福島県本部事務局長宛「朝鮮人の遺骨調査について」（回答）（附属資料 3 参照）

この名簿は「鄭名簿」では「労働者殉職者名簿」の原資料として触れられているが、名簿作成時に検証対象とされたのかは分からない。「朝連名簿」と一緒に「真相糾明委員会」にも呑川氏の所有していたコピーをお渡しし、「強制動員名簿解題集」にも掲載されている。「強制連行真相究明調査団」の福島本部を中心に、新聞でも発表され話題になった名簿である。対象は限られているが信憑性の高い貴重な名簿である。

名簿は 1957 年 3 月 12 日の日付になっていて、福島県内の朝鮮人死亡者 225 名の氏名、本籍地、性別、生年月日、死亡地、死亡年月日、死因、遺骨埋葬場所が記載され、いわき市関係は 116 人である。この内砿夫 75 人、女性 5 人、子供 32 人、1946 年以後死亡砿夫 5 人で、砿夫の内 69 人が「朝連名簿」や他の名簿と重複しており、独自の砿夫は 5 人である。帳簿の構成は本籍地、死亡地、死亡年月日、氏名、性別、生年月日、病名、遺骨埋葬場所である。

この名簿の特徴は、いわき地域の死亡者の中で常磐管内に限られ、遺骨埋葬場所は上湯長谷 8 人、梅ヶ平 13 人、湯本 1 人と他の 94 人の全てがいわき市となっている。火葬場や寺院の所在地を示す。死亡地は常磐市大字上湯長谷字長倉 72 で 21 人おり、長倉砿、磐崎本坑の朝鮮人寮のあったところである。同市力石 95 が 1 人＊[1]、同市湯本町は残りの 94 人で、この湯本町は入山 5・6 坑、鹿島坑関係である。従って、入山採炭と磐崎坑、後の常磐炭砿のいわき市関係に限られる。又、子供が多いことは既住朝鮮人も含むが、多くは「家族呼び寄せ」による家族持ち砿夫の子供とも考えられる。又、女性は 5 人いて、独身者や専業主婦であることは考えられないので、炭砿に関わる仕事をしていたと考えられる。「朝連名簿」にある女性4人についても同様なことが言えるのではないか。両名簿の女性の重複は2人ある。又、「過去帳」には多くの砿夫以外の朝鮮人の記載も少なくない*2。こうしたことから龍田は子供、女性、老人、既住朝鮮人*3についての死亡者名簿が必要ではないかと考えている。尚、この名簿だけを見る限りでは、大人84人に対して子供32人とすると、子供の死亡率は極めて高いと言わざるを得ない。死亡原因の大多数は各種肺炎(17)、消化不良等(5)、栄養不良(3)、脳膜炎(1)等である。死亡時期は1年以内が17人、3歳未満10人、他は10歳未満5人である。碌に医者にもかかれず、かわいい盛りの子供を失った親たちの無念さが私の胸にも伝わってくる。又、この名簿は町役場からの提出物を県がまとめたものであるなら、「朝連名簿」の追加部分と共に火葬、埋葬許可書などから転記された可能性が強い*4。

＊1 崔雄鉉　既住朝鮮人と思われ1948年死亡。

＊2 例えば清光院の過去帳には3人の女性と5人の子供の記載がある。

＊3 例えば1936年11月23日には、当時の新聞(磐城新聞等)によれば大日本炭砿勿来砿でガス爆発があり、8人の死亡者・絶望者の内4人は朝鮮人である。車甲文(25歳)、丁進道(31歳)、丁進徳(27歳)、朴(木内)乙珠(朱)(43歳)で、車は出蔵寺の過去帳にも記載されている。

＊4 その後の調査の結果、長倉21人分、力石1人分、常磐は市内寺院に過去帳記載があり、埋葬許可証が保存されていることが判明した。検討の結果、女性として「長澤名簿」等でも除外されていた2人が砿夫であることが判明した(附属資料4参照)。

(3)いわき市内又は茨城県側の各寺院の過去帳

長澤名簿は市内10寺院の過去帳から186人の朝鮮人の死亡者を探し出し記録している。その数は勝行院5人、瑞芳寺55人、長寿院31人、眞光院2人、惣善寺40人、願成寺11人、清光院21人、華臧院7人、出蔵寺12人、性源寺2人(碑文)である。

龍田も同上の寺院で2006年に調査を行ったが、直接過去帳を確認できたのは4寺院のみで、2寺院は「長澤名簿」の照合のみ、他の4寺院はプライバシーの壁により検討出来なかった。更に、その後2005年に、総連の福島県本部による現地調査が行われ、その結果を調査団の方からお聞きし、華臧院には20人(新たな者は13人であるが名前は確認できない)の過去帳の記載があることを確認した。更に「真相糾明委員会」の調査団が常磐に入った折、もう1人の死亡者が判明し(長寿院の柳得天*)、計14人を加えると、現在、200人の過去帳又は碑文に記載の死亡者が分かったことになる。その内他の名簿との重複のないものは15人である。過去帳には多くの場合、死亡年月日、戒名、年齢、俗名、死亡場所などが記載されているが、寺院により多少異なる。寺院によっては遺骨移動簿（長寿院）を持っている。

＊咸鏡南道元山府字清里、1945年4月22日窒息死、椎の木平13番地、川村タカ、45年5月19日預り、45年7月13日返戻とある。

遺骨については、3寺院では在日団体の「世界美術交流会」により持ち帰られており、現在、韓国坡州の普光寺に納骨されている。その他3体が1体ずつ、市内各寺院に保管されている。現在、願成寺の1体については、その遺族が「真相糾明委員会」の努力で判明している。

後で見る様に、過去帳の記載の判読が難しく、他の名簿との重複を見逃す場合がある。例えば、曹伝範→黄仁範、又、読み違えは珍しくない*1。例　煥→換、鉉→鉱など。又、清光院の過去帳の調査を通じ女性2人、子供5人の死亡者が確認され、年寄り、既住朝鮮人を含めての戦時中の朝鮮人死亡者の実態がわかった。それらを含めた新たな名簿の作成の必要を感じる。朴慶植氏はかつて訪問した惣善寺の住職の話を聞いて「悲しみと怒りでいっぱいになり、言うべき言葉すらなかった」と言う。「護送中飛び降り自殺」と書かれた尾口六郎*2や「半島人磯原附近ニテ汽車ヨリ飛降死」と書かれた佳山述鳳の名も確認することができた。過去帳は厳密に扱えば一級資料であるが、残念ながらプライバシーの壁は厚い。公的機関の協力をお願いしたり、教団本部の姿勢が大きく響く*3様だが、今後閲覧の機会を獲得したいと思っている。以上、「真相糾明委員会」では常磐炭田関係の寺院の現地調査はまだ行われていないので、龍田の知る範囲でコメントしておく。

＊1 前者は「朝連名簿」にあり慶南昌原郡出身、磐城炭砿の採炭夫で1940年2月19日に入所して8月3日に死亡している（25歳4ヵ月）。後者は「長澤名簿」によれば、瑞芳寺の過去帳では同年同月22日に24歳9ヵ月で死亡している。住所は番地まで同一であるので間違いなく同一人と考えられる。「朝連名簿」の作成者も読み取りに苦労している。それを長澤氏が曹と読み取ったようだ。

＊2 ただし、長澤氏は尾口市郎と呼んだ。しかし、市郎は「一郎」でもなく「六郎」の間違い。過去帳に線を引いて消したため「六」の真ん中に線が入り「市」と読んでしまったようである。竹内康人氏の指摘により再度写真で確認したところ間違いなく「六」である。朴慶植『朝鮮人強制連行の記録』133頁7行目。従って、鄭名簿の「ミグシラン」（正しくは「ミグユックラン」）も誤り。

＊3 曹洞宗総務庁による「東アジアの強制連行者等の遺骨の所在及び関連情報についての調査」が2007年にいわき市内で行われた。市内2寺院で詳細な調査が行われた模様である。磐崎砿関係や茨城県関係では同調査に「対象者なし」としているようだ。再調査を

依頼した。

（4）常磐炭砿株式会社関係資料（石炭統制会東部支部資料を含む）

先に触れた様に、当事者資料として一級資料であるが、対象の期間が限定されている。「鄭名簿」では当然検証の対象となっていると思われるが、未確認であるので、概要に触れておく。

①災害原簿

これは長澤前掲『極秘資料集』Ⅳ⑪災害原簿（129－137頁）にあり、1942年7月から1944年9月までの東部支部管内の日本人の短期、徴用、朝鮮人戦時動員を含む「災害原簿」で、所属炭砿名、発生年月日、氏名、種別、年齢、職名、死傷程度、原因が記載されている。長澤氏が朝鮮人と日本人の死亡傷害率の差別を詳しく整理、分析されている。朝鮮人は死亡者58人（田川炭砿分1人を除く、日本人は59人）で、その内、他の名簿と重複しないものは2人だけである。原簿で大日本炭砿の林時鐘が日本人一般に分類されているのは、既住朝鮮人であるからである。過去帳にもあり、「長澤名簿」では朝鮮人戦時動員名簿に入れてある。

②会社稟議書等

同上資料には、常磐炭砿会社の1945年4月～1946年4月までの稟議書の一部が収録されている*[1]。内容は1944年10月以後、1945年10月10日までの「戦時特別弔慰金」の支給に関する稟議書で、朝鮮人の対象は32名である。他の稟議書では、磐城炭砿の1944年4月の「半島人遺骨引取来山旅費支出書」*[2]に3人がいる。合計35名である。他の名簿と重複しないものは2人だけである。矢本雲龍は「長澤名簿」とは重複としていないが、龍田は「県調査名簿」の天本電龍との重複があると考える*[3]。

＊1 前掲『極秘資料集』Ⅲ⑨稟議綴（1945年4月～1946年4月）常磐炭砿（株）、389－406頁

＊2 同上、364－365頁

＊3 ここに出ている矢本雲龍（389頁）31歳は、客月（長澤氏は3月としている）13日、入山第6坑で稼働中落盤により第3第4顎骨骨折の負傷で死亡したことが記され、弔慰金600円を支給してよいか伺いを立てている。一方、「朝連名簿」には全羅北道長水郡の天本電龍は湯本砿で、45年5月に第3、4顎骨骨折により29歳5月で死亡している。この2人は、明らかに同一人物と思われ。違いは年齢のずれと死亡月日と住所の一方が不明な点だけである。

6　その他の常磐炭田関係の戦時動員名簿

（1）「茨城県／朝鮮人労務者に関する調査結果*」

この資料は鄭論文では、産業報国会の2つの名簿の後に扱われ、「長澤名簿」の前で取り扱われているが、本来死亡者名簿ではない。被動員者全体の貴重な名簿である。常磐炭田にはこれ以外に個別炭砿の全戦時動員朝鮮人労働者の基本的名簿が残っているものはない。その意味で、多角的な検討が可能な資料なので、ここで取り上げる。氏はこの名簿について人数や本籍地、入所経路などの詳しい分析をされている。以下その概要と内容に付き、叙述へのコメントを含め述べて見たい*2。

＊1 韓国「対日抗戦期強制動員被害調査及び国外強制動員犠牲者支援委員会」所蔵
＊2 第2論文、229頁17行－231頁

この名簿は、戦後1946年7月24日に、厚生省勤労局の通牒により府県の内務部長が作成したものである。茨城県の5つの事業所の3,422人の「朝鮮人労務者に関する調査」で、炭砿関係は関本炭砿95人、神ノ山炭砿100名の入所経路、氏名、生年月日、本籍、入所年月日、退所年月日、退所理由、職種、未払い金（種別、金額)、退所時待遇、厚生年金保険給付済未済、摘要の12項目からなる総合的な名簿である。

①関本炭砿

その総計95人の被動員者の構成は「樺太転換配置」された1944年9月14日、徴用労働者72人で、忠清南道67人（燕岐郡52、論山郡13他)、全羅北道、慶尚南道、黄海道出身である。全羅南道 23 人（集団移入徴用）は霊光郡出身で、入所は 1945年5月30日と遅い時期の動員である。尚、別表があり、7人に残留家族生死不明見舞金1,000円支給しているが、いずれも1945年11月に集団帰国せず、翌年に帰国を延ばして樺太からの残留家族の到着を待った人達である。2008年、サハリンから訪れた離散家族の娘林正子氏の父林原正夫の名前も見える。長澤氏が発見された戦後石炭統制会がＧＨＱに提出した手書き英文では、関本炭砿の家族待ちの砿夫は 4名となっていた。どうしたことか、残りの3人の内2人は退所の記録では残留していない。長澤氏は樺太から韓国に帰国した安山在住の正子氏の姉から詳しい聞き取りをして、離散家族の悲劇をリアルに描いている。この名簿から読み取れることを項目的に挙げると、解放前に本国に帰国した人が 6 人いる。一時帰国して戻らなか

った人である*[1]。又、1945年5月頃に樺太に帰った人が4人いる。忠清南道論山郡光石面の山住在弘氏が、この頃単身、樺太に帰って家族を連れて関本炭砿に戻って来た。解放後に集団帰国し、「真相糾明委員会」が口述記録を残している*[2]。こうした流れがあってのことだろう。

*1「一時帰国のままとなる」とあり、夫々帰国日が違い、後に見る神ノ山炭砿の一括「病気帰国」とも異なる。

*2「過酷な別れ」『強制動員口述記録集』8、日帝強占下強制動員被害真相糾明員会、2007年、74−166頁

逃亡者は37人いて、割合（39%）が高い。その内20人は1945年の5月頃に集中している。このことと関連するのは、当時の関本炭砿の日本人労働者の回想録によると、転換労働者が働いていた樺太の炭砿の方が関本炭砿より規模も大きく技術も高く、関本炭砿は小さな炭砿とバカにされ使いづらかったと述べている*[1]。山住氏は家族を連れ帰った後、休日には東京に物資を運んで儲けたことを証言している*[2]。かなりの自由があったのだろうか。

*1「関本炭鉱と共に二十有余年」社内報『せきもと』15号、1962年11月15日、1−2頁
*2前掲「過酷な別れ」155頁

解放後は米軍の指示を受けながら、1945年の11月8日と18日の2回に分かれて集団帰国している。引率者を付け、旅費、食事代を会社が持ち、博多まで送って食糧の確保などに苦労したという回想録がある*。帰国時の扱いはかなり良心的な方と言えるのだろう。

*「実際はなかなかどうして、宿舎、食事など60人余りの大部隊ですので（中略）彼らは乗船するまで1週間位かかったのですが…」（『せきもと』16号、1962年12月15日、2頁）とある。

この炭砿での死亡者は、忠清南道燕岐郡の米田将福（1906年生、運搬夫）が1945年6月、炭車転覆により死亡、退職時待遇は576円である。尚、この最高額は1,180円余、一般は200円から600円、1945年の5月入所の霊光組は100円台である。国立公文書館つくば分館の「朝鮮人に対する賃金未払い債」*[1]には「第3者に対する引き渡し分」として関本炭砿の国民貯金通帳46人分3,434円40銭を在日本朝鮮人連盟多賀支部長権相賢が受け取ったことになっているが、この項目の記載はない。竹内康人氏の死亡者名簿*[2]には神ノ山炭砿の死亡者と共にこの名簿から登載している。

職種と人数は鍛冶工2人、坑内機械工3人、坑内外運搬夫7人、雑夫2人、採炭

夫 81 人である。

＊1『経済協力　韓国 105』大蔵省金融局、1950 年 10 月、34 頁

＊2『戦時朝鮮人強制労働調査資料 1』神戸学生・青年センター出版部、2007 年、174 頁

②神ノ山炭砿

動員経路は樺太からの転換労働者はなく、全体がかなり遅い徴用による集団動員である。内訳は 1944 年 12 月 11 日、32 人、全羅北道出身（31 人、完州郡）。1945 年 1 月 15 日、41 人、慶尚南道出身（全て河東郡）、6 月 4 日、27 人、全羅南道出身（霊岩郡が多数）で、最も遅い戦時動員の 1 つであろう。その他、国内募集が 9 月 13 日と 12 月 22 日、1 人ずつ、慶尚南道出身である。

国内の 2 人については鄭氏が詳しい分析をしている*。名簿資料の活かし方の手本とも言える。この 9 月 13 日入所の金城嘉明（1905 年生、39 歳）と 12 月 22 日入所の金城道明（1928 年生、16 歳）の 2 人は、住所が同じなので兄弟であろうという。既住朝鮮人と思うが、実は「倭政時被徴用者名簿」では慶尚南道梁山郡下北面の金城守明が 34 歳で動員されている。嘉明は壽明で音読みで守明だろうという。嘉と壽は音が全然違うので疑問が残るが、1 つの名簿の利用の仕方で、その経歴が明らかになるという事例として挙げられている。嘉明の職が事務職であることから、道明は縁故で採用されたことが推測される。なお、神ノ山炭砿を関本炭砿としたのは単純な引用ミスだろう。

＊第 2 論文、230 頁末行－231 頁 18 行。「国内」とあっても既住朝鮮人とは限らない。前歴の検討が必要だと言うのは同感である。

退所記録には 11 月 8 日 20 人、16 日 41 人、18 日 7 人、計 68 人は集団帰国で、解放前退所は金城兄弟 2 人、逃亡者 23 人。

死亡者は吉山用五（採炭夫、1912 年生）。全羅北道完州郡出身、1945 年 2 月 14 日、死因は「病死」である。

病気帰国者は 6 人で、1945 年 5 月 18 日。賃金、郵便貯金に 0 円から数十円の未払い金があり、旅費と食事代を支給して帰している。逃亡者は 23 人で、1945 年の 6 月から 7 月に集中している。これら中途退職者には未払い賃金・貯金の記述があり、賃金は最高 86 円余、最低 22 円余、貯金は 13 円余が最高で多くない。

この炭砿での動員された朝鮮人の職種と人数は、電気工 1 人、機械夫 2 人、事務関係 2 人、雑夫内外 9 人、採炭夫 86 人である。

（2）幻であった「大塚一二名簿」

以下、鄭論文とは直接関係ないが、この地域の被動員者名簿で既に分かっているものを整理して置きたい。

まず、「大塚一二名簿」とは正確には「朝鮮人炭砿労務者単身在寮者名簿」と「朝鮮人労務者家族持名簿」の2つから成り、212人の名簿がある。地域史の研究家大塚氏が1990年の政府の調べに応じて提出したものといわれ、未公開のまま本人は亡くなられた。政府移管資料の第2次分の「所謂朝鮮人徴用者に関する調査名簿」5冊の中に含まれると思われるが、今まで国家記録院でも見つけられなかった。今回検討の結果、同冊子の自治体管理分の茨城県が212人とあるが、茨城県は別に日立鉱山以下、(1)の資料含む4,955人の名簿があるので、これは「福島県」の「大塚名簿」であろうと思われるが、まだ未検討である。恐らく、氏の経歴（父が日曹赤井の寮長）から見て、日曹赤井炭砿か古河好間炭砿のものと思われる。この他氏の聞き取り集『トラジ』には、2種の役場文書、「寄留者名簿」の42件（人）の名前とその他55人と数字のみ記され、「戸籍日記簿」6件（人）が載せられているが、寄留発生年月日、住所と氏名だけである。今の所、どこの役場か未確認であるが、寄留名簿は本籍の分布から見て日曹赤井炭砿の戦時動員死亡者（慶尚南道密陽郡）との共通点がある*。

＊第6回の訪問調査の結果、「真相糾明委員会」の協力で予想の通り入手することが出来た（『戦争と勿来』27号、2012年、『在日朝鮮人史研究』42、2012年、123－124頁参照）。

（3）福島地方裁判所平支部判決文「被告」名簿

これは山田昭次氏が採取されたもので、22件、60人の朝鮮人の本籍、住所、氏名、年齢、判決文などの詳しい経緯が書かれている。7件の「集団暴力」事件や日朝間紛争など、窃盗事件11件と4件の国家総動員法違反（逃亡）が扱われていて、「集団暴力」事件については、龍田の韓国訪問調査で6人の遺族からの聞き取りも行われている*。「真相糾明委員会」の調査に申告をしている者も数件（人）ある。逃亡事件と共に第5章で検討したので参照されたい。窃盗事件も戦時中の動員地の寮での生活事情がよく反映され貴重な資料である。

＊第2巻の第3回、第5回、第6回調査報告参照。又、「第3回調査報告」『戦争と勿来』24号、2009年、15－16頁、「第5回調査報告」同26号、2011年、42頁、「第6回調査報告」同27号、2012年、22－24頁

（4）未払い賃金供託金名簿

常磐炭田に戦時動員された朝鮮人の名簿で既にその存在が確認されている者は、6つの主な炭砿に動員された2,841人分、約64万円 の朝鮮人労働者の未払い賃金等の供託金受付帳と副本がある*[1]。情報公開により閲覧した結果、受付帳には供託年月日、供託番号、供託の原因（弁済供託）、金額、供託者（黒塗り）、払渡年月日、備考欄（歳入納付）がある。副本には、供託に関する委任状と被供託者の住所（黒塗り）、氏名（黒塗り）と金額のみが1人ひとり書かれている。例えば、鳳城小田炭砿の場合、58人分、20,522円49銭、最高1,232円93銭、最低60円69銭、平均353円82銭である*[2]。プライバシーの保護の問題があるが、氏名や里名、番地の公開は必要なく、最低、郡までの住所が公開されれば、常磐炭田への解放時の戦時動員者の出身地が正確に分かることになり、研究の大きな前進に繋がる。

＊1『経済協力　韓国105』大蔵省金融局、1950年10月、34頁を元に情報公開の請求をした。

＊2 その結果、古河好間炭砿と鳳城小田炭砿の金額の記載に誤りが発見され、＊1表記の金額に訂正された。

（5）「真相糾明委員会」への申告者の名簿

これは最も重要な資料の1つであり、あくまで60年を経過した後の遺族や本人からの申し立てであるが、必要な手順を経て認定された「被害者」の証言として委員会の「最も重要な財産」であるという。今の所「真相糾明委員会」の協力を得て龍田の手元にある常磐炭砿関係被害申告者は106人である。常磐炭田19人、古河好間炭砿28人、大日本勿来炭砿32人で、この数字は不完全な数値である。今後、直接聞き取りをする手掛かりにしたい。データ化された数字では、福島県の被害申告者は現地死亡者76人、帰国生存者248人、帰国後死亡者368人である。ただし、「鄭名簿」では典拠の欄に申告者の印がある死亡者は70人あり、内2008年11月15日までの認定者は47人であるという*。

＊第6回（2011年8月）、第7回（2012年10月）の韓国訪問調査の折、「真相糾明委員会」の協力を得て福島県関係で申告をした被動員者の数的な概要が把握出来た。その後、第8回訪問調査で最終的な福島県関係と思われる申告者の総数は1,176人である。

（6）その他の名簿

①石炭統制会東部支部の伊川満期者名簿

長澤前掲『極秘資料集』Ⅲの常磐炭砿（株）関係資料「勤労者関係綴（昭和19年）常磐炭砿（株）」には「昭和19年1月以降満期者現在調」という文書があり、旧入山採炭、旧磐城炭坑の1944年1月以降、満期を迎える朝鮮人労務者の数が郡毎に記されている。それによると、1942年に入所した江原道の伊川出身の100人の内、現在員（残っている者）として61人が記載されている（374頁）。同書には「第一回伊川郡寮別満期者名簿」という文書がある（376頁）。これは1942 年9月21日に入所した100 人の伊川郡（江原道の共和国側）出身者の「満期者名簿」である。尾口、早苗、松内、島浦、島本、宇部、植田、長坂、富田、大柿の10種の日本人姓に番号のついた氏名と職名、年令、出身面、摘要があり、合計59人となっている。前記の「護送中飛降自殺」として過去帳では住所不明の「尾口六郎」の名はここには無い。尾口六郎は既に7月16日に亡くなっており、8月「逃走」として富田一郎にも線が引かれ消されているので、「名簿」では59名となっているのだろう。ところで、この伊川隊は満期が1944年9 月21日であるが、『特高月報』の11月分に「福島県石城郡湯本砿第1寮における第1回官斡旋移入鮮人労務者60名は、9月21日に期限満了する者なるが、会社側の数次の定着慫慂に応ぜず、9月30日内53名は無断帰鮮すべく出寮せるを以て所管署に置いて一応全員検束の上個別的に定着指導」*[1] したとある。このことがきっかけで次々と各職場に広がり 400 人を越す大きな事件として取り上げられている。人数は1人違うが入所日から見て、この「第1回官斡旋移入労務者」は伊川出身者達であろう。『特高月報』に記載のある抵抗運動のきっかけとなった人達であろう。中心人物と考えられた「2人」は「翻意」させられたとはいえ、この名簿の中にいると思われる。尾口六郎の死亡月日は7月16日と過去帳はなっている。過去帳の上には紙が貼られ、その後死んだ陸軍属某の戒名が書かれて、六郎の上には黒い墨が引かれている。尾口六郎は既に7月段階で警察か会社側に捉えられ、護送中に死亡したのだろうか。捕えられた理由は職場離脱による「逃走」であろうか*[2]。共和国側の調査は行っていないが、今の内なら事情を知る人が生きている可能性はある。又、この「名簿」は戦時動員された人々の職種を知る上で貴重な資料である。これによると土建工手4人、採掘工手11人 、採掘補手42人、資材運転手2人で、採掘工手の9人は組長であることから先山であったことは考えられる。殆どが坑内夫であること、2年間の間に17人（29%）が技術を要する職に着かされていたことは、朝鮮人にも技術向上の機会が与えられていたことが注目される。

＊1 前掲『昭和特高弾圧史』8、1990年第4版、290頁
＊2 入山採炭の第1回「官斡旋」が伊川隊から始まったという考えは、竹内康人氏が前掲『極秘資料集』Ⅳ、374頁の「昭和19年1月以降満期者現在調」から類推しているのは慧眼である。常磐における「官斡旋」は統計上、6月に90人が数えられている。どこの炭砿から始まったかは分からない。尚「長澤名簿」は同砿第1回伊川隊の1943年3月29日死亡の平子（伊）根浩を「災害原簿」の「島本一郎？」とされているのは正しい。平子根浩を島本一郎とするのは出身地（伊川）と死亡年月日が一致するので理解できる。しかし、長澤氏は「朝連名簿」の入所年月日から9月を7月と写し間違え、それを「鄭名簿」も入所年月日を7月21日として受け継いでしまっている。

②『特高月報』

ここにも数人の朝鮮人の氏名が挙がっている。ただし、本籍や生年月日など個人情報の記載がない者が多い。常磐炭田では治安維持法関係の事件は今のところ見つからない。集団移入労務者関係の記載には個人情報が少ない。個人の名前が出ているのは8件のみである。

（7）山一炭砿「樺太転換」家族待砿夫名簿

最後に鄭氏が取り上げた「名好炭砿被徴用砿夫遺家族名簿」と「二重徴用被害者陳述書」（安明副提供、強制動員委員会所蔵）、南樺太から茨城県の「山一」炭砿に「転換配置」された砿夫の名簿についてである（「第2論文」231頁、尚20行目「名好」は「山一」の誤りと見られる）。

これについては、山一炭砿の「樺太転換」家族待砿夫として、別に「第5回常磐炭田戦時動員朝鮮人を訪ねての旅*」（第2巻「第5回韓国調査報告」も参照）で触れた。19名いることが長澤氏により明らかにされている。鄭氏も新たに入手された「ＳＣＡＰ」文書を基に「被害申告者」の証言文書を交えて言及された。

＊『戦争と勿来』26、38－39頁。長澤前掲「戦時下南樺太の被強制連行朝鮮人炭砿夫について」『朝鮮人強制連行論文集成』51頁。鄭惠瓊「戦時体制期樺太から転換配置された朝鮮人労務者関連名簿の微視的分析」（韓国文）、ソンイン、2011年、444頁

Ⅲ　鄭惠瓊名簿論

1　「死亡者名簿」より見た常磐炭田の朝鮮人死亡者の実態分析

既に「死亡者名簿」の分析は長澤氏の論文や『いわき市史』の「常磐炭田史」の

中で行われている。それらも前提としつつ、以下鄭氏の提起に従って、私のコメントを付け加えたい。尚、名簿の名称を「死亡者名簿」*とすることには基本的に賛成である。死に至らしめられたという意味で「死亡犠牲者名簿」とする場合もある。又、「殉職者名簿」という用語は本来、会社や国の立場から、業務への自発的な献身の結果の犠牲者を思わせるようで出来るだけ避けたい。「真相糾明委員会」で使用していると聞く「現地死亡者」が一番具体的であるが、死亡者だけで通ずると思う。

＊第2論文、236頁3行。以後、「同書～頁～行」と記す。

（1）常磐炭田戦時動員死亡者の人数

①砿夫（男子）の死亡者数（第2論文、243頁末－235頁23行、236頁4行－237頁1行）

鄭氏の名簿の検証の前に、龍田の「常磐炭田戦時朝鮮人労働動員」の人数についての考えを述べ、その後コメントさせてもらう。まず、その総数はどれ位になるかは、戦時労働動員の過酷さを示す指標として重視され続けた。それにもかかわらず、その数は未解明な部分が多い。発表されている先行名簿も既住朝鮮人との区別は難しい面もあり、砿夫の労働や労働環境だけでなく、動員された人々の生活環境全体を把握するためにも、病死者や女性、子供、老齢者など非砿夫を含めた死亡者全体の把握が大切であると思う。しかし、まず砿夫を中心に考えてみたい。尚期間は国家総動員法を背景に「労務（のち国民）動員計画」により閣議決定された1939年9月から1945年の敗戦後（解放後）、韓国への集団帰国が終わった12月までに常磐炭田で亡くなった人をめどとした。戦時集団動員期間の死亡者に重点を置いたためである。集団帰国後、炭砿に残った人は、家族を待つ樺太二重徴用者等むしろ例外的な場合であると思われる*。韓国の「真相糾明特別法」では「満洲事変から太平洋戦争に至る時期」とされている。先にもふれた様に多様な動員、帰国の状態を含め別に検討する必要のあることは当然である。

＊集団動員された朝鮮人で戦後、引き続き炭砿で働いた人がどれ位いたかは、戦後地域の在日朝鮮人の生活を知る上で極めて重要である。長澤論文によると東部支部資料（前掲「戦時下常磐炭田における朝鮮人労働砿夫の労働と闘い」表28、「離山朝鮮人数」前掲『朝鮮人強制連行論文集成』194頁）では、炭砿別に見ると常磐15人、好間8人、勿来3人、赤井20人、関本4人、山口1人、山一20人、計71人残ったにすぎない。既住朝鮮人の場合は稀ではない。

結論的にいえば、戦時動員死亡者数は「鄭名簿」（2009年）で305人、「長澤名簿」（1988年）で296人、『いわき市史』所収「呑川論文」（1989年）では306人を挙げている。作成年では呑川氏のものは長澤氏より遅いが、内容的には長澤氏のものの方が新しい。更に呑川氏のは「朝連名簿」と「県調査名簿」のみの分析となり、子供31 人、女性10 人（両名簿の重複があるので8 人)、老齢者1 人を含んだものであるため、それを除くと砿夫は266 人である。長澤氏はこれに各寺院の過去帳から15人、会社稟議書や災害原簿から5 人、「殉職産業人名簿」から4 人と、更に、これら3 種の名簿の重複者6 人計30 人を加えて*[1]296 人を抽出した。その後、「龍田名簿」は、長澤氏が除外した理由の分からない江原道春川出身の李完淳と調査団来訪時に分かった長寿院の柳得天を加えて 298 人とした。その後、竹内氏は『戦時朝鮮人強制労働調査資料集』*[2]で、先に触れた「厚生省名簿」から茨城県側の 2 人を追加していたので、この時点での砿夫数は300 人となっていた。

＊1 この数字は「長澤名簿」から出したもので原本同士をすり合わせたものでない。「朝連名簿」、「県調査名簿」のどちらの印もないものは 6 人いる。又、「長澤名簿」には「朝連名簿」から削除した理由の分からない2 人、1946 年以後死亡者1 人を加えているので差引、増えたのは30 人である。

＊2 以後、「竹内名簿」と呼ぶ。ほぼ、「長澤名簿」をデータ化したもので、本名、日本名、本籍住所、企業事業所、府県名、死亡年月日、年齢、死亡原因、出典文書番号がある。出典は厚生省勤労局「朝鮮人労務者に関する調査」(本章Ⅱ－6－(1)参照)。

今回、「鄭名簿」の提案を受け、名簿を検討させていただいた。氏が検討された全ての関連名簿数を 318 人とし、ここから、砿夫又は砿婦であると見なせない住所不明8 人と女性2 人と重複者（8 人？）を除き300 人とした。それに、更に「真相糾明委員会」で被害者と認定された新たな5 人を加え*[1]、総動員者数を305 人とした*[2]。そこで、私がこの名簿1 人ひとり、「長澤名簿」を中心に根本史料に戻りながら検討した結果は、「真相糾明委員会」の新たな死亡申告者から常磐炭田関係として加えられたのは4 人であった。櫛形2 人（○チャンスと○パルスン）と磐城（○ヨンホン）1 人、大昭上山田1 人（○エイサン）である。新に見つかった申告者の内、古河好間炭砿での現地死亡者李秉台（「鄭名簿」118）は「長澤名簿」にある李康吉（「長澤名簿」A60）であろうと判断した*[3]。そして「長澤名簿」にはない他の名簿から新たに1 人（金林プゴン)、 計5 人の新たな死亡者を確認することが出来た。「長澤名簿」にない他の資料から得た死亡者の1 人は「龍田名簿」にあり、「朝連名簿」から復活させた李完淳である。他の資料から得た残りの3 人は新しい死亡者とはしなかった。即ち権炳章は権福童の重複*[4]、更に1946 年以後死亡者・松浦キスン*[5]、女性・李スオク*[6]の 3 人である。戦時動員名簿から除いたのは先に見たように、ここでは砿夫に限定し、集団帰国を目安としたからで、戦時動員被害者であることとは別である。又、「長澤名簿」の重複とされた移川一郎、李蓮述同一人説は取らない*7。その結果、龍田の基準による砿夫の人数は 305 人と算出した。しかし、更に検討の過程で「長澤名簿」は先に指摘した様に 2 人の重複者と 1 人の 1946 年以後の死亡者計 3 人を含んでいることが分かった。「鄭名簿」もこれを受け入れ採用している。更に、「朝連名簿」から除く理由が見つからない中村女郎が判明した*8。「長澤名簿」の 3 人を引き、中村女郎を加えると、309 人が龍田の算出による常磐炭田の砿夫の現在の死亡者数である（章末参考資料を参照）*9。

＊1 今後「真相糾明委員会」での審査が進めば、新たな認定者は更に増えるだろうと予測されている（同書 236 頁 16 行、注 39）。

＊2 同書 235 頁、12 行、236 頁、16 行

＊3 両者は炭砿、死亡年月日、生年月日、本籍が一致しているからである。死亡年月は 1943 年 8 月で一致し、生年月日は 1918 年 3 月 3 日（なぜか「鄭名簿」では 1874 年となっているが、これはあり得ないと思う）、出身地が同じ忠清南道の益山である。字も「秉台」と「康吉」は草書ではよく似ており、「災害原簿」では有山乗台、過去帳では有山東台となり「乗」、「東」、は「秉」の誤写であろう。なお李秉台の申告者は会社から国語学習帳などの入った小包が送り帰されたこと、遺骨も後に届けられたと申告している。

＊4 権炳章が権福童の重複者である理由は、死亡原因が「大腸カタル」で同じで、死亡年月は原本の「県調査資料」によると、2 月を 11 月と読んだ可能性があり、そうなら一致する。もちろん職場は入山採炭で一致する。

＊5 松浦キスンは、古河好間炭砿で集団帰国しなかった 8 人の内の 1 人とも考えられる。1946 年以後の死亡者を戦時動員被害者に入れるのは理解できるが、さしあたり先の原則から除いた。

＊6「朝連名簿」には李珠玉とあり、字から見て女性と判断した。長澤氏も名簿から除いた。

＊7 死亡原因が「十二脂腸」と「炭車逸走」では違いすぎる。別人と考えるべきである。なお「移川」は出身地を示す「利川」の写し間違えの可能性もある。鄭甲秀→辰橋十郎（会社稟議書）

＊8 中村女郎は鄭氏が女性として金タネヨと共に除外した。（同書 236 頁 13 行）しかし原典である「朝連名簿」では金タネヨはともかくとして、「女郎」ははっきりと「男」となっており、どう読むかは知らないが女性として断定する根拠はない。私も初めは女性として除外していたが今回砿夫として新たに加えた。

＊9 第 6 回（2011 年）の訪問調査の結果、長澤 1 次名簿（「労働者殉職者名簿」）の検討を通じ、2 人の死亡者の重複が分かり、茨城県中郷砿の 2 人、産業殉職者の 2 人、長谷寺関係 2 人、櫛形の申告者 2 人の計 8 人の死亡者の追加を確認した。砿夫の戦時動員による死亡者は 309 人となる。

尚、鄭氏や長澤氏の示唆を受け、今回北茨城の中郷、高萩附近の寺院の調査をし、2 人の朝鮮人の戦時死亡者が見つかった。

②福島県と茨城県の死亡者のアンバランスについて（同書237頁2行−9行）

鄭氏は常磐炭田の死亡者303人の殆どが福島県側に属し、茨城県側は櫛形炭砿の2人にすぎないとして、そのアンバランスを指摘している（同書237頁2−10行）。戦時動員者が東部支部の資料で1,097人いることから、その1%としても10人はあっても不思議はないとして、その原因は中小炭砿が多く、過去帳にも残らなかったのだろうとされた。実は「長澤名簿」にある常磐合同炭砿と大倉炭砿は茨城県側と思われそうだが、大倉は中郷の茨城無煙炭を継いだ大倉炭砿ではなく、福島県側の赤井にある大野大倉炭砿である。理由は犠牲者貴敬洙の遺族（妻）岡田テツの住所が、いわき市平赤井になっているからで、ここでは、戦時動員朝鮮人の受け入れ対象となっていないので、既住朝鮮人である可能性が強い。先に述べた様に「厚生省名簿」から竹内氏は関本炭砿、神ノ山炭砿の各1名の死亡者を挙げているので、計5人は少なくとも茨城県側である。又、「鄭名簿」にある「常磐（茨城）」の○スンオン（103）は「長澤名簿」の李順彦（B12）であろう。広陵郡出身で1943年に病死している。「真相糾明委員会」への申告によると思われるが「常磐（茨城）」としているので中郷砿であろうか。これも入れると6人になる。

この度の調査で常磐炭砿中郷砿の檀家寺である長福寺の過去帳には、少なくとも3人の朝鮮人と思われる死亡者がいた。過去帳の原本はなく、新たに筆写して作られた名簿で、本籍が記録されず、その内2人は「石岡炭山」と記されている。戦時動員被害者と判断した*。これを加えたとすれば、茨城県側死亡者は10人に迫る。

＊三善台星、1944年8月28日死亡（当時33歳）と文岩履相、1904（明治37）年9月12日生、1944年8月27日死亡の2人である。他の1人、佐竹龍仙は検討中である。

又、朴慶植前掲『朝鮮人強制連行の記録』には、「この高萩附近の寺院にも数十体の同胞の遺骨が放置されていると後日聞いた」（131頁）と証言している。この長福寺には日本人数十体の引き取り手のない遺骨が保存されていると言うが、その中に何体かの朝鮮人の名前があったと住職の奥さんは証言している*。朴慶植氏の記録はこのことを指すのであろうか。いずれにせよ茨城県側には戦時動員による死亡者が無かったのではなく、未調査だったということが出来る。

＊その後、253人の保管遺骨名簿を精査したが、朝鮮人名を確認することは出来なかった。

③死亡者の本籍地、年次別経緯（同書237頁11行−238頁21行）

動員現地死亡者の出身地調べ（237頁、表6）は現在、龍田が修正した名簿とは数人の違いはあるが、大差はない。鄭氏が指摘する様に、常磐炭砿、特に、入山採炭の江原道依存率が高いこと*[1]には度々言及した。特に1943年度の動員数は年間1,500名に上る。死亡者は70人を上回る。磐城炭砿、入山採炭とも「募集期」は南部6郡、特に慶尚南道、慶尚北道に集中（犠牲者も 50 人程度）したのに比べ、「官斡旋期」にはなぜ江原道に動員が集中したのか*[2]。政策的に動員地域を新たに指定したこともあるが、素朴で従順な農山村地域で、労務管理上の利点があったのだろう。入山採炭ではないが、長澤氏の聞き取りによると、大日本勿来炭砿の募集にあたったＦ氏は「京城班は（中略）江原道に比べ成績は非常に悪かった」としている。尚、「京城」以北は「戦闘的で協調性に乏しい」とも述べている*[3]。現在、「共和国」に属する伊川郡、淮陽郡、通川郡、楊口郡の水入面などの死亡者も15人に上り、第1回の「官斡旋」の「飛び降り自殺」した尾口六郎の死ぬ3日前日の7月13日には、同郷の若者が出水のため「溺死」している。その前の 4 月、5 月にも、同郷者 2 人が炭車にひかれたり急性肺炎で亡くなっている。こうした職場での出来事と尾口六郎が会社か警察に「護送」され「列車より飛び降り自殺」をする程の事態となったことと関係がないのか。そして、この事件を同郷・同期の職場の人達はどう見たのだろうか。更に彼の死の前日1944年の7月15日に新たに入所した同郷の2人の内1人が僅か1ヵ月余の8月30日に、落盤による脳挫傷で23歳の命を奪われた。相次ぐ「事故」や「事件」による死亡が、9月末の一斉職場放棄による帰国運動の大きな原因の1つとなったのではないか。名簿はこうした想像を掻き立てる。又、1943年12月の 367 人の大動員で入山採炭に入所した横城出身の文山千植は、坑内事故で入院の後、病死している。この時動員された9人が、解放までに死亡した（死亡率2.5％）。原州に嫁いだ妹の崔チョンオク氏は、「太平洋戦争動員被害者訴訟」の一員に加わっている。調査訪問に際し、やさしかった兄の思い出の他何一つ残っていないと涙された。名簿は動員者の姿を照らし出す光であるという鄭氏の指摘に同感する。1943年5月に296人動員をした磐城炭砿では、解放までの間に10人が死亡している。死亡率は3％に達する。この様に死んでいった人たちが唯一反抗したのが、1944年9、10月の契約期間拒否の事件であった。このことを思うと、説得されて終息したとはいえ、如何に帰国が切実な要求だったかが推測できる。鄭氏は江原道の死亡者の多さは、動員時期が遅かったことと深い繋がりがあることを指摘された（同書238頁15−21行）。

＊1 同書237頁12行。龍田は当初より遺族訪問の重点地区とし、第2回目（2007年）の訪問では5郡の調査をした。

＊2 尚、入山採炭の動員者のピークは、石炭統制会東部支部統計では1944年の2月（2,509人）で、他砿は10月まで増え続ける。磐城炭砿との合併後は、鹿島坑は湯本砿分に、川平坑は内郷砿となった様に、単なる統計上の所属の変化から来たものとは思えない。なぜ入山採炭の雇用が増えなかったかは不明である。

＊3 長澤前掲「常磐炭田における朝鮮人労働者について」138頁

④死亡時期の推移（同書238頁の末行から）

死亡時期は年次毎に棒グラフで表し、殆どが1944年、45年に集中し、夫々87人、82人と前年の1943年の45人に比べ、ほぼ倍増していることを指摘している。その原因は動員稼働者数の増加にもよるが、『いわき市史』の「常磐炭田史」にも述べている様に、何よりも資材不足のため通気や排水設備の不備によるガス爆発や出水の多発、レール、ロープ、炭車の資材不足のための脱線逸走、坑木不足、枠入れの手抜きによる落盤、増産期間の設定による過労や食糧不足による栄養失調など、無理な戦時増産体制の犠牲であると見ている*[1]。又、戦争末期の1年間に入所した14人について見ると、就労月数は僅か6ヵ月であったという*[2]。不完全な資料であるが、鄭氏の死亡者の年次別変化に長澤氏が『朝鮮人強制連行論文集成』（162－164頁）で示された東部支部（1939、42年）、大手4砿（1940、41年）、常磐炭田（1943、44、45年）の月末在籍者数（12月または7月）から死亡率を出すと0.3%（39年）、1.1%（40年）、0.9%（41年）、0.7%（42年）、0.8%（43年）、1.3%（44年）、1.9%（45年）となる。

＊1「常磐炭田史」509－510頁

＊2 同上、526頁

氏は初期の動員においても、入所して1、2ヵ月で死亡した慶尚南道、泗川郡出身の朴卜来（50歳）と金鍾達を挙げ、「作業や安全教育の不備や作業上の劣悪な環境によると見られる」としている。2人の死がきっかけと見られる怠業が、1939年12月18日、磐城炭砿で起こっている*[1]。氏はその後、年次毎に死亡者の人数や最年少者や最高齢者の実態などについて詳しく述べている（同書240頁、241頁）。1945年の解放前の数ヵ月は、毎月10人前後の死亡者が出ている。中でも15歳の少年が3人も含まれていることに注目している。高齢者については、大日本炭砿の豊田昌勳は3月に60歳で亡くなり、同砿の金村同声は1月に58歳で亡くなっている。「渡日の背景と労働の性格を追跡調査する必要がある」（242頁11行）とされている。豊田昌勳は同郡出身の宋甲奎氏の聞き取りでは、「どぶろくを売っていた既住の朝鮮人がいた」と言っているが、そうした仕事をしていたことも考えられる。尚、1943年4月（「災害原簿」では11日、「朝連名簿」では24日）、死亡の新井（先）光奉については、67歳の高齢者に加えられているが（同書241頁11行）、「災害原簿」によると1919年生で高齢者ではない。「朝連名簿」では1875（明治8）年生となっているが「災害原簿」の方が正確であろう*2。4月の25、26日にこの古河好間炭砿で400人を超す大暴動が起こった原因の1つに、彼の死が関係していると思われる*3。同砿で引率の仕事をしていた日本人の証言がある。年寄りであったとは聞いていない。

＊1『特高月報』1月号（前掲『昭和特高弾圧史』6、307頁）に、1939年12月18日に13人の朝鮮人労働者が同僚の変死に入坑拒否とあるのは、この2人の死に対してのことだろうと、竹内氏は指摘している（竹内『調査・朝鮮人強制労働①炭鉱編』、第8章「常磐炭鉱」、317頁、社会評論社、2013年）。

＊2 大正と入れるべきところを明治としてしまった「労働者殉職者名簿」の原典「朝連名簿」の単純ミスである。

＊3『戦争と勿来』25号（2010年）。「好間炭砿に動員された朝鮮人と中国戦線」いわき在住84歳。証言者は自分の率いる40人を見回り、1人がおらず、後で坑道の落盤で死亡しているのを見つけた。その後の会社の対応が悪く、暴動になったのではないかと思うと証言している。又、判決文に見える暴動の中心人物23人（先に判決の出た6人と後で判決の出た17人、合計23人）は、殆ど同郡出身者で占められていることも傍証である。又、「鄭名簿」では死因が「朝連名簿」の「公病死」を取っているが、「災害原簿」の「炭壁崩壊」を取るべきである。

⑤2人以上の死亡者が集中する場合（同書242頁13行－243頁8行）

ここで鄭氏は同一日に複数以上の死亡者がいる場合について、事故死の可能性があるとして検討している。13件の内、職場が同じで、病名が骨折等事故と関係があるものは6件（表番号の2、4、5、7、9、13）あり、これは明らかな事故死であると思う*1。特に、1945年4月22日の小田炭鉱の5人は、当時新聞にも掲載された65人が死亡した国内最大の事故であった。しかし、1944年8月30日の2人（表番号6）は、同じ常磐でも内郷と湯本では職場が違うので、同一事故とは言えない。単に「病死」とか「腹膜炎」とか「肺炎」などは、事故に伴う病気である場合があり、事故死の可能性はあると言うのは同意できる。しかし、十二指腸（炎?）とかは如何なものか。又、大昭上山田炭鉱の1944年10月15日の金村榮一と新しい申告者とされる日付なし10月死亡の〇ヨンサンが同一人物でないとすると同じ事故で死んだ可能性がある*2。

＊1 表番号 4 の「磐城」は「入山」ではないのか。

＊2「鄭名簿」より同一人物ではないと判断したのだが、第 7 回の遺族からの聞き取り調査で（213 頁、2013 年）同一人物と認定した。又、職場が大日本と併記されているが、もう 1 人の死亡者兪長金も大日本と併記されている。大昭上山田の読み違えであろう。

⑥入所年月日の分かる死亡者（同書 243 頁 8 行－同頁 10 行）

次に、入所年月日の分かる 128 人について検討している。「長澤名簿」から 125 人を取っているとされ、申告者から 3 人取ったといわれる。長澤氏が依拠した「朝連名簿」には常磐炭砿関係 129 人の入所年月日が記載されている。その他、会社資料から取り出したものがあるので、130 人は超えると思われる。正確な数字は未確認である。龍田の名簿では 132 人となっているが、誤記があるかもしれない。同会社の被動員者数（長澤作成統計*）に対して入所時期の分かる死亡者数を比較すると 1939 年、997:7（0.7%）、1940 年、3,615:23（0.6%）、1941 年、1,545:6（0.3%）、1942 年、3,010:15（0.5%）、1943 年、2,728:51（1.9%）、1944 年、2,454:28（1.1%）となる。被動員者数の多い 1940、42 年が必ずしも死亡率は高くない。又、常磐全体の在籍者の多寡とは必ずしも比例しない。1943 年が高いのは江原道の入所者が多く（1,955 人）、多くの死亡者（33 人）の入所年月日が分かっていることによる。

＊長澤前掲『朝鮮人強制連行論文集成』161 頁

⑦死亡年齢（同書 243 頁 17 行－244 頁 10 行）

生年月日が分かる 190 人について分析し、1928 年生（15～16 歳）が 4 人おり、しかも入山時期が分かる 18 人の 20 歳以下の死亡時期が、1942 年 1 人、43 年 1 人、44 年 7 人、45 年 8 人、と戦争末期に多くなっていることを指摘している。「官斡旋期」から「徴用期」にかけて、少年を含む年少者まで有無を言わさず動員していたことの証明である。神ノ山炭砿の 1945 年 6 月 4 日の徴用者 27 人中 3 人は 16 歳で、神ノ山の徴用者 98 人中 10 人は 18～19 歳で、いずれも 10%を超えている。聞き取り過程でもそのことは証言されている*。

＊私が聞き取りした 1945 年 3 月に動員された李興淳は「拒否すると殴られた」（1927 年生）、1948 年 8 月の全炳龍は「拒否すると父が取られるので」（1927 年生）、孟泰燮は 1944 年 4 月（1932 年生）、当時 14 歳で動員されている。

⑧炭砿毎の死亡者数（同書 244 頁 11 行－246 頁 4 行）

炭砿毎の死亡率を出して、平均 1.33%とされている。小田炭砿は大事故によるものである。前田一氏の出した全国的な平均 0.9%よりは高い。全動員者に対する死亡率は 1.4%とされている（同書 245 頁、表 8 参照）。それ程動員総数が変わらない（磐城炭砿 7381 人：入山採炭 6787 人）のに、磐城炭砿（内郷・磐崎砿）の死亡者の多さと入山採炭（湯本砿）の少なさについて関心を持っている。それが「官斡旋期」になると入山と磐城の差は少なくなるのはなぜなのか。両炭砿の動員体制の変化や経営方針に注目している*。又、石炭統制会の会員（年産 10 万トン以上 4 社）と組合員（同以下）の死亡率の高さには関心があるが、特殊な鳳城小田炭砿の場合を除けば、意外と組合員の方が死亡率が低いのは、大手の炭砿の増産運動の過酷さを物語っているのか。

＊簡単な私の試算でも、大手炭砿と中小炭砿の死亡者数比は 125:74 となっている。

（2）死亡原因（同書 246 頁 5 行－251 頁）

①業務上と業務外の区別について（同書 246 頁 5 行－同頁 20 行）

鄭氏は「長澤名簿」における業務上と業務外の死についてコメントされている。長澤氏の挙げられた病名を検討する中で、これを業務外とする根拠はないと考えられる。又、肺炎、肺結核、肺浸潤などは、炭砿という作業場の特性や劣悪な食糧事情を考えた時、業務上の死亡である蓋然性が高いとされる。又、溺死について常磐炭田は海底炭砿でもなく、海に近い所でないので、逃亡や外出中の事故と思われるとしているが、これは誤解で、当時はともかくとして、戦後は海岸まで掘り進んでいる。又、常磐炭田は温泉地ともなっている様に、石炭 1 トンに水 40 トンと言われる程、採炭は水との闘いでもあった。「溺死」は出水によるもので、「長澤名簿」でも 6 件の溺死を出しているが、業務上を 4 件とし、2 件は業務外になっているのは根拠がないと思われる。出典の「朝連名簿」では、2 件とも「外出中」などの注記はない。溺死は全て業務上と見るべきである*。

＊「朝連名簿」では死亡原因がはっきりしている場合は「業務上」という併記はしていない。

②「自殺者」（同書 246 頁 21 行－247 頁 17 行）

「長澤名簿」では「自殺者」と推測する死亡者が 3 人いる。いずれも入山採炭、湯本砿関係で、出典は過去帳と「県調査名簿」である。鄭氏によると、1 人は首つり自殺（「縊死」とある）で、その背景は分からないとし、もう 1 人は「磯原駅付近で汽車から飛び降り死」で逃亡を企てたものと見る。「護送中の飛び降り自殺」の尾口六郎は脱出を企てたのなら自殺ではなく、業務上の公傷だとする。特に、軍需工場指定後の炭砿では、監視や暴力的管理も横行する中、死亡者が急増する過程で、業務内外の区別に意味はないとするのは充分理解できる。又、病気のために労働不能になった「労務者」、朝鮮に強制送還する場合も「護送」という言葉を使う。尾口六郎の場合もその可能性もある。

③傷病率と「消耗率」（同書248頁7行－279頁7行）

石炭統制会東部支部文書による常磐炭田の朝鮮人の「消耗率」については、1941年には死亡率 1.2%と逃亡率も 50%と他の年より高いことに注目している。その原因として1942年以後、動員者数が増えるにも関わらず、夫々0.8%と31.4%と低下していることに注目して、監視が厳しくなったのだろうとしている。又、「その他」の項目に注目して、それは「事故及び円満退山」に当たるとして、長澤論文の表を援用して1943年の「その他」360人は長澤論文の「円満退山」50人＋「事故のため労働力として使えなくなった人員」310人とされる。しかし、長澤論文の「主要炭砿の鉱夫雇用解雇調」（181頁の表22）では東部支部は東京管内と考えられ、むしろ東部支部は仙台管内の東北の項を取るべきで、そうだとすると、円満退山は380人で、この場合のその他は242人の「其他」の項に近い。それにしても「東北」の数字が大きすぎると思われる*[1]。砿山全体の数字ではないか。ただ「傷害、疾病による送還」は入山採炭の稟議綴によると、1943年10月から44年の1月までに33名の送還者の旅費を支出している（11月欠）*[2]。入山だけで年間100名を超す病気送還者は推定できる。尚、『特高月報』の労務動員計画による移入者の内、「送還者」の項の「病気送還」*[3]は、福島県全体であるが、1940年の月平均は10人、1941年は16人で増加の傾向にある。不良、病気、その他の「消耗」の実態を明らかにする中で問題提起を深める必要がある*[4]。

＊1 前掲長澤論文184頁とその原典『極秘資料集』Ⅳの101頁を確認すると、「消耗数調べ」では「円満退山」を「その他」の項目に入れている。統計上の混乱があるが、原典自体がその様になっている。

＊2 前掲『極秘資料集』Ⅲ「常磐炭砿（株）の稟議綴（昭和19年1月～20年5月）」366－368頁

＊3 1942年以後この統計表は見えなくなり、不良送還者のみとなる。

＊4 古庄氏は『朝鮮人戦時労働動員』（192頁）の論文で、戦後の厚生省の統計では「その他」の項目は「不良送還」、「一時帰国未帰還者」、「懲戒解雇者」、「入営」としている。事例は違うが参考になる。

④空襲（同書249頁8行－250頁16行）

論点の1つに、常磐炭田における「空襲」による死亡者の問題がある。氏は茨城県の空襲が5回あったことを挙げ、福島側を含め常磐炭田でもその被害者があるのではないかと考えられている様だ。空襲時の朝鮮人に対する差別の1つとして、朴慶植氏は『強制連行の記録』で高萩の女性から聞いた話を挙げている。空襲警報が鳴って、日本人は逃避したが、朝鮮人は逃げる場所もなく、見ていて気の毒だったと語っている。日立の艦砲射撃の折に多数の朝鮮人が虐殺されたことを調査された地元の方もいる。又、入山採炭で働いた春川の権五烈氏が「真相糾明委員会」での口述で、空襲について「米軍の飛行機が焼夷弾を撒き散らして…」と述べている湯本での爆撃については検証してみたい。古河好間炭砿でも龍田が韓国訪問調査（第2回）した韓○熙氏は、空襲があったことを証言している。又、大日本勿来炭砿の朝鮮人寮の前には防空壕があり、そこに逃げ込んでいたと言う証言もある。現在もこの壕は残存し、無くなった寮が存在したことの唯一の証明となっている。今のところ常磐炭田での空襲による被害が大きかったことは聞いていない。日立の虐殺事件を含め調査の必要を感じる。

（3）遺骨の返還（同書250頁17行－251頁5行）

鄭氏は入山採炭の被動員者権五烈氏の口述や「真相糾明委員会」への被害申告者47人中39人が返還されたとし、残りの8人についても未返還の証明は難しいことなど挙げ、大部分は持ち帰られたのだろうとしている。又、古河好間炭砿に動員された鄭樂源氏が、会社の労務係と滞りがちな遺骨の返還に同行させられ、病死した同胞の家族になじられた話*など、返還を基本としていたことは伺える。にも拘わらず、過去帳のところで述べた様に、真言宗系寺院などにかなりの数の遺骨が残されていたことも史実である。

＊石田前掲『故郷はるかに』口述記録集、111頁

（4）動員時の状態

①**「募集期」の動員**（同書251頁－同7行）

強制動員の「募集期」の実態描写が、長澤氏の聞き取りなどに依拠しながら綴られている。割当募集と言われた実態は、殆ど官の方で下準備を行ったもので、251頁では入山採炭の募集の実態が労務係の言葉を通じ再現されている。中郷炭砿の労務係のＤ氏の場合では、就業規則や賃金規則のビラを掲示板に張り、役場で説明を

した後、契約をして名簿を作ったことが述べられているが、お膳立てをしてくれた各道郡邑面役場の役割は控えめに書かれている。そして、割当動員の一般的な実態がよく現われているとしている（253頁中段引用文）。

②初期動員時の動員者の呼称（251頁8行−253頁）

氏はここで、「募集期」の着山時の教育訓練などに言及している。その中で、動員時の被動員者に対する名前の呼び方について調べている。氏は長澤論文から引用した入山採炭のＢ氏の口述から、「朝鮮人が着山すると、1週間簡単な作業や禁止事項の教育をし、朝鮮人の名前を覚えるため日本語の名前を付けた」として宮崎一郎、北海次郎などを紹介している。一郎は日本語のできる人が当てられ、こうした呼び方は創氏改名前に使われたとされる。ある労務係の「姓は東京、大阪、京都以外は全ての地名を付けた」*などの証言もある。そこで「長澤名簿」にある34人の数字の着いた名前を全て調べてみると、姓は栗野、稲田、菊山、戸倉、岩戸、島本、加納、大瀬、松本など普通の日本人の姓が多く、地名はむしろ多くない。殆どが入山採炭で、創氏改名に拘わりなく、それ以後も動員者全てをこの方式で呼んでいる。創氏名は別に持っていた。又、「伊川名簿」では、組長は必ずしも一郎ではない。磐城炭砿では初期の井場八郎の様に、寮の住所や辰橋十郎や移川（利川?）十郎のように、出身地による命名もあると思われる。しかし、数は多くないので、全てに付けられたのではないだろう。併合後も内郷関係は創氏名で呼ばれ、川平坑や鹿島坑等入山採炭関係や常磐湯本坑に属するものは番号で呼ばれた様だ。古河好間炭砿や他の常磐炭田の炭砿では使われていない。北海道や九州関係での使用例は、「竹内名簿」を見る限りでは無い様だ。入山採炭・常磐湯本砿の独自のやり方なのだろうか。

＊長澤前掲『朝鮮人強制連行論文集成』129、132頁

③1944年10月以後の入所死亡者（同書254頁）

1944年10月以後の入所年月日が分かる死亡者はいない。しかし、だからと言ってその後の入所者に死亡者が無かったことにならないことは勿論である。東部支部統計から見て私計によると、1945年以後の入所者は2,537人である。入所後数ヵ月間の死亡者ということになり、「常磐炭田史」によれば、解放前1ヵ年の入所者14人について調べて見ると、平均就労月数6ヵ月となっている。更に今まで数えられなかった茨城県の厚生省名簿の195人の動員者には2人の死亡者がある。1945年以後の動員は、朝鮮海峡が米軍の封鎖で困難になり、5月以後は割当数の未達成部分を除

いては行われなくなったと理解していた。神ノ山炭砿の6月4日27人、関本炭砿の5月30日23人等の「集団移入」の記録は、そうした説を覆すものであるかもしれない*。鄭氏論文に刺激を受け、以上のコメントさせていただいた。

＊塚﨑昌之氏（季刊『戦争責任』55号、日本戦争責任資料センター、2007年、13頁）によれば6月以後も羅津―新潟、舞鶴―元山等のルートは引き続き徴用に使われていたという。

まとめ

日本史上最大と言われる東日本大震災の後、津波による原子力発電所の事故により、私たち日本人はかつてない経験をすることとなった。原子力発電に依存した快適な生活の虚構性を思い知らされた。ガソリンがなく避難することもできない状態の中で、外出もできずテレビの情報のみにしがみついていた数週間。その後、電話が通じるようになって「在日朝鮮人運動史研究会」の方達始め多くの人達から慰問と激励のお電話をいただき、どれだけ励まされたかわからない。韓国からは支援調査委員会の許光茂氏始め鄭氏ら調査課の方からの海をこえた励ましを受けた。こうした中で、韓国訪問調査は延期せざるをえなかったが、前からの課題であり、この度は鄭氏の論文に刺激を受け、常磐炭田の戦時動員名簿関係について気付いたことを書きとめた。

かつて朴慶植氏の描いた常磐炭田の戦時動員朝鮮人の過酷な状態は、暴力と強制が支配する面と各種の宥和策を併用する面からの理解が必要と思われる。鄭氏があとがきで述べられた様に、名簿はこうした史実の水面下の出来事を文献資料や口述資料で補い、「名もない常磐炭田の死亡者」達の声に耳をそばだてるきっかけとしたい。又、これを機会に、女性、子供、年寄り、動員老齢者、既住朝鮮人に関する名簿の整理など各種名簿の作成も始まり、その糸口は作れた。残念ながら氏の意図した大局的な見地には触れることはできなかった。専ら微視的なことにこだわり、詮索したような結果になった。今後は、茨城県側の調査や戦災関係、1945年以後の動員などの残された課題に取り組んでいきたい。

参考　常磐炭田戦時動員死亡者数等

1　「長澤名簿」との関わり

（1）「長澤名簿」に加えた戦時動員鉱夫死亡者

・柳得天　　長寿院過去帳（龍田名簿）

・李完淳　　「朝連名簿」（龍田名簿）「鄭名簿」

・米田將福　「厚生省名簿」（竹内名簿）

・吉山用五　「厚生省名簿」（竹内名簿）

・○チャンス　　「鄭名簿」

・○パルソン　　「鄭名簿」

・○ヨンヒョン　「鄭名簿」

・中村女郎　「朝連名簿」

2011年以後の調査検討結果

・文岩履相　長福寺過去帳（茨城中郷）

・三善台星　　同上

・南原仁洙　市内寺院　埋葬許可証（磐崎砿）

・水原大植　市内寺院　埋葬許可証（磐崎砿）

・○世一　　櫛形炭鉱　申告者

・○承秀　　　同上

・金山曾碩　産業殉職者名簿（大昭上山田炭砿）

・妙高四郎　　同上　　　　　（入山採炭）

（2）「長澤名簿」から除いた戦時動員砿夫死亡者

・曹仁範　　黄伝範と重複

・天本電龍　矢本雲龍と重複

・朴元根　　1946年以後死亡者

2　「鄭名簿」との関わり

（1）「鄭名簿」から戦時動員砿夫としては龍田が除いた者

・長澤名簿と同じ3人（曹仁範、天本電龍、朴元根）

・権福童　　権炳章と重複

・松浦キスン　1946年以後死亡者

・李スオク　女性

・李康吉　　李秉台との重複

・金村榮一　榮山と重複

・金林冨共　冨吉と重複

（2）「鄭名簿」に加えた者

・移川一郎　李蓮述と同一人ではないと判明。

（3）「鄭名簿」以外に付け加えた者

・柳得天

・米田將福

・吉田用五

・中村女郎

2011年以後に確認された8人（略）

3　戦時動員砿夫名簿総数

「長澤名簿」から見て

296（「殉職者名簿」の基数）＋16（龍田が新たに付加えた数）－3（「殉職者名簿」の重複と1946年以降の死亡者を除いた分）=309人

「鄭名簿」関係から

305（「鄭名簿の基数」）＋1（龍田が重複と考えずプラス1名とした）－9（鄭名簿の重複として龍田が引いた数）＋12=309

但し、2005年「県総連」調査華厳寺過去帳記載の未入手分13人は含まず。

4　その他

・子供37人、女性8人、1946年以後死亡者6人、老齢者1人、計52人（龍田作

成「道郡別死亡者名簿」参照)

・常磐炭田における戦時動員期間前後全死亡者は361人となる

5　常磐炭田朝鮮人戦時被動員者数

今、分かっている被動員者の名前は562人。将来、更に2,841人は明らかになろう。

（1）今わかっている分

・茨城厚生省名簿195人、大塚一二名簿210人、真相究明委員会申告者約66人、伊川郡「満期者名簿」59人、『特高月報』8人、磐城炭砿会社稟議書「病気送還者」5人、山一炭砿樺太転換家族待ち砿夫19人、計562人

（2）未入手分

・未払い金供託金名簿「平法務局分」2,841人

注記1　尚、前掲「道郡別死亡者名簿」(龍田作成、2011年5月修正) による分析は「名簿」が未完成なこともあり保留した。

注記2　2012年11月、一部、注で修正・補足したが、本文は出来るだけ手を加えないようにした。

注記3　参考の「常磐炭田戦時動員死亡者数」は2015年5月9日に「被害申告者の認定作業」の一応の終了を受けて作った「名簿」を反映したものとして完成した。分析はまだ終わっていないが、以前と異なる結論が出る程の大きな違いはないと思われる。

附属資料1　市内寺院より提供された朝鮮人戦時強制動員死亡者の埋火葬認許證

龍田光司

1960（昭和35）年、福島県総務部長から在日朝鮮人総連合会本部事務局長宛の「朝鮮人の遺骨調査について（回答）」（「県調査」）という戦時動員朝鮮人の死亡者名簿がある。そこには常磐市関係の22人について「死亡地」の項が記載されている。常磐市大字上湯長谷字長倉72となっている21人と力石95となっている1人である。この度、「遺骨埋葬場所」確認のため、いわき市にある寺院に、過去帳記載の有無について調査依頼をした。その結果、3.11大震災の被害後の多忙を極める中、出来る限りの調査ご協力を頂いた。

次の様な回答内容があった。

過去帳の開示は本山の指示により出来ないが、その基礎となった市役場発行の埋火葬認許證のコピーを送付する。

これは本籍、性別、申請者の記載のない「簡便」なもので、過去帳では全て斜線により削除されている。その後、離檀扱いとなった。

埋火葬認許證に土葬と記載されている人については、過去帳より「長倉」とメモしたのは、「当寺内墓地」に埋葬され、小野田となっているのは「小野田共同地」に埋葬されたはずである。

寺院内の墓地を持たない方の遺骨は、当時墓地内の一角に水子供養として提供されていたが、1977（昭和52）年に廃止され、現在は「三界万霊供養塔」が建てられ、毎年8月9日に供養をしている。

この他、寺院には100体前後の無縁遺骨を保管しているが、朝鮮国籍の者は無かったが、再度調査して見たい、と言う内容のものであった。

頂いた資料に基づく簡単な分析の結果。

①**意義**　常磐の戦時動員で亡くなった朝鮮人の菩提寺と埋火葬地が明らかになった。

現在、常磐炭田における戦時動員朝鮮人についての名簿として最も詳細である長澤氏の「戦時下常磐炭田の朝鮮人鉱夫殉職者名簿（改定版）」、又、2005年に行われた朝鮮人強制連行真相調査団による「県総務部調査」の追跡調査で、上記22人の埋火葬者の内20人についての埋火葬認許證の存在、又は、過去帳記載の事実が明らかになった。即ち、かつてこの方たちの菩提寺が明らかになった。

②戒名（「信士」）の記載—2人の新たな鉱夫名が

今回、情報が得られた20人について、子供8人、15歳以上の男子11人、女子1人が確認されたが、南原仁洙と水原大植については「県調査」では女子となっており、それが「長澤名簿」等では非砿夫として除外され、記載されない根拠となった。もし過去帳記載上「信士」となっていることが間違いないなら、当然「男子砿夫」として取り扱われるべきである。特に「水原大植」については、埋火葬認許證の死亡原因（変死頭蓋骨骨折による脳挫傷）や名前から見ても、砿夫である可能性が高い。南原仁洙にしても「珠」でなはなく「洙」なので、男子の場合は砿夫と考えた方が自然である。

③埋火葬場所—子供は主にお寺に土葬か、大人は梅ヶ平の火葬場で

「県調査」では上湯長谷8人、梅ヶ平13人、湯本1人となっているが、今回の寺院情報によると、20人の内訳は、7人は土葬長倉（多分、寺院内墓地)、8人は火葬長倉、2人は火葬梅ヶ平、1人は場所の記載のない火葬、更に埋火葬の別が不明な小野田1人と埋葬許可証のない長倉1人となっている。火葬記載の兪田守根については、死亡者の遺族が、現在、韓国訪問調査で明らかになっている。本籍地が慶尚北道義城郡金城面塔里の兪守根のことである。甥と妹がいることを面事務所（村役場）で確認した。

現在、いわき市では2005年の小泉・ノムヒョン会談での遺骨返還についての合意以来、窓口を総務課にして事務を引き継いでいるが、実態調査についての進展はない。遺骨が現在残り、遺族が判明しているのは、市内願成寺の1人だけである。通常業務上、死亡者の遺骨は火葬して遺族に届けられるはずである。今回提供された資料では、寺院墓地内に土葬されたと思われるのは、いずれも幼児のみである。幼児で火葬されたのは1人である。この土葬された幼児の供養については、お寺からの回答があった金山香子・長倉（3ヵ月）に該当するだろう。火葬は長倉、梅ヶ平の10人と火葬場所不明の1人と過去帳の長倉の埋火葬許可證のない1人を足せば12人となり、数十年前から使われなくなった梅ヶ平の火葬場で火葬されたのだろう。小野田分は県調査の「湯本」に当たる。

④多くは長倉の「磐崎寮」で亡くなった

「県調査」では、常磐市大字上湯長谷字長倉72として最後の崔雄鉉氏以外21人が全て同右と記している。これは朝鮮人寮の磐崎寮のあった住所と思われる。ただし、埋火葬認許證によると、大山龍文は石城郡磐崎村大字上湯長谷字梅ヶ平78番地とある。本籍地の記載のあるのは4人のみである。死亡原因については県調査では、金本鐘三と水原大植の「変死」という記載が省かれている。なぜ省いたのかは分からない。金本鐘三は江原道伊川郡出身で、1944年7月15日に入所し、同年の8月31日に天上の落盤による頭蓋骨骨折、脳挫傷で死亡している。在籍期間は僅か1ヵ月半で、同じ日に同郡から一緒に入所した入山採炭6坑の金山永洙は、10月に落盤事故で死んでいる*。今回の調査対象者達は、死亡時期から見れば、1942年1人、43年9人、44年9人、45年2人、48年1人で、44年9月からは磐崎本坑が出炭し、朝鮮人労働者が10月には最多の500人台になる。多くは磐崎寮に起居し、「家族呼び寄せ」による家族持ち朝鮮人砿夫も多かったことが、子供の死亡者の多さから推測できる。

*常磐湯本砿（入山採炭）の第1回「官斡旋」伊川郡出身者61人（1942年9月入所）の中には、1944年7月13日、中本弼洙が出水のため「溺死」しており、7月16日には、尾口六郎が「護送中飛び降り自殺」で死亡している。相次ぐ事故、事件のためもあってか、8月に富田十朗が逃亡する。そして9月30日には、53人が契約期間延長の強制を拒否して帰国を始め、それがきっかけに、内郷砿を含めた400人を超える全常磐炭砿的な集団帰国要求運動にまで発展する事件が起こった。龍田はかつて、炭砿は異なっても近くに居た同郷伊川出身の金本鐘三の死亡事故（8月31日）とも関係あるのではと考えていた。しかしこの時、磐崎（長倉）寮からの参加者はいない様なので、直接的関係はないと訂正する。

⑤火葬場と今

梅ヶ平73の火葬場については、住職が小さい頃先代について行き供養に立ち会ったが、恐ろしかった記憶を持っているという。昭和期を通じ30年代中頃まで使用されていたという。レール2本に薪を縦に置き、黄色い油をかけ2日がかりで火葬するという簡単な施設があるだけだったという。場所については、近くに住むN氏（72歳）は、就職のためこの地を離れるまでの間、火葬が行われたのを記憶していた。当時は、現在ある広い道路はなく、細い山道があっただけという。戦時動員された長倉・磐崎砿関係の朝鮮人砿夫又は成人女性の死亡者は、土葬されないで、この火葬場で火葬されたと考えられる。

*本附属資料1は『戦争と勿来』27号、サークル・平和を語る集い、2012年3月、35－37

頁より再録

火葬認許証

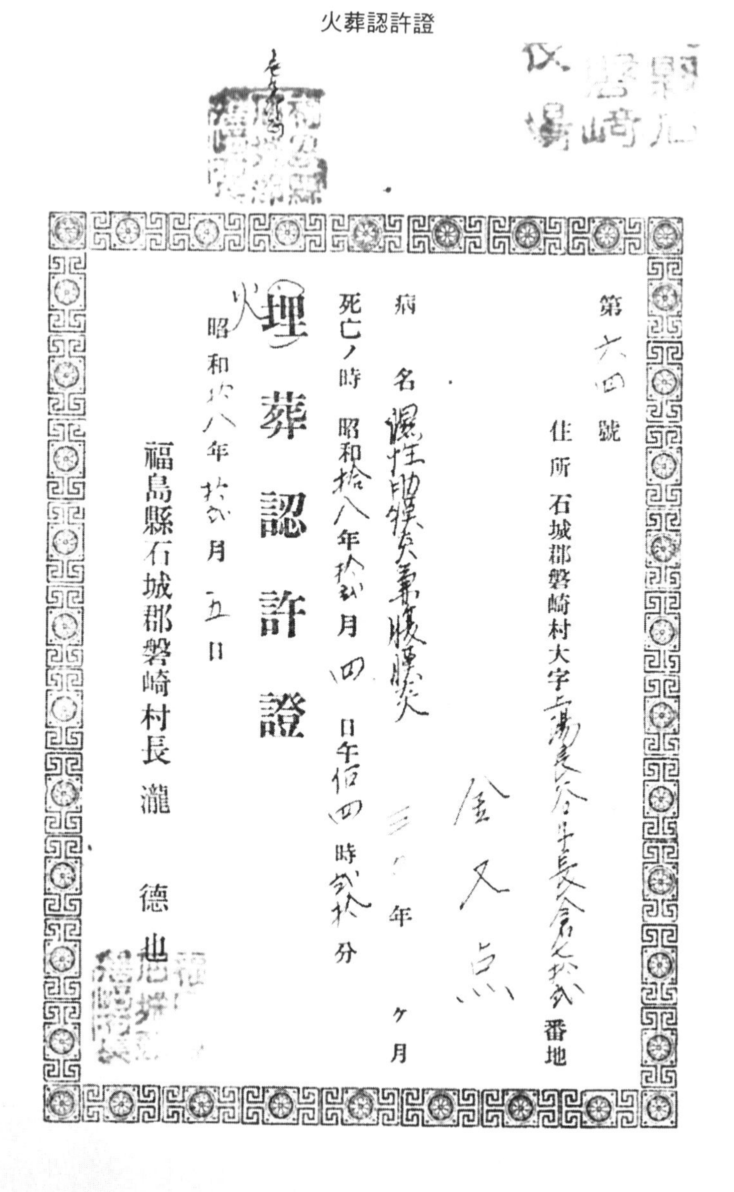

第六四號

住所 石城郡磐崎村大字[illegible]番地

金又点 三〇年 ケ月

病名 [illegible]

死亡ノ時 昭和拾八年拾弐月四日午后四時弐拾分

火埋葬認許證

昭和拾八年拾弐月五日

福島縣石城郡磐崎村長 瀧 徳也

いわき市内曹洞宗寺院提供

火葬認許證

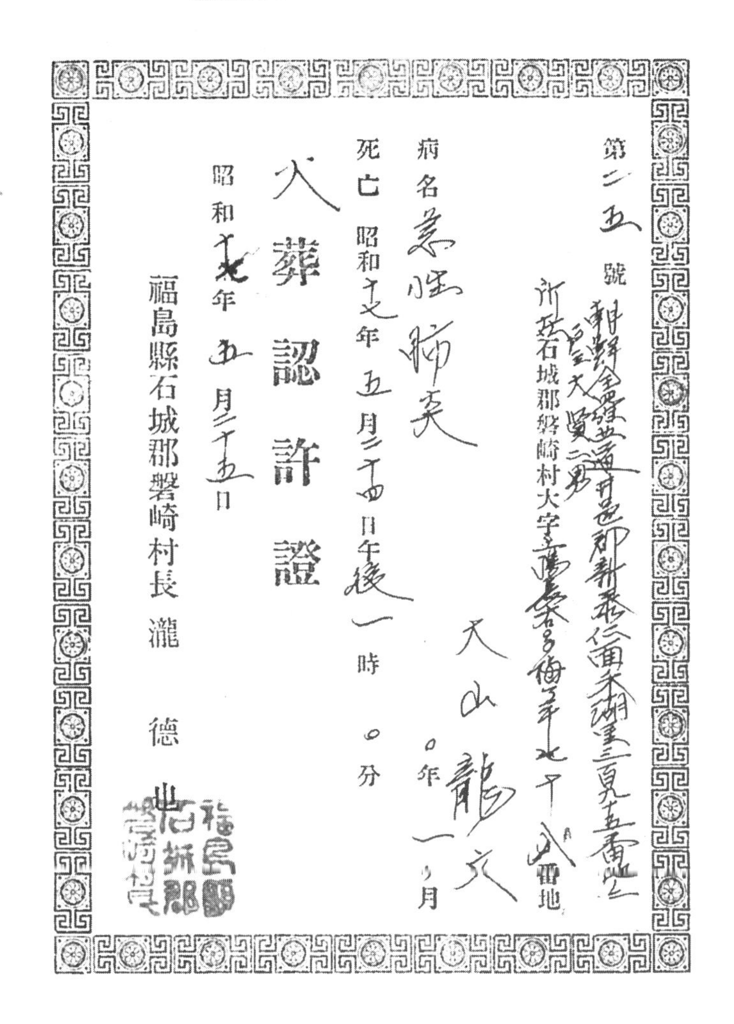

第二五號

朝鮮全羅北道井邑郡新泰仁面禾湖里三百九十五番地ノ二　[illegible]大賢二男

所在　石城郡磐崎村大字[illegible]字[illegible]七十八番地

大山龍文　〇年一〇月

病名　急性肺炎

死亡　昭和十九年五月二十四日午後一時〇分

火葬認許證

昭和十九年五月二十五日

福島縣石城郡磐崎村長　瀧　徳　[illegible]

いわき市内曹洞宗寺院提供

火葬認許證

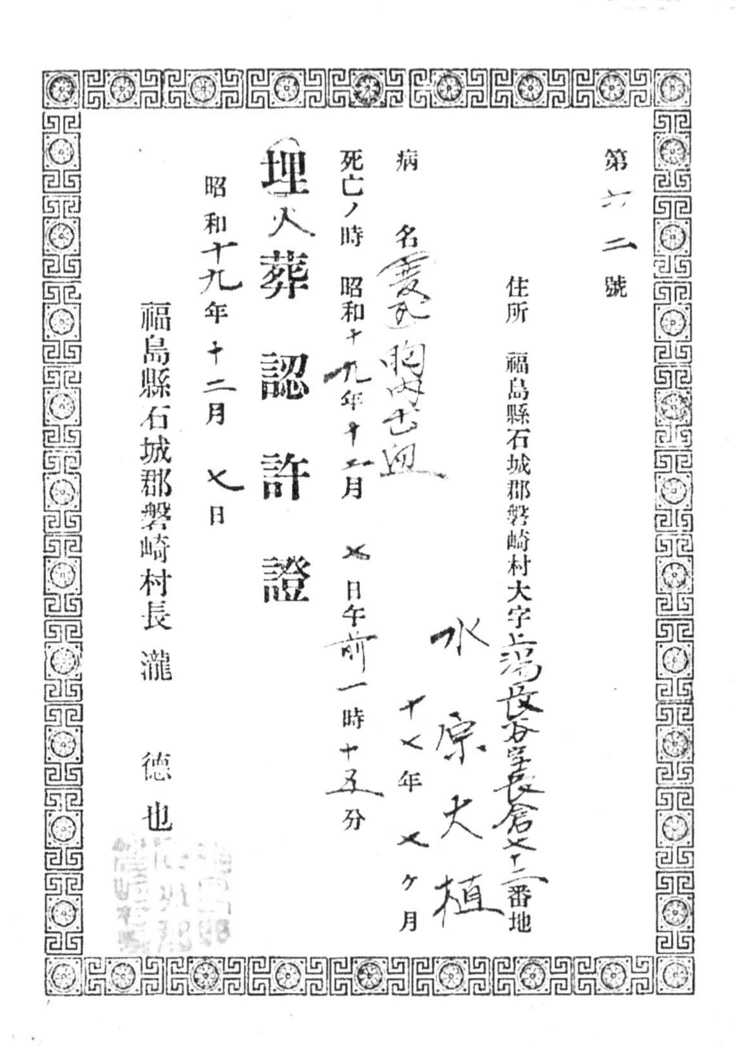

第六二號

住所 福島縣石城郡磐崎村大字上湯長谷字長倉七十二番地

水原大植 十七年七ケ月

病名 変死 胸内出血

死亡ノ時 昭和十九年十一月七日午前一時十五分

埋火葬認許證

昭和十九年十二月七日

福島縣石城郡磐崎村長 瀧徳也

いわき市内曹洞宗寺院提供

附属資料２　常磐炭田戦時朝鮮人労働動員道郡別死亡者名簿（付・非砿夫名簿）

凡　例

1　本名簿は「備考」欄の諸名簿等を基に龍田が作成したものである。2016年1月20日現在

2　「氏名」欄

・（　）内の氏名は創氏名を表わす。

3　「本籍地」欄の（　）内は本籍の記載が２つあることを表わす。1937年以降、洞は日本の町に変更された。

4　「生年・死亡年月日」欄

・例えば20年2ヶ月は、死亡年齢が20歳と2ヶ月を表わす。

・（　）内の数字は２つの記載があることを表わす。

5　「死亡原因等」欄

・Ａ　「長澤名簿」の業務上の死亡

・Ｂ　「長澤名簿」の業務外（私傷病）による死亡

・Ｃ　「長澤名簿」の業務上・業務外の区分不能

・Ｄ　「長澤名簿」の砿夫・非砿夫の区分不能

・アルファベットの後の数字は「長澤名簿」のＡ・Ｂ・Ｃ・Ｄ毎の通し番号で、死亡死亡年順になっている。

6　「備考」欄（出典資料等の各記号）

・寺院名は過去帳又は遺骨安置をしていた寺を指す

・名　「殉職者名簿」（太平洋戦争中犠牲同胞慰霊祭実行委員会製作　在日朝鮮人連盟主催）

・県　「朝鮮人の遺骨について」（福島県総務部発在日朝鮮人総連合会福島本部事務局宛）

・過　市内各寺院過去帳及び碑文より

・災　「災害原簿」（石炭統制会東部支部）

・社　常磐炭砿関係文書

・産　「殉職産業人名簿」（大日本産業報国会）

・殉　「産業殉職者名簿」（大日本産業報国会）

・申　「被害申請書」（日帝強占期強制動員真相糾明委員会）

・結　「朝鮮人労務者に関する調査結果」（厚生省勤労局）

・籍　「在籍簿」戸籍簿

・聞　「聞き取り」韓国訪問調査での聞き書き

・倭政時　「倭政時被徴用者名簿」（各面長発各郡庁宛文書）

・被　「日帝下被徴用者名簿」（国家記録院保管）

・民　「福島民報」

・特　「特高月報」

・稼番号は会社が付けた稼動番号

・写真は写真があることを表わす。

・住所は死亡地の住所を表わす。

・「病死」は私病死と公病死（外傷）の別はあるが、区別は難しい。長澤秀氏の分類に準じた。

番号	氏名	本籍地	所属炭砿・寮・職種	生年・死亡年月日	入所年月日	死亡原因等	備考
慶尚南道咸陽郡							
1	姜漢俊	水東面花山里39(院坪里232)	磐城 採炭夫	1916.7.22～40.8.11	1940.3.27	A5	瑞芳寺 名 過
2	呉克煥	安義面月林里129	磐城 宮沢寮 採炭夫	1919.5.18～41.3.18	1940.3.28	A12	瑞芳寺 名 過 産
3	河正介	柳林面柳坪里1301	磐城 採炭夫	1906.1.2～41.5.19.	1940.3.28	A15	瑞芳寺 名 過 産
4	鄭相根	咸陽面九龍里(新官里)	磐城 採炭夫	1909.2.1～41.7.10	1940.3.27	A18	瑞芳寺 名 過 産 籍
5	昌山東煥	西上面上南里1316	入山	～1941.9.4 21年5ヶ月		A19 左頭部打撲(頭蓋骨骨折)	勝行院 名 県 過
6	金千歳(谷川七郎)	池谷面徳岩里1315	入山 青葉寮	～1942.1.25 41年3ヶ月(32年)		A24 左右第2.3.4.5.肋骨骨折(急性肺炎)	惣善寺 名 県 過 籍
7	(善)元在植(御船四郎)	西下面雲谷里2290	入山 青葉第3西寮	～1942.3.10 20年4ヶ月		A26 頭蓋骨骨折	惣善寺 遺族(母)善元州 名 県 過 産
8	盧(豊田)明石	柳林面花村里644	磐城内郷 宮沢寮 採炭夫	1913.3.21～41.9.27	1940.3.28	B7 病死	瑞芳寺 遺族(妻)任順 名 過 産
9	文村鐘万	馬川面君子里129		～1941.8.6 31年6ヶ月		D11 脳出血	いわき市常磐湯本町
10	都安(世)万	咸陽面新官里836		～1940.7.3 35年2ヶ月		D6 病死	瑞芳寺いわき市内郷白水町浜井場(戸籍有り)安は誤り) 過
慶尚南道咸安郡							
1	鄭性(正)奇	郡北面月村里1120	磐城 円谷飯場 採炭夫	1911.11.16～41.5.19	1940.2.19	A16 圧死	真光院 いわき市内郷高坂町御殿
2	丁鐘守(大島振洙)	漆北面二霊里185	磐城 円谷飯場 採炭夫	1920.7.20～41.5.19	1940.2.19	A17 圧死	真光院 いわき市内郷高坂町御殿
3	朴達来(高坂九郎)	北面院北里122	磐城内郷 住吉坑合宿所監督(採炭夫)	1905.4.3～1941.5.6(7) 39年	1940.2.19	B6 飲酒帰所した朝鮮人砿夫の暴行を受け、腸捻転を起こし死亡	瑞芳寺 名 過 民
4	清元永治(清水栄治)	咸安面鳳城洞786	磐城	～1942.4.3.25 年8ヶ月		C10	瑞芳寺 過 産
5	姜外周(美外固)	伽倻面伽倻里61		～1940.9.24		D9	瑞芳寺
6	安田降一	伽倻面伽倻里		～1944.9.4 20年		D30 溺死	いわき市内郷支所管内
慶尚南道昌原郡							
1	曹伝範	北面北桂里555	磐城 採炭夫	1915.12.20～40.8.3	1940.2.19	A4.D8 ダブリ	瑞芳寺 名
	黄仁範	北面北桂里555		～1940.8.22 24年9ヶ月		D8	同一人物 過
2	崔甲台	東面武城里229(江原道蔚珍郡蔚珍面鳳坪里271)	入山 青葉第2西寮 採炭夫	1922.3.15～43.8.8(7)	1943.4.12	B15 溺死	惣善寺 名 県 過
3	青川明石	昌原面西上里		～1944.4.9 62年		D25 肺浸潤	いわき市内郷支所管内 名
4	鄭飛和	北面東田里		～1944.12.30 20年		D33 肺炎	いわき市内郷支所管内 名
慶尚南道河東郡							
1	李栄煥(岩田栄煥)	辰橋面古龍里19	磐城 採炭夫	1906.4.16～41.10.8	1939.10.5	A21	瑞芳寺 いわき市内郷宮町町田 遺族妻渭先 名 過 産 申
2	金沢甲守(洙)	青厳面坪村里683	磐城長倉 採炭夫	1914.9.3～1943.12.13	1943.6.2	A74 落盤	既住朝鮮人 名 災 社 申
3	鄭甲秀(辰橋十郎)	辰橋面古龍里200	常磐内郷 採炭夫	1918.9.17～44.12.23(25)	1939.10.5	A129	名 社

4	平川奉雨	岳陽面新興里65	常磐内郷 綴第1寮 採炭夫	1919.6.13～45.2.1 24年	1943.6.2	A136	清光院 名 社 過
5	金武生	良甫面愚仁里252		～1940.7.6 32年10ヶ月		D7	瑞芳寺 過 申
				慶尚南道山清郡			
1	李相龍	山清面正谷里232	入山湯本 採炭夫	1915.9.7～1940.4.23	1939.10.26	B2 病死	勝行院 名 過
2	曹彩栄	山清面寒汃28	入山 採炭夫	1914.6.2～40.5.1	1939.10.26	B3 病死	名
3	劉成録	山清面正谷里235	入山 採炭夫	～1940.5.25	1939.10.26	B4 病死	名
4	崔然燮	丹城面江楼里178	日曹赤井	1915.11.16～40.8.13		C1	華蔵院 名 過
5	朴栄守	山清面◯44		～1945.1.15 41年		D34	いわき市平大字赤井 名
				慶尚南道蜜陽郡			
1	姜正錫	武安面徳岩里	日曹赤井	～1940.9.4 24年		C2	名
2	金順道	下南面守山里745	日曹赤井	1915.7.4～40.9.15		C3	華蔵院 名 過 申
3	安容述(比良三郎)	初同面大谷里	日曹赤井	1923.8.11～41.10.11		C8	華蔵院 名 過
4	金仁甲	下南面守山里718	日曹赤井	1914.12.12～40.9.15		C4	華蔵院 名 過
5	金山曾碩(正一)	山外面琴川里333	大昭上山田	～1943.12.25 38年		感電	産殉 遺族 景煥(父)
				慶尚南道宜寧郡			
1	金元福(金元福男、鹿島三郎)	宮柳面雲渓里443	入山	～1941.9.19 21年2ヶ月		A20 感電死	勝行院 名 県 過
2	安鉉出(安本鉉出)	宮柳面多岠里242	入山 青葉第1西寮	～1942.4.29 22年4ヶ月		A29 顔面複雑骨折、全身打撲傷	惣善寺 名 県 過 産
				慶尚南道泗川郡			
1	朴卜来(井場八郎)	杻洞面旧渕里154	磐城 採炭夫	1892.9.2～1939.11.2	1939.10.5	A1	清光院 名 過 申
2	金鐘達	西浦(杻洞)面脉社里154	磐城綴第2寮 採炭夫	1897.1.26～1939.12.10	1939.10.5	A2	瑞芳寺 名 過 申
				慶尚南道晋州郡			
1	金又敏(敏守)金川義幸、根六郎	晋州邑西鳳洞159	磐城住吉本坑	～1941.3.17 33年5ヶ月(35,36年)		A11 ガス爆発	瑞芳寺 遺族妻金川乙順 過 民 産
2	海雲元調(天洞)	円山町943(陝川郡鳳山面)		～1943.10.19 50年		D22 気管支炎	瑞芳寺 いわき市内郷宮町町田 名 過
				慶尚南道昌寧郡			
1	柳山点洙	丈麻面幽旦	常磐磐崎 採炭夫	1913.11.14～44.11.6(7) 32年1ヶ月	1943.5.7	B31 脺臓壊死	死亡常磐市長倉72 埋葬梅ヶ平73 名 県
2	重光乙俊	高岩面澗二里365	入山	～1943.9.13(12) 27年		A66 左鼠蹊部 右肘部腰部裂傷 急性肺炎	いわき市常磐支所管内
3	崔景伯	釜谷面釜谷里		～1940.4.21 37年		D3	いわき市常磐支所管内名
				慶尚南道梁山郡			
1	三上輝(拓)	下北面蕁辺里639	常磐内郷 長倉寮 労務係・通訳(雑夫)	1903.3.23～45.10.30	1940.10.18	B60 病死(アルコール中毒)	京城法学院卒 社 名
2	李蓮述	下北面畓谷里22		～1943.7.2 33年		D21 十二指腸	瑞芳寺 いわき市内郷内町 名 過

慶尚南道金海郡							
1	平山徳均	大渚面沙頭里127	入山 青葉第3西寮	～1942.10.6 20年10ヶ月		B8 急性汎発生腹膜炎	物善寺 県 過
慶尚南道蔚山郡							
1	朴守福	熊村面石川里		1943.3.30 28年11ヶ月		D18 肺結核	願成寺 いわき市内郷入山72(旧住所) 名 過
	遺族 朴チヨン玉(妹)	慶尚北道慶州郡山内内牛羅里		1932年生			

番号	氏名	本籍地	所属炭砿・寮・職種	生年・死亡年月日	入所年月日	死亡原因等	備考
慶尚北道義城郡							
1	平原栄植	玉山面新渓洞402	磐城 第1綴寮 採炭夫	～1943.8.12 47(49)年		A62 感電死	瑞芳寺 名 災 過 籍 申
2	山住鐘烈	玉山面新渓洞716	磐城 第1綴寮	～1943.7.29(8.29) 24年		A59 脳震盪	瑞芳寺 名 過 申
3	南炳始	点谷面伊岩洞541	磐城 綴第2寮 採炭夫	1920.7.24～42.5.18	1940.3.4	A30	瑞芳寺 名 過 産
4	秋元富彦	点谷面西(東)辺洞256	磐城内郷 採炭夫	1908.5.27～44.12.23	1940.9.24	A128	名 社
5	兪守根	金城面塔旦洞173	常磐 長倉 採炭夫	1910.1.16～44.10.18(19) 34年10ヶ月	1940.3.4	A116 頭蓋骨骨折による脳挫傷	死亡常磐市長倉72 埋葬梅ヶ平73 名 県 籍
6	新井衍根	比安面東部洞401	磐城 採炭夫	1921.1.30～41.5.19	1940.9.24	A14	瑞芳寺 名 過 産 籍
7	金山冨鎮	安平面金谷洞201(義城面帿竹洞605)	磐城内郷 採炭夫	～1913.10.10～40.10.2	1940.9.24	B5 病死	瑞芳寺 名 過 籍 申
8	朴朔不(春田時雨)	金城面晩川洞137	磐城 宮沢寮 採炭夫	1907.3.18～41.3.21	1940.6.13	A13	瑞芳寺 名 過 産 籍 申
9	山井武変(斐)	春山面思美洞767	磐城 綴第1寮 採炭夫	1908.7.2～44.2.1(1.31)	1942.3.16	A84 落盤	清光院 名 災 過
10	金邦両	丹北面連堤洞54		～40.6.9 24年7ヶ月		D4	瑞芳寺 過
慶尚北道達城郡							
1	安本甲生	花園面城山洞	小田 堂田寮	1944.11.129(21) 20年(21)		A123 感電死	長寿院 名 過 申
2	平沼柄吉	求智面坪村洞614)	小田	1909.2.1～44.12.19		A127	長寿院 名 過 申
3	裵在殷	公山面百安洞	小田 渡辺寮	1913.7.8～45.4.22		A148 坑内火災による窒息死	長寿院 名 過
4	松原福基	公山面美垈洞	小田 渡辺寮	1918.10.16～45.4.22 28年		A149 坑内火災による窒息死	長寿院 名 過
5	岩谷(郭)井植	玉浦面順洞	小田 渡辺寮	1919.512～45.4.22		A150 坑内火災による窒息死	長寿院 名 過 申
6	西本(李)衛権	玉浦面橋項洞	小田 渡辺寮	19？？.2.21～45.422 23年		A151 坑内火災による窒息死	長寿院 名 過 申
7	共田(黄)一鎬	玉浦面江林洞(橋項洞)	小田 渡辺寮	1920.3.20～45.4.22		A152 坑内火災による窒息死	長寿院 名 過 申
8	大山珍文(奎)	東村面坪里洞	小田 渡辺寮	1919.11.1～45.4.22 23年		A153 坑内火災による窒息死	長寿院 名 過
慶尚北道金泉郡							
1	山本炳夏	甑山面柳城里340	磐城 採炭夫	1922.3.30～1940.11.20	1940.11.1	A8	瑞芳寺 名 過
2	木村栄大(太)	釜項面巴川里678	磐城 採炭夫	1914.6.4～42.5.18	1940.9.27	A31	清光院 名 産 過
3	金村同声	大徳面釣龍里87	勿来	～1945.1.30(6.10) 48(59)年		B35 敗血症	出蔵寺 名 過 申
4	平山八俊	亀城面	磐城	～1942.5 24年		C14	遺族(妻)平山順尹 産
慶尚北道永川郡							
1	金山栄満(戸倉三郎)	北安面新垈洞349	入山川平坑 採炭夫	～1942.9.13 21年4月		A38 低枠に前額部打撲	願成寺 遺族(母)金山彦 過 災 産

2	金沢(済)万祥(豊島次郎?)	永川邑泛魚洞	常磐内郷川平坑 採炭夫	～1944.8.3(13) 25年9ヶ月		A101 ガス窒息 ガス中毒死	願成寺 名 災 過
3	佳山述鳳	北安面道川洞79	入山 青葉西寮	～1942.11.7		B10 頭蓋底骨折 顔面打撲擦過傷 左前膊骨折 磯原駅付近で汽車より飛降死	惣善寺 名 県 過
4	新井龍岩	古鏡面以下不詳		～1943.3.2 21年6ヶ月		D17	願成寺 いわき市内郷白水町川平67(旧) 過
5	妙高四郎	華北面竹田洞657	入山	～1943,3,1		落盤	産殉 遺族 新井仙鳳妻
			慶尚北道清道郡				
1	金点乭	豊角面黒石洞1449	磐城 採炭夫	1906.3.29～40.916(17)	1940.3.2	A 6	瑞芳寺 名 過
2	高山学(栄)伊	梅田面東山洞207(慶山郡慶山面栢泉里)	常磐 採炭夫	1905.4.8～44.9.26(43.9.26) 40年	1942.3.16	B 28 病死	名
3	松田春玉	清道面元井洞602	磐城	～1942.4.23 22年1ヶ月		C 12	瑞芳寺 過 産 いわき市内郷白水町
			慶尚北道安東郡				
1	東原守成	豊川面広徳洞176	磐城 金坂寮 採炭夫	1901.4.19～42.5.26	1940.9.24	A 33	瑞芳寺 名 産 過 申
2	新井永俊	○○面466	日曹赤井	～1943.3.28 34年		C 17	名 申
3	平降義夫	禄転面元川洞428		～1945.3.23		D 35 膿胸	いわき市大平字赤井 名
			慶尚北道栄州郡				
1	光山幸徳	豊基面三街洞202	日曹赤井(日曹常磐)	1909.2.23～40.11.19(20)		C 5	華厳院 遺族(父)光山敬洙 名 過 産 申
2	金城鎮寿	鳳峴面斗山洞671	日曹常磐	1918.5.3～42.4.10		C11	華臧院 名 過 産
3	松本在覧	順興面以下不詳		～1942.11.30 26年		D15	いわき市平大平字赤井 名
			慶尚北道醴泉郡				
1	林義東(道)	龍門面蘆沙面108	磐城 採炭夫	1909.9.18～40.12.19	1940.6.3	A9	瑞芳寺 名 過
2	崔龍登(発)	龍門面杜仁洞213	磐城 採炭夫	1913.1.5～40.10.20(22)	1940.6.3	A7	瑞芳寺 名 過
3	林達國	知保面岩川里		～1944.5.2 39年5ヶ月		D26 胆のう炎	いわき市常磐上湯長谷町(旧長倉72) 県
			慶尚北道尚州郡				
1	郭(豊田)順出	利安面中村里	好間	19010.3.15～41.3.8		A10 落盤死	長寿院 いわ市好間町小館50 名 過 産
2	金白寿(金成百寿 金城百寿)	尚州面武陽里222?	好間 松坂 支柱夫	1904.7.15～42.10.6		A39 ロープ切断のため炭車逸走、脱線 睾丸破裂	性源寺 長寿院 名 災 過 産
			慶尚北道高霊郡				
1	大源好方	雲水面大坪洞	赤井	～1941.10.23 50年		A22 内臓圧死	いわき市平赤井 名
2	安本吉男	牛谷面客基洞	小田	1924.3.15～		C21	名
			慶尚北道星州郡				
1	黄敬洙(誅)	月恒面長山洞	大倉	～1942.7.17 45年		C15	いわき市平大字赤井 遺族妻 岡田テツ既住朝鮮人? 名 産
2	李双洙	面里不明		～1939.11.27(28)		D1	出蔵寺 過
			慶尚北道慶州郡				

1	坡 平(本)鎮 郁(音江九郎)	西面雲台里246	入山 青葉第4西寮	～1942.6.7 36年2ヶ月		A34 胸骨骨折 会陰部裂創	惣善寺 遺族妻坡本周 生 県 過 産 申
慶尚北道聞慶郡							
1	吉本鐘喆(法)	山北面加乲里	常磐内郷住吉1坑 宮沢寮 採掘補手	1922.3.5～45.5.8(10) 22年7ヶ月	1943.5.19	A160 掘進作業中落盤下敷きとなり、圧死	瑞芳寺 名 社 過 申
慶尚北道英陽郡							
1	金普達	永貴面林沍里	常磐湯本 第4西寮	～1945.8.12 48年9ヶ月		A171 頭上部複雑骨折	惣善寺 名 県 過 申
慶尚北道漆谷郡							
1	陳判用	漆谷面観旹堂181	磐城 採炭夫	1903.2.22～43.5.19	1940.6.3	B14 病死	名
2	千原相伝	北三面	磐城	1941.12 20年		C9	産
慶尚北道奉化郡							
1	花田乭伸	法田面法曰里	常磐内郷川平坑	1944.7.3 27年6ヶ月		B23 心臓麻痺	願成寺 名 過

番号	氏名	本籍地	所属炭砿・寮・職種	生年・死亡年月日	入所年月日	死亡原因等	備考
全羅南道康津郡							
1	英山大(太)斗	道岩面徳年里416	磐城 綴第2寮 採炭夫	1914.5.12～43.1.8	1942.3.7	A44	瑞芳寺 名 過
2	伊泉錦夏	城田面明山里	磐城 採炭夫	～1943.5.11 30 (32)年		A55 天井崩落による圧死	瑞芳寺 名 災 過
3	広村容植	道岩面龍月里279	磐城 綴第1寮 先山夫	1909.2.4～44.1.11 36(48)年	1942.12.7	A78	清光院 名 災 過
4	神農有洪	兵営面城南里20		～1944.7.9(13) 36年5ヶ月		D28 肺浸潤	いわき市常磐湯本町 名 県
全羅南道光山郡							
1	成(田)力福	瑞坊面豊郷里564	磐城 綴第2寮 採炭夫	～1942.11.21(20) 36年8ヶ月		A41 空車捲揚げ中枠押し木と炭車の間に挟まる(重傷死亡)	瑞芳寺 災 過 申
2	谷山尚述	大村面鴨村里38	常磐内郷 綴第1寮	1916.5.22～45.1.20(21)21年	1942.10.6	A134	清光院 名 社 過
全羅南道潭陽郡							
1	利川六洙(岩戸一郎？)	大田面講義里380	入山 青葉第3西寮 採炭夫	1921.2.17～43.1.19(20)	1942.11.28	A46 落盤による全身打撲(圧迫死)、落盤致死	惣善寺 名 県 災 過
2	崔源命伊	大田面月本里627	入山 採炭夫	1907.10.18～43.4.23(22)	1942.2.28	A54 敗血症	県 名 真
全羅南道海南郡							
1	金川福同	三山面平活里477	磐城又入山 採炭夫	1914.9.8～43.6.5	1942.12.12	A57	名
2	金成順	海南面大正町80	磐城 運搬夫	1910 .5.14～45.7.21	1944.9.25	B50 病死	名
全羅南道道務安郡							
1	松原文録(茂原九郎)	玄慶面玄慶里？	入山	～1941.5.31 34年		C6	いわき市常磐支所管内 名 産
全羅南道宝城郡							
1	任文鉱(大瀬一郎)	弥力面盤龍里699	入山 青葉第3西寮 採炭夫	1898.12.5～43.8.29	1942.11.21	A64 落盤による肛門部裂創、右大腿骨骨折、胸部背部打撲傷	惣善寺 名 県 災 過
2	高霊保植	会泉面会寧里370	磐城又は入山 採炭夫	1909.2.20～44.1.20	1943.11.21	A80	名
全羅南道長興郡							
1	李有聖(季井有聖)	安良面雲興里	磐城住吉坑 先山夫	～1944.1.3. 30(28)年		A77 落盤による変死	名 災 社
2	三棉秀烈	有治面五福里69	磐城又は入山 採炭夫	1919.1.20～44.1.2	1942.12.9	A76	名
全羅南道珍島郡							
1	李康淳(大島八郎)	智山面素浦里142	入山 青葉第4西寮	～1942.1.29(27) 26年5ヶ月		A25 全身打撲傷 頭蓋骨骨折	惣善寺 名 県 災 産 申
全羅南道長城郡							
1	松山三采	北一面新興里	常磐内郷川平坑	～1944.7.11 15年4ヶ月		A97 腰椎骨折	願成寺 名 過 申
全羅南道羅州郡							
1	金本安田	旺谷面杏田里	好間	1926.9.23～45.5.9		A161 頭蓋骨離	名

2	○영현		磐城	1926.9.23～45.5.17	1944.8		申 対日請求権関連文書 遺骨未返還
全羅南道済州島							
1	中村女郎	涯月面下貴里	小田・古河好間	～1945.4.8 31年		病死	名

番号	氏名	本籍地	所属炭砿・寮・職種	生年・死亡年月日	入所年月日	死亡原因等	備考
			全羅北道沃溝郡				
1	金井容七	開井面鉢山里20	常磐 採炭夫	1920.6.6～44.4.27	1943.12.27	A91 落盤	申 名 災
2	高山徳在	臨陂面月下里493	常磐 採炭夫	1903.9.11～45.6.28	1944.2.11	A164	名 申
3	平文南秀	玉山面双鳳里467	常磐内郷住吉1坑 宮沢寮 採掘補手	1921.1.12(5.15)～45.9.11	1943.10.13	A173 落盤により圧死	瑞芳寺 会社「変災報告」 名 社 過
4	任同基喆 (任田基浩)	羅浦面酒谷里262 (沃溝郡大野面)	常磐内郷 採炭夫	1901.9.23～45.4.19	1941.3.10	B43 病死	
5	平沼五賛	臨陂面	磐城	～1941.10 33年		C7	遺族妻玉子 産 真
6	趙東薫	澮県面曾石里183		～1941.8.28 17年8ヶ月		D12	瑞芳寺 過 申
			全羅北道茂朱郡				
1	金山範洙 (松永七郎)	安城面貢進里675(673)	入山川平坑 採炭夫	1923.2.13～43.10.23	1942.12.12	A72 枠盤死亡	願成寺 名 災 過 申
2	林鐘弼	富南面大柳里848		～1944.6.26(6) 33年2ヶ月		D27 溢死	いわき市常磐湯本町 名 県 申
3	新井喆(結)圭	安城面公正里656	常磐	1922.2.27～45.7.21	1942.12.12	B51 化膿性虫垂突起炎並びに腹膜炎	いわき市常磐湯本町 名 県
			全羅北道益山郡				
1	天本在栄	三箕面間村里227	磐城 御殿寮 採炭夫	1923.6.4～42.10.8(9)	1941.12.28	A40 落盤のため	瑞芳寺 名 災 過
2	金鳳述	皇華面麻田里19	磐城長倉坑 採炭夫	～1943.4.22(13) 29年10ヶ月		A53 炭車枠押木に挟まる頭蓋骨骨折による脳挫創	県 災
3	李康吉 (有山乗(東)台)	砺山面源水里573	好間松坂寮 先山夫	1918.3.3～43.8.3(4)		A60 落盤による圧死	長寿院 名 災 過
	李秉台		古河好間	1918.3.3～43.8.3	1942.6.1		申 李○培 遺骨遺品李康吉と同一人物
4	松山鐘根	春浦面龍淵里315		～1942.4.4 22年		D14	瑞芳寺 過 申
			全羅北道淳昌郡				
1	海州正植 (稲田五郎)	東渓面内靈里242	入山 青葉寮	～1942.5.20 23年1ヶ月		A32 背部打撲傷 腰椎骨折	惣善寺 名 県 過 産
2	長田万植	東渓面新興里？	磐城 運搬夫	～1943.3.19 24(26)		A50 脱線せる炭車と枠との間に挟まれ重傷後死亡(腹部圧死)	名 災 申
3	平山龍	亀林面雲北里421	磐城 採炭夫	1912.1.7～1942.10.8	1941.12.28	B9 病死	名
			全羅北道完州郡				
1	金井敬恭(圭泰)	参礼面海田里95(忠清北道鎮川郡梨月面沙堂里330)	勿来	～1942.6.10 27年		A35 感電死	出蔵寺 名 過 産
2	国本明根	伊西面銀橋里54	磐城 採炭夫	1922.2.6～44.3.31	1943.11.29	A88 落盤	名 災 申
3	李鐘徳	雲洲面長仙里	勿来	～1943.5.13 25年		B13 急性腹膜炎	性源寺出蔵寺 名 過
4	吉山用五	上関面龍岩里○○	常磐神ノ山 採炭夫	1912.5.2～45.2.14	1919.12.10	病死	結
			全羅北道高敞郡				
1	国本貴公	上下面龍岱里945	入山 青葉第3西寮	～1942.12.21 21年11ヶ月		A43 全身打撲(圧迫死)	惣善寺 県 過 申
2	南川成煥 (大宮二郎？)	古水面瓦村面402	入山 青葉第1西寮 採炭夫	～1943.3.8(4) 24年		A49 側壁崩壊のため死亡 頭蓋顔面骨複雑骨折	惣善寺 名 県 災 過 申 殉 申

全羅北道長水郡							
1	姜(松岡)慶烈	渓北面林䢘里140	磐城 採炭夫	1910.9.28～43..25 (42.10.9) 34年	1941.12.28	A48 天井崩落肋骨骨折(重傷死亡)	申 名 災 申
2	矢本雲龍(駒井一郎)		常磐鹿島 採掘補手	～1945.3.13 31年		稼働番号1637 A140実固作業中落盤により第3.4頚骨折死亡	社 A159 天本電龍と同一人物 申
	天本電竜	渓北面於[illegible]里367	常磐湯本	～1945.5.7 29年5月		A159 第三、四頚骨骨折(変死)	県
全羅北道群山府							
1	山本奉善	南屯栗町[illegible]45	常磐 採炭夫	1919.8.10～44.6.13	1943.10.12	A94	名
2	高山晴	助村町55	常磐 採炭夫	1919.11.9～44.6.13	1943.10.12	A95 実車に轢かれて	名 災
全羅北道南原郡							
1	柳台文(柳台文男 粟野三郎)	二白面書兮里214	入山	～1941.12.4 31年6ヶ月		A23 全身打撲傷 頭蓋骨顔面骨骨折 左上膊骨折	勝行院 名 県 過 産籍
全羅北道扶安郡							
1	菊山七郎(菊池七郎 金田専太郎?)	東津面鳳乳里327	入山 青葉寮 選炭夫	～1942.9.12 16年9ヶ月		A37 炭車下積 変死 右大腿骨骨折	物善寺 県 災 過 産
全羅北道仁実郡							
1	山住石東(山位石東)	新徳面三吉里215	常磐内郷 採炭夫	1925.2.1～44.10.29	1943.11.29	A118	瑞芳寺 名 社 過 申

番号	氏名	本籍地	所属炭砿・寮・職種	生年・死亡年月日	入所年月日	死亡原因等	備考
				忠清南道燕岐郡			
1	金山(村)弼煥	全義面邑内里189	好間 松坂寮 先山夫	1916.6.2～44.6.19		A96 感電 心臓麻痺	長寿院 名 災 過 申
2	金原月成	西面月河里	好間	1918.12.25～45.1.7		A132 腰部打撲	名 真
3	張徳植	西面瓦村里		～1940.6.15 34年		D5	いわき市常磐支所館内 名
4	米田将福	全義面邑内里○8	関本 運搬夫	1904.4.26～45.3.28	1944.9.14	炭車横転	結
				忠清南道公州郡			
1	洪武男	公州邑大和町	好間又は小田	～1945.7.25 22年		A167 業務上打撲	名
2	兪長金	儀堂面松鶴里194	上山田	～1944.3.17 34年		B19 病死	楞厳寺 名 過
3	李殷鳳	鶏龍面陽化里159 (論山邑登華里294)	好間 松坂寮	1918.6.2～44.8.16 21年		B27 溺死	名 過
				忠清南道舒川郡			
1	林田時鐘	麒山面黄寺里35	勿来 採炭夫	～1943.9.17 29年		A69 爆薬破裂(爆傷死)	出蔵寺 既住朝鮮人？ 名 災 過
2	山本尭(焼)変	麒山面斗南里269	勿来 採炭夫	～1944.8.24(25) 30年		A104 空車転倒 肝臓破裂	長寿院 名 災
				忠南道瑞山郡			
1	安田相淳	地谷面長賢里	磐城 綴第2寮 採炭夫	1923.6.7～44.2.1(1.31)	1943.9.4	A83 落盤	清光院 名 災 過 申
2	○잔수		櫛形	1922.2.11～45.7	1944		申 遺骨未返還
3	○팔손	泰安面	櫛形	1898.2.15～45.9	1943		申 倭政時 写真
				忠清南道洪城郡			
1	金星煥	洪東面金坪里	勿来	～1945.5.16 31年		A162 火傷	出蔵寺 名 過
2	○昌秀		常磐中郷(？)	1922.2.11～1945.7.30			申 櫛形村大字友部2760
				忠清南道青陽郡			
1	松田万福	青場面上場里	常磐湯本	～45.8.8 34年3ヶ月		A170 顔面擦過傷	県
				忠清南道扶餘郡			
1	金一斉(斎) (長野九郎)	九龍面舟亭里	入山湯本	～1940.1.19(28) 32年		B1 淋毒性膀胱炎に肺炎併発	勝行院 この死をめぐり朝鮮人砿夫430名一斉罷業断行 名 過 特 申
				忠清南道論山郡			
1	青木致弘	光石面新堂里40		～1941.10.6(30) 60年3ヶ月		D13 脳出血	いわき市常磐湯本町 名 県
				忠清南道大田府			
1	鄭一国	柳町134		～1943.2.10 30年		D16 結核性腹膜炎	いわき市常磐湯本町 名 県 申
				忠清南道牙山郡			
1	○영산		上山田	1850.11.3～1944.10	1944		申
	金村栄一	仙掌面君徳里91	上山田	～1944.10.05 41年		A114	名 聞

番号	氏名	本籍地	所属炭砿・寮・職種	生年・死亡年月日	入所年月日	死亡原因等	備考
忠清北道清州郡							
1	柳川厚東	玉山面樟南里140	入山(好間松坂寮？)先山夫	～1916.8.23～43.12.21 28(26)年		A75 落盤による頭蓋打離 頭蓋骨骨折	長寿院 名 災 過 申
2	金村昌善	北一面[illegible]洞里	好間又は小田	～1944.10.15 33年		A113	名
3	金本光殷	北一面細橋里204	好間	1915.7.1～45.3.21		A142	名
4	安京譲	北一面細橋里68	好間 松坂寮	2005～1945.3.21 40(41)		A143 頭蓋骨骨折 頭蓋底骨折	長寿院 名 過 聞 申
忠清北道提川郡							
1	新井先(光)奉	寒水面以下不詳	好間 先山夫	1919.2.16～43.4.11		A52 炭壁の崩壊	名 災
2	柳川得喆	錦城面月窟里308	勿来 採炭夫	～1944.4.26 38(35)年		A89 炭車連結用鉄棒の肛門斬込み 膀胱破裂	出蔵寺 名 災 過 申
3	李龍文(竪町八郎)	白雲面花塘里157(197)	常磐湯本 青葉第3西寮 運搬夫	1913.6.5～44.5.20 (21)		A92 実車による轢死 顔面骨及右第一、二、三、四、五肋骨骨折	惣善寺 名 災 県 過
4	水原允俊(道上一郎)	松鶴面五味里201(江原道楊口郡南面松隅里28)	常磐鹿島 6坑 採掘補手	1909.12.13～45.4.13	1943.4.19	A147 採炭作業中、炭車と支柱の間に挟まれ、頭蓋骨骨折の負傷を蒙り死亡(変死)	稼番号1926 名 県 社
忠清北道陰城郡							
1	安谷聖泰	孟洞面仁谷里1056(156)	磐城 綴第2寮 採炭夫	1903.12.27～42.4.4 40年3ヶ月(？)	1941.1.8	A28	瑞芳寺 名 過
2	岩本斗栄	陰城面碩人里5	好間 採炭夫	1917.10.28～42.8.5(6)	1941.8.11	A36 坑内落盤	名 災 産
忠清北道沃川郡							
1	李範竜	沃川面三青里388	好間 松坂寮	1909.10.6～40.4.13		A3 頭部骨折	長寿院 名 過 籍 聞 申
2	宮本貴成	郡北面[illegible]若里331	好間 松坂寮 先山夫	1920.2.27～42.12.17		A42 落盤のため(重傷死亡) 圧死	長寿院 名 災 過 籍 聞 申
3	松川炳夏	沃川面九逸里361-2	好間 大田寮 先山夫	1923.9.12～43.1.12		A45 実車の逸走のため(重傷死亡) 坑内変死	長寿院 名 災 過 籍 聞
忠清北道鎮川郡							
1	辺(海原)子七	梨月面老院里(松林里)	好間 松坂寮	1912.9.12～42.3.20(8)		A27 頭蓋底骨折	長寿院 名 過 産
2	豊田昌勲	万升面広恵院里248	勿来	～1945.3.16 61年(57年3ヶ月)		B37 脳溢血	出蔵寺 名 過
忠清北道報恩郡							
1	金尚俊	山外面長甲里399	古河好間	～1942.5.1 49年		C13 肺臓出血	いわき市好間町北好間字松坂(松坂4号の16) 長寿院 過 産
忠清北道永同郡							
1	朴勝哲	深川面龍塘		～1941.1.25 27年		D10	いわき市内郷宮町金坂 瑞芳寺 過

番号	氏名	本籍地	所属炭砿・寮・職種	生年・死亡年月日	入所年月日	死亡原因等	備考
				京畿道長湍郡			
1	岡村祥玉	津西面金陵里78	磐城 採炭夫	1907.1.16～43.5.17 33年	1943.2.28	A56 外傷	名
2	林成淳	小南面斗谷里1047	磐城 採炭夫	～1921.12.15～43.8.16	1943.2.28	A63 感電	瑞芳寺 いわき市内郷高坂町御殿 名 災 過
3	綾城然興	長南面以下不詳	磐城内郷住吉坑 採炭夫	～1943.11.19		B16 急性腹膜炎	社
4	国本範珍(玲)	江上面徳積里502	常磐内郷 綴第2寮	1920.5.5～44.12.25(26)	1943.2.28	A130	清光院 名 社 過
				京畿道抱川郡			
1	完山東(在)信	二東面場岩里657	勿来	～1945.6.22 27年 (23年3ヶ月)		A163 脳髄脱臼	出蔵寺 名 過
2	平康六福	内村面巣鶴里	常磐磐崎本坑 軌道(採掘)補手(工作夫)	1921.7.10～45.6.30 24年6ヶ月	1944.2.21	A165 採掘作業中落盤により殉職 胸部挫傷による胸内出血症	名 県 社 申
3	姜明煥	永中面永平里(永北面夜味里100)	勿来	～1945.5.24 22(19)年		B46 敗血症	出蔵寺 名 過
				京畿道驪州郡			
1	宮村遺福(官村造腹)	金沙面梨浦里28	勿来	～1945.1.21 24年2ヶ月 (28年)		A135 変死	出蔵寺 名 過
2	池敬煥	金沙面後里322	常磐内郷 綴第2寮 運搬夫	1916.4.7～45.5.26(6.4)	1944.8.21	B48 病死	清光院 名 過
				京畿道楊州郡			
1	金江奎(恵)郷	伊淡面(広州郡伊談面)保山里317	磐城長倉坑 採炭夫	1916.514～44.2.17	1942.5.25	A86 炭車(重傷死亡)頭蓋骨骨折による脳挫傷	名 県 災
				京畿道朔寧郡			
1	権福童	朔寧面朔寧里	入山 青葉第3西寮	1942.11.21 24年3ヶ月		B11 急性大腸カタル	惣善寺 県 過
	権炳章(장)		入山	1917.11～42.2		大腸よじれ	被
				京畿道高陽郡			
1	方山熙変	知道面大壮里323	常磐	1926.3.15～45.3.30 (11.23)	1944.2.9	B54 溺死	瑞芳寺 名 過
				京畿道坡州郡			
1	新井春根	広灘面倉満里31		～1943.4.13 50年		D19 心臓麻痺	いわき市常磐上湯長谷町長倉72死亡 梅ヶ平埋葬 県
				京畿道漣川郡			
1	尹益重	旺澄面基谷里229		～1944.10.30 22年		D31 腹膜炎	瑞芳寺 いわき市内郷支所管内 名 過

番号	氏名	本籍地	所属炭砿・寮・職種	生年・死亡年月日	入所年月日	死亡原因等	備考
江原道横城郡							
1	松村在仙 (国里八郎?)	横城陵面邑上里27 (江稜郡安奥面安奥里667)	入山 採炭夫	1913.1.1～44.1.31	1943.12.3	A82 落盤による全身打撲(圧迫死)	名 県 災
2	金大釗 (国里四郎?)	横城面邑二里373	入山 採炭夫	～1944.2..5(4) 35年1ヶ月		A85 側壁崩落(重傷後死亡) 恥骨及び腸骨骨折(腸管破裂)	県 災
3	金鐘元	安興面上安里	常磐内郷 綴第2寮 採炭夫	～1944.8.6 23(22)年		A102 炭車のため頭蓋内出血	清光院 名 過 災
4	永松相根	横城面立石里157 (寧越郡酒泉面酒泉里)	常磐内郷 宮沢寮 採炭夫	1913.10.10～45.4.30(5.3)	1943.5.19	A155 変死	瑞芳寺 名 社 過
5	山住(佳)聖光	横城面北川里96	常磐内郷 宮沢寮 採炭夫	1912.2.28～45.5.5.(11)	1943.5.19	A158	瑞芳寺 名 社 過
6	柳淳栄 (湯島二郎)	隅川面鳥亭里40	常磐湯本4坑 青葉第2西寮 採掘補手	1916.10.5～45.8.4	1943.12.3	A169 1944.5.3採炭作業中落石の為左橈骨骨折第11胸骨椎脱臼の負傷を受け、入院加療中死亡	惣善寺 稼番号5685 私立入山病院医師の死亡診断書有り 名 県 社 過
7	金山三盘	安興面池邱里29	常磐内郷住吉1坑 宮沢寮 採掘補手	1921.10.16～45.9.11 34年	1943.5.19	A174 採掘作業中落盤により圧縮死	瑞芳寺 会社の「変災報告書」有り 社 過
8	文(平)山千植	書院面楡峴里108(1198)	常磐 青葉第4西寮 採炭夫	1922.5.9～44.7.16 23年11ヶ月	1943.12.3	B25 急性腹膜炎	惣善寺 名 県 過 申
9	国本業己	公根面蒼峰里711	常磐内郷 綴第2寮 運搬夫	1906.2.27～45.5.28	1944.2.11	B49 病死	清光院 名 過
10	呂光錫	横城面邑上里	好間	1917.12.3～45.9.10		B57 病死	名
11	池原順福	安興面所思里(飛忍里)364		1914.11.16～46.1.8(45.11.23)		B61 病死	名
江原道伊川郡							
1	平伊(子)根浩 (島本一郎?)	方丈面亀唐里90	入山 採炭夫	1918.10.24～43.3.29 25年2ヶ月	1942.9.21	A51 落盤のため重症死亡 右下□複雑骨折、出血多量による心臓麻痺	名 県 災
2	平山大(太)鎮 (大柿十郎)	鶴鳳面鶴峰里446	常磐湯本 青葉第3西寮 運搬夫	～1944.4.26 21年11ヶ月		A90 炭車に轢かれて、顔面骨複雑骨折、頭蓋底骨折	惣善寺 県 災 過
3	金本鐘三	山内面友味里60	磐崎 採炭夫	1921.10.20～44.8.31	1944.7.15	A107 天盤落石、頭蓋骨骨折による脳挫傷	死亡常磐市長倉72 埋葬梅ヶ平73 名 県 災
4	金岡永洙(泳) 早城五郎	東面上倉站里57	常磐鹿島6坑 青葉第2西寮 採掘補手	1927.4.11～44.10.10	1944.7.15	A111 作業中落盤のため顔面複雑骨折の負傷を受け死亡	惣善寺 稼番号1469 名 県 社 過
5	申戊栄 (里城七郎)	.鶴鳳面新坡里63	常磐鹿島6坑 採掘補手	～1945.4.13 26年6ヶ月		A146 空車二輌の激突を受け上腹部打撲傷を蒙り入院加療中同日死亡。変死 腸内出血 上腹部打撲 腸内出血	稼動番号1539 名 県 社
6	中村(金)基泰	東面定源里1040	常磐 青葉第4西寮	～1944.5.2 30年9ヶ月		B22 急性肺炎	惣善寺 県 過

7	桑村奉孫	西面軜 洞面616	常磐内郷 採炭夫	1900.10.31～44.12.14(17)	1944.8.21	B34 病死	瑞芳寺 名 過
8	中本弼洙	熊灘面海浪里108		1944.7.13(12) 23年5ヶ月		D29 溺死	いわき市常磐湯本町 名 県
9	尾口六郎		常磐	～1944.7.16		B24護送中飛び込み自殺	惣善寺 過 市郎は誤り
10	水原大植	方丈面亀塘里	常磐磐崎	～1944,12,7 17年7ヶ月		頭蓋骨骨折による脳挫傷	県 市内寺院埋葬許可証 死亡長倉72 埋葬梅ケ平73
				江原道原州郡			
1	山本鳳徳(得)	富論面鼎山里361	磐城 綴第2寮 採炭夫	1914.2.10～44.1.13(14)	1943.5.6	A79 落盤	清光院 名 災 過 申
2	原辺龍洙	神林面金倉里663	常磐内郷 綴第2寮 採炭夫	1922.12.1～44.11.11	1943.5.6	A121	清光院 名 社 過
3	安本多永	富論面興湖里181	常磐内郷 綴第2寮 採炭夫	1922.2.1～45.2.16(20)	1943.5.6	A138	清光院 名 社 過
4	千原有鎮	板富面金岱里766(776)	常磐内郷 綴第2寮 採炭夫	1920.5.18～45.3.4(12)	1943.5.6	A139	清光院 名 社 過
5	馬場命福(扇町三郎)	興業面梅芝里129(39)	常磐湯本 4坑 採掘補手	1926.2.29～45.5.4 20年2ヶ月	1944.10.15	A157 落石により死亡 変死 頭蓋骨骨折	稼番号7655 私立入山病院の「死亡診断書」あり 名 県 社
6	金吉石順	文幕面碑頭里138	常磐内郷 綴第2寮 採炭夫	1924.2.10～45.5.25(6.4)	1943.5.6	B47 病死	清光院 名 過
				江原道麟蹄郡			
1	金村富吉(丘原二郎)	麟蹄面徳山里(北面月鶴里)	常磐鹿島6坑 青葉第4西寮 採掘補手	1928.3.1～45.4.8(7.18)	1944.8.29	A145 落盤による圧死	惣善寺 稼番号1565 名 県 社 過 被(금임부공)
2	延沢秀童(相沢二郎)	南面藍田里25	常磐鹿島6坑 青葉第3西寮 採掘補手	1918.3.29～45.4.27(26) 28年9ヶ月	1944.10.12	A154 採炭作業中落盤により死亡 変死 頭蓋骨骨折	惣善寺 稼番号1562 名 県 社 過
3	金練鳳	内面栗田里62	常磐 採炭夫	1910.4.13～44.10.20	1943.12.6	B29 病死	惣善寺 名 過
4	岩本容□	南面於論里381	常磐 採炭夫	1917.5.12～45.8.30	1944.10.12	B53 病死	名
5	清韓命甫	北面月鶴里2213	常磐 採炭夫	1917.9.13～45.8.31(3)	1943.12.6	B55 慢性腹膜炎	名 県
6	朴斗勲	南面新月里		～1943.12.23 29年1ヶ月		D23 脳膜炎	いわき市常磐湯本町 名 県
7	金山三盘	麒麟面上南里	常磐 運搬夫	1922.7.4～45.4.6	1944.10.13	B40 病死	いわき市常磐湯本町 名
				江原道平昌郡			
1	松山栄泰(金杉十郎)	平昌面馬池里186	常磐鹿島 6坑 青葉第2西寮 採掘工手	1916.12.27～44.10.16(18)	1943.1.28	A115 作業中、頭蓋骨複雑骨折の負傷を蒙り死亡	惣善寺 稼番号1718 名 県 社 過
2	松山世福	平昌面鷹岩里61	磐城又は入山 採炭夫	1912.4.7～43.9.17	1943.1.28	A67 敗血症 第二腰椎骨折	名 県 申
3	広山鳳学	珍富面巨文里494	好間 山ノ坊寮 採炭夫	～1944.9.20(30) 34(43)年		A108 岩石落石 坑内傷死	長寿院 名 災 過
4	国本大徳	大和面大和里	好間	1904.4.14～45.7.25		B52 病死	名 申
5	李長福	蓬坪面真鳥里		～1943.6.13 23(27)年		D20 急性肺炎	瑞芳寺 いわき市内郷支所管内 名 過
				江原道襄陽郡			
1	永川有石	巽陽面水山里65	常磐内郷 宮沢寮 雑夫	1921.7.30～45.1.13(6.3)	1944.6.22	A133	瑞芳寺 名 社 過

2	金忠国	降峴面釘岩里	常磐内郷住吉1坑 宮沢寮 採掘補手	1928.2.4～45.8.29	1944.7.5	A172 作業休憩中炭壁崩壊により圧縮死(腹部打撲内出血)	瑞芳寺 会社の「変災報告」有り 名 社 過
3	豊村鉉春	襄陽面林泉里	常磐内郷住吉1坑 宮沢寮 採掘補手	1916.6.5～45.11.18	1944.7.5	A176 1945.4.14に作業中落盤のため腰椎第一、二脱臼骨折に付入院治療中、衰弱死	同居人による「稼動者死亡届け」有り 名 社 申
4	梅田如夫	西面長承里57 (麟蹄郡麟蹄面古沙里)	常磐内郷 宮沢寮 採炭夫	1900.6.2～45.4.21(20)	1944.6.22	B44 病死	瑞芳寺 名 過
5	金本応沢	県北面漁戎田里		～1945.6.15 39年		D36 腹膜	いわき市内郷支所管内 名 申
6	南原仁洙	東○邑東草里	常磐磐崎	～1945.5.29 31年6ヶ月		肺結核	県 市内寺院埋葬許可証 死亡長倉72 埋葬梅ケ平73
				江原道洪川郡			
1	木谷万洙	瑞和面沙果里726	磐城 採炭夫	1904. 9.23～43.10.17	1943.5.6	A71 感電死	名 災
2	李金(全)泰成	化村面以下不詳	磐城 綴第1寮 採炭夫	1915.4.17～43.11.23 21年	1943.5.28	A73 裏落	清光院 名 災 過
3	金学洙(丸野七郎？)	化村面也是岱里870	常磐内郷 川平坑 採炭夫	1918.2.20～44.8.12(13)	1943.12.11	A103 落盤(病死)	願成寺 名 災 過 申
4	安本秉雲	乃村面道寛里742	常磐内郷	～1944.12.19 18年		A126 骨折変死	名 社
5	柳村重鉉	乃村面道寛里	常磐内郷 綴第1寮 採炭夫	1910.2.21～45.4.2(5) 27年	1944.6.14	B39	清光院 名 過 申
6	木村三鳳	瑞和面倹山里 (麟蹄郡麟蹄面長南里)	常磐内郷 綴第1寮	～1945.9.28 23年		B59 結核	清光院 名 過
				江原道江陵郡			
1	平川恵堂(炎) 李壽畯	江陵邑旭町249	磐城 採炭夫(運搬夫)	1913.9.9～43.2.3(13)	1942.9.28	A47 ずり車逸走人車に衝突	名 災 申告李丁奎(甥)
2	池(沈)貴福	城山面普光里	入山 青葉第2西寮 採炭夫	1914.12.25～44.10.30(31)	1943.12.19	A81 全身打撲傷(内出血)	性源寺 惣善寺 名 県 過
3	平川養源 (夏野六郎)	注文津面注文里379	常磐湯本 青葉第2西寮 採炭夫	1914.11.19～44.7.17(16.18)	1943.12.19	A98 落盤による全身打撲傷、第四肋骨骨折	惣善寺 名 県 災 過 申
4	徳山寿春 (夏野九郎)	江陵邑江門津里128(注文津面橋項里)	入山 採炭夫	1908.4.21～44.3.9(7)	1943.12.19	A87 落盤による頭蓋骨骨折	名 県 災 申
5	東島春吉	沙川面方洞里289	常磐内郷 綴第1寮	～1944.11.8 23(24)年		A120 変死	清光院 名 社 過
6	李村順彦	玉渓面金津里550	磐城 運搬夫	1906.10.5～43.4.28	1942.9.28	B12 病死	名 申
7	安徳三	江東面詩洞(知内栄田外地？)	小田 関口合宿	1944.10.22 57年		B30 肺炎	長寿院 過
				江原道蔚珍郡			
1	都周宅 (大塩六郎？)	遠南面徳新里152(15)	入山 青葉西寮 運搬夫(採炭夫)	1915.1.20～43.10.8	1943.4.20	A70 感電死	惣善寺 名 県 災 過
2	松山尚鳳(風)	蔚珍面新林里	常磐内郷 綴第1寮 運搬夫(雑役)	1924.3.28～44.8.30(9.1) 22年	1943.9.22	A106 脱線車下敷き(病死)、事故死	清光院 名 災 過
3	張田徳(晴,特)伊	箕城面正明里190(990)	常磐湯本 青葉第4西寮 採炭夫	1919.6.22～44.9.25(30)	1943.8.31	A109 顔面頭蓋骨骨折	惣善寺 名 県 過 聞 申
4	金(全)斗三	蔚珍面古城里	入山 青葉第2西寮	～1944.1.24 23年1ヶ月		B17 肺結核	惣善寺 県 過

江原道旌善郡							
1	李鳳南 （真砂一郎）	臨渓面臨渓里191	常磐湯本 青葉第1西寮 採炭夫	1922.4.7～44.7.17（16.18.19）	1943.1.28	A99 落盤による全身打撲傷 頭部顔面推滅	惣善寺 名 県 災 過 申
2	池田鳳南 （豊川七郎？）	新東面泉浦里126（寧越郡寧越面正陽里324）	常磐湯本 協和寮 運搬夫（採炭夫）	～1944.8.30（29） 20年7ヶ月	1943.1.28	A105 実車捲下の際コースピを付し忘れ炭車下敷頭蓋骨骨折 頭傷左肩押部腰部裂創	惣善寺 名 県 災 過
江原道寧越郡							
1	玉山敬煥	水周面法興里378 （横城郡安興面上安里97）	常磐内郷 運搬夫	1921.10.5～44.12.17（.18）	1943.5.19	A125	瑞芳寺 名 社 過
江原道鉄原郡							
1	宮本奉鐘	東松面五徳里158（上路里158）	常磐 運搬夫	1922.7.8～44.11.7（9）	1944.6.20	B32 脳梅毒	瑞芳寺 名 過 申
江原道春川郡							
1	李完淳	南面芳谷里	常磐 運搬夫	1927.2.1～45.8.20 （1918.9～45.2.24）	1944.2.16	病死（肺炎）	名（県）
江原道淮陽郡							
1	宋本嶸善	下北面銀渓里	常磐内郷川平坑 採炭夫	1907.10.21～44.8.3 37年 11ヶ月	1942.9.26	A100	願成寺 名 過
2	金本鳳錫 （牧十郎）	安豊面興仁洞里140	常磐湯本4坑 採掘補手	1922.10.31～44.10.6	1943.4.22	A110 1914.1.19入坑作業中両腿骨坐骨並骨折の負傷を受け入院加療中10.6死亡 。大腸カタル 両大腿骨骨折 坐骨骨折	稼番号5857 名 県 社
3	延原逢元 （杉並八郎？）	内金剛面正陽洞里12	常磐磐崎本坑 採掘補手	～1945.10.10 34年1ヶ月		A175 作業中ガスにより窒息死	名 県 社
4	光金弼（郷）中	内金剛面上檜耳里389	常磐 青葉第4西寮	～1945.9.7 34年9ヶ月		B56 肺浸潤	惣善寺 いわき市常磐湯本町 名 県 過
5	大原光鉄	淮陽面蘆洞里446		～1944.3.13 25年3ヶ月		D24 急性肝臓炎	いわき市常磐湯本町 県
江原道楊口郡							
1	姜成万 （加納六郎？）	方山面長坪里124 （淮陽郡内金剛面下県里）	入山 青葉第4西寮 採炭夫	1918.12.25～43.8.9	1943.4.23	A61 落盤による前額部挫創 頚椎骨折	惣善寺 名 県 災 過
2	金 汶謙	水入面下青松里	常磐 青葉第1西寮 運搬夫	1900.3.8～45.4.5 60年	1943.4.19	B20 肝臓炎並び大腸カタル	惣善寺 名 県 過
江原道華川郡							
1	金山炳潤 （草島九郎？）	上西面巴浦里633	入山 青葉第4西寮 運搬夫（採炭夫）	1923.5.5～43.9.2（3）	1943.6.20	A65 炭車のため 頭蓋骨複雑骨折	惣善寺 名 県 災 過 申
江原道通川郡							
1	玉川錫吉	通川面芳洞里12	常磐 採炭夫	1900.2.21～45.4.2	1944.6.6	A144	名

番号	氏名	本籍地	所属炭砿・寮・職種	生年・死亡年月日	入所年月日	死亡原因等	備考
				黄海道延白郡			
1	丹山順明	牧丹面[illegible][illegible]里471	好間 松坂寮	1909.2.19～44.12.10		A124 内出血	長寿院 名 過
2	平山任淳	掛弓面生[illegible]里84(鳳西面鳴川里)	好間 松坂寮	1913.3.28～45.5.3 24年		A156 坑内傷死	長寿院 名 過
3	禹本明順	牧丹面[illegible]陽里311	好間 松坂寮	1898.4.11～45.5.9 44年		B45 肺炎	長寿院 名 過
				黄海道信川郡			
1	高島成春	用珍面[illegible]精里	好間 松坂寮	1913.3.12～44.12.31 23年		A131 傷死	長寿院 名 過
2	福田斗鉉	信川面[illegible]岩里	好間	1913.5.14～45.9.21		B58 病死	名
				黄海道甕津郡			
1	金沢長順	富民面[illegible][illegible]里260	好間 山ノ坊	1915～44.4.30		B21 肺浸潤	長寿院 名 過
2	山本允明	興嵋面[illegible]山里1063	好間 松坂寮	1925.1.24～45.3.11		B36 喉頭結核 肋膜炎	長寿院 名 過
				黄海道鳳山郡			
1	金井亀瑞	文井面[illegible][illegible]里	勿来	～1944.6.7 33年5ヶ月		A93 圧死	出蔵寺 名 過
				黄海道碧城郡			
1	西山和春	壮谷面[illegible]峰里946	好間 松坂寮	1918.5.27～44.10.19		A117 内臓出血	長寿院 名 過
				黄海道金川郡			
1	青松博沢	西北面[illegible][illegible]里	好間	1920.12.25～45.3.13		A141	名
				黄海道谷山郡			
1	清水承烈	東村面[illegible][illegible]里4148		～1944.11.9 21年6ヶ月		D32	瑞芳寺 過
				黄海道瑞興郡			
1	金海行五	細坪面[illegible][illegible]里546 (金川郡[illegible]北面梧鳳里)	好間 山ノ坊寮	1928.2.7～44.10.13		A112 内出血	長寿院 名 過

番号	氏名	本籍地	所属炭砿・寮・職種	生年・死亡年月日	入所年月日	死亡原因等	備考
				平安南道江東郡			
1	松山熙錫	鳳津面漢王里241	常磐内郷	～1944.11.2		A119	社
2	松山烈錫	鳳津面以下不詳	常磐 採炭夫	1923.1.22～45.2.5	1944.10.30	A137	名
				平安南道中和郡			
1	李本容(客)徳(磐沢八郎)	祥原面大井里180	常磐内郷川平坑 採掘捕手	1923..2.3～4411.14(15)	1944.10.15	A122 作業中落盤のため死亡	願成寺 稼番号9400 名 社 過
2	松山元京	天谷面開金里121	常磐 青葉第3西寮 採炭夫	1917.3.3～44.7.24(25)	1943.5.20	B26 流行性感冒	惣善寺 名 県 過
				平安南道龍岡郡			
1	金悦模(摸)	池雲面両院里634	入山 青葉第3西寮	～1944.3.1(22) 28年3ヶ月		B18 てんかん	惣善寺 県 過
2	平岡鎮(範)浩	池雲面真池里250	常磐内郷川平坑 採炭夫	1923.5.5～44.11.23(24)	1944.10.15	B33 病死	願成寺 名 過
				平安南道大同郡			
1	孫盛貞雲	南兄弟山面臥牛里	好間	1906.3.28～45.7.13		A166 前胸部打撲	名
				平安南道价川郡			
1	洪川栄学	朝陽面鳳鳴里	好間	1918.1.3～45.8.1		A168	名
				平安南道成川郡			
1	張先葉	霊泉面了波里	好間 山ノ坊寮	1907.5.4～45.4.8 40年		B41 腹膜炎 脳膜炎	長寿院 名 過
				平安南道平原郡			
1	金原善徳	青山面旧院里557	常磐 採炭夫	1923.4.5～45.4.18	1944.10.13	B42 病死	名

番号	氏名	本籍地	所属炭砿・寮・職種	生年・死亡年月日	入所年月日	死亡原因等	備考
				平安北道昌城郡			
1	李炳華	昌洲面 以下不詳		～1940.3.3 49年2ヶ月		D2	出蔵寺 過
				平安北道義州郡			
1	松本永鍋(福)	枇峴面堂後洞148		～1945.8.17(18) 23年5ヶ月		D37 結核性腹膜炎	いわき市常磐湯本町 名 県

番号	氏名	本籍地	所属炭砿・寮・職種	生年・死亡年月日	入所年月日	死亡原因等	備考
				咸鏡南道元山府			
1	川村政(正)吉	御中里	小田			C20	椎ノ木平 名 (既住朝鮮人)
2	柳得天	字清里		～1945.4.22		窒息死	過 北好間椎ノ木平13

住所不明者

番号	氏名	本籍地	所属炭砿・寮・職種	生年・死亡年月日	入所年月日	死亡原因等	備考
1	南館文吉		勿来 支柱夫	～1943.9.17 29年		A68爆薬破裂(爆傷死)	災
2	移川一郎		磐城 採炭夫	～1943.7.26 35年		A58逸走炭車	災
3	岩本成鳳		勿来	～1945.3.25		B38脳溢血	名
4	金山成吉		常磐合同	～1942.10 33年		C17	既住朝鮮人？
5	朴鳳華 (朴田次郎)		日曹赤井	～1944.3.2 31年		C18	華厳院 過
6	難波八郎		常磐 青葉4寮	～1944.7		C19	惣善寺 過
7	三善台星		常磐中郷(?)	～1944.8.28. 33年			長福寺 過
8	文磐履相		常磐中郷(?)	1904.9.12～1944.8.27			長福寺 過
9	○昌壽		東邦櫛形	1911.9.3～1945.10.13			申 櫛形村大字友部2760

女性死亡者名簿

番号	氏名	本籍地	職場	生年・死亡年月日	入所年	死亡原因等	備考
1	姜点順	慶南昌寧郡南旨面南旨里265		～1943.8.17 27年		肺結核	名 県(湯本町)
2	木村儀分	忠南論山郡光石面新堂里		～1943.12.4 62年11ヶ月		急性腎炎	名 県(湯本町)
3	金又点	慶南山清郡丹城面立石里146		～1943.12.4		湿性助膜炎、腹膜炎	県 死亡常磐市長倉72 埋葬梅ケ平73
4	金タネヨ	慶南昌原郡東面山南里		～1944.8.4 36年			名
5	李珠玉	慶北金泉郡作郷面道全里		～1945.2.29		尿毒症	名
6	大越判吉	慶北 大祚田514		～1943.5.19 41年			清光院 過 判相悦厳信女
7	裵音○ 山口キミ	慶南東莱郡亀浦面徳川里358		～1945.9.2			清光院 過 令住院音室妙教大姉
8	武藤アイ	峯山府寶水町2丁目7		～8.31			清光院 過 愛相貞鏡清信女

番号	氏名	本籍地	所属炭砿	生年・死亡年月日	入所年	死亡原因等	備考
1946年以後の死亡砿夫名簿							
1	朴元根	全北茂朱郡安城面元下山里21		～1946.1.17 (46.2)		D38 膵嚢炎	名 県 常磐市役所
2	朴世豪	全南済州島安州面長名里		～1951.6.16 61年		脳膜炎	名 内郷市役所
3	松浦基淳	江原平康郡三興(?)面九○里	古河好間	1914.11.16～1946.1.8		病死	名
4	清川潤一	全南済州島月涯面高内里		～1947.12.21 32年		心臓衰弱	名 県 常磐市役所
5	高判石	慶南晋州郡文山面象文里		～1948.8.23(26) 32年		土砂崩壊	名 県 常磐市役所
6	崔雄鉉	全南珍島郡内面月加里		～1948.1.23 57年		腸溢血	県 死亡常磐市長倉72 埋葬梅ヶ平73

番号	氏名	本籍地	死亡地	死亡年月日	年齢	死亡原因等	備考
子供死亡者名簿							
1	大山龍文	全北井邑郡新泰仁面木浦里195-2	常磐市上湯長谷長倉72	～1942.5.24	1ヶ月	急性肺炎	遺骨埋葬梅ヶ平73
2	金山長松	慶南河東郡花開面大字塔里665	同上	～1943.9.6	1年11ヶ月	肺炎	遺骨埋葬上長谷
3	山崎永浩	慶北金泉郡亀城面〇〇洞773	同上	～1943.7.9	4年4ヶ月	麻疹 消化不良	同上
4	金山秀子	慶南河東郡花開面大字塔里665	同上	～1943.10.1	3ヶ月	急性肺炎	同上
5	森本昭夫	忠北忠州郡周徳面新陽里230	同上	～1943.12.5	4ヶ月	発育不全	同上
6	山中長淑	慶北義城郡佳音面梨洞504	同上	～1943.5.20	1年8ヶ月	麻疹に併発する肺炎	遺骨埋葬梅ヶ平73
7	安手光男	忠北陰城郡笙極面防築里	同上	～1943.11.22	1ヶ月	発育不全症	同上
8	安田福淑	慶北義城郡金城面鶴尾洞721	同上	～1944.4.23	2年1ヶ月	クループ性肺炎	同上
9	金本一男	慶南山清郡山清面松景里	同上	～1944年5.9	11ヶ月	ハイネメヂン病	遺骨埋葬上湯長谷
10	李義郎	慶南咸陽郡瓶谷面延徳里514	同上	～1945.3.27	2年	気管支肺炎	同上
11	伊東柱栄	慶南金海郡金海邑東上洞883	湯本町	～1941.9.12	5年2ヶ月	胃腸カタル	同上
12	木元義雄	慶南陜川郡大并面大枝里675	同上	1942.1.20	10ヶ月	肺炎	同上
13	李静子	忠南保寧郡珠山面新九里113	同上	1942.4.26	5ヶ月	カタル性肺炎	同上
14	新井星江	慶南金海郡金海邑畓谷面152	同上	～1942.2.14	11ヶ月	気管支肺炎	同上
15	新井哲岳	慶南宜寧郡宜寧面東洞1417-1	同上	～1942.2.23	3年3ヶ月	心臓代償〇障害	同上
16	新井君枝	慶南宜寧郡宜寧面東洞342	同上	～1942.5.26	11ヶ月	消化不良	同上
17	華山玉子	慶南金海郡金海邑三山里55	同上	1942.7.12	2ヶ月	急性消化不良症	同上
18	新井秀芳	全南珍島郡義新面七田里602	同上	～1942.10.27	3ヵ月	肺炎	同上
19	金山鶴吉	忠南論山郡上月面石宗里274	同上	～1942.12.2	1年1ヶ月	気管支肺炎	同上
20	田乙銑	忠南洪城郡亀項面内峴里240	同上	～1943.1.22	8年1ヶ月	急性肺炎	同上
21	大山ユリ	慶南金海郡大渚面沙頭里372	同上	～1943.3.10	7ヶ月	気管支肺炎	同上
22	三井八重子	慶南金海郡金海邑北内洞38の4	同上	～1943.4.2	3ヶ月	消化不良症	同上
23	高原春子	忠南青陽郡木面池谷里	同上	～1943.4.27	1年1ヶ月	脳膜炎	同上
24	李山昌烈	忠南礼山郡徳山面嶧坪里64	同上	～19434.26	3年1ヶ月	麻疹肺炎	同上
25	福岡玉倫	忠南扶余郡石城面石城里563	同上	～1943.5.21	1年4ヶ月	肺炎	同上
26	金次碩	慶南陜川郡大并面嶧坪里899	同上	～1943.5.25	1年	小児結核	同上
27	金東九	慶南陜川郡青徳面所礼里190	同上	～1943.6.10	8ヶ月	麻疹肺炎	同上
28	鄭禮子	忠南扶余郡内山面天宝里354	同上	～11943.7.21	1年11ヶ月	小児結核	同上
29	松成禮子	忠南燕岐郡全東面莘芳里91	同上	～1944.2.1	10ヶ月	肺炎	同上
30	高山ヤス子	慶南宣寧郡洛西面金火里3の12	同上	～1944.10.3	7ヶ月	急性肺炎	同上
31	神農利子	全南康津郡兵営面城南里10	同上	～1945.5.7	2年4ヶ月	咽喉右壁濃症	同上
32	黄廣明	朝鮮以下不明	同上	～1947.3.27	1ヶ月	発育不全	同上
33	文生孩子	慶南梁山郡熊上面三湖里561		1943.4.10			過 清光院
34	姜元玉子	慶南咸陽郡水東面内栢里164		～1943.6.4			過 清光院 玉曹窓孩子
35	都観孩女	慶南居昌郡馬利面栗里218	大神田20	～1943.7.21	2年		過 清光院 戸主景雲孫

36	李昭子	平南大同郡林原面箕山林里81	堀坂18		5年		過 清光院 昭花善童女
37	池政明	慶北金泉郡知礼面校里548	浜井場	～1945.3.2			過 清光院 戸主池鏡萬

番号	氏 名	本籍地	所属炭砿	生年・死亡年月日	来日年月日	死亡原因等	備 考
既住在日朝鮮人（含む高齢者）名簿							
1	金濟粉伊	慶南固城郡弼陽面排源里		～1951.4.16 74年		老衰	名

三三地号外

昭和三十三年三月十三日

福島県総務部長

在日本朝鮮人総聯合会福島県本部事務局長殿

朝鮮人の遺骨調査について（回答）

さきに貴本部より依頼ありました右について別紙のとおり

報告いたします。

全北 井邑郡 新泰仁里 水埔里 三九五ノ二	[illegible]大字上湯廿番大字廿谷三	〃 一七、五、二四	大山竜文	〃	一ヶ月半	急性肺炎	㊞ 梅ヶ谷 七三
慶南 河東郡 花開面 大古塔里 六六五	〃 〃 〃 七〇	〃 一八、五、六	金山古松	〃	一年十一月	麻疹併発の肺炎	上湯廿太
慶北 金泉郡 甑城面 光明洞 七三	〃 〃	〃 一八、七、九	山崎永浩	〃	四ヶ月半	麻疹後の消化不良	〃
慶南 河北郡 花開面 塔里 六六五	〃 〃	〃 一八、六、一	金山秀子	女	三ヶ月	急性肺炎	〃
忠北 忠州郡 周徳面 新陽里 三三〇	〃 〃	〃 一八、一、二五	森本昭夫	男	四ヶ月	発育不全	〃
京畿道 坡州郡 広灘面 倉満里 三一	〃 〃	〃 一八、四、一三	新井春根	〃	五十年	心臓麻痺	㊞ 梅ヶ谷 七三
全北 益山郡 黄登面 蘇四里 一九	〃 〃	〃 一八、四、一三	金鳳述	〃	二十九年十ヶ月	頭蓋骨々折による脳挫創	〃
慶北 義城郡 佳音面 梨洞 五〇四	〃 〃	〃 一八、五、二〇	三中長淑	女	一年八ヶ月	麻疹に因 発する肺炎	〃
忠北 陰城郡 笙極面 防築里	〃 〃	〃 一八、一一、二二	安平光男	男	一ヶ月	発育不全児	〃

本籍地	死亡場所	死亡年月日	氏名	性別	年齢	病名	遺骨埋葬
慶南 山清郡 丹城面 立石里 四六	常磐市 六千 古奈 七二	昭一八・二・四	金又実	女	三十年	湿性肋膜炎	梅ヶ平 七三
慶北 義城郡 金城面 鶴尾洞 七三	〃	〃一九・四・二三	安田福淑	女	二年 一ヶ月	肺炎	〃
慶南 山清郡 山清面 松景里	〃	〃一九・五・九	金本一男	男	十一ヶ月	ハイネメヂン病	上湯 七番
京畿道 楊州郡 伊川面 保山里	〃	〃一九・六・一七	金江金卿	男	三七年 八ヶ月	頭蓋骨々折による脳挫傷	〃
慶北 醴泉郡 知保面 岩川里	〃	〃一九・五・二	林達周	〃	三九年 五ヶ月	膀胱炎	〃
江原道 襄陽郡 束草邑 束草里	〃	〃一九・五・二五	南原仁珠	女	三一年 六ヶ月	肺結核	梅ヶ平 七三
江原道 伊川郡 西面 友峰 六〇	〃	〃一九・八・三一	金成鐘三	男	二二年 十一ヶ月	頭蓋骨々折による脳挫傷	〃

慶北 義城郡 山雲面 塔里洞	〃 〃	〃一九、一〇、一八	兪田守根	〃	三四年十ヶ月	大[illegible]月	〃
慶南 宜寧郡 大義面 郷里	〃 〃	〃一九、一二、六	柳山奐洙	~~男~~女	三二年一ヶ月	膵臓壊死	〃
江原道 伊川郡 方丈面 亀坑里	〃 〃	〃一九、一二、一七	水原大植	女	一七年七ヶ月	胸内出血	〃
慶南 咸陽郡 瓶谷面 延堤里 五二六	〃 〃	〃二〇、三、二七	李義郎	男	二年	気管支肺炎	上湯〃本
京畿道 抱川郡 内村面 宗陽里	〃 〃	〃二〇、六、二〇	辛康大福	男	二四年六ヶ月	胸部打撲に因する胸内出血死	湯本
全南 珍島郡 内面 月加里 九四	〃 力石 九五	〃二三、一、一三	崔雄鉉	男	五七年	脳溢血	梅ヶ平 七三
慶南 咸陽郡 馬川面 君子里 一三九	〃 湯本町一	〃一六、八、六	文村鐘万	男	三一年六ヶ月	脳出血	湯本町
〃 西上面 上南里 一、三一六	〃 〃	〃一六、九、四	昌山東煥	〃	三一年五ヶ月	左側頭部打撲（頭蓋骨折）	〃
〃 金海郡 金海邑 東上洞 八〇三	〃 〃	〃一六、九、一七	伊東柱宗	〃	五年二ヶ月	胃腸カタル	〃

本籍地	死亡地	死亡年月日	氏名	性別	生年月日	病名	遺骨処理
慶南宜寧郡宮柳面雲谷里四三	常磐市湯本町	昭一六・九・一九	金元福男	男	二一年二月	感電死	湯本町
忠清南道瑞山郡老石面新堂里四〇	〃	〃一六・一〇・六	青木致弘	〃	六〇年三月	脳出血	〃
全北南原郡二白面青石里三四	〃	〃一六・一二・四	柳台文男	〃	三一年六月	全身打撲傷頭蓋骨複雑骨折左上腕骨折	〃
慶南狭川郡大并面大枝里三五	〃	〃一七・一・二〇	木元義植	〃	十月	肺炎	〃
忠南保寧郡珠山面新九里一一三	〃	〃一七・四・二六	李静子	女	五月	急性肺炎	〃
慶南咸陽郡池谷面徳岩里1315	〃	〃一七・一・一五	金千歳	男	四一年三月	左右第六、三、四、五肋骨々折（急性肺炎）	〃
全南珍島郡智山面素浦里四二	〃	〃一七・一・一九	李康淳	〃	二六年五月	全身打撲傷頭蓋骨々折	〃

慶南 咸陽郡 西下面 雲岩里 二二九〇	〃 〃	一七、三、一〇	善元花植	〃	二十年 四月	頭蓋骨々折	〃
慶南 金海郡 金海邑 皆谷里 一五二	〃 〃	〃一七、三、一四	新井星江	女	十一月	気管支肺炎	〃
〃 宜寧郡 宜寧面 東洞 一〇一七ノ一	〃 〃	一七、三、一三	新井哲岳	男	三年 三月	心臓代償機能障害	〃
〃 〃 宜柳面 多峴里 一〇三	〃 〃	〃一七、四、二九	安本鉉出	〃	二十二年 四月	顔面複雑骨折 全身打撲傷	〃
全北 淳昌郡 東渓面 内月里 一〇二	〃 〃	〃一七、五、二〇	海洲正植	〃	二十三年 一月	背部打撲傷 腰椎骨折	〃
慶南 宜寧郡 宜寧面 東洞里 三〇二	〃 〃	一七、五、一六	新井君枝	女	十一月	消化不良	〃
慶北 慶州郡 西面 雲台里 二四六	〃 〃	〃一七、六、七	坂本鎮樹	男	三十六年 二月	肋骨々折 会陰部裂創	〃
慶南 金海郡 金海邑 三山里 五五	〃 〃	一七、八、一二	華山玉子	女	二月	急性消化不良	〃
全北 扶安郡 東津面 鳳凰里 一三七	〃 〃	一七、九、一二	金田専太郎	男	一十六年 九月	変死 右大腿骨々折	〃

本籍地	死亡地	死亡年月日	氏名	性別	生年月日	病名	遺骨埋葬所
慶南 金海郡 大渚面 沙頭里一三七	常磐市 湯本町	昭一七、一〇、六	李山徳均	男	一〇年 一〇月	急性肺炎発生 腹膜炎	湯本町
全南 珍島郡 義新面 七田里 六〇二	〃	〃一七、一〇、二七	新井秀芳	〃	三月	肺炎	〃
慶北 永川郡 北安面 道川洞 七九	〃	〃一七、二、七	佳山述鳳	〃	不明	頭蓋底骨折 顔面打撲挫滅傷、左前腕骨折	〃
京畿道 坡州郡 坡平面 坡平里	〃	〃一七、二、三	権禎童	〃	二四年 三月	急性大腸カタル	〃
忠南 瑞山郡 上月面 石宗里 二七四	〃	〃一七、一二、二	金山鶴吉	〃	一年 一月	気管支肺炎	〃
全北 高敞郡 上下面 龍岱里 九四五	〃	〃一七、一三、三	国本貴公	〃	二一年 一一月	全身打撲傷(圧迫死)	〃
全南 潭陽郡 大田面 埼義里 三八〇	〃	〃一八、一、一九	利川六洙	〃	二二年 一一月	〃	〃

Address		Date	Name	Sex	Age	Cause	
忠南 洪城郡 邑項面内岵里二四〇	〃 〃	〃一八、一、二二	田乙鉄	女	八年一ヶ月	急性肺炎	〃
〃 大田府 柳町一三四	〃 〃	〃一八、二、一〇	鄭一国	男	不明	結核性腹膜炎	〃
全北 高敞郡 古水面瓦村里四四二	〃 〃	〃一八、三、四	南川成煥	〃	二四年	頭蓋顔面骨複雑骨折	〃
慶南 金海郡 大渚面沙頭里三七二	〃 〃	〃一八、三、一〇	大山エリ	女	七月	気管支肺炎	〃
江原道 伊川郡 方丈面邑塘里九〇	〃 〃	〃一八、三、二九	平伊根浩	男	二五年二月	右下肢複骨折出血多量による心臓麻痺	〃
慶南 金海郡 金海邑北内洞三八〇	〃 〃	〃一八、四、二	三井八重子	女	三月	消化不良症	〃 〃
全南 潭陽郡 大田面月本里六三七	〃 〃	〃一八、四、二三	崔源命伊	男	三六年五月	敗血症	〃
忠南 青陽郡 木面地底里	〃 〃	〃一八、四、二七	高原春子	女	一年一月	脳膜炎	〃
〃 礼山郡 徳山面屯里六四	〃 〃	〃一八、四、二六	李山昌烈	男	三年一月	麻疹肺炎	〃

本籍地	死亡地	死亡年月日	氏名	性別	出生年月日	病名	遺骨安置場所
忠南 扶余郡 石城面 石城里五六二	〃 〃	〃一八、五、二一	福岡五倫	不明	一年 四月	肺炎	湯本町
慶南 陝川郡 大幷面 赤徳面 神礼里 八九九	〃 〃	〃一八、五、二五	金次碩	男	一年	小児結核	〃
〃 青徳面 忻礼里一九〇	〃 〃	〃一八、六、二〇	金東九	不明	八月	麻疹肺炎	〃
忠南 扶余郡 内山面 天宝里三五四	〃 〃	〃一八、七、二一	鄭玲子	女	一年 二月	小児結核	〃
慶南 昌原郡 東面 武城里二二九	〃 〃	〃一八、八、七	崔甲台	不明	二一年 六月	溺死	〃
江原道 楊口郡 方山面 古坪里一一四	〃 〃	〃一八、八、九	姜成万	男	二四年 八月	前頭部挫創 頭抵骨折	〃
慶南 昌寧郡 南旨面 南旨里二三五	〃 〃	〃一八、八、一八	姜呉順	不明	二七年 五月	肺結核	〃

本籍		生年月日	氏名	性別	年齢・月	死因	
全南 宝城郡 汴力面 聖龍里 六九九	〃 〃	一八、八、元	化 文鉉	男	四四年 八月	右大腿部裂創 左大腿骨々折 胸部背部打撲	〃
江原道 寧越郡 旧忠里 六一	〃 〃	一八、九、二七	松山世福	〃	三一年 五月	敗血症 左腰椎骨折	〃
〃 華川郡 上西面 池浦里 六三三	〃 〃	一八、九、二	金山炳潤	〃	二〇年 三月	頭蓋骨複雑骨折	〃
慶南 昌寧郡 霊山面 河上里 三三五	〃 〃	一八、九、一三	重光乙俊	〃	二七年	左鎖骨部右肘 背腰部裂創 急性肺炎	〃
江原道 蔚珍郡 遠南面 德新里 一五二	〃 〃	一八、一〇、八	鄭周完	〃	二八年 九月	感電死	〃
忠南 論山郡 光石面 新堂里 九〇	〃 〃	一八、一三、四	木村儀介	女	六二年 二月	急性腎炎	〃
江原道 麟蹄郡 南面 德新里（新月里）	〃 〃	一八、三、三	朴斗勲	男	二九年 一月	脳膜炎	〃
〃 蔚珍郡 蔚珍面 古城里	〃 〃	一九、一、四	金斗三	男	二三年 一月	肺結核	〃
〃 江陵郡 城山面 普光里	〃 〃	一九、一、三一	沈基福	男	二〇年 一月	全身打撲傷（内出血）	〃

本籍地	死亡地	死亡年月日	氏名	性別	生年月日	病名	遺骨埋葬所
江原道 横城面 邑上里 二七	常磐炭礦 湯本町	昭一九、一、三一	松村在仙	男	三一年	全身打撲症（圧迫死）	湯本町
忠南 燕岐郡 全東面 華吉里 九一	〃	〃一九、二、一	松本礼子	女	一〇月	肺炎	〃
江原道 横城郡 横城面 邑上里 三〇三	〃	〃一九、六、五	金大釗	男	三五年一月	恥骨及腸骨骨折（腸管破裂）	〃
平安南道 竜岡郡 池雲面 [illegible]里 六四	〃	〃一九、三、一	金槐模	〃	二八年三月	癲癇	〃
江原道 楊口郡 水入面 下青松里	〃	〃一九、四、五	金汶謙	〃	四四年	腸炎並大腸カタル	〃
〃 江陵邑 江門津里 一二八	〃	〃一九、三、九	徳山壽春	〃	三五年一一月	頭蓋骨複雑骨折	〃
〃 淮陽郡 淮陽面 墨洞里 四四六	〃	〃一九、三、一三	大原光鉄	〃	二五年三月	急性腎臓炎	〃

〃 伊川郡 鶴風面 鶴風里 四四六	〃 〃	〃一九、四、二六	中山大鎮	〃	二一年 一一月	顔面骨複雑骨折 頭蓋底骨折	〃
〃 〃 東面 定門里 一〇〇	〃 〃	〃一九、五、二	中村基泰	不明	三〇年 九月	急性肺炎	〃
忠南 堤川郡 白雲面 花塘里 一五七	〃 〃	〃一九、五、三	李竜文	男	二一年 二月	顔面骨及右第一、二、三、四、五肋骨々折	〃
全南 康津郡 兵営面 城南里 二〇	〃 〃	〃一九、七、九	神農有洪	〃	三六年 五月	肺浸潤	〃
江原道 横城郡 呂陸面 楡峴里 一〇八	〃 〃	〃一九、七、一六	文山千植	〃	二三年 一一月	急性腹膜炎	〃
〃 伊川郡 熊灘面 海浪里 一〇八	〃 〃	〃一九、七、一三	中本瑚淳	不明	二三年 五月	溺死	〃
〃 新里面 注文里 三之九	〃 〃	〃一九、七、一七	中川蒼源	男	三一年 八月	全身打撲傷 右四肋骨々折	〃
〃 薩岩郡 嵊漢面 臨漢里 一九一	〃 〃	〃一九、七、一六	李鳳南	〃	二二年 三月	全身打撲傷、頭部顔面損滅	〃
平南 中和郡 天然面 南金里 一二一	〃 〃	〃一九、七、二四	松山元京	〃	二七年 四月	流行性感冒	

本籍地	死亡地	死亡年月日	氏名	性別	生年月日	病名	遺骨埋葬所
全北 富南面 大柳里八四八	常磐市 湯本町	昭一九、六、二六	林 鐘衡	男	三三年 二月	溺死	湯本町
江原道 旌善郡 新東面 泉浦里一二六	〃 〃	〃一九、八、三〇	池田鳳南	〃	二〇年 七月	頭蓋骨々折 頭創左肩挫 腰部裂創	〃
〃 蔚珍郡 箕城面 正明里一九〇	〃 〃	〃一九、九、二五	張田特伊	〃	二五年 三月	顔面頭蓋骨々折	〃
慶南 宜寧郡 漆西面 金大里三の一二	〃 〃	〃一九、一〇、三	高山ヤス子	女	七月	急性肺炎	〃
江原道 淮陽郡 安豊面 斗仁洞里一〇〇	〃 〃	〃一九、一〇、六	金本鳳錫	男	二二年	大腸カタル、両大腿骨々折 尾骨々折	〃
〃 伊川郡 東面 上陰站 五七	〃 〃	〃一九、一〇、一〇	金岡永洙	〃	一七年 六月	顔面骨頭蓋骨折	〃
〃 平昌郡 平昌面 馬池里一八六	〃 〃	〃一九、一〇、一六	松山永泰	〃	二七年 九月	頭蓋骨陥没骨折	〃

全南 康津郡 兵営面 城南里 一〇〇	〃	〃	〃二〇、五、七	神農利子	女	二年四月	咽喉左腿腕瘍	〃
全北 長水郡 渓北面 於田里 三〇七	〃	〃	〃二〇、五、七	天成竜男	男	二九年五月	第三・四頸骨々折（変死）	〃
江原道 麟蹄郡 麟蹄面 徳山里	〃	〃	〃二〇、四、八	金村寅吉	〃	一七年一月	墜落による圧死	〃
〃 伊川郡 鶴鳳面 新坂里 六三	〃	〃	〃二〇、四、一三	中戊宗	〃	二六年六月	変死、上腹部打撲・腸内出血	〃
忠北 堤川郡 松鶴面 五味里 二〇一	〃	〃	〃二〇、四、三	水原允俊	〃	三五年四月	変死・頭蓋骨々折	〃
江原道 麟蹄郡 南面 藍田里	〃	〃	〃二〇、四、二七	延沢秀童	〃	二八年六月	同右	〃
〃 原州郡 好善面 梅芝里 一二九	〃	〃	〃二〇、五、四	馬場命福	〃	二〇年二月	頭蓋骨々折	〃
全北 茂朱郡 安城面 公正里 六五六	〃	〃	〃二〇、七、二	新井結圭	〃	二三年五月	[illegible]	〃
江原道 横城郡 隅川面 馬岩里 四〇	〃	〃	〃二〇、八、四	柳淳宗	〃	二八年九月	左橈骨々折、第十一胸椎脱臼	〃

本籍地	死亡地	死亡年月日	氏名	性別	生年月日	病名	埋遺骨理所
忠南、青陽郡 青場面上場里	常磐市 湯本町	昭二〇、八、八	松田万補	男	三四年三月	顔面擦過傷	湯本町
慶北 英陽面 以下不詳	〃 〃	〃二〇、八、一三	金普達	〃	四八年九月	頭頂部裂創 骨折	〃
平北 嘉州郡 枇峴面 一四八	〃 〃	〃二〇、八、一七	松本永錫	〃	二三年五月	結核性腹膜炎	〃
江原道 麟蹄郡 北面 月鶴里	〃 〃	〃二〇、八、三一	清韓明浦	〃	三七年一〇月	慢性腹膜炎	〃
〃 旌陽郡 楊口面 上桧耳里 389	〃 〃	〃二〇、九、七	光金御中	〃	三四年九月	肺浸潤	〃
〃 〃 長楊面 平陽里 一二	〃 〃	〃二〇、一〇、一〇	延原逢元	〃	三四年一月	窒息死	〃
〃 春川郡 西下面 芳洞里 八四九	〃 〃	〃二〇、一二、二四	李完淳	〃	一八年九月	肺炎	〃

本籍		年月日	氏名	性別	年齢	死因	
全北・茂朱郡 安城面 以下不詳	〃 〃	〃二〇・一・一七	朴元根	不明	二一年二月	脳[illegible]	〃
朝鮮 以下不詳	〃 〃	〃二二・三・二七	黄広明	〃	一月	発育不全	〃
全南・済州島 新右面 高内里	〃 〃	〃二二・一一・二二	清川潤一	男	三二年	心臓衰弱	〃
慶南・晋州郡 文山面 [illegible]文里	〃 〃	〃二五・八・二六	高判錫	不明	三二年	土砂崩壊	〃

調査資料

殉職者名簿

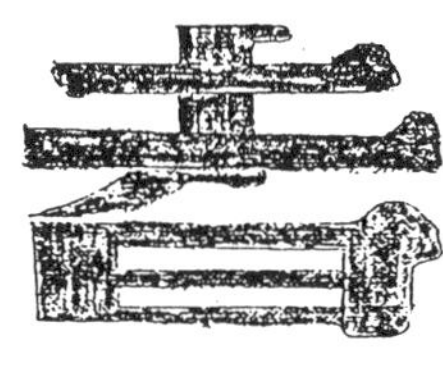

太平洋戦争中犠牲同胞

慰霊事業実行委員會

好間炭砿殉職者氏名簿

氏名	性別	生年月日	本籍地	死亡別	死亡年月日	摘要
李 範竜	男	明治四二、一〇、六	忠北沃川郡沃川面三春里 30	公病死	昭和一五、四、一三、	A 32
郭 順出	〃	〃 四三、三、一五	慶北尚州郡利安面中村里 31	〃	〃 一七、三、八	A
邊 子七	〃	〃 四五、九、一二	忠北鎮川郡梨月面松林里 29	〃	〃 一七、三、八	A
金 百寿	〃	〃 三七、七、一五	慶北尚州郡尚州面武陽里 38	〃	〃 一七、一〇、	
宮本 賢成	〃	大正九、二、二七	忠北沃川郡郡北面白石里 34	〃	〃 一七、一二、	
松川 炳夏	〃	〃 三、九、一二	忠北沃川郡沃川面九逸里 57	〃	〃 一八、一、一二	A
新井 先奉	〃	〃 八、二、一六	忠北提川郡寒木面 69	〃	〃 一八、四、二四	
李 鼎吉	〃	〃 七、三、三	全北益山郡砿山面源木里 70	〃	〃 一八、八、四	
柳川 厚東	〃	大正五、八、二三	忠北清州郡玉山面樟南里 27	頭骨打離	〃 一八、一二、二	
金沢 長順	〃	〃 四	黄海道甕津郡富民面康翎里 29	病死	〃 一九、四、三〇	
金村(山) 弼煥	〃	〃 七、六、三	忠北燕岐郡金仗面邑内里一八九 26	公傷死	〃 一九、六、一九	
李 殷鳳	〃	〃 二、六、二	忠南論山郡論山邑登華里二九四 26	溺死	〃 一九、八、一六	
広山 鳳学	〃	昭和	江原道平昌郡珍富面臣文里 ?	公傷死	〃 一九、九、三〇	?
金海 行五	〃	〃 三、三、七	黄海道金川郡西北面梧鳳里 16	〃	〃 一九、一〇、一三	
西山 和春	〃	〃 七、五、二七	黄海道碧城郡吐台面東澤里九四六	〃 12	〃 一九、一〇、一九	

氏名	性別	生年月日	本籍地	死亡別	死亡年月日	摘要
丹山 順明	男	明治四二、二、一九	黄海道殊白郡牧丹面鳳德里 35	公傷死	昭和一九、三、一〇	
高島 成春	〃	大正二、三、一三	〃 信川郡用珍面月積里 31	〃	〃 一九、一二、三一	
金原 月成	〃	〃 七、三、二五	忠南燕岐郡西面月河里 26	腰部打撲	〃 二〇、一、七	A
壽松 脩沢	〃	〃 九、三、二五	黄海道金川郡西北面花岩里 24	公病死	〃 二〇、三、一三	A
山李 允朋	〃	〃 一四、一、二四	〃 甕津郡興嵋面登山里 20	助膜炎	〃 二〇、三、二	
金本 光殷	〃	〃 四、七、一	忠北清州郡北一面御橋二〇四 29	公傷死	〃 二〇、三、二	A
張 先 [illegible]	〃	明治四〇、五、四	平南成川郡霊泉面了渡里 37	脳膜炎	〃 二〇、四、八	A
平山 任淳	〃	大正二、三、二八	黄海道延白郡鳳西面鳥川里 32	公傷死	〃 二〇、五、三	
禹本 命順	〃	明治三一、四、一一	〃 〃 牧丹面德陽里 47	私病死	〃 二〇、五、九	
金李 安田	〃	大正一五、九、二三	全南麗州郡宜谷面杏内里 18	頭蓋骨離公傷死	〃 二〇、五、九	A
孫盛 貞云	〃	明治三九、三、二八	平南大同郡南兄弟山面臥中里 39	前胸部打撲	〃 二〇、七、一三	
国本 大德	〃	〃 三七、四、一四	江原道平昌郡大和面大和里 41	病死	〃 二〇、七、二五	
花川 栄学	〃	大正七、一、一三	平南价川郡朝陽面鳳鳴里 27	公傷死	〃 二〇、八、一	
呂 光 錫	〃	〃 六、三、三	江原道横城郡横城面邑上里 27	病死	〃 二〇、九、一〇	A
福田 斗鎰	〃	〃 二、五、一四	黄海道信川郡信川面據岩里 32	〃	〃 二〇、九、二	
松浦 基淳	〃	〃 三、二、一六	江原道平康郡三興面九寶里 31	〃		A

好間村役場にて調査

氏名	性別	生年月日	本籍地	死亡別	死亡年月日	摘要
豊田 順出	男		慶北尚州郡中村里	業務上	昭和一六、三、八	三〇才
藤原 子七	〃		忠北鎮川郡梨谷面老院里	〃	〃 一二、三、二〇	〃
	女					
安本 甲生	男		慶北達城郡花園面城山洞		〃 一九、一二、一九	二〇 〃
平沼 炳吉	〃		〃 東萊郡[illegible]面[illegible]里	業務上	〃 一九、三、一九	三五 〃
金村 昌善	〃		忠北清州郡北一面藍洞里	〃	〃 一九、一〇、一五	三三 〃
中村 女良	〃		全南済州郡旧左面上[illegible]里	病死	〃 二〇、四、八	三一 〃
洪 武男	〃		忠南公州郡公州邑大和町	業務上打撲	〃 二〇、七、二五	二二 〃
安 京譲	〃		忠北清州郡北一面細橋里	頭蓋骨折	〃 二〇、四、九	四〇 〃

小田炭鉱殉職者氏名台簿

氏名	性別	生年月日	本籍地	死亡別	死亡年月日	摘要
大山 珍奎	男	大正八、一二、一	慶北達城郡東村面坪里洞		昭和二〇、四、二三	炭鉱夫
裴 在款	〃	〃 三、七、八	〃 金山面安洞			
松原 福基	〃	〃 七、一〇、六	〃 〃 義洞			
岩谷 井植	〃	〃 八、五、二	〃 玉浦面順洞			

氏名	性別	生年月日	本籍地	死亡別	死亡年月日	摘要
西村 衛鍾	男	大正、不明三、三一	慶北達城郡玉浦面稲項洞			
共田 一鎬	〃	〃九、三、三〇、	〃 〃			
川村 政吉	〃	明治四四、六、一三、	咸南元山府御中里			
平沼 柄吉	〃	〃四四、二、一	慶北達城郡求智面坪村洞			
安本 吉男	〃	大正一三、三、一五	慶北高霊郡牛谷面客基洞			

常磐炭砿殉職者名簿（業務上八四、病死四五）

氏名	職名	生年月日	本籍地	入所年月日	死亡年月日	摘要
岩本 容穆	採炭夫	大正六、五、一二	江原道麟蹄郡北面於論里三八一 28	昭一九、一〇、一二	昭和二〇、八、三〇	病死
近沢 秀豊	〃	〃七、三、二九	〃 〃 藍田里三五 27	〃	〃二〇、四、二七	業務上
金村 富吉	〃	昭和三、三、一	〃 北面月橋里 18	〃八、二九	〃二〇、四、七	〃
金岡 永洙	〃	〃二、四、一一	〃 伊川郡東面登益里 17	〃七、一五	〃一九、一〇、一〇	〃
李 龍文	〃	大正二、六、五	忠南提川郡白巖面花塘里九七 31	〃十一、五	〃二〇、三、二六	〃
李 完淳	運搬夫	昭和二、二、一	江原道春川郡南面芳谷里一六 18	〃十一、一六	〃二〇、八、二〇	病死
鶴場 命福	採炭夫	大正一五、二、二〇	〃 原州郡興業面梅芝里三九 19	〃十一、一五	〃二〇、五、五	業務上

氏名	職名	生年月日	本籍地	入所年月日	死亡年月日	業務上外の別
李本 容徳	採炭夫	大一三、二、三	平南中和郡祥原面大山里一八〇	昭一九、一〇、一五	昭一九、一二、一五	業務上
平岡 範浩	〃	〃一二、五、五	〃竜岡郡池雲面真池里二五〇	〃	〃一二、二四	病死
金山 範洙	〃	〃二、一三	全北茂朱郡安城面貢進里六七三	昭一七、三、一三	昭一八、一〇、一三	業務上
張田 晴伊	〃	大八、六、二二	江原道蔚珍郡箕城面正明里九九〇	〃一八、八、三一	〃一九、九、二五	〃 25
沈 基福	〃	三、一三、二五	〃江陵郡城山面普先里	一八、一二、一九	〃一、三一	〃
柳 淳栄	〃	五、一〇、五	〃横城郡隅川面鳥原里四〇	〃一三、三	一〇、八、六	〃
清韓 明甫	〃	六、九、一三	〃麟蹄郡北面月鶴里三一三	〃一三、六	八、三	病死
金 錬鳳	〃	明四三、四、一三	〃〃内面栗田里六二	〃	一九、一〇、二〇	〃 34
平川 養源	〃	大三、一二、一九	〃江陵郡謚文津邑注文里	〃一三、一九	〃七、一六	業務上
文山 千植	〃	〃一二、五、九	〃横城郡書院面楡峴里二九八	〃一三、三	〃	〃 22
松村 在仙	〃	〃二、一、一	〃江陵郡安興面安興里六六七	〃	一、三一	〃 31
金 学洙	〃	〃七、二、二〇	〃洪川郡化村面是性里八七〇	〃一三、一二	〃八、一三	病死 26
徳山 弄春	〃	明四一、四、二二	〃江陵郡注文津面邑橋項里	〃一三、一九	〃三、七	業務上
金山 炳潤	〃	大一三、五、五	〃華川郡上西面巴湖里一六三	〃六、二〇	一八、九、三	〃 20

氏名	職名	生年月日	本籍地	入所年月日	死亡年月日	業務上外の別	
松山 元京	採炭夫	大六、三、三	平南中和郡天谷面開倉里	昭一八、五、二〇	昭一九、七、二五	病死	27
姜 成萬	〃	大七、二、二五	江原道淮陽郡内金剛面下縣里	昭一八、四、二三	昭一八、八、九	〃	
崔 甲台	〃	大二、三、一五	〃 蔚珍郡蔚珍面鳳坪里三七一	昭一八、四、一二	昭一八、八、八	〃	21
金本 鳳錫	〃	大二、一〇、三一	〃 淮陽郡安豊面興仁洞里	昭一八、四、二三	昭一九、一〇、六	業務上	
木原 允俊	〃	明四二、三、一三	〃 揚口郡南面杉陽里二八	昭一八、四、一九	昭二〇、四、一三	〃	
金 泣謙	運搬夫	明三三、三、八	〃 〃 水入面下青松里	昭一八、四、一九	昭一九、四、五	病死	44
都 周宅	採炭夫	大四、一、二〇	〃 蔚珍郡遠南面德新里一五	昭一八、四、二〇	昭一八、一〇、八	〃	28
松山 吉福	〃	明四五、四、七	〃 平昌郡平昌面鳥岩里六一	昭一八、一、二八	昭一八、九、一七	業務上	21
李 鳳南	〃	大二、四、七	〃 旌善郡臨溪面臨溪里一九一	昭一八、一、二八	昭一九、七、一九	〃	22
松山 永泰	〃	大五、三、二七	〃 平昌郡平昌面馬池里八六	昭一八、一、二八	昭一九、一〇、一八	〃	
池田 鳳南	〃	大三、一、一〇	〃 寧越郡下東面正陽里三四	昭一八、一、二八	昭一九、八、二九	〃	20
岩源 命伊	〃	明四〇、一〇、一八	全南潭陽郡大田面月本里六二七	昭一七、三、二八	昭一八、四、一三	〃	36
新井 喆圭	〃	大二、二、二七	全北茂朱郡安城面公正里六五六	昭一七、一二、一三	昭二〇、七、二一	病死	
利川 六洙	〃	大一〇、二、一七	全南潭陽郡大田面[illegible]里三八〇	昭一七、一一、二八	昭一八、一、二	〃	
任 文鉉	〃	明三一、一三、五	〃 求礼郡弥力面盤盟里六九九	昭一七、一一、二一	昭一八、八、二九	業務上	
高靈 保植	〃	明四二、二、二〇	〃 〃 会泉面会寧里三七〇	昭一八、一一、二一	昭一九、一、二〇	〃	

氏名	職名	生年月日	本籍地	入所年月日	死亡年月日	業務上外の別
宗本嘐善	採炭夫	明四〇、一〇、二二	江原道淮陽郡下北面新安里	昭一七、九、二六	昭一九、八、三	業務上
平伊根浩	〃	大七、一〇、二四	〃 伊川郡方丈面亀堤里	昭一七、九、二二	昭一八、三、二九	〃 25
朴卜来	〃	明二五、九、二	慶南泗川郡杻洞面旧湖里一五四	昭一四、一〇、五	昭一四、二、一一	〃
金鐘達	〃	明三〇、一、二六	〃 〃 勝礼里一五四	昭一四、一〇、五	昭一四、三、一〇	〃
李栄煥	〃	明二九、四、一六	〃 昆陽面古竜里	昭一四、一〇、五	昭一八、一〇、八	〃
鄭甲秀	〃	大七、九、一七	〃	昭一四、一〇、五	昭一九、三、二五	〃
朴達来	〃	明二八、四、三	〃 咸安郡郡北面院北里一二	昭一五、二、一九	昭一六、五、六	病死
鄭性奇	〃	大七、二、一六	〃 月村里一一〇	昭一五、二、一九	昭一六、五、一九	業務上
丁鐘守	〃	大九、七、二〇	〃 一西堂里八五	昭一五、二、一九	昭一六、五、一九	〃
曺団伝範	〃	大四、一二、二〇	〃 昌原郡北面北枝里五五五	昭一五、二、一九	昭一五、八、三	〃
金点包	〃	明三九、三、二九	慶北清道郡豊角面黒石洞	昭一五、三、二	昭一五、九、一七	〃
南炳始	〃	大九、七、二四	〃 義城郡安谷面岩洞五四一	昭一五、三、四	昭一七、五、一八	〃
姜漢俊	運搬夫	大五、七、二二	慶南咸陽郡水東面院坪里二三二	昭一五、三、二七	昭一六、八、二三	〃 25
鄭相根	採炭夫	明四二、二、一	〃 咸陽面新宮里	昭一五、三、二七	昭一六、	〃 32
呉完煥	〃	大八、五、一八	〃 安義面司材里二二九	昭一五、三、二八	昭一六、三、一八	〃
河正介	〃	明三九、一、二	〃 柳林面柳坪里一三〇一	昭一五、三、二八	昭一六、五、一九	〃

氏名	職名	生年月日	本籍地	入所年月日	死亡年月日	業務上外の別
盧明后	採炭夫	大二、三、二一、	慶南咸陽郡柳林面花村里六四四	昭一五、三、二八	昭一六、九、二七	病死
朴朔不	〃	明四〇、三、一八、	慶北義城郡金城面鶴川洞一三七	〃一五、六、一三	〃一六、三、二一	業務上
陳判用	〃	〃三六、三、二三	〃漆谷郡[illegible]面[illegible]洞一八一	〃一五、六、三	〃一八、五、一九	病死
崔龍発	〃	大二、一、五	〃醴泉郡[illegible]面[illegible]洞一一三	〃	〃一五、一〇、二〇	業務上
林義東	〃	明四二、九、一八	〃芦沙洞一〇八	〃	〃一五、一二、一九	〃
金山禹鎮	〃	大三、一〇、一〇、	〃義城郡義城面[illegible]升洞六〇五	昭一五、九、二四	〃一五、一〇、二	病死
新井行根	〃	〃一〇、一、二〇	〃[illegible]安[illegible]面東部洞四〇一	〃	〃一六、五、一九	業務上
東原守成	〃	明三四、四、一九	〃安東郡豊川面[illegible]洞一〇六	〃	〃一七、五、二六	〃
秋元富彦	〃	〃四一、五、二七	〃義城郡[illegible]面東[illegible]洞一五六	〃	〃一九、一二、三一	〃
山本炳夏	〃	大一、一二、三〇	〃金泉郡[illegible]山面柳城里三四〇	昭一五、二、一	〃一五、一、二〇	〃
木村崇太	〃	〃八、六、四	〃[illegible]面[illegible]川里六七八	〃一五、九、二七	〃一七、五、一八	〃
安谷聖[illegible]	〃	明三六、一二、二七	忠北陰城郡陰城面仁谷里一五六	〃一六、一、八	〃一七、四、四	〃
仁同基喆	〃	〃三四、九、二三、	全北沃溝郡大野面羅浦面[illegible]谷里一六二	〃一六、三、二〇	〃二〇、四、二一、	病死
岩李斗栄	〃	大六、一〇、二八	忠北陰城郡遠南面碩人里、五	〃一六、八、二一	〃一七、八、六	業務上
天李在栄	〃	〃一二、六、四	全北益山郡三箕面[illegible]村里一二七	〃一六、一二、二八	〃一七、一〇、九	〃
松岡慶烈	〃	明四三、九、二八	〃長水郡[illegible]北面[illegible]村里一四〇	〃	〃一八、三、二九	〃

19　41　32

氏名	職名	生年月日	本籍地	入所年月日	死亡年月日	業務上外別
平山 龍	採炭夫	明四五、一、七	全北長水郡鼂林面雲北里四三一	昭一六、一二、二八	昭一七、一〇、八	病死
山井 武雯	〃	〃四一、七、二	慶北義城郡春山面思美洞七六七	昭一七、三、一六	昭一九、一、一三	業務上
高山 学伊	〃	〃三八、四、八	〃 清道郡梅田面東山洞二〇七	〃一七、三、一六	〃一八、九、一六	病死
金江 恵卿	〃	大五、五、一四	京畿道広州郡伊説面保山里三七	〃一七、五、二五	〃九、四、一八	業務上
平川 恵治	運搬夫	〃二、九、九	江原道原州郡江陵↓面旭町二九	〃一七、九、二八	〃八、三、一三	〃
李村 順房	〃	明三九、一〇、五	〃 江陵郡玉渓面金津里五五〇	〃 〃	〃八、四、二八	病死
谷山 尚	採炭夫	大五、五、二三	全南光山郡大村面鴨村里三八	〃一七、一〇、六	〃一〇、一、三一	業務上
廣村 容植	〃	明四三、二、四	〃 康津郡道岩面亀月里三七九	〃一七、一二、七	〃九、一、二	〃
英山 大斗	〃	大三、五、二三	〃 徳平里四一六	〃一七、三、七	〃八、一、八	〃
三橋 秀烈	〃	〃八、二、二〇	〃 長北郡有治面五福里六九	〃一七、一二、九	〃九、一、二	〃
金川 福同	〃	〃三、九、八	〃 海南郡三山面平治里四七七	〃一七、一二、一三	〃八、六、五	〃
岡村 祥玉	〃	明四〇、一、二六	京畿道長端郡津西面景毅里七八	〃一八、二、二八	〃八、五、一七	〃
国本 範珍		大九、五、五	〃 江上面徳橋里五〇三	〃 〃	〃九、一二、二六	〃
木谷 万洙	採炭夫	明三七、九、二三	江原道洪川郡瑞石面沙提里七三六	〃一八、五、六	〃八、一〇、一七	〃
山本 鳳得	〃	大、三、二、一〇	〃 原州郡富論面昇山里三六一	〃	〃九、一、一四	〃
金吉 石順	〃	大、一三、二、一〇	〃 文幕面碑頭里一三八	〃	〃一〇、六、四	病死

21

氏名	職名	生年月日	本籍地	入所年月日	死亡年月日	業務上外の別	
安本 昌彔	運搬夫	大一二、三、一	江原道原州郡富論面興湖里六一	昭一八、五、六	昭二〇、三、二〇	業務上	
千原 有鎭	採炭夫	〃九五、一八	〃板富面金垈里七六	〃	〃二〇、三、二	〃	
宗田 龍洙	〃	〃二、三、一	〃・神林面金倉里六六三	〃	〃九、三、一六	〃	
玉山 敬煥	運搬夫	〃一〇、一〇、五	〃横城郡安興面上安里九七	〃一八、五、一九	〃一九、二、二八	〃	
赤松 相根	採炭夫	〃三、一〇、一〇	〃横城面立石里二五七	〃	〃二〇、五、三	〃	
山佳 聖允	〃	明四五、二、二八	〃〃北川里九六	〃	〃二〇、五、二一	〃	33
吉本 鎬喆	〃	大一二、三、五	慶北文慶郡北面石谷里	〃	〃二〇、五、一〇	〃	23
李金 鍾成	〃	〃四、四、一七	江原道洪川郡化村面	〃一八、五、二八	〃一八、一二、二三	病死	28
金沢 甲洙	〃	〃三、九、三	慶南河東郡青岩面坪村里六八三	〃一八、六、二	〃一八、一二、三	〃	30
平川 奉雨	〃	〃八、六、一三	〃岳陽面新興里六五	〃	〃二〇、三、一	〃	
安田 相淳	〃	〃一二、六、七	忠南瑞山郡地谷面長賢里	〃一八、九、四	〃九、一、三一	病死	
松山 尚鳳	雑〃役	〃一三、三、二八	江原道蔚珍郡蔚珍面邑林里	〃一八、九、二三	〃一九、九、一	〃	20
高山 晴	採炭夫	〃八、一、九	全北郡山府助林町五五	〃一八、一〇、一三	〃一九、六、一三	業務上	25
山李 奉善	〃	〃八、八、一〇	郡山府京町三〇五	〃	〃	〃	25
山佳 石東	〃	〃一四、三、一	〃任実郡新徳面三花里三一五	〃一八、一二、二九	〃一九、一〇、二九	病死	19
國本 明根	〃	〃二、二、六	〃完州郡伊西面根橋里五四	〃	〃一九、三、三一	〃	31

氏名	職名	生年月日	本籍地	入所年月日	死亡年月日	業務上外の別	
金井 容仁	採炭夫	大九、六、六	全北茂朱郡茂朱面鉢山里三〇	一八、一二、二七	昭一九、四、二七	業務上	24
林 成淳	〃	〃一〇、一二、二五	京畿道長瑞郡小南面斗谷里一〇四七	〃一八、三、二八	〃一八、八、六	〃	
玉川 錫吉	〃	明三三、三、一一	江原道通川郡通川面其羽里一二	〃一九、六、六	〃一〇、四、一	〃	45
高山 徳在	〃	〃三六、九、一一	全北沃溝郡臨陂面月下里四九三	〃一九、三、一一	〃一〇、六、一八	〃	
國本 業己	運搬夫	〃三九、三、二七	江原道横城郡公根面蒼坪里七一	〃	〃一〇、五、一八	病死	39
柳村 重鉉	採炭夫	大九、三、二一	〃洪川郡乃村面道寛里	〃一九、六、一四	〃一〇、四、五	〃	25
宮本 泰鏞	運搬夫	〃一一、七、八	〃鉄原郡乃文面上路里五八	〃一九、六、二〇	〃九、一一、九	〃	
永川 有石	雑夫	〃一〇、七、三〇	〃襄陽郡巽陽面永里六五	〃一九、六、二二	〃一〇、六、三	業務上	
海田 如夫	採炭夫	明三三、六、二	〃麟蹄郡麟蹄面古沙里	〃 〃	〃一〇、四、二〇	病死	
池 敏煥	運搬夫	大五、四、七	京畿道軽州郡金沙面後里三二	〃一九、八、二一	〃一〇、六、四	〃	29
桑村 泰孫	採炭夫	明三三、一〇、三一	江原道伊川郡西面抽洞里六一六	〃 〃	〃九、一二、二七	〃	44
松山 烈錫	〃	大一二、一、三	〃江亭郡鳳津	〃一九、一〇、三〇	〃一〇、三、五	業務上	22
平文 南秀	〃	〃一〇、一、五	全北沃溝郡玉山面双鳳里四六七	〃一八、一〇、二二	〃一〇、九、一一	〃	24
金 仲國	〃	昭三、三、四	江原道襄陽郡安興面釘岩里	〃一九、七、五	〃一〇、八、二九	〃	10
金山 三盛	運搬夫	大一一、七、四	〃麟蹄郡麟蹄面上南里	〃一九、一〇、一三	〃一〇、四、六	病死	
金原 善徳	採炭夫	大一二、四、五	平南中原郡彦山面旧邑里五五七	〃一九、一〇、一三	〃一〇、四、一八	〃	

氏名	職名	生年月日	本籍地	入所年月日	死亡年月日	業務上外の別
金成順	運搬夫	明四三、五、一四	全南海南郡海南面大正町八〇	昭一六、九、二五	昭、二〇、七、三一	病死 35
池原順福	採炭夫	大一〇、一、二五	江原道横城郡安興面飛忍里三六四	〃一九、四、二五	〃二〇、一、二三	〃 24
方山照爽	運搬夫	〃一五、三、一五	京畿道高陽郡知道面大野里三三	〃一九、二、九	〃二〇、八、三〇	溺死
豊村鉉春	採炭夫	〃五、六、五、	江原道襄陽郡襄陽面林泉里	〃一九、七、五	〃二〇、九、一七	業務上 28
金安根	〃	明四三、一、一六	慶北義城郡金城面塔里洞一七三	〃一五、三、一四	〃一九、一〇、一九	〃 34
三上輝	雑夫	明三六、三、一三	慶南梁山郡下北面芳池六三九	〃一五、一〇、一八	〃二〇、一〇、二〇	病死 42
曹彫崇	採炭夫	大三、六、二	〃山清郡山清面寒洞里三八	〃一四、一〇、二六	〃一五、五、一	〃
李相竜	〃	〃四、九、七	〃〃正谷里三三一	〃	〃一五、四、二三	〃
劉聖録	〃	明	〃〃〃三三五	〃	〃一五、五、二五	〃
松山奐洙	〃	大、二、一、一四	〃昌寧郡丈麻面幽里	〃一八、五、七	〃一九、二、一七	〃
平康六福	工作夫	〃一〇、一二、一〇	京畿道相川郡内村面泉鶴里	〃一九、三、二一	〃二〇、六、三〇	業務上
金本鎮三	採炭夫	〃一〇、一〇、二〇	江原道伊川郡山内面友味里	〃一九、七、二五、	〃一九、八、三一	〃

以下内郷市役所にて調査

氏名	職名	生年月日	本籍地	入所年月日	死亡年月日	業務上外の別
李井有聖		二八才	全南長興郡安良面[illegible]里		昭一八、一、一三	変死

氏名	職名	年令（死亡時）	本籍地	病名	死亡年月日	摘要
靑川 明昌		六二 六	慶南昌原郡昌原面西上里	肺浸潤	昭、一九、四、九	
花田 昌伸		二七 ″	慶北奉化郡奉田面秋田里	心臓マヒ	″ 一九、七、三	
松山 三釆		一五 ″	全南長城郡奉内面新与里	腰椎骨折	″ 一九、七、二	
金斎 萬祥		二五 ″	慶北永川郡永川面永川邑汚角洞	ガス中毒死	″ 一九、八、一三	
金 鐘允		二二 ″	江原道横城郡安与面上安里	頭骸内出血	″ 一九、八、六	
安田 降一		二〇 ″	慶南咸安郡伽耶面伽耶里	溺死	″ 一九、九、四	
高山 学伊		四〇 ″	慶北慶山郡慶山面栢泉里	病死	″ 一九、九、二六	
尹 益重		二二 ″	京畿道漣川郡旺澄面基谷里	腹膜炎	″ 一九、一〇、三〇	
宮本 奉鐘		二三 ″	江原道鉄原郡東松面上路里	脳梅毒	″ 一九、一一、七	
東島 春吉		二三	″ 沙川面六洞里	変死	″ 一九、一二、八	
長田 万植		二四	全北全州郡東洗面新垣里	腹部圧死	″ 一八、三、一九	
伊泉 錦夏		三〇	全南康津郡城田面明山里	圧死	″ 一八、五、一一	
朴 守福		二八	慶南蔚山郡熊守面石川里	肺結核	″ 一八、三、三〇	
岡村 祥玉		三三 ″	京畿道長端郡神西面昌陵里	外傷	″ 一八、五、一七	
李 長禄		二七 ″	江原道平昌郡蓬坪面長直島	急性肺炎	″ 一八、六、一三	

氏名	職名	年令(死亡時)	本籍地	病名	死亡年月日	摘要
李 董述		三三 大	慶南梁山郡文城面留谷里	十二指腸	昭一八、七、二、	
山住 鐘烈		二四 〃	慶北義城郡玉山面新渓洞	脳震トウ	〃 一八、八、二九	
海雲天 洞		五〇 〃	慶南晋州郡鳳山面	感電死	〃 一八、八、二	
平原 永植		四七 〃	慶北義城郡玉山面新渓洞	気管支炎	〃 一八、十、一九	
李 琺王		四四 〃	〃 金泉郡作鄕面道谷里	尿毒死	〃 二〇、三、二九	
金本 寍沢		三九 〃	江原道麟蹄郡与北面湧城里	腹膜	〃 二〇、六、一五	
木村 三鳳		二三	江原道麟蹄郡麟蹄面長?里	結核	〃 二〇、九、二八	
安本 秉云		一八	江原道洪川郡乃村面道寛里	骨折変死	〃 一九、一、三九	
鄭 乙和		二〇	慶南昌原郡北面李田里	肺炎	〃 一九、一二、三〇	

以下常磐市役所にて調査

氏名	職名	年令死亡時	本籍地	病名	死亡年月日	摘要
安鉉出		二二	慶南宜寧郡宮柳面多峴里		昭一七、四、二九	
海洲 正植		二五	〃 宜寧郡		昭一七、五、二〇	
佳山 述鳳		不明	慶北永川郡北安面道川里		〃 一七、二、七	
金千歳		四一	慶南咸陽郡池谷面徳岩里		〃 一七、一、二五	
李康淳		二六	全南珍島郡智山面素浦里		〃 一七、一、二九	
元在植		二〇	慶南咸陽郡西下面雲谷里		〃 一七、三、一〇	
神農 有洪		三六	全南[illegible]郡[illegible]面[illegible]里		〃 一九、七、一三	
林鐘弼		三三	全北富南郡富南面大柳里		〃 一九、六、六	
張徳植		三四	忠南崇甚郡西面瓦村里		〃 一五、六、一五	
金一甫		三一	〃 [illegible]郡九龍面母亭里		〃 一五、一、二八	
崔景伯		三七	慶南昌寧郡富谷面富谷里		〃 一五、四、二一	
松原 文錄		三四	〃 景安郡玄慶面玄慶里		〃 一八、五、三一	
文村 鐘万		三一	〃 咸陽郡[illegible]面君子里		〃 一六、八、六	
昌山 東煥		二一	〃 西山面上南里		〃 一六、九、四	

氏名	既名	年令(死亡時)	本籍地	病名	死亡年月日	摘要
金元福		二一	慶南宜寧郡宮柳面雲溪里		昭一六、九、一九	
青木致弘		六〇	忠南論山郡光石面新堂里		〃一六、一〇、三〇	
柳台文		三一	全北南原郡二白面壽谷里		〃一六、一二、四	
鄭一國		三〇	忠南太田府柳町		〃一八、三、一〇	
南川成燦		二四	全北高敞郡古水面瓦村里		〃一八、三、八	
平伊根浩		二五	江原道伊川郡方丈面亀塘里		〃一八、三、二九	
姜貞順		二七	慶南昌寧郡南旨面南旨里		〃一八、八、一七	
重光乙俊		二七	〃〃高岩面洞山里		〃一八、九、一二	
木村儀分		六二	忠南論山郡光石面新堂里		〃一八、一二、四	
朴斗勲		二九	江原道麟蹄郡南面新月里		〃一八、一二、三	
申成宗		二六	〃伊川郡鶴鳳面新坂里		〃二〇、四、二三	
金普達		四八	慶北英陽郡永登面[illegible]源里		〃二〇、八、一二	
松本永福		二三	平北義州郡枇峴面堂後堂		〃二〇、八、一八	
光金卿中		三四	江原道 内金剛面上機斗里		〃二〇、九、七	
延原峯元		二四	〃〃〃西陽洞		〃二〇、一〇、一〇	
中本弼洙		二三	〃伊川郡熊灘面海浪里		〃一九、七、二〇	

氏名	職名	年令当時	本籍地	病名	死亡年月日	摘要
朴元根		二一	全北茂朱郡安城面元下山里		昭二〇、一、一七	動員外
清川淳一		三一	全南済州郡月涯里高内里		〃 二〇、三、二一	〃
高判石		三二	慶南北陽郡文山面象文里		〃 二〇、八、二三	〃
李桐浩		四三	〃 蔚山郡農所面詩礼郡		〃 二〇、八、二三	〃
金本鳳錫		二二	江原道淮陽郡安豊面具仁洞		〃 一九、一〇、六	
平川義源		三一	〃 江陵郡注文面注文里		〃 一九、七、六	
李鳳南		二三	〃 稚善面臨渓里		〃 一九、七、六	

日曹赤井炭鉱労務死亡者名簿

氏名	職名	生年月日	本籍地	病名	死亡年月日	摘要
崔然度		大四、二、二六	慶南山清郡丹城面江樓里二七八		昭一五、八、三	24
姜正錫		当時二四才	〃 密陽郡武安面徳岩里		〃 一五、九、四	24
金仁甲		大、三、三、二	〃 下南面守山里七八		〃 一五、九、一五	25
金順道		〃 四、七、四	〃 〃 七四五		〃 一五、九、一五	25

氏名	職名	生年月日	本籍地	病名	死亡年月日	摘要
光山 辛徳		明四三、三、三	慶北栄州郡豊基面三街洞		昭一五、三、二〇、	30
金城 鎮寿		大七、五、三	〃 鳳峴面手山洞六七一		〃 一七、四、一〇	23
安 容述		〃 三、八、一	慶南密陽郡初同面大谷里		〃 一六、一〇、一	27
新井 永俊		当時三四才	慶北安東郡臥史洞四六六		〃 一八、三、二八	34
朴 鳳華		当時三一〃	不明		〃 一九、三、二	31

以下赤井役場調査

氏名	職名	年令当時	本籍地	病名	死亡年月日	摘要
大源 好方		五〇才	慶北高霊郡雲水面大平洞	内臓圧死	昭一六、一〇、二三	
黄 敬洙		四五〃	〃 星洲郡月背面辰山洞		〃 一七、七、一七、	
松本 在晃		二六〃	〃 栄洲郡頭手面		〃 一七、一二、二〇	
平隆 義夫			〃 安東郡豫乾面元川洞四二八	膿胸	〃 二〇、三、一三	
朴 英守		四一〃	慶南山清郡山清面四一		〃 二〇、一、一五	

大日本炭鉱労務死亡者名簿

氏名	年令	本籍地	病名	死亡年月日	業務上否外の別
岩本 成鳳	不明	不明	脳溢血	昭二〇、三、二五	私病死
林田 時鐘	〃	〃	爆傷死	〃 一八、九、一七	業務上
豊田 昌勳	六一	忠北鎮川郡万升面広東院三四八	脳溢血	〃 二〇、三、一六	私病死
李 鐘德	二五	全北益山郡雲洲面長仙里	急性腹膜炎	〃 一八、五、一三	〃
金村 同声	五九	慶北金泉郡大徳面釣亀里八七	敗血症	〃 二〇、六、一〇	〃
完山 東信	二七	京畿道抱川郡二東面揚岩里	脳髄脱臼	〃 二〇、六、三	〃
金井 敬恭	二七	全北完州郡参礼面梅田里九五	感電死	〃 一七、六、一〇	業務上
金井	不明	不明	圧死	〃 一九、六、七	〃
金 星煥	三一	忠南洪龍[illegible]面釜坪里	火傷	〃 二〇、五、一六	〃
柳川 得喆	三八	忠北提川郡錦城面月雲里	膀胱破裂	〃 一九、四、二六	〃
宮村 造勝	二八	京畿道鹿郡金沙面[illegible]里	変死	〃 二二、三、一	〃（動員外）
姜 明煥	二二	〃 抱川郡永中面坪里	敗血症	〃 二〇、五、二〇	私病死
山本 熙俊	三〇	忠南錦川郡麒山面斗角里三六九	肝臓破レツ	〃 一九、八、二五	業務上

大昭鉱業所労務死亡者名簿

氏名	年令	本籍地	病名	死亡年月日	業務上反外の別
兪長金	三四	忠南公州郡儀堂面松鶴里一九四		昭一九、三、一七	私病死
金村崇一	四一	〃牙山郡仙掌面君徳里九一		〃一九、一〇、一五	業務上

殉職產業人名簿

大日本產業報國會

同 同 安田●出 三二 安田●氏 妻 朝鮮慶尚北道尚州[illegible]

(五) 同 海原●七 二二 海原●珠 父 朝鮮忠清北道鎮川[illegible]

同 金川●俊 四九 金川●豆 [illegible] 朝鮮忠清北道[illegible]

同 金成●許 三九 李● [illegible] 妻 朝鮮忠清北道鎮川[illegible]

茂原●郎 三六 梧原●文 兄 朝鮮全南[illegible]

福島縣

殉職年月日	殉職原因	殉職当所属産報会名	殉職者氏名	年令	遺族氏名	続柄	遺族現住所

〃一二、六　落盤　日曹赤井炭砿　新井●依　二五　新井●術　兄　■慶尚北道永川郡■

一九・一二、一七　〃　古河好間炭砿　宮本●成　二三　名不詳　妣　■忠清北道沃川郡■

〃一、一二　炭車ト枠ノ柱木ニ挟マル　〃　松川●曼　二一　松川●拵　父　■忠清北道沃川郡■

〃・四、一一　崩落　〃　新井●奉　二五　新井●子　母　■忠清北道堤川郡■

八〇

年月日	原因		氏名	年齢	遺族	続柄	本籍
〃 八、三	落盤	〃	有山●台	二六	名不詳	母	全羅北道益山郡■
、一五、二一	〃	〃	柳川●東	二八	柳川●寛	父	■忠清北道清州郡■
〃 一、一九	落盤	入山炭砿	岩戸一郎（利川●大）	二三	利川●甫	〃	■全南潭陽郡■
五、一五、二一	〃	〃	近松七郎（国本●公）	二三	国本●夾	〃	■全北高敞郡■
六、三、八	崩壊	〃	大空二郎（南川●）	二三	南川●	母	■全北高敞郡■

八一

〃	〃	〃	〃	〃	〃	〃	〃	〃
三、二九	三、一一	四、二二	八、九	六、二九	八、二九	九、二	九、九	一〇、二三
落盤	〃	〃	落盤	〃	〃	炭車	炭車	落盤
〃	〃	〃	〃	〃	〃	〃	〃	〃
島本一郎 平尹●治	妙高四郎 新井●仙	香月一郎 金源●伊	加納六郎 善●藩	西町四郎 松山●福	大瀬一郎 任●鉉	草島九郎 金山●	重光●俊	松永七郎 金山●
二六	二三	二七	二六	二二	四六	二五	二八	二一
平尹●音	新井●仙	金源●蓮	善●慈	松山●仙	梁●南	金山●林	重光●順	金山●
妻	〃	〃	父	妻	〃	父	妻	兄
江原道伊川郡■	慶北水川郡華■	全南潭陽郡■	江原道淮陽郡■	江原道平昌郡■	全南長興郡■	江原道華川郡■	慶南昌寧郡■	全南茂朱郡■

八二

〃 五、八	—	—	〃 九、一七	〃 一二、三
落雷	—	—	〃爆発	落盤
〃	—	—	〃大日本炭砿	三松炭砿
大場大郎 都●宅	—	—	林田●雄（錦）	舘野●治
二七	—	—	二八	四〇
都●王	—	—	林田●順	舘野●精
妻	—	—	〃	〃
■ 江原道蔚珍郡 ■			■ 忠清南道舒川郡 ■	■ 石城郡川部 ■

八三

常磐炭田朝鮮人強制動員関係年表

1935年7月　「朝鮮人労務者内地移住に関する件」(募集方式)

1937年7月　日中戦争始まる

1938年4月　国家総動員法発布

10月　常磐炭砿連合会設立

1939年7月　「昭和14年労務動員実施計画」で朝鮮人労働力85,000人「移入」閣議決定

同月　「朝鮮人労務者内地移住に関する件」(募集方式) 地方長官宛通牒

同月　「国民徴用令」公布

10月　第1次計画による第1陣、磐城炭砿63人、続いて入山採炭に170人到着。年内に1,038人到着

1939年～40年　応募時の雇用条件の違いや仲間の死に対する抗議起こる

1941年　労務係の暴力への抗議起こる。以後も続く。特に食料の減量への抗議頻発する。

11月　石炭統制会と統制組合が設立される。「国民勤労報国令」公布

12月　太平洋戦争始まる

1942年　2月　「朝鮮人労務者活用に関する方案」(官斡旋方式)閣議決定

5月　福島県に991名の「官斡旋」朝鮮人労働者就労

12月　大日本炭砿で朝鮮人勤労報国隊員による暴動起こる

1943年　4月　連合軍捕虜145人、磐城炭砿に収容。古河好間炭砿含め最大時794人就労

同月　古河好間炭砿で日本人とのトラブルから400人以上の朝鮮人の暴動起こる

1944年　3月　入山採炭と磐城炭砿合併して常磐炭鉱設立（常磐炭田の総出炭量の38%を占める。従業員約14,000人、内朝鮮人約4,700人）

4月　「軍需会社令」により常磐炭砿と古河好間炭砿が指定される。

		1942年〜44年の石炭統制会東部支部統計で、死亡率日本人の4倍以上（1945年までの朝鮮人の死亡者310人）
	10月	常磐炭田の戦時強制動員労働者数のピーク、8,129人就労
	8月末〜9月	契約満期による帰国を阻止するために「定着指導」強化。常磐炭砿で500人近くの朝鮮人自主帰国開始。警察により阻止される
	9月	「半島人労務者の移入に関する件」閣議決定。「国民徴用令」朝鮮人にも適用
	同月	「樺太転換労働者」徴用により常磐炭砿へ。内朝鮮人343人、家族と離散
1945年	4月	鳳城小田炭砿で坑内火災によりこの年、国内最大の炭砿事故起こる。朝鮮人死亡者6人
	8月	「ポツダム宣言」受諾、日本敗戦。朝鮮人の自主帰国始まる
	10月	常磐炭砿で早期帰国など11項目の要求掲げ、朝鮮人砿夫のストライキ起こる。他炭砿にも広がる
	11月	常磐炭田の朝鮮人「集団帰国」始まる。12月にほぼ完了

編纂者紹介

龍田　光司（たつた　こうじ）

1941年　和歌山県生まれ
1964年　早稲田大学第１文学部史学科卒
元福島県立高校教諭
常磐炭田戦時朝鮮人労働動員研究者
在日朝鮮人運動史研究会会員
〈主要論文〉
「炭鉱に『強制連行された朝鮮人』―いわきから韓国を訪ねる」
いわき革新懇ブックレット３、2010年
「勿来地域における「朝鮮人飯場」と戦時労働動員についての調査メモ」『在日朝鮮人史研究』35号、緑蔭書房、2005年
「常磐炭田朝鮮人戦時動員被害者と遺族からの聞き取り調査」
同上、39号、2009年
「常磐炭田朝鮮人戦時動員被害者を訪ねて―韓国での調査報告から」同上、42号、2012年

在日朝鮮人資料叢書13　〈在日朝鮮人運動史研究会監修〉

朝鮮人強制動員韓国調査報告 1

2016年11月15日　第１刷発行

編纂者……………龍田光司
発行者……………南里知樹

発行所……………株式会社 緑蔭書房
〒173-0004 東京都板橋区板橋 1-13-1
電話 03(3579)5444／FAX 03(6915)5418
振替 00140-8-56567

印刷所……………長野印刷商工株式会社
製本所……………ダンクセキ株式会社

Printed in Japan
落丁・乱丁はお取替えいたします。
ISBN978-4-89774-171-0